D0296420

TELEPEN

STUDIEN
zur Poetik und Geschichte der Literatur

Herausgegeben von
Hans Fromm, Hugo Kuhn,
Walter Müller-Seidel und Friedrich Sengle

BAND 17

GERT SAUTERMEISTER

Idyllik und Dramatik im Werk Friedrich Schillers

Zum geschichtlichen Ort seiner klassischen Dramen

VERLAG W. KOHLHAMMER
STUTTGART BERLIN KÖLN MAINZ

 Verlagsort: Stuttgart. Gesamtherstellung: W. Kohlhammer GmbH. Graphischer Großbetrieb Stuttgart. Printed in Germany. 87 219

Vorbemerkung

Die geschichtlichen Bedingungen der Klassik Schillers hat man wenig erforscht, die Rätsel seiner dichterischen Verfahrensweise sind in jeder Zeit neu zu lösen – daher sei der umfangreichen Literatur über Schiller diese Arbeit hinzugefügt. Geschichtliche Bedingungen und dichterische Verfahrensweise beziehen sich bei Schiller nicht unmittelbar aufeinander, sondern werden durch seine Poetik miteinander vermittelt: zeitgeschichtliche Erfahrungen werden im Medium der Theorie gebrochen und zu ästhetischen Folgerungen umgebildet, die wiederum verwandelt ins dramatische Werk eingehen. Dieser komplexe Zusammenhang macht es nötig, sowohl den historischen Ort der Idyllenthematik Schillers wie sein Symbolverfahren, Resultat seiner naturwissenschaftlichen und politisch-gesellschaftlichen Erfahrungen, in zwei selbständigen Kapiteln zu skizzieren: erst so ist die Voraussetzung für eine angemessene Interpretation seiner klassischen Dramen geschaffen. Untersucht werden – in einem dritten Kapitel – die Symbole und Formen, in die idyllische und dramatische Motive eintreten; das Spannungsverhältnis zwischen Idyllik und Dramatik entschleiert sich als ein Organisationsprinzip klassischer Werke: des *Wallenstein*, der *Jungfrau von Orleans* und des *Wilhelm Tell*. Ein abschließendes Kapitel macht den zeitgeschichtlichen Grund der idealidyllischen Wirkungstheorie Schillers durchsichtig und verfolgt deren praktische Konsequenzen bis in einzelne Formzüge der Dramen hinein: aus dieser Perspektive eröffnet sich ein zentraler Zugang auch zur *Maria Stuart*, die den genannten Werken zur Seite gestellt wird.

Wenn die Fragestellung der Arbeit auch neu ist, so wurde doch die wissenschaftliche Literatur, wo immer es möglich schien, in den Gang der Interpretation einbezogen – ob in Form der Kontroverse oder der unmittelbaren Aneignung erscheint mir relativ unwichtig. Zum Dank verpflichten nicht nur verwandte, sondern auch konträre Auffassungen, die zur Korrektur und zur Entfaltung der eigenen Thesen zwingen, ein Prozeß, den das schriftlich fixierte Resultat gewöhnlich nicht mehr zurückspiegelt. Mit Resultat ist hier etwas Unfertiges, Vorläufiges gemeint, das auf kritische Veränderung angewiesen ist.

Die Arbeit wurde im Wintersemester 1969/70 von der Philosophischen Fakultät der Universität München als Dissertation angenommen. Angeregt wurde sie von Herrn Professor Dr. Walter Müller-Seidel; in Seminaren und Oberseminaren hat er die methodische Lektüre dramatischer Werke gefördert. Dafür bin ich ihm ebenso zu Dank verpflichtet wie für die Aufnahme der Arbeit in die Reihe »Studien zur Poetik und Geschichte der Literatur«. Für diese Aufnahme sei auch den Herren Professor Dr. Hans Fromm, Professor Dr. Hugo Kuhn und Professor Dr. Friedrich Sengle herzlich gedankt.

G. Sa.

Vorbemerkung

Inhalt

4. *Kapitel*

1. Kapitel

Die Geschichtlichkeit der Klassik Schillers

Versuche, wissenschaftlich über Schiller zu arbeiten, rufen meist Befremden hervor, selten erregen sie Neugier oder spontanes Interesse. Dafür lassen sich wenigstens zwei Gründe anführen: entweder hat der Schiller-Unterricht in der Schule die Überzeugung ausgebildet, die »Lebenshilfe«, die der Klassiker anzubieten habe, sei unbestreitbar und ein für allemal in wohlvertrauten Zitaten festgelegt [1]; oder man erinnert sich der fast unübersehbaren Reihe wissenschaftlicher Versuche, die, so glaubt man, das Phänomen Schiller zur Genüge ausgeschöpft hätten – und zwar nicht erst aus Anlaß seines 150. Todesjahres und seines 200. Geburtstages im vergangenen Jahrzehnt [2]. In solchen Vorurteilen schlägt sich die »Starrheit des öffentlichen Begreifens« [3] nieder, die Max Kommerell im Falle Schillers für besonders massiv und verhängnisvoll hält: »Zuletzt geschah es diesem Dichter, der kaum ein ruhendes Sein und ganz Eifer und rastloses Verwandeln ist, daß er zum guten Gewissen einer bürgerlichen Bildung wurde, die inmitten der größten Bedrohungen der Geister ein ahnungsloses Gleichmaß bewahrte. Schule und Literaturgeschichte teilten sich in eine rechtgläubige Denkmalpflege, deren Grundsatz bisweilen ist, daß niemals herauskommen darf, wie der Dargestellte wirklich aussah.« [4] Diese Starrheit des öffentlichen Begreifens ruht auf einem eingeschliffenen Mißverständnis über Kunst und Interpretation; es aufdecken heißt zugleich, Rechenschaft ablegen über die eigene Methode. Das Mißverständnis besagt, daß einem Kunstwerk eine kanonische, ein für allemal beschlossene Bedeutung innewohne, die mit absoluter Evidenz belegt werden könne. Temperamentvoll ist diese Illusion zuletzt von Roland Barthes auf-

---

1 Schon Rudolf Haym bedauerte vor mehr als hundert Jahren, daß »die Klänge und die Ideen seiner Dichtungen durch den populären Gebrauch und durch die Gewohnheit des Besitzes abgeschliffen sind«. (Rudolf Haym: Schiller an seinem hundertjährigen Jubiläum. In: R. H.? Gesammelte Aufsätze. Berlin 1903. S. 49.) – Dieselbe Kritik übt Gerhard Storz in der Einleitung seines Buches »Der Dichter Friedrich Schiller« (Stuttgart 1959). Dort heißt es: »Kenntnis und Deutung jenes Werks heften sich dann auch künftig wie schon so lange an geflügelte und beflügelnde Worte und dringen nicht zum Ganzen vor, das meist so anders beschaffen ist, als jene aus dem Gefüge gebrochenen Sentenzen es zu verheißen scheinen.« (S. 5.)

2 So spielt bereits Hermann Schneider angesichts der verwirrenden Vielzahl divergierender Interpretationen zum *Wallenstein* auf das gängige Vorurteil an, daß »das tausendfach befragte und beschwatzte Werk (...) keinen undurchleuchteten Winkel mehr enthalten« könne. (Hermann Schneider: Einführung in das Drama. In: Schillers Werke. Nationalausgabe. 8. Bd. Wallenstein. Weimar 1949. S. 387.)

3 Max Kommerell: Schiller als Gestalter des handelnden Menschen. Frankfurt/M. 1934. S. 6.

4 Ebda.

gelöst worden; seine Schrift *Kritik und Wahrheit* [5] versteht sich als Herausforderung an eine – nicht nur in Frankreich bekannte – Literaturbetrachtung, die sich zutraut, ein Werk rein aus sich selbst heraus oder aus den Intentionen seines Autors sprechen zu lassen – unberührt vom zeitbedingten Vorverständnis des Interpreten. Aber statt der vermeintlich objektiv feststellbaren »singulären Bedeutung« hat das künstlerische Werk eine »plurale« [6]: »Schreiben heißt, den Sinn der Welt erschüttern, eine indirekte Frage in ihr aufwerfen, auf die zu antworten der Schriftsteller wie in einem letzten Aufschub sich untersagt. Die Antwort gibt jeder von uns unter Beibringung seiner eigenen Geschichte, seiner Sprache, seiner Freiheit; da jedoch Geschichte, Sprache und Freiheit sich unablässig ändern, ist die Antwort der Welt auf einen Schriftsteller nie beendet« [7]. Der Umgang mit Literatur reflektiert die dem geschichtlichen Wandel unterworfene Situationsgebundenheit der Interpreten. Auf diesen Sachverhalt hat einmal Friedrich Schlegel in der Einleitung zu seinem Lessing-Aufsatz den Blick gelenkt: »Solange wir noch an Bildung wachsen, besteht ja ein Theil, und gewiß nicht der unwesentlichste, unseres Fortschreitens eben darin, daß wir immer wieder zu den alten Gegenständen, die es werth sind, zurückkehren, und alles Neue was wir mehr sind oder mehr wissen, auf sie anwenden, die vorigen Gesichtspunkte und Resultate berichtigen, und uns neue Aussichten eröffnen.« [8]

Ganz im Sinne dieses Zitats ist das erste Kapitel dieser Arbeit konzipiert. Begründet wird, warum wir »zu den alten Gegenständen, die es werth sind«, zu Schillers klassischen Dramen, »zurückkehren«: sie eröffnen »neue Aussichten« auf den Zusammenhang zwischen Geschichte, Ästhetik und künstlerischer Praxis. Schillers Zeiterfahrungen schlugen sich in der Poetik und in der Kunst seines Symbolverfahrens nieder. Seine wenig erforschten Idyllensymbole sind zunächst auf ihre geschichtliche Bedingtheit zurückzuführen und aus Schillers ästhetischer Theorie begrifflich zu umschreiben. Das ist unerläßlich im Blick auf die interpretatorische Aufgabe dieser Arbeit: die Erkundung des vielschichtigen Spannungsverhältnisses zwischen überdramatischer Idyllik und der Dramatik geschichtlichen Handelns. Die neuen Aussichten ergeben sich aber nicht zufällig, sondern sind, nach den Worten Schlegels, Ausdruck des »Neuen, was wir mehr sind oder mehr wissen«, d. h. Ausdruck einer bestimmten geschichtlichen Situation, die ein bestimmtes methodisches Vorverständnis und eine bestimmte Interpretationsweise impliziert. Indem wir den neuen Befund in Schillers klassischen Dramen – die Idyllenstrukturen – in seiner historischen und dichtungstheoretischen Dimension erörtern, werden wir zugleich unsere Situationsgebundenheit und ihre interpretatorischen Implikationen reflektieren, und zwar dadurch, daß wir »die vorigen Gesichtspunkte und Resultate« der wissenschaftlichen Literatur diskutieren. »Ungebildete Objektivität, die gegenüber ihren eigenen Voraussetzungen blind ist« [9], sei ersetzt durch die Reflexion auf die eigenen geschichtlichen Voraussetzungen des Verstehens. Ziel ist unter anderem, um eine Formulierung Gadamers zu verwenden, die »Erreichung einer höheren Reflexionsstufe der Fragestellung« [10].

---

5 Roland Barthes: Kritik und Wahrheit. (edition suhrkamp) Frankfurt/M. 1967.

6 Ebda, S. 61.

7 Zitiert nach Barthes, Kritik, S. 11.

8 Friedrich Schlegel: Über Lessing. In: Fr. Sch.: Charakteristiken und Kritiken I (1796 bis 1801). Kritische Ausgabe. 2. Bd. 1. Abteilung. München. Paderborn. Wien 1967. S. 100 f.

9 Barthes, Kritik, S. 81.

10 Hans-Georg Gadamer: Wahrheit und Methode. Grundzüge einer philosophischen Hermeneutik. Tübingen 1965. S. 331.

I. Dringlichkeit der Fragestellung

1. Die Idylle und ihre Probleme

Die Untersuchung idyllischer Strukturen und Themenkreise scheint nicht nur im Falle Schillers eines der dringendsten Desiderate der Forschung. Wie sehr die Idylle und das Idyllische als Forschungsprobleme vernachlässigt werden, beklagen Friedrich Sengle und Renate Böschenstein [11]. Schuld daran mag die Entwicklung der »Gattung« Idylle und der Mangel an einer geschichtlich verstehenden Betrachtungsweise sein. Beide Fragenkreise sollen erläutert werden: an die Diskussion der Gattungsfrage schließt sich eine Erhellung der historischen Dimensionen des Schillerschen Idyllenbegriffs und seines doppelten Aspekts, den eine vorgeschichtliche naive und eine idealgeschichtliche utopische Zeit konstituieren. Damit erst ist die Voraussetzung für zwei wesentliche interpretatorische Ziele dieser Arbeit geschaffen: die Erkenntnis der vielfältigen dichterischen Spiegelungen des Idyllenbegriffs im dramatischen Werk und die darauf basierende Erläuterung des Spannungsverhältnisses zwischen Idyllik und Tragik, Idyllik und Dramatik. Die hier zu leistende Aufgabe kann zugleich dem allgemeinen Desiderat der Idyllenforschung entsprechen, das wie folgt formuliert wurde: »Genauere Erörterung fordern das Verhältnis von Idylle und Utopie wie das von Idylle und Geschichte und schließlich das von Idylle und Tragik.« [12] Ein durchaus singuläres Phänomen – Schiller – soll einen noch ausstehenden Überblick vorbereiten helfen, der »die Idylle als ein fundamentales Phänomen des europäischen Geistes erscheinen lassen« [13] könnte.

a) Die Gattungsfrage

Das Desinteresse der Forschung am Phänomen der Idylle ist unter anderem bedingt durch deren historische Entwicklung. War die Idylle im 18. Jahrhundert eine »selbständige und angesehene Form der Literatur« [14], so scheint sie seit dem 19. Jahrhundert als autonom auftretende Gattung allmählich sich aufzulösen und als idyllische Komponente in anderen Gattungen aufzugehen. Diese Verwandlung einer dichterischen Form in ein Formelement, einer Gattung in einen Teilaspekt, wurde von einer in festen Gattungskategorien denkenden Literaturwissenschaft kaum mitvollzogen. Noch der einschlägige Artikel im Reallexikon beschreibt Beispiele der Gattung Idylle, nicht auch ihre Rolle in anderen Gattungen [15]. Die aber ist oft zentral genug; das Idyllische erhält sich sowohl hier wie in anderen Formen der Kultur und des gesellschaftlichen Seins mit erstaunlicher Intensität am

---

11 Einen anregenden Vortrag über »Formen des idyllischen Menschenbildes« leitet Friedrich Sengle mit dem Hinweis ein: »Die Idylle und das Idyllische erfreuen sich im heutigen Deutschland keines großen Ansehens.« (In: Formenwandel. Festschrift zum 65. Geburtstag von Paul Böckmann. Hamburg 1964. S. 156.) Ähnlich kritisierte Renate Böschenstein das »mangelnde Interesse an der Idyllendichtung«. (In: Renate Böschenstein: Idylle. [Sammlung Metzler. Abteilung Poetik.] Stuttgart 1967. S. 114.)

12 Böschenstein, Idylle, S. 116 f.

13 Ebda, S. 117.

14 Sengle, Formen, S. 156.

15 Erna Merker: Idylle. In: Reallexikon d. dt. Literaturgeschichte. 2. Auflage. 1. Bd. Berlin 1958. S. 742–749.

Leben, bis in die Gegenwart. Der seit Theokrit und Vergil überlieferte und in der zweiten Hälfte des 18. Jahrhunderts intensiv entfaltete Ideenkreis des Idyllischen[16] lebt beispielsweise fort in Beschwörungen der Kindheit als eines Paradieses sowohl in der Lyrik wie im Roman des 19. und 20. Jahrhunderts[17], er ist aber auch utopischen Vorausgriffen neuerer geschichtsphilosophischer Konstruktionen anverwandelt worden; prinzipiell geht er modifiziert in geschichtsphilosophische Entwürfe ein, die nach dem Triadenschema von erstem Paradies, Geschichte, zweitem Paradies gebildet sind[18]. Die naheliegende Frage, ob das, was hier ein so intensives Fortleben bezeugt, nicht vielfach sich zu einem kollektiven Vorstellungsschatz verselbständigt hat, der, beliebig zitierbar, als verheißungsvolle Antithese zu undurchschauten Zeitproblemen geschichtlichen Wandel überdauert, läßt sich in diesem Zusammenhang nicht diskutieren. Geboten aber ist es, die stets noch aktuelle Idee des Idyllischen bei der Erforschung literarischer Gegenstände wieder zur Geltung zu bringen – noch vor aller einschränkenden Bestimmung des historischen Phänomens Idylle als einer Gattung. Es dürfte ohnedies schwierig sein, eine solche Gattungsbestimmung durchzuführen, schon aufgrund der Tatsache, daß »die Gattung keine klar gefügte ›Struktur‹ besitzt, sondern eher durch eine Reihe von

---

16 Hinweise zur abendländischen Tradition des Idyllischen in der spezifischen Gestalt des Pastoralen gibt z. B. Horst Rüdiger: Schiller und das Pastorale. In: Euph. 53 (1959). S. 229–251.

17 Das Paradies der Kindheit als ein zentrales Formelelement findet sich, um nur wenige Beispiele anzuführen, in der Lyrik Eichendorffs, im Roman des poetischen Realismus, etwa in Raabes *Akten des Vogelsangs*, oder im autobiographischen Roman eines Carossa.

18 Die sogenannte Kritische Theorie hat geschichtsphilosophische Entwürfe skizziert, die noch mit der klassisch-romantischen Idee der Idylle behaftet sind, der Idylle als eines vorgeschichtlich naiven und eines künftigen Glücks in geschichtlicher Vollendung. Die von Herbert Marcuse vorgezeichnete Utopie ist in Begriffe wie Schönheit, Spiel, Freiheit von Zwecken, Triebsublimierung, Überwindung der Zeit gefaßt – und zwar unter ausdrücklicher Berufung auf Schiller. (Vgl. Herbert Marcuse: Triebstruktur und Gesellschaft. Frankfurt/M. 1965. S. 184–194.) Insofern diese Utopie als das total Andere zum bestehenden Ganzen sich begreift, das summarisch zur totalen undurchdringlichen Negativität erhoben wird, ist sie abstrakt, unvermittelt: lyrische Ausflucht, die eben deshalb ans bestehende Ganze gefesselt bleibt. Durchaus nach dem Modell des geschichtsphilosophischen Dreitakts der klassisch-romantischen Epoche interpretiert Marcuse diese Utopie als Wiederherstellung einer archetypischen Idylle, als »die Wiedervereinigung dessen, was getrennt wurde«. (Marcuse, Triebstruktur, S. 168.) Getrennt wurde die ursprüngliche lustvolle Einheit von Ich und Welt. Ihre mythologischen Symbole sind für Marcuse Orpheus und Narziß; sie reflektieren den »primären Narzißmus« der frühesten Kindheit. (Marcuse, Triebstruktur, S. 158–170.) Gleich der Utopie ist diese vorbewußte Idylle unvermittelt zur bestehenden Realität konzipiert: idealtypische Rekonstruktion dessen, was unwiderruflich der Vergangenheit angehört. Es kann nicht wieder, durch einen qualitativen Sprung, in ursprünglicher Reinheit zum Leben erweckt werden und »eine umfassende existentielle Ordnung schaffen« (Marcuse, Triebstruktur, S. 167), vielmehr tritt es auch in eine mögliche neue Ordnung als geschichtliches, von der alten Ordnung affiziertes Produkt ein. Allein das widersprüchliche Ineinander von Realitätszwängen und dem in der Realität gespeicherten utopischen Potential kann der Ausgangspunkt sein, von dem aus vergangenes paradiesisches Glück und konkret vermittelte Utopie sich angemessen bestimmen lassen. (Vgl. zu diesem Problem die Marcuse-Kritik von Wolfgang Fritz Haug: Das Ganze und das Andere. Zur Kritik der reinen revolutionären Transzendenz. In: Antworten auf Herbert Marcuse. Hrsg. von Jürgen Habermas. [edition suhrkamp] Frankfurt/M. 1968.)

Motiven und Gestaltungszügen gekennzeichnet ist, die aber kaum je alle in einem Werk versammelt sind«[19]. Zu einer Überschreitung der engeren Gattungsgrenzen hat denn auch Friedrich Sengle mit Nachdruck geraten: »Wenn man den Sinn und die Ausstrahlung des Idyllischen umfassender verstehen wollte, so dürfte man sich auf die Idylle im engeren Sinne der antiken und humanistischen Gattung nicht beschränken, sondern müßte die Formen des idyllischen Epos, des idyllischen Romans, der idyllischen Novelle, der idyllischen Lyrik, ja des idyllischen Dramas – auch dies Paradoxon gibt es! – mit berücksichtigen, das heißt einen Bereich, der in der deutschen Literatur eine gewaltige Bedeutung hat. Er reicht von Maler Müllers Pfälzer Idyllen über *Hermann und Dorothea* und Jean Pauls Idyllromane bis zur Dorfgeschichte Auerbachs, Immermanns, Gotthelfs und zu den Romanen Stifters.«[20]

Der so formulierte Vorschlag lenkt den Blick auf Spannungsverhältnisse, die einem so paradoxen Phänomen wie dem idyllischen Epos oder dem idyllischen Drama immanent sind. Dafür ist Goethes *Hermann und Dorothea* ein lehrreiches Beispiel. Die Doppelnatur dieser Dichtung, von Goethe selbst als »idyllisch-episch« bezeichnet, ist bedingt durch die »Auseinandersetzung zwischen einer idyllischen Konzeption des Daseins und einem geschichtlichen Zustand, der diese in Frage stellt«[21]. Es entsteht eine Art kontrapunktischer Spiegelung, in der geschichtliche Gefährdung durch den Aspekt idyllischen Glücks und idyllisches Glück durch den Aspekt geschichtlicher Gefährdung gesteigert hervortritt. Auf diesem Grund der wechselseitigen kontrapunktischen Spiegelungen, der steigernden und verschärfenden Spannungsverhältnisse hat Schiller zahlreiche seiner klassischen Dramen erbaut; es sind darum keineswegs »idyllische« Dramen, wohl aber solche, in die idyllische Themen und Motive eingeformt sind. Sie reflektieren in concreto einen wenig erforschten Sachverhalt, den Friedrich Sengle allgemein für einen größeren Zeitraum in Rechnung stellt: »So aber läßt sich vermuten, daß der bekannten Blütezeit der deutschen Tragödie ›von Lessing bis Hebbel‹ (Petsch, B. v. Wiese) eine wenig erforschte, doch für die deutsche Kulturgeschichte ebenso bezeichnende Entfaltung des Idyllischen parallel läuft, die, wie schon angedeutet, als bewußte, womöglich restaurative Konstruktion des Naiven dialektisch mit der Problematik des Sentimentalischen, Tragischen, Nihilistischen, verbunden ist, und zwar bis zuletzt.«[22] Die wenig erforschte Entfaltung des Idyllischen nachzeichnen heißt, im Falle der Schillerschen Dramen, alle Zeugnisse eines uns als idyllisch ansprechenden Geistes registrieren in seinen mannigfachen Konstellationen, seinen verschiedenen, von Drama zu Drama sich wandelnden Symbolen und Formen – wobei es nicht um die selbstgenügsame Erhellung idyllischer Strukturen geht, sondern um ihr Spannungsverhältnis zum Dramatischen.

Die Diskussion über die »Idylle« führt damit von selbst auf die Frage nach der Idee des Idyllischen. Diese Idee ist nun aber, ganz im Sinne der geforderten Überschreitung der Gattungsgrenzen, möglichst weit zu fassen: nicht nur als »restaurative Konstruktion des Naiven«, wie Sengle andeutet, sondern zugleich als fortschrittliche Konstruktion einer zweiten höheren Naivität. Diese zweite Naivität

19 Böschenstein, Idylle, S. 2.
20 Sengle, Formen, S. 166 f.
21 Böschenstein, Idylle, S. 81.
22 Sengle, Formen, S. 167.

ist von Schiller in Gestalt einer »utopischen Idylle« [23] theoretisch konzipiert worden. Es ist zugleich der theoretische Versuch einer künstlerischen Aufwertung der Gattung Idylle. Denn der Blick über die vorhandene Literatur lehrt, daß die Idylle »in ihren bedeutendsten Ausprägungen« dazu neigt, »in Utopie überzugehen« (so die bekannte vierte Ekloge Vergils [24]): »Dem genus humile, das den größten Teil der vorhandenen Idyllendichtung kennzeichnet, steht der Entwurf einer höchsten Dichtung gegenüber (...) die die Sehnsucht des Menschen nicht in die Vergangenheit Arkadiens, sondern in die Zukunft des Elysiums führt.« [25] Dieser Übergang hat seine inhaltliche Bedeutung darin, daß idyllische Ideen – Glück, Friede, Integrität – nicht mehr in einem »beschränkten, aus den Bewegungen der Geschichte ausgesparten Raum« fixiert werden, sondern in jener zukünftigen Welt, »welche die Totalität der entwickelten und differenzierten menschlichen Existenz in eine ideale Ordnung bringen möchte« [26].

Den Horizont, in dem die Analyse des Idyllischen zu leisten sein wird, solchermaßen zu erweitern, fordern Schillers Dramen von selbst. Denn darin wird sowohl der vergangenen Idylle wie der künftigen Utopie gedacht – und zwar im Sinne einer Vermittlung des einen mit dem anderen über das Feld der Geschichte. Schiller hatte diese Vermittlung in der Theorie gefordert und entfaltet. Der Grund für seine theoretische Konzeption eines geschichtlich vermittelten, höheren Paradieses, das als Idee und Symbol in seine Dramen eingegangen ist, liegt in seinen Zeiterfahrungen. Deren Niederschlag in der Theorie, den Niederschlag der Theorie sodann in der künstlerischen Praxis aufweisen heißt, den geschichtlichen Gehalt seiner Dramen ausmessen, die man gern als übergeschichtlich klassifiziert.

---

23 Der Begriff der »utopischen Idylle« (Renate Böschenstein verwendet ihn auf Seite 89 der von uns zitierten Studie) ist von vornherein vor einem Mißverständnis zu schützen. Wir verstehen Utopie ganz im Sinne Hans-Joachim Mähls, der in seinem Buch »Die Idee des goldenen Zeitalters im Werk des Novalis« (Heidelberg 1965) mit Sachverstand eine Begriffsbestimmung versucht hat: »›Utopisch‹ meint somit nichts anderes als eine wiederkehrende, durch literarische Tradition gefestigte und durch übereinstimmende Formmerkmale ausgezeichnete Weise, bestimmte Idealvorstellungen in Wunschräumen oder Wunschzeiten zu lokalisieren« (S. 2). »Weiterhin aber ist von der näheren Betrachtung und Untersuchung der Utopien jede negative Bewertung des imaginären oder illusionären Wunschbildes fernzuhalten – da alle Dichtung, wenn man die Konsequenzen zuende denkt, unter dieses Verdikt fallen müßte: als *Fiktion*, als *Schein*, als *Flucht* aus der empirischen in eine ästhetische Realität, die auch hier als eine Aufhebung oder gar Überwindung jener vorgegebenen Wirklichkeit angesehen werden kann.« (S. 3.)

24 Als zeit- und zukunftsbezogen zugleich charakterisiert Wolfgang Schadewaldt den Dichter der vierten Ekloge, der »hinter der tränenreichen Gegenwart ein beglücktes Morgen aufsteigen« sieht, wo »die blutigen Schlacken der Gegenwart fallen, das goldene Zeitalter entsteht«. (Wolfgang Schadewaldt: Hellas und Hesperien. Stuttgart 1960. S. 506.) – Eine ähnliche Verknüpfung von »politischer Sehnsucht« mit »eschatologischen Hoffnungen« erkennt Bruno Snell in der vierten Ekloge. (Bruno Snell: Die Entdeckung des Geistes. Hamburg 1960. S. 242.)

25 Böschenstein, Idylle, S. 5 f.

26 Ebda, S. 12.

b) Die geschichtliche Dimension. Die Idee des Fortschritts und die Französische Revolution

Neben der historischen Entwicklung der Gattung Idylle ist der Mangel an geschichtlich verstehender Betrachtungsweise ein zweiter Grund für das Desinteresse der Forschung an der Idylle und dem Idyllischen. Gerade das Phänomen Idylle wird auffallend von geschichtlichen Sachgehalten isoliert. Ein methodisches Verfahren, das von vornherein die Zeitbedingtheit jedes Kunstwerks in Rechnung stellt, hätte auch auf die Geschichtlichkeit der Idylle reflektieren und ihr von da her ein bestimmtes Interesse abgewinnen können. Statt dessen unterstellt eine opinio communis der Idylle, sie sei schematischer Ausdruck einer Flucht aus der Geschichte in die Innerlichkeit[27]. Mag ein festes System idyllischer Versatzstücke zur poetischen Stilisierung geschichtsfernen Lebens sich nachgerade anbieten – die summarische Abwertung der Idylle rechtfertigt dieser Umstand nicht. Als verhängnisvoll erwies sich speziell die pauschale Identifikation idyllischer Dichtung mit dem mißverstandenen Idyllenwerk Geßners. Von Hegel über Nietzsche bis Hettner wurden aus ungeschichtlicher Perspektive vernichtende Urteile gefällt, die in der allgemeinen Indifferenz gegenüber Idyllenproblemen heute noch nachklingen[28]. Nicht nur die Idyllen eines Maler Müller und eines Johann Heinrich Voss entlarven kraft ihres zeitbezogenen politischen Engagements diese Indifferenz als grundlos; auch der gewaltige Widerhall, der Geßners Idyllen im Europa seiner Zeit beschieden war, läßt auf ein allgemeineres zeittypisches Interesse schließen, das in den Dichtungen des Schweizers sich in spezifischer Weise dargestellt fand.

27 Vgl. Böschenstein, Idylle, S. 19.

28 Vgl. G. W. F. Hegel: Ästhetik I. Berlin 1955. Dort heißt es etwa auf Seite 213: »So gilt das Idyllische auch häufig nur als eine Zuflucht und Erheiterung des Gemüts, wozu sich dann wie bei Geßner z. B. oft noch eine Süßlichkeit und weichliche Schlaffheit gesellt.« Durchaus legitim ist es, die Hegelsche Kategorie des »Heroischen« (vgl. Hegel, Ästhetik, S. 213) als eine im Falle Geßners unangemessene Kategorie zu kritisieren, wie Sengle es tut. Dahingestellt bleibe, ob Hegels allgemeineres Idyllenverständnis für die traditionelle Abwertung der Idylle verantwortlich zu machen ist: »Welche Intoleranz gegenüber dem Idyllischen der Hegelianische Geist in Deutschland erzeugte, ist aus Vischers Mörike-Kritik, vor allem aber aus Hebbels Stifterwerk klar zu ersehen.« (Sengle, Formen, S. 157.) Immerhin würdigt Hegel Goethes idyllisch-epische Dichtung *Hermann und Dorothea* in einer Weise, die den Vorwurf entkräftet, er habe eine »prinzipielle Abfertigung der Idylle und des idyllischen Menschenbildes« (Sengle, Formen, S. 170) initiiert. Hegels rühmenden Worten zufolge »spielen in dies – im ganzen Tone zwar idyllisch gehaltene – Gedicht die großen Interessen der Zeit, die Kämpfe der Französischen Revolution, die Verteidigung des Vaterlandes höchst würdig und wichtig hinein (...) durch das Anschließen an jene größere Weltbewegungen, innerhalb welcher die idyllischen Charaktere und Begebnisse geschildert sind, sehen wir die Szene in den erweiternden Umfang eines gehaltsreicheren Lebens hineinversetzt« (Hegel, Ästhetik, S. 274).

In Nietzsches abschätziges Urteil über die Idylle mag die Hegelsche Kategorie des »Heroischen« mit anklingen. Hinweise zu Nietzsches Kriterium des »ursprünglichen Lebenssinns«, des »ungeschminkten Ausdrucks der Wahrheit«, an welcher die Idylle gemessen wird, gibt Werner Krauß: Über die Stellung der Bukolik in der ästhetischen Theorie des Humanismus. In: Archiv für das Studium der neueren Sprachen 174 (1938). S. 198. – In vulgarisierter Form finden sich die zitierten Maßstäbe der Wertung in Hermann Hettners Kritik an Geßner: »Alles gesunde Mark fehlt; überall nur die dünkelvollste Lüge und Unnatur.« (Hermann Hettner: Geschichte der deutschen Literatur im 18. Jahrhundert. Leipzig 1928. 2. Teil. S. 72).

Und geradezu modellhaft läßt sich ein Widerspiel zwischen Geschichte und Idylle bei Schiller erkennen: seinen Zeiterfahrungen entspringt die Konzeption einer utopischen, die Fortschritte des Bewußtseins umfassenden Idyllenmotivik im Drama. Die utopische Idylle ist in einem doppelten Sinne geschichtlich bedingt. Sie setzt erstens, im Gegensatz zur rückwärts gewandten Idylle eines Geßner, die Idee des Fortschritts voraus, eine für das Zeitalter der Aufklärung typische Idee, die auf der erstaunlichen Entwicklung der Naturwissenschaften und der Technik ruht; und zweitens setzt sie die Französische Revolution voraus, die dieser Idee zunächst Auftrieb gab und ihr eine reale Erfüllung zu versprechen schien. Beides, die naturwissenschaftlich-technisch gestützte Fortschrittsidee und die Französische Revolution, sind in ihrer Bedeutung für die Schillersche Idyllenkonzeption mit wenigen Strichen zu umreißen.

Zum zentralen Thema wird die Fortschrittsidee zum Beispiel in Lessings Fragment über *Die Erziehung des Menschengeschlechts.* Lessing entwirft darin ein Zeitalter der Vernunft und der Selbstverwirklichung des Menschen, eine geschichtlich vollendete Zeit, die aus einer allgemeinen, an den Idealen der Aufklärung orientierten Erziehung hervorwächst. Diese Fortschrittsidee, die sich im Laufe des 18. Jahrhunderts zu einer allgemeinen Weltanschauung ausbildet, spiegelt sich am reinsten vielleicht in Voltaires Geschichtsphilosophie, z. B. in seinem *Essai sur l'Histoire générale, et sur les moeurs et l'esprit des nations depuis Charlemagne jusqu'à nos jours,* mit welchem Werk auch Schillers Antrittsvorlesung über das Studium der Universalgeschichte verwandt ist. Der französische Geschichtsphilosoph »sammelt«, nach den Worten Karl Löwiths, »möglichst viele bedeutsame kulturelle Tatsachen und bemißt sie an der allgemeinen menschlichen Vernunft. Zivilisation bedeutet ihm die fortschrittliche Entwicklung von Wissenschaft und Kunstfertigkeiten, Sitten und Gesetzen, Handel und Industrie.« [29] Ein methodisches Verfahren dieser Art bevorzugt auch Schiller: »Welche Umstände durchwanderte der Mensch, bis er von jenem Äußersten zu diesem Äußersten, vom ungeselligen Höhlenbewohner – zum geistreichen Denker, zum gebildeten Weltmann hinaufstieg? – Die allgemeine Weltgeschichte gibt Antwort auf diese Frage.« [30] Es geht Schiller darum, »einen vernünftigen Zweck in den Gang der Welt und ein teleologisches Prinzip in die Weltgeschichte« [31] zu bringen. Es ist nur folgerichtig, wenn für ihn wie für Voltaire »alle Geschichte im 18. Jahrhundert gipfelt« [32]. Beide betonen die epochale Bedeutung der Aufklärung und den besonderen Rang ihres Zeitalters: »Unser menschliches Jahrhundert herbeizuführen haben sich – ohne es zu wissen oder zu erzielen – alle vorhergehenden Zeitalter angestrengt. Unser sind alle Schätze, welche Fleiß und Genie, Vernunft und Erfahrung im langen Alter der Welt endlich heimgebracht haben.« [33] So läßt Schiller den »Gang der Geschichte als einen fortschrittlichen erkennen« [34], den voranzutreiben er selbst bemüht ist. Was bisher an Einsicht und Erkenntnis erreicht wurde, soll in den Dienst der auf ein höchstes Telos hin gerichteten geschichtlichen Bewegung treten: »Ein edles

---

29 Karl Löwith: Weltgeschichte und Heilsgeschichte. Stuttgart 1961. S. 102.

30 Friedrich Schiller: *Was heißt und zu welchem Ende studiert man Universalgeschichte?* Schillers Sämtliche Werke. Säkularausgabe. 13. Bd. Stuttgart und Berlin. S. 13.

31 Schiller, *Universalgeschichte,* S. 21.

32 Löwith, Weltgeschichte, S. 102.

33 Schiller, *Universalgeschichte,* S. 23.

34 Benno von Wiese: Friedrich Schiller. Stuttgart 1959. S. 232.

Verlangen muß in uns entglühen, zu dem reichen Vermächtnis von Wahrheit, Sittlichkeit und Freiheit, das wir von der Vorwelt übernahmen und reich vermehrt an die Folgewelt wieder abgeben müssen, auch aus unsern Mitteln einen Beitrag zu legen und an dieser unvergänglichen Kette, die durch alle Menschengeschlechter sich windet, unser fliehendes Dasein zu befestigen.«[35]

Mittels dieser teleologischen Geschichtsauffassung ließ sich die weitverbreitete Idee eines goldenen Zeitalters der Frühzeit für die Zukunft umfunktionieren. Noch Geßner hatte dieses goldene Zeitalter der Frühzeit beispielhaft beschworen und damit nicht nur die Sympathie eines Rousseau, sondern eines ganzen Zeitalters sich erworben[36], bald aber die Kritik Schillers erregt, der sich an Kant orientierte. In die paradiesische Kindheitsstufe nicht zurückzufallen, sondern sie, mit den Dimensionen des Fortschritts versehen, in ein futurisches Paradies zu verwandeln, hatte Kant in seiner Kritik an Rousseau gefordert. Kants »philosophischer Chiliasm, der auf den Zustand des ewigen (...) Friedens hofft«[37], ist als Leitmotiv in Schillers Aufsatz *Etwas über die erste Menschengesellschaft nach dem Leitfaden der mosaischen Urkunde* vom Jahre 1790 eingegangen: »Er (der Mensch) sollte den Stand der Unschuld, den er jetzt verlor, wieder aufsuchen lernen durch seine Vernunft und als ein freier vernünftiger Geist dahin zurück kommen, wovon er als Pflanze und als eine Kreatur des Instinkts ausgegangen war; aus einem Paradies der Unwissenheit und Knechtschaft sollte er sich, wär' es auch nach späten Jahrtausenden, zu einem Paradies der Erkenntnis und der Freiheit hinauf arbeiten«.[38]

Das von Schiller entworfene »Paradies der Erkenntnis und der Freiheit« ist die zentrale, auf dem Fortschrittsglauben ruhende Idee der Zeit. Die zentrale Hoffnung der Zeit aber war, daß diese Idee durch die Französische Revolution realisiert werde. Erwartet wurde von den bedeutendsten Geistern in Deutschland die Grundlegung einer neuen goldenen Zeit durch die Revolution. Das demonstriert überzeugend Maurice Boucher in seiner bemerkenswerten Abhandlung »La Révolution de 1789 vue par les écrivains allemands...«[39]. Boucher erinnert zunächst an das intellektuelle Klima der Zeit, das die französischen Revolutionäre anfangs inspirierte; es war ein Klima, das auch in der deutschen Literatur sich niederschlug: in den politischen Gedankengängen eines Klopstock, eines Heinrich Voß, des Grafen Leopold Stolberg, Herders, Stäudlins oder Georg Forsters. Mit prägnanten Zitaten führt Boucher den Nachweis, daß die geistigen Strömungen der Zeit bei aller spezifischen Differenz fundamentale Gemeinsamkeiten haben. Sie werden jeweils von Menschen repräsentiert, die sich gegen alle Formen von Zwang auflehnen. »Avant 1789, l'Aufklärung, le Sturm und Drang et le classicisme naissant avaient créé un climat favorable. Quelles que fussent leurs tendances propres (...) ils avaient en commun le souci de la liberté. Cette liberté, le rationalisme

35 Schiller, *Universalgeschichte*, S. 23.

36 Herman Meyer macht in seinem instruktiven Aufsatz »Hütte und Palast in der Dichtung des 18. Jahrhunderts« darauf aufmerksam, daß Geßners Hüttenidyllik »damals im ganzen Abendland einen gewaltigen, fast unvorstellbaren Widerhall« hervorrief. (In: Formenwandel. Festschrift zum 65. Geburtstag von Paul Böckmann. Hamburg 1964. S. 142.)

37 Zitiert nach Mähl, Novalis, S. 185.

38 Schillers Sämtliche Werke. Säkularausgabe. 13. Bd. S. 25.

39 Maurice Boucher: La Révolution de 1789 vue par les écrivains allemands ses contemporains. In: Etudes de Littérature étrangère et comparée. Paris 1958.

du XVIIIe siècle la réclamait au nom de la Raison et le Sturm und Drang au nom de la Vie.« [40] Politische und gesellschaftliche Strukturen so zu verändern, daß der Mensch zur Selbstbestimmung und Totalität erwachen könne, ist die Forderung der bürgerlich Progressiven in Deutschland. Denn die Ideen von 1789 waren, wie Franz Schnabel betont, »keine innere Angelegenheit Frankreichs« [41], sondern fanden sich vorgebildet auch im »deutschen Humanitätsideal« [42] und hatten europäische Geltung: sie repräsentierten »die autonomistische Richtung, welche die abendländische Menschheit eingeschlagen hatte« [43]. Konkret standen für diese Richtung ein »die Grundpostulate der Gleichheit und Freiheit und schließlich auch noch das Recht auf Sicherheit, das dem einzelnen die freie Entfaltung all seiner Kräfte und seine Vervollkommnung ermöglicht« [44]. Diese Forderung einzulösen, versprach zunächst die Revolution: »Quand la Révolution éclate en France, elle apparaît d'abord comme une des grandes dates de l'histoire humaine: un événement pour certains comparable à la venue du Christ sur la terre ou, plus simplement, la consécration de cette majorité spirituelle par laquelle Kant avait défini l'Aufklärung, bref la conséquence naturelle de la Philosophie des Lumières. On y voit une conquête décisive, une étape à jamais franchie, parce que la France promulguait les *Droits de l'Homme*, depuis longtemps inscrits dans les coeurs, et leur donnait force de loi.« [45] Schlaglichtartig erhellen Bouchers Wendungen die hochgespannten Erwartungen in Deutschland, Erwartungen, welche von der historischen Forschung bestätigt werden [46]. Daß die Träger des geistigen Lebens der Zeit die Revolution als »l'aube d'un âge nouveau« begriffen, als Ereignis, das der »venue du Christ« vergleichbar sei und an das Ufer einer »contrée de Terre Promise« führe: dies verrät nur aufs neue, daß man sich mit dem Beginn der Revolution an der Schwelle zu einem goldenen Zeitalter sah. Daran erinnert auch Hegels rühmendes, die unvergleichbare Bedeutung der Revolution hervorhebendes Wort, wonach es noch »nicht gesehen worden«, »so lange die Sonne am Firmament steht und die Planeten um sie herumkreisen (...) daß der Mensch sich auf den Kopf, das ist auf den Gedanken stellt und die Wirklichkeit diesem anbaut« [47].

Diese wahrhaft paradiesischen Erwartungen der Zeit im Zeichen der Fortschrittsidee faßt Schiller rückblickend in einem Brief an den Herzog von Augustenburg zusammen. Der Ausbruch der Französischen Revolution erscheint darin als dasjenige Ereignis, das der utopischen Zukunftsperspektive den Schein von Realität verlieh: Man durfte sich der Illusion hingeben, »daß der unmerkliche aber ununterbrochene Einfluß denkender Köpfe, die seit Jahrhunderten ausgestreuten

---

40 Boucher, Révolution, S. 7 f.

41 Franz Schnabel: Deutsche Geschichte im neunzehnten Jahrhundert. Freiburg 1947. 1. Bd. S. 115.

42 Ebda, S. 114.

43 Ebda, S. 113.

44 Ebda.

45 Boucher, Révolution, S. 35.

46 Bei Franz Schnabel ist etwa zu lesen: »die Ideen von 1789 waren nicht für Frankreich allein gedacht und verkündet worden, die Würde der Menschheit war nicht gebunden an die zufälligen Grenzen von Staaten und Völkern, mit vielfältigen Stimmen klang durch das Jahrhundert das berauschende Lied: ›Seid umschlungen Millionen!‹ In allen Landen erweckte die Befreiung der Person und des Bodens die tiefste Bewegung in verwandten Gemütern«. (Schnabel, Geschichte, 1. Bd., S. 124.)

47 Zitiert nach Schnabel, Geschichte, 1. Bd., S. 108.

Keime der Wahrheit, der aufgehäufte Schatz von Erfahrung die Gemüther allmählich zum Empfang des Bessern gestimmt und so eine Epoche vorbereitet haben müßten, wo die Philosophie den moralischen Weltbau übernehmen, und das Licht über die Finsterniß siegen könnte. So weit war man in der theoretischen Kultur vorgedrungen, daß auch die ehrwürdigsten Säulen des Aberglaubens zu wanken anfingen, und der Thron tausendjähriger Vorurtheile schon erschüttert ward. Nichts schien mehr zu fehlen, als das S i g n a l zur großen Veränderung und zur Vereinigung der Gemüther. Beides ist nun gegeben – aber wie ist es ausgeschlagen?« (Jonas, Bd. 3, S. 332 f.)[48] In Schillers Frage kündigt sich auch schon die Zerstörung der utopischen Erwartung an: angesichts des faktischen Verlaufs der Französischen Revolution ließ sich die Idee eines politischen Fortschreitens zu einem paradiesischen Idealstaat nicht mehr aufrechterhalten. Aus der Analyse der revolutionären Bewegung zieht Schiller den Schluß, daß durch politisches Handeln das ideale Geschichtsziel nicht herzustellen ist. Aber dieser Schluß führte keineswegs zur Preisgabe der idealpolitischen Idee, sondern forderte im Gegenteil zu Gedankengängen über andere, nichtpolitische Realisierungsmöglichkeiten heraus. So verwandelte Schiller die ökonomische und gesellschaftlich-politische Dimension der Fortschrittsidee in eine ästhetische; die Kunst sollte jetzt ermöglichen, was weder der wissenschaftliche und technische Fortschritt noch Politik ermöglichen konnten: die Annäherung an eine paradiesische Vollendung der Geschichte. Davon wird noch zu handeln sein. Vorläufig genügt die Feststellung, daß Schiller auf seine Weise am »Triadenschema des Geschichtsprozesses« festhält, »der aus der unbewußten Einfalt und Sorglosigkeit des Naturzustandes über die Zerrissenheit und Zwietracht der Kulturentwicklung in eine harmonische Endzeit als Synthese beider weist«[49]. Vor allem in der Schrift *Über Naive und Sentimentalische Dichtung* entfaltet Schiller dieses große Thema der Zeit, »das die deutsche idealistische Geschichtsphilosophie beherrscht und das auch von den Frühromantikern aufgenommen wird«[50]. Aber nicht nur der Bauplan theoretischer Schriften, auch zahlreiche klassische Dramen Schillers sind nach jenem Dreischritt entworfen, der von einer widerspruchslosen naiven Idyllenwelt über die Widersprüche der Geschichte zu einer naturverbundenen und geistbestimmten höheren Idylle führt. Die Jugendwerke Schillers, die der Französischen Revolution vorausliegen, entfalten die Idyllenthematik nie zentral, schlagen sie nur an. Dramen dagegen, die Schiller zeitlich fast parallel zu der Französischen Revolution bzw. deren Ergebnissen und Auswirkungen konzipierte, lenken in ihrer komplexen, wie immer auch stilisierten und symbolisierten Idyllenthematik vielfach auf Probleme eben dieser Revolution zurück.

Das zeigt unmißverständlich der Prolog zum *Wallenstein.* Sein Bezug zu den Ereignissen in Frankreich, zu dem großen Kampf »um Herrschaft und um Freiheit« (NA, Bd. 8, V. 66)[51], ist unüberhörbar: die Kunst muß, »soll nicht des Lebens Bühne sie beschämen« (NA, Bd. 8, V. 69), die Situation der Zeit in ihr Bewußtsein aufnehmen. Nicht undeutlich erinnern denn auch die Vorausblicke Wal-

---

48 Jonas ist im folgenden die Abkürzung für: Schillers Briefe – Kritische Gesamtausgabe. Hrsg. und mit Anm. versehen von Fritz Jonas. 7 Bde. Stuttgart 1892–96.

49 Mähl, Novalis, S. 177.

50 Ebda, S. 176.

51 NA ist im folgenden die Abkürzung für: Schillers Werke. Nationalausgabe. Weimar 1943 ff.

lensteins und des jungen Piccolomini auf eine neue schöne Zeit paradiesischer Prägung an den enthusiastisch begrüßten, eine schönere »idyllische« Zukunft antizipierenden Beginn der Revolution. Dieser Beginn, der desillusionierende Verlauf sodann, der diese Zukunft nicht aus dem Gesichtskreis rückte, sondern im Gegenteil den Blick auf andere Wege zu einem idealen Zukunftsstaat und harmonischen Gemeinwesen lenkte: solche Sachverhalte, die Schiller unmittelbar vor seiner klassischen poetischen Produktion in den beiden großen philosophischen Schriften durchreflektiert hat[52], begründen u. a. den geschichtlichen Charakter seiner Theorie und seiner Praxis, wie sehr man das immer bestreiten oder verschweigen mag[53]. Daher kann denn auch die Theorie in bestimmten Grenzen die Praxis erhellen. Was darin im Schillerschen Sinne als »idyllisch« gelten darf, läßt sich in vollem Umfange nur vom Horizont seiner Idyllentheorie her erkennen. Aus diesem Grund sind deren beide Aspekte, die naive Idylle als erste und die höhere Idylle als letzte Phase des skizzierten Dreischritts, abschließend zu beleuchten. Selbstverständlich soll diese Konzentration auf die spezifisch Schillersche Idyllenthematik nicht verleugnen, daß in die »Idyllik« seiner Dramen auch zahlreiche traditionelle Motive und Topoi eingegangen sind. Aber es genügt, auf diese Elemente der Idyllentradition während der Interpretation von Fall zu Fall hinzuweisen.

c) Der doppelte Aspekt des Idyllenbegriffs

»Die Idylle«, heißt es in der Schrift *Über Naive und Sentimentalische Dichtung*, die »den Menschen im Stand der Unschuld, d. h. in einem Zustand der Harmonie und des Friedens mit sich selbst und von außen« zeigt, »findet nicht bloß vor dem Anfange der Kultur statt«, sondern dieser idyllische Zustand ist es auch, »den die Kultur, wenn sie überall nur eine bestimmte Tendenz haben soll, als ihr letztes Ziel beabsichtet« (NA, Bd. 20, S. 467). Zwischen dieser ersten und zweiten Idylle besteht nun aber bei Schiller eine qualitative Differenz. Er verleiht dadurch dem Begriff des Idyllischen eine doppelte Dimension. Die erste ist die herkömmliche, an den engeren Gattungsbegriff Idylle gebundene Dimension der Beschränkung. Schiller kennzeichnet sie mit dem Begriff des »Naiven«, den er auch auf Kinder und auf die Natur ausdehnt. Für ihn repräsentiert die Natur »das freiwillige Daseyn, das Bestehen der Dinge durch sich selbst, die Existenz nach eignen und unabänderlichen Gesetzen« (NA, Bd. 20, S. 413). Das Paradies, auf das Schiller am Anfang seiner Dramen als ein im Schwinden begriffenes, sich entziehendes zurückblickt, hat stets diesen naiven Charakter des in sich ruhenden, von geschichtlichem Wandel unberührten Seins; die Menschen leben miteinander in fragloser, unbezweifelter Verbundenheit. Diese Seinsart ist z. B. der vorgeschichtlichen Idylle der Eidgenossen im *Wilhelm Tell* immanent; den Held dieses Schauspiels zeichnet eine typisch naive Denkweise aus: er ist idealer Repräsentant einer Welt, die »das stille schaffende Leben, das ruhige Wirken aus sich selbst, das Daseyn nach eignen Gesetzen, die in-

---

52 Gemeint sind: *Über die Ästhetische Erziehung des Menschen in einer Reihe von Briefen* und *Über Naive und Sentimentalische Dichtung*.

53 Die geschichtliche Dimension vermißt z. B. Richard Brinkmann, der in seinem Aufsatz über »Romantische Dichtungstheorie in Friedrich Schlegels Frühschriften« (in: DVjs. 32 [1958]) einen Vergleich zwischen Schlegels Geschichtsphilosophie und Schillers Schrift *Über Naive und Sentimentalische Dichtung* anstellt und dabei von Schlegels konkreter Geschichtserfahrung eine »Zeitlosigkeit der Klassik« abheben will (S. 345).

nere Nothwendigkeit, die ewige Einheit mit sich selbst« (NA, Bd. 20, S. 414) kennt. Die zweite Dimension aber, die Schiller dem Begriff des Idyllischen einprägt, ist die der utopischen Erfüllung, d. h. einer durch die Geschichte herzustellenden sentimentalischen Idylle, die der vorgeschichtlichen naiven Idylle sowohl das Moment der individuellen Bewußtheit, Freiheit und Differenziertheit hinzufügt als auch das der politischen Emanzipation der Gesellschaft. Der zentrale Stellenwert, den diese utopische Dimension in Schillers Ästhetik hat, erhellt daraus, daß sie der Dimension des »ästhetischen Staats« strukturverwandt ist. Der ästhetische Staat nimmt »dem Menschen die Fesseln aller Verhältnisse« ab und entbindet ihn »von allem, was Zwang heißt, sowohl im physischen als im moralischen«; er »bringt Harmonie in die Gesellschaft, weil er Harmonie in dem Individuum stiftet« – dadurch nämlich, daß er »seine beyden Naturen«, den »sinnlichen« und den »geistigen Theil seines Wesens« vereinigt (NA, Bd. 20, S. 410): »Die ungesellige Begierde muß ihrer Selbstsucht entsagen, und das Angenehme, welches sonst nur die Sinne lockt, das Netz der Anmuth auch über die Geister auswerfen.« (NA, Bd. 20, S. 411) Es entsteht eine Gesellschaft, wo »eigne schöne Natur das Betragen lenkt, wo der Mensch durch die verwickeltsten Verhältnisse mit kühner Einfalt und ruhiger Unschuld geht, und weder nöthig hat, fremde Freyheit zu kränken, um die seinige zu behaupten, noch seine Würde wegzuwerfen, um Anmuth zu zeigen.« (NA, Bd. 20, S. 412) Diese Charakteristik des ästhetischen Staats ist mit derjenigen der utopischen Idylle nahezu identisch. Die Koinzidenz besteht darin, daß Schiller auf das eine wie auf das andere dieselben Vorstellungen projiziert: Harmonie im einzelnen Menschen wie in seiner Umwelt durch die Versöhnung von Gegensätzen; Differenziertheit des Bewußtseins und höchste Fortgeschrittenheit der gesellschaftlichen Verhältnisse, so daß die beste Möglichkeit und die beste Bestimmung des Menschen gleichsam zu seiner zweiten Natur geworden ist. Die Idylle demonstriert nämlich die »geistreiche Harmonie einer völlig durchgeführten Bildung« (NA, Bd. 20, S. 452), d. h. eine »unschuldige und glückliche Menschheit« (NA, Bd. 20, S. 467) – dies aber »unter allen Bedingungen des rüstigsten feurigsten Lebens, des ausgebreitetsten Denkens, der raffinirtesten Kunst, der höchsten gesellschaftlichen Verfeinerung« (NA, Bd. 20, S. 472). Die höhere Idylle im Schillerschen Sinn hat damit höchste geschichtliche Differenziertheit, glückliche Synthese und harmonische Totalität zum Inhalt: »Der Begriff dieser Idylle ist der Begriff eines völlig aufgelösten Kampfes sowohl in dem einzelnen Menschen, als in der Gesellschaft, einer freyen Vereinigung der Neigungen mit dem Gesetze, einer zur höchsten sittlichen Würde hinaufgeläuterten Natur« (NA, Bd. 20, S. 472). Mit Beziehung auf die zur paradiesischen Einheit versöhnten Extreme im Denken und Dichten Schillers prägt Wolfgang Binder den Satz, in dem sich auch unsere Zitate zusammenfassen lassen: »Wie Idee und Wirklichkeit stehen sich Formtrieb und Stofftrieb, Person und Zustand, Pflicht und Neigung, Geist und Sinne, Ideal und Leben antithetisch gegenüber. Und der Synthesis der Kunst entsprechen das Spiel, die Schönheit, die Humanität, das Idyllische und der ästhetische Staat.«[54] Aus der vergleichenden Betrachtung der *Briefe über die Ästhetische Erziehung* und der Schrift *Über Naive und Sentimentalische Dichtung* tritt damit ein zweifacher Sachverhalt hervor. Für die

54 Wolfgang Binder: Ästhetik und Dichtung in Schillers Werk. In: Schiller. Reden im Gedenkjahr 1959. Stuttgart 1961. S. 26. Dieser Aufsatz knüpft an einen Vortrag des Verfassers an: »Die Begriffe ›naiv‹ und ›sentimentalisch‹ und Schillers Drama«. In: Jahrbuch der deutschen Schillergesellschaft IV (1960). S. 140–157.

Interpretation ergiebig ist erstens, daß die Idee der Idylle nicht nur den Einzelaspekt des Naiven, sondern auch den Doppelaspekt des zugleich Naiven und Sentimentalischen umschließen kann, und zweitens, daß dieser Doppelaspekt auch andere zentrale Ideen Schillers, die des Spieltriebs, der schönen Seele und des ästhetischen Staats, definiert. Auf die mannigfachen Bezüge einzugehen, die zwischen solchen Ideen spielen, ist z. B. unumgänglich bei jener Rede über den idealen König, die die Jungfrau von Orleans im Prolog hält. Diese Rede spiegelt, abgewandelt in Metaphern und Bildern, Schillers Theorie des ästhetischen Staats. Das werden vergleichende Zitate aus der Theorie und der dichterischen Rede lehren, die wir immer dann anstellen, wenn die verborgenen Strukturen des Idyllischen – der ersten naiven oder der zweiten höheren Idylle – im Drama zu erhellen sind; ihre hohe dramatische Relevanz besteht etwa in diesem Falle darin, daß die Heldin auf dem Weg über die Geschichte die höhere Idylle, den ästhetischen Staat, herstellen will. Damit sehen wir uns auf den Befund im dramatischen Werk geführt, der die Fragestellung dieser Arbeit begründet: auf die Idee der Idylle und ihre Symbole, d. h. auf die künstlerische Spiegelung einer Thematik von zutiefst geschichtlichem Gehalt.

2. Der Befund im Drama

Sofern der in Frage stehende Befund von der wissenschaftlichen Literatur nicht verschwiegen wird, streift man ihn nur oder veranschlagt ihn als gering. Die Idylle, die nach Auskunft einer bedeutenden Interpretation Fritz Martinis im *Wilhelm Tell* »ganz entfaltet« ist, sei, so wird gesagt, »sonst im Drama Schillers immer nur am Rande und als Verlorenes gegenwärtig« [55]. Daß indes auch im *Wallenstein* der idyllische Themenkreis nicht nur am Rande, sondern an zentraler Stelle gegenwärtig ist, hat einzig Oskar Seidlin angedeutet [56], dessen wenige Hinweise mit der erforderlichen Evidenz entfaltet und erweitert werden sollten. Nicht anders als Fritz Martini betont Hans Mayer die vermeintlich sekundäre Funktion der idyllischen Perspektiven in Schillers dramatischen Dichtungen, wenn er, in einer aufschlußreichen Betrachtung über Schillers Lyrik, der »Sehnsucht nach Utopia« im Gesamtwerk nachfragt: »Sehr mächtig beim Lyriker Schiller, weit weniger beim Dramatiker, gelegentlich spürbar in den großen Abhandlungen und Essays ist eine höchst persönliche Ausprägung dessen, was Ernst Bloch das ›Prinzip Hoffnung‹ genannt hat.« [57] Demgegenüber hält Wolfgang Binder jene Bilder in Schillers Dramen, die die Welt der Idylle malen, für »Kernsituationen«: »In keinem Drama fehlt der Augenblick, da der Held, von der Realität überwältigt, in die er sich verstrickt hat, sich in ein paradiesisch-unschuldiges Dasein zurücksehnt. Oft ist es die Kindheit, manchmal eine unversehrte Landschaft, die ihm dieses Dasein versinnbildlicht. So Karl Moor in der ›Gegend an der Donau‹: ›Seht doch, wie schön das Getreide steht! – Die Bäume brechen fast unter ihrem Segen. – Der Weinstock voll Hoffnung (...) daß alles so glücklich ist, durch den Geist des Friedens alles so ver-

---

55 Fritz Martini: Wilhelm Tell. Der ästhetische Staat und der ästhetische Mensch. In: DU 12 (1960). H. 2. S. 2.

56 Oskar Seidlin: Wallenstein. Sein und Zeit. In: O. S.: Von Goethe zu Thomas Mann. Göttingen 1963. S. 120–135.

57 Hans Mayer: Schillers Gedichte und die Tradition deutscher Lyrik. In: Jahrbuch der deutschen Schillergesellschaft IV (1960). S. 84.

schwistert! (...) Daß ich wiederkehren dürfte in meiner Mutter Leib! (...) Ich allein der Verstoßene‹ usf. Leonore zaubert Fiesco das Bild einer Idylle vor Augen, in die zu fliehen Erlösung wäre. Ferdinand und Luise erinnern sich unter Schmerzen ihrer ersten seligen Augenblicke, Carlos und Posa ihrer schwärmerischen Jugendfreundschaft, die ihnen das Wunschbild des künftigen Staates schenkte. Max Piccolomini hat dieses Glück während jener Reise an Theklas Seite erlebt. Und so setzt sich die Reihe über die Erinnerungen und Visionen Marias, Johannas, Don Cesars und der Eidgenossen bis zu Demetrius fort.«[58] Binders informative Aufzählung hat das Verdienst, daß sie Schillers Blick auf die Idylle als eine Konstante seines Dichtens hervortreten läßt. Offen bleibt aber die Frage nach dem Stellenwert dieser Konstante in den verschiedenen Dramen. »Kernsituationen« sind die genannten Idyllenvisionen wohl eher in seinen klassischen Dramen als in seinen Jugenddramen; im *Wallenstein* nicht weniger als in der *Jungfrau von Orleans* und im *Wilhelm Tell* entfaltet Schiller den idyllischen Themenkreis in ungleich stärkerem Maße als in seinen vorklassischen Werken. Davon mag fürs erste ein Überblick über jene idyllischen Ideen und Symbole überzeugen, die noch kaum ins Blickfeld der wissenschaftlichen Literatur geraten sind.

Idyllische Züge im *Wallenstein* treten zunächst am unmittelbarsten in den visionären Rück- und Vorausblicken des jungen Piccolomini hervor; ihr vollständiger, in Sinnbildern verborgener Gehalt erschließt sich freilich nicht auf den ersten Blick. Das gilt zumal für die »heiteren« Reden Piccolominis im 4. Auftritt des 3. Aufzugs, dem Schiller selbst, anders als die Interpreten, zentralen Stellenwert zuerkannt hat – mit gutem Grund: denn jene Reden führen zugleich auf den Symbolwert von Wallensteins Sternenwelt. In ihr schlägt sich Wallensteins Idee einer neuen Zeit idyllischen Gepräges nieder, jene Idee, als deren Symbole sich Max und Thekla zu erkennen geben kraft der idealen Einheit von Herz, Sprache und Handeln. Daß Wallenstein diese Idee einst zu realisieren gedachte, macht ihn, bei allen Unterschieden, in gewisser Weise mit Max und Thekla verwandt, deren Dasein zwischen vergangener und künftiger Idylle ausgespannt ist. Das Schöne und das Heitere, der Friede, das Glück und die Freude treten zu einem paradiesischen Bezugssystem zusammen, auf das die Liebenden und der dramatische Held hingeordnet sind: noch im Scheitern und in der Schuld des Handelns vergegenwärtigt sich Wallenstein, in seiner Todesklage um Max, die Idee des Neuen und Paradiesischen und stellt so die versöhnende Schicht in der Tragödie her. – Weiter als beim *Wallenstein* scheint die wissenschaftliche Erkundung idyllischer Motive bei der *Jungfrau von Orleans* gediehen zu sein: daß der Prolog den Abschied Johannas von Arkadien dichtet, ist ebenso klar erfaßt wie die Idyllenvision in Johannas Schlußversen; sie versinnlicht Begriffe, mit denen Schiller im Brief an Humboldt eigene Idyllenpläne skizzierte (Jonas, Bd. 4, S. 338). Aber schon der Prolog erhebt eine doppelte interpretatorische Forderung, die noch immer nicht eingelöst worden ist. Zu bezeichnen sind erstens die zentralen Aspekte in Johannas arkadischer Existenz und in ihrem visionären Entwurf eines idealen Königtums; und zweitens ist darzulegen, daß dieses Königtum konzipiert ist als die politische Umsetzung der arkadischen Existenzweise, d. h. als der ästhetische Staat, in den die erste vorgeschichtliche Idylle auf dem Weg über die Geschichte hinübergeführt werden soll. Johanna, die im dramatischen Vorgang zwischen erster und zweiter Idylle vermitteln soll, weist symbolisch auf diese Welt des Nicht-Mehr und des Noch-Nicht

58 Binder, Ästhetik, S. 29 f.

hin. Die spezifisch paradiesischen Qualitäten in ihrer Erscheinung, ihrer Rede und ihrem Handeln zu erhellen, stellt sich als Aufgabe. Erst dadurch kann der Widerspruch zwischen paradiesischer und geschichtlich unmenschlicher Symbolik ausgemessen werden, den Schiller in seine Heldin eingebildet hat. Ähnlich wie die *Jungfrau von Orleans* versinnbildlichen Anfang und Ende des *Wilhelm Tell* eine Idylle – mit dem Unterschied, daß im Schauspiel die Schlußidylle nicht um den Preis des Todes, durch den Abschied von der Geschichte, erkauft werden muß. Seitens der wissenschaftlichen Literatur liegen nur sehr summarische und simplifizierende Beobachtungen zu diesen Idyllenwelten vor. Sie werden aber von Schiller differenziert entfaltet und mit sehr verschiedenen Eigenschaften ausgestattet. Als Symbol der naiven Welt der ersten Idylle erscheint die Tell-Gestalt, die bisher voreilig unter dem Aspekt eines individuellen Charakters betrachtet worden ist. Sowohl Tells Denken in den ungeschichtlichen Kategorien von Naturvorgängen wie auch sein besonderes Verhältnis zur Tat und zur Rede weisen ihn als idealtypischen Repräsentant der naiven Idylle aus. Erst auf dem Weg über die Geschichte bezieht er in einem neuen Maße die Reflexion und die Rede in seine ideale Tatkraft ein, wie umgekehrt die auf den reflektierten Dialog verschworenen Eidgenossen erst durch die Geschichte zum tatkräftigen Handeln gelangen. Sowohl dem einzelnen wie der Gemeinschaft wachsen neue Dimensionen zu, und zwar in der Weise, daß beide sich ideal ergänzen. So wird eine neue höhere Idylle möglich, deren Qualitäten im einzelnen darzulegen sind.

3. Die Notwendigkeit einer Symbolinterpretation

Fragt man, warum der aufgewiesene Befund kaum je ins Blickfeld der Forschung getreten ist, so gewahrt man ein Versäumnis, das eine angemessene Interpretation der klassischen Dramen Schillers immer wieder verwehrte. Unterschätzt wurde die Symbolkraft dieser Dramen, jene Vielzahl sinnbildlicher Zeichen und Figuren, in die Schiller die Idee des Idyllischen vorzugsweise übertragen hat – es handle sich nun um Wallensteins Sternbilder, um die jugendlichen Gestalten Thekla und Max Piccolomini, um Johannas Erscheinung und Redeweise oder um Tell. Den Mangel an einer symbolischen Betrachtungsweise klar bewußt zu machen, scheint eines der dringendsten Gebote der Forschungslage. Ihm entzieht sich bewußt eine neue Schiller-Darstellung, das umfangreiche, ebenso eigenwillige wie anregende Buch Emil Staigers [59]. Angesichts der Vielzahl einander ausschließender Deutungen scheine »nichts als die bare Verzweiflung an der Leistungskraft der literaturwissenschaftlichen Methoden übrig zu bleiben« [60], fürchtet Staiger. Er gibt die Schuld vor allem dem »Tiefsinn« »vieler neuer Schiller-Forscher«, der sie »in ganze Labyrinthe gegenstandsloser Probleme und Fragen verwickle« [61]. Staigers Polemik gilt zumal dem »unverbesserlichen gelehrten Kopf (...) der nicht darauf verzichten kann, ein Trauerspiel als folgerichtige allegorische oder symbolische Darstellung einer Idee zu betrachten« [62]. Dementsprechend verzichtet Staiger bewußt darauf, über die »allegorische oder symbolische« Bedeutung der »Wunder und Zeichen«

59 Emil Staiger: Schiller. Zürich 1967.
60 Ebda, S. 9.
61 Ebda, S. 237.
62 Ebda, S. 404.

etwa in der *Jungfrau von Orleans* sich »tiefe Gedanken zu machen«[63]. In Wahrheit ist indes kein Grund zur Klage über ein Übermaß an symbolisch-allegorischem Verständnis der Schillerschen Dramen, sondern die entmutigende Divergenz der Deutungen beruht gerade darauf, daß die Interpreten es an einem symbolisierenden Mitvollzug fehlen lassen. Ein konsequenter Verzicht darauf, wie Staiger ihn vorschlägt, kann nur tiefer in das Labyrinth der Meinungen hineinführen. Einen Weg daraus verspricht die These Paul Böckmanns, daß die Frage nach der deutschen Klassik als Frage nach der Entstehung der klassischen Symbolform zu stellen sei[64]. Die Intensität, mit der Böckmann die Sinnbildsprache in den Mittelpunkt seiner Wesenbestimmung der klassischen Epoche rückt, sollte aufhorchen lassen: »Das so ›nachdenkliche‹ Wort vom Klassiker besitzt erst dadurch einen präzisen Sinn, daß es auf eine Dichtung verweist, die durch die *klassische Symbolform* ihren geistigen und künstlerischen Rang besitzt.«[65] Diesem Sachverhalt trägt die moderne Goethe-Forschung weitgehend Rechnung. Zu erinnern ist etwa an die Versuche von Paul Böckmann selbst[66], an Hans Egon Hass' Deutung der *Natürlichen Tochter*[67] und vor allem an die Studien Wilhelm Emrichs[68]. Sie lassen die symbolische Qualität der Goetheschen Dramen hervortreten, die in den Deutungen der Dramen Schillers noch kaum hervorgetreten ist.[69] Dadurch entging der Schiller-Forschung das Spannungsverhältnis, in dem idyllische und dramatische Motive stehen. Denn zumal den idyllischen Themenkreis versteckt Schiller in symbolisch-allegorischen Zeichen.

Das Versäumnis einer symbolischen Betrachtungsweise hat einen unzweideutigen Grund: den Mangel an geschichtlichem Sinn. Nicht nur die Idee des Idyllischen geht, wie verwandelt auch immer, aus Schillers Zeiterfahrungen hervor, sondern auch seine klassische Symbolsprache insgesamt, in die zahlreiche idyllische Motive

63 Ebda, S. 406.

64 Paul Böckmann: Klassik. In: Die Religion in Geschichte und Gegenwart. 3. Bd. Tübingen 1959. Vgl. Sp. 1637.

65 Böckmann, Klassik, Sp. 1635.

66 Gemeint sind vor allem: 1. »Goethes naturwissenschaftliches Denken als Bedingung der Symbolik seiner Altersdichtung«. In: Literature and Science. Oxford 1954. S. 228–236. 2. »Die Symbolik in der ›*Natürlichen Tochter*‹ Goethes«. In: Worte und Werte. Bruno Markwardt zum 60. Geburtstag. Berlin 1961. S. 11–23.

67 Hans-Egon Hass: Goethe. *Die Natürliche Tochter*. In: Das Deutsche Drama I. Hrsg. von Benno von Wiese. Düsseldorf 1964. S. 217–249.

68 Vgl. vor allem: W. E.: Die Symbolik von *Faust II*. Bonn 1964. Außerdem: Das Problem der Symbolinterpretation im Hinblick auf Goethes *Wanderjahre*. In: DVjs. 26 (1952). S. 331–352.

69 Wie unsicher die Forschung sich an die Symbolinterpretation Schillers herantastet, zeigt Heinz Ide am Beispiel Benno von Wieses. Vgl. H. I.: Zur Problematik der Schiller-Interpretation. Überlegungen zur *Jungfrau von Orleans*. In: Jahrbuch der Wittheit zu Bremen VIII (1964). S. 51 ff. Zwar interessiert sich die Forschung zusehends für Schillers »Symbolsprache der Form« (von Wiese, Schiller, S. 435), vermittelt auch auf theoretischer Ebene diskutable Einsichten, aber die konkrete Deutung einzelner Dramen läßt sich, wie Heinz Ide zu Recht geltend macht, von einem konsequenten symbolischen Denken nur sporadisch leiten (vgl. Ide, Jungfrau von Orleans, S. 57 ff.). Ide selber entgeht nicht der Gefahr, der auch andere Interpreten erlegen sind: daß ein quasi symbolisches Verständnis von vorgegebenen philosophischen Kategorien her entwickelt, an einzelnen Drameninhalten auch verifiziert, nicht aber am spezifischen Formgesetz überprüft wird. So löst sich beispielsweise Ides verheißungsvoller Ansatz nicht rechtzeitig genug von den Kategorien der Existenzphilosophie, wie sich zeigen wird.

und Themen transponiert sind. Die Zeiterfahrungen Schillers sind, im Blick auf seine Symbolkunst, von einer erregenden Doppelgesichtigkeit. Sie sind erstens an die Entwicklung der Naturwissenschaften und zweitens an seine soziologisch-politische Analyse der Französischen Revolution gebunden. Reduzieren die Naturwissenschaften jede empirische Erscheinung auf eine physikalische Formel, verwandeln sie die Natur in einen »toten Buchstaben« (NA, Bd. 22, S. 272), so verbietet sich dem Dichter fortan die »Nachahmung des Wirklichen« (NA, Bd. 20, S. 437). Seine Aufgabe wird sein, der Empirie die sinnbildliche Idee wieder einzusenken, die ihr einst immanent war. Diesen dialektischen Zusammenhang zwischen naturwissenschaftlicher Desillusionierung und einer »symbolischen Operation« entfaltet Schiller in der Rezension über Matthissons Gedichte. Den zentralen Begriff der »symbolischen Operation« ersetzt er in seiner Abhandlung *Über Naive und Sentimentalische Dichtung* durch den synonymen Begriff der »sentimentalischen Operation« (NA, Bd. 20, S. 478). Er weist auf Schillers Analyse der Französischen Revolution und ihrer Voraussetzungen zurück (vgl. *Briefe über die Ästhetische Erziehung*). Sie ergab, daß Politik und Gesellschaft in jenem Prozeß der Entfremdung begriffen sind, der die Französische Revolution zum Scheitern verurteilte. Zur naturwissenschaftlichen gesellte sich die politisch-gesellschaftliche Erfahrung, wobei die Realität jeweils als verdinglicht begriffen wurde, bar sinngebender Ideen. Diesen Mangel nicht zu reproduzieren, sondern ihn durch die stilisierende Operation im Bereich der Kunst aufzuheben, ist der die Matthisson-Rezension und die Schrift *Über Naive und Sentimentalische Dichtung* verbindende Aspekt. Er tritt, scharf umrissen, im Briefwechsel zwischen Goethe und Schiller abermals hervor, und zwar zur Zeit der Gestaltung des Wallenstein-Stoffes. Wie wichtig dieser Briefwechsel für die Entstehung der klassischen Symbolsprache ist, hat Paul Böckmann angedeutet[70]; die Verbindlichkeit der Theorie für die künstlerische Praxis läßt sich hier, am Beispiel der Arbeit am *Wallenstein*, Schritt für Schritt aufzeigen; entfaltet wird die Prämisse, am empirischen Gegenstand müsse sich »das Ideenvermögen (...) versuchen und ihn von seiner symbolischen Seite fassen, und so eine Sprache für die Menschheit daraus (...) machen«[71]. Wie diese Symbolisierung sich vollzieht, lehren zumal Schillers Figuren, die vielfach als Träger seiner überpersönlichen Idyllenmotivik agieren.

II. Methodisches Vorverständnis

1. Schiller und der hermeneutische Zirkel von Kunst, Theorie und Zeiterfahrung. Die wissenschaftliche Literatur

Es ist klar geworden, daß sich unser Verständnis der Symbolkunst Schillers in einem hermeneutischen Zirkel bewegt. Entdeckung und Darstellung dieser Symbolkunst erfolgen nicht aus der zufälligen Intuition des Interpreten heraus, sondern vom Horizont der Schillerschen Theorie her, die ihrerseits spezifische Zeiterfahrungen reflektiert. Dichtung, Theorie und geschichtliche Situation stehen im Falle

70 Böckmann, Klassik, vgl. Sp. 1636.
71 Auf diese Prämisse beziehen wir uns ausführlicher auf S. 44–54.

Schillers in einem äußerst differenzierten, keinem direkt kausalen sondern vielfach gebrochenem Zusammenhang. Der hermeneutische Zirkel besteht darin, daß sich erst in diesem Zusammenhang jeder Teil angemessen erfassen läßt, umgekehrt aber der Zusammenhang sich erst aus der Versenkung in die einzelnen Teile konstituiert.[1] Der dichterische Text enthüllt seine ganze Bedeutung erst im Blick auf seine historische Zeitstelle und deren Reflexion in der Theorie, wie umgekehrt die historische Zeitstelle erst in einer doppelten Brechung greifbar wird: im Medium der Theorie und des dichterischen Textes. Stellt man in Rechnung, daß in der Theorie sich wiederum geistesgeschichtliche, philosophische und überlieferte poetologische Komponenten geltend machen, im poetischen Text Gattungszwänge, literarische Tradition und spezifische Individualität des Dichters wirken, so gewinnt man einen Begriff von der Vielzahl der Vermittlungsstufen und Brechungskoeffizienten, durch die hindurch zeitgeschichtliche Erfahrungen endlich in das künstlerische Produkt eingehen. Erst auf diesem Umweg werden sie zu einer formstiftenden Kraft, bei Schiller dank der Intensität seiner Zeiterfahrungen und der begrifflichen Systematik seiner darauf basierenden Ästhetik und Poetik zu einer formstiftenden Kraft ersten Ranges.

Drei Möglichkeiten, den hermeneutischen Zirkel bei Schiller zu verfehlen, ergeben sich beim Überblick über die wissenschaftliche Literatur. Entweder wird der Zusammenhang zwischen Dichtung, Theorie und geschichtlicher Situation als sekundär in Anschlag gebracht und dementsprechend bei der Text-Interpretation vernachlässigt; oder man konzediert diesen Zusammenhang zunächst, indem man die Theorie, gar mit Rücksicht auf Zeiterfahrungen, ausdauernd betrachtet, ohne sie dann aber für das Verständnis des Textes fruchtbar zu machen; und drittens wird der besagte Zusammenhang überbewertet, die Inkommensurabilität der Dichtung voreilig verkürzt und beschnitten, einzelne Textstellen werden aus ihrem Kontext isoliert und als unvermittelte Explikation theoretischer oder philosophischer Kategorien mißverstanden.

a) Die Problematik der »ungeschichtlichen« Interpretation

Eine der mächtigsten Verführungen, aus dem hermeneutischen Zirkel herauszuspringen, statt bewußt in ihn einzutreten, geht von der immanenten Interpretationsweise aus. Sie scheint sich angesichts der Forschungslage und des traditionellen Schillerbildes nachgerade anzubieten. »Ursprünglichkeit und Eigentümlichkeit von Schillers dichterischem Vermögen ist lange Zeit hindurch auf merkwürdige Weise verdeckt worden«, konstatiert Gerhard Storz [2] und macht dafür mehrere Gründe verantwortlich: die Ideologie vom »hochgesinnten, vaterländischen Freiheitsdichter« [3] und einen starren Biographismus. »Wenn zu einem Dichter von seinem persönlichen Dasein her kein Zugang führt, so ist das Schiller« [4], lautet die unbedingte Antithese von Gerhard Storz. Sie impliziert eine strikte Trennung von Kunst und außerdichterischem Material. Wie ergiebig dieses aber für das Verständnis von Dichtung ist, lehren nicht erst die Tagebücher eines Grillparzer oder eines Hebbel: sie vergegenwärtigen »persönliches Dasein« nicht als autonomes Faktum, sondern als Reflex überpersönlicher Zeiterfahrungen. Darauf beruht ihre Repräsentanz, die

1 Vgl. zu diesem Problem Ulfert Ricklefs: Hermeneutik. In: Das Fischer Lexikon. Literatur II. 1. Teil. Frankfurt/M. 1965. S. 277–293.

2 Storz, Schiller, S. 5.

3 Ebda, S. 7.

4 Ebda, S. 9.

sie mit Schillers theoretischen Schriften vergleichbar macht. Diese beherrschen Schillers »persönliches Dasein« fast ein Jahrzehnt (ungefähr vom Abschluß des *Don Carlos*, 1787, bis zum Beginn der Arbeit am *Wallenstein*, 1796), ein ungewöhnlich langer Zeitraum, der an »das Modell des unterbrochenen Weges« gemahnt: also an jene einschneidende, aber notwendige Unterbrechung der poetischen Produktion durch ästhetische Theorie, Philosophie und Wissenschaft, die für repräsentative Dichter der klassisch-romantischen Epoche charakteristisch ist [5]. Schiller bedurfte dieser Unterbrechung, um seine überpersönlichen geschichtlichen Erfahrungen, die Evolution der Naturwissenschaften, die Französische Revolution und die philosophische Revolution (Kant), angemessen zu registrieren und aus ihnen Folgerungen für die ästhetische Theorie zu ziehen. Sieht man »persönliches Dasein« unter diesem überpersönlichen Aspekt, so zergeht der prinzipielle Einwand gegen biographische Möglichkeiten des Verstehens. Zu erwägen ist, ob nicht die Theorie als der persönliche Reflex überpersönlicher Erfahrungen in dem »engen Zusammenhang« mit dem dichterischen Schaffen steht, den Gerhard Storz leugnet [6]. Wenn es wahr ist, daß Schiller später »dem Philosophen (...) zugunsten des Dichters den Abschied« [7] gibt, so impliziert das nicht »immer ausschließlicher« den »Gesichtspunkt der ihm als autonom geltenden Kunst« [8]. Nicht der »Haltung des l'art pour l'art« [9], die Gerhard Storz hervorhebt, ergibt sich Schiller, sondern Spekulation und Reflexion schlagen sich, wie immer verwandelt und differenziert, vielfach gebrochen und vermittelt, im dichterischen Gebilde nieder. »Was dem wiederbeginnenden Dichter zugute kommt, ist also nicht ein inzwischen erarbeiteter Bestand materialer Ideen, sondern die Ausbildung seiner philosophischen Denkkraft, die in einer poetischen Formkraft mittelbar ihre Früchte trägt.« [10]

Die These, die Wolfgang Binder hier aufwirft, lenkt auf ein älteres theoriefreundliches Schiller-Verständnis zurück. Humboldt hat es, in seiner noch immer nicht ganz ausgeschöpften Abhandlung, beredt formuliert: »Aber dies Dichtergenie war auf das engste an das Denken in allen seinen Tiefen und Höhen geknüpft, es tritt ganz eigentlich auf dem Grunde einer Intellectualität hervor, die Alles, ergründend, spalten und Alles, verknüpfend, zu einem Ganzen vereinen möchte.« [11] »Schiller kannte keine andere Beschäftigung als gerade mit Poesie und Philosophie, und die Eigenthümlichkeit seines intellectuellen Strebens bestand gerade darin, die Identität ihres Ursprungs zu fassen und darzustellen.« [12] Ist diese Charakteristik auch spezifisch für Schiller gedacht, so ist sie doch keineswegs nur für ihn typisch. Vielmehr trifft sie für die deutsche Geistesgeschichte überhaupt zu. Das geht aus Ernst Cassirers Studien in »Freiheit und Form« [13] hervor. Sie enthüllen, wie das

---

5 Auf dieses »Modell des unterbrochenen Weges«, das sich an der Biographie Schillers, Hölderlins, Novalis' ablesen läßt, macht Walter Müller-Seidel am Beispiel Kleists aufmerksam. (Walter Müller-Seidel: Kleists Weg zur Dichtung. In: Die deutsche Romantik. Poetik, Formen und Motive. Hrsg. von Hans Steffen. Göttingen 1967. S. 115.)

6 Storz, Schiller, vgl. S. 11.

7 Ebda, S. 315.

8 Ebda, S. 13.

9 Ebda, S. 326.

10 Binder, Ästhetik, S. 14.

11 Wilhelm von Humboldt: Über Schiller und den Gang seiner Geistesentwicklung. In: W. von H.: Werke in 5 Bden. Hrsg. von Andreas Flitner und Klaus Giel. Darmstadt 1961. Bd. II. S. 360.

12 Ebda, S. 372.

13 Ernst Cassirer: Freiheit und Form. Studien zur deutschen Geistesgeschichte. Berlin 1918.

Wechselverhältnis von künstlerischem Schaffen und Reflexion in der deutschen Klassik einen Höhepunkt erreicht, nachdem es in den vorhergehenden Epochen kontinuierlich sich entfaltet hat. Repräsentativ steht das literarische Leben für eine allgemeine Erscheinung der deutschen Geistesgeschichte ein. Diese gelangt zu ihrer »wahrhaften Einheit und (...) inneren Reife« [14] dadurch, daß die einzelnen Gebiete – Gesellschaft und Staat, Philosophie, Wissenschaft und Recht – sich fortschreitend ihrer Autonomie und ihres Formgesetzes versichern: »Seit den Tagen der Reformation läßt sich in allen geistigen Tendenzen, die im Aufbau der deutschen Bildung wirksam sind, ein gemeinsamer Zug beobachten. Die Kräfte, die hier tätig sind, wollen sich nicht lediglich in einem objektiven Werk bewähren und darstellen; sondern sie streben danach, über sich selbst, über ihren Ursprung und Rechtsgrund zur Klarheit zu gelangen (...) Erst in dieser Reflexion auf sich selbst gewinnen die einzelnen geistigen Energien ihre beständige Steigerung und ihre schließliche Vollendung. Alles Schaffen verläuft hier in einer doppelten Richtung: Jedem Fortgang im Tun entspricht eine vertiefte Besinnung auf die Gründe des Tuns.« [15] Dem Briefwechsel zwischen Goethe und Schiller und vor allem den theoretischen Abhandlungen des Jüngeren läßt sich dann entnehmen, wie die wechselseitige Durchdringung von Theorie und künstlerischer Gestaltung eine eigene Verbindlichkeit gewinnt, wie »die ästhetische Reflexion und Kritik zur produktiven Bedingung für den Prozeß des Schaffens« wird, »weil sie bis in jene letzten geistigen Tiefen zurückdringt, aus dem das Schaffen selbst seine Bestimmung empfängt« [16].

Gegen Cassirers klarsichtige Gedankengänge ließe sich einzig einwenden, daß die Reflexion als Bedingung des künstlerischen Hervorbringens zwar genau beschrieben, ihre eigene Bedingung aber vergessen wird. Die ästhetische, philosophische und geschichtswissenschaftliche Theorie versteht sich ja nicht von selbst, sondern ist ihrerseits vermittelt und veranlaßt durch die konkrete geschichtliche Situation. Das ist gegen eine folgenschwere Tradition der Literaturwissenschaft geltend zu machen, die in der Schiller-Forschung immer noch fortlebt. Humboldt hat ihr, in dem erwähnten Aufsatz, einen der ersten Impulse mitgeteilt, wenn er versichert, »der Trieb nach Beschäftigung mit abstracten Ideen, das Streben, alles Endliche in ein großes Bild zu fassen und es an das Unendliche anzuknüpfen«, hätten »von selbst und ohne fremden Anstoss« in Schiller gelegen, wären mit seiner Individualität gegeben [17]. Die ungeschichtliche, auf die Charakterstruktur beschränkte Perspektive, die hier durchblickt, regiert noch Binders grundlegenden Aufsatz, der das Wechselverhältnis von Philosophie und Poesie, Ästhetik und Praxis zu klären versucht und es für die Interpretation selbst ummünzt. Es gelingt Binder, Theorie und Dichtung auf dieselbe Geistesart zurückzuführen, auf jene, die bereits Humboldt angedeutet hatte: »Der Endpunkt, an den er Alles knüpfte, war die Herstellung der T o t a l i t ä t in der menschlichen Natur durch das Zusammenstimmen ihrer geschiedenen Kräfte in ihrer absoluten Freiheit.« [18] Den formstiftenden Stellenwert dieser Idee der Totalität ermittelt Binder ausgezeichnet, wenn er auf ihre zahlreichen Figurationen einen Blick wirft: auf die Idee der idealen Kunst, der Schönheit, der Humanität, des Idyllischen und des ästhetischen

---

14 Cassirer, Freiheit, S. 30.
15 Ebda, S. 36.
16 Ebda, S. 103.
17 Humboldt, Schiller, S. 374 f.
18 Ebda, S. 366.

Staats, auf jene Thematik also, die Gegenstand unserer Darstellung ist. Doch versagt sich Binder zuletzt ein angemessenes Verständnis dieses Ideenkreises, weil er ihn herleitet aus dem »aus sich schaffenden, aber verborgenen Ursprung des Seienden«, der »metaphysischen Einheit des Absoluten« [19]. Statt dessen wäre auf den ausgesprochen geschichtlichen Charakter dieses Ideenkreises zu reflektieren, auf die geschichtliche Situation, die z. B. dem Schillerschen Entwurf der Idylle und des ästhetischen Staats zugrunde liegt. Definiert man den Charakter von Schillers Geistesart nur als metaphysisch, orientiert am »Ursprung des Seienden«, übersieht man dessen geschichtliche Bedingtheit, so erscheint er zuletzt als anthropologische Invariante. Das gereicht der Interpretation zum Nachteil. Als sinnfälliger Ausdruck des »absoluten Wesens«, das Ursprung und Zielpunkt der Schillerschen Geistesart sein soll, nennt Binder beispielsweise die Idee, der sich Schillers Helden im Drama verschreiben. »Sie alle scheitern, aber nicht an einer Welt, welche die Idee nicht erträgt, sondern an der Idee selbst und an ihrer eigenen Person (...) Sobald er (der Held) sich einer Idee verschreibt und sei es auch der edelste Gedanke, fixiert er sich auf etwas, verschließt sich allem übrigen und wird im strengen Sinne unmenschlich.« [20] Aber die Schuld der Schillerschen Helden – das kann die Interpretation zeigen – liegt nicht darin, daß sie sich auf die ideale Idee hin entwerfen, sondern gerade die Welt ist es, die »die Idee nicht erträgt«, den Handelnden in den »Notzwang der Begebenheiten« drängt und schuldig werden läßt.

b) Die Kategorie des Dualismus

Wenn Binders Gedankengänge für die Interpretation nicht durchweg ergiebig sind, so ist an seiner Prämisse dennoch festzuhalten: »Schiller befürwortet also keineswegs die totale Trennung von Ästhetik und Dichtung, wenn er ihre allzu direkte Verbindung ablehnt. Auf die Hilfe der Ästhetik gänzlich zu verzichten, ist daher mindestens nicht in seinem Sinne, und ein solches Verfahren befriedigt ebensowenig wie die bedenkenlose Anwendung ästhetischer Begriffe.« [21] Dem wäre nur hinzuzufügen, daß die Ästhetik auf Zeiterfahrungen zurückgeht und zwischen ihnen und der Kunst vermittelt im Sinne des skizzierten hermeneutischen Zirkels: er allein lenkt den Blick auf Schillers Symbolsprache, die stets Voraussetzung der Interpretation sein muß. Sonst ergeben sich jene Fehlerquellen und Versehen, die bei einem Überblick über die neueste wissenschaftliche Literatur unmittelbar hervortreten. Zu erinnern ist nochmals an Staigers bewußten Verzicht auf eine symbolische Betrachtungsweise. Motiv dieses Verzichts ist die Skepsis gegenüber dem »philosophischen Tiefsinn« [22], den Staiger bei Schiller emphatisch leugnet: in seinen Dramen sei, im Gegensatz zu Kleist oder Hebbel, »die Frage der Bühnenwirksamkeit primär« [23], Fragen des Sinnes dagegen wären als sekundär zu veranschlagen. Wie anfechtbar diese Prämisse ist, enthüllt Staiger fast im selben Atemzug, wenn er, gleichsam gegen seinen Willen, den Sinn des dramatischen Vorgangs erkunden will. Symbolischem Verstehen abgeneigt, sucht er Rat bei einer »auf die Kantische Ethik ausgerichteten Interpretation« [24], zieht die auf solcher Ethik basie-

19 Binder, Ästhetik, S. 26.
20 Ebda, S. 23 f.
21 Ebda, S. 22 f.
22 Staiger, Schiller, S. 406.
23 Ebda, S. 405.
24 Ebda, S. 402.

rende Schrift *Vom Erhabenen* heran und enträtselt damit den philosophischen, nicht den poetischen »Tiefsinn«. Die kriegerische Bahn der Jungfrau von Orleans wird zum erhabenen Triumphzug über die Sinnlichkeit stilisiert, zum Beweis für Schillers »Bewunderung heroischer Grausamkeit«[25], während diese Grausamkeit doch nur symbolisch die unausweichliche Verletzung der idealen idyllischen Idee spiegelt. In logisch konsequenter Entfaltung der fragwürdigen Prämisse ist dann Johannas »Milde Lionel gegenüber (...) unmißverständlich Schwäche und Schuld«[26], in Wahrheit aber ist sie nur die sinnbildliche Explikation der vorausliegenden Verletzung der Idee. Anstatt in die symbolische Dimension des dramatischen Vorgangs einzutreten, bringt man diesen unvermittelt auf das theoretische Begriffspaar des »Erhabenen« und »Pathetischen« und reduziert ihn voreilig auf einen Dualismus Kantischer Provenienz. So legitim es ist, in einzelnen ästhetischen Schriften Schillers dieses Begriffspaar zu verfolgen und zentrale Situationen in den Jugenddramen unter seinem Aspekt zu betrachten, so wenig sollte man es als starres Schema gleichmäßig seinen klassischen Dramen unterlegen. Gerade dieser Versuchung unterliegen aber immer noch sowohl einzelne Verfechter der philosophischen-poetischen Doppelbegabung Schillers wie die Verfechter des »Artisten« Schiller. Schuld daran ist jene geistesgeschichtliche Tradition der deutschen Literaturwissenschaft, die das Unpolitische und Überzeitliche an Schiller hervorgehoben hat und in der Überwindung der Geschichte durch den erhabenen Aufschwung in die ethische Innerlichkeit einen zeitüberdauernden Wert erblicken wollte. So zwingend wirkt diese Tradition nach, daß sie wie von selbst in die Interpretation sich eindrängt. Die aber müßte sich leiten lassen nicht von der vermeintlich übergeschichtlichen Perspektive Schillers, sondern von seinem analytischen Blick auf Zeitereignisse: ihnen antwortet Schiller durch eine Poetik der Symbolsprache, die in seiner Dramenkunst sich niederschlägt. Erst das symbolische Verständnis sichert gegen die unvermittelte Anwendung philosophischer Kategorien, die selbst noch in dem bedeutenden Aufsatz Gerhard Kaisers fortwirken[27]. Wie Staiger erklärt Kaiser Johannas Lebensweg aus dem Kantischen Dualismus: »Ihre Schonung des Feindes ist eine Tat der Leidenschaft, nicht der Sittlichkeit, und das heißt, Johanna fällt im Abfall von dem Geist, der sie bisher geführt hat, in den Dualismus von Sinnlichkeit und Sittlichkeit, Leidenschaft und vernünftiger Selbstbestimmung, in den nach Schiller der Mensch geworfen ist, um ihn zu überwinden.«[28] Weder ist die Lebensbahn Johannas bis zur Begegnung mit Lionel unter der eindimensionalen Kategorie des Geistes oder der Sittlichkeit zu subsumieren, noch ist die Leidenschaft Johannas buchstäblich zu verstehen. Vielmehr kommt es darauf an, auf die komplexere Struktur des Widerspruchs zu achten und Johannas Leidenschaft als sinnfällige Konsequenz ihrer paradoxen Situation zu verstehen.

c) Die »Sinnfragen«

Wagt man es nicht, auf die komplexen Dimensionen von Schillers Sinnbildsprache sich einzulassen, hält man sich, wie Gerhard Storz, vorsichtig zurück vor der »großzügigen oder kunstreichen Ausdeutung der angeblichen Symbolik«[29], so

25 Ebda.
26 Ebda, S. 403.
27 Gerhard Kaiser: Johannas Sendung. Eine These zu Schillers *Jungfrau von Orleans.* In: Jahrbuch der deutschen Schillergesellschaft X (1966). S. 205–236.
28 Ebda, S. 226.
29 Storz, Schiller, S. 363.

bleibt schließlich nur die Resignation vor den Sinnfragen der Tragödie. Deren »symbolische Behelfe« nicht auszudeuten, »schon gar nicht in systematischer Konsequenz«, rät Gerhard Storz: »Eher auf den Zusammenklang des Spiels mit Symbolen, Formen und Klängen ist sie zu befragen als auf ihre sachlich-gedankliche Schlüssigkeit oder nach ihrem tragischen Sinn.« [30] So entstehen Interpretationen, die ausgezeichnet, wie nie zuvor, den Aufbau von Schillers Dramen, Organisation und artistische Verfugung von Szenen und Auftritten durchleuchten, aber Sinnfragen vernachlässigen.[31] Deren Bedeutung erschließt sich erst einem Verfahren, das weniger »immanent« angelegt ist, d. h.: den geschichtlichen und den theoretischen Sinn Schillers von vornherein in Rechnung stellt und ihn, vermittelt und verwandelt durch die Theorie und Poetik, in der Symbolsprache insgesamt und, spezifiziert, im idyllischen Themenkreis erkundet.

Im Gegensatz zu Gerhard Storz richtet Benno von Wiese seinen Blick angestrengt auf das »Gehaltliche«, und zwar sind es vorzugsweise religiöse Gehalte, die er entdeckt. Das überrascht insofern, als in den theoretischen Kapiteln, die den interpretatorischen vorausgeschickt sind, die Religion in Schillers klassischer Philosophie und Ästhetik zutreffend als Mittel zum Zweck charakterisiert wird, d. h. als Ideensystem, dessen Gehalte umfunktioniert und der Geschichte wie der Kunst verfügbar gemacht werden: »längst war der transzendente richtende Vatergott der Schillerschen Jugend durch einen Entwurf von der Menschheit abgelöst, der den Zwiespalt von Ideal und Wirklichkeit durch eben diese Menschheit selbst aufzulösen suchte. Schillers Ästhetik ist das Stadium einer säkularisierten, ganz in die Welt hineingenommenen Theologie.« [32] Diesen Sätzen kommt jener unbestechliche Erkenntniswert zu, der von Wieses Erläuterungen zur Philosophie und Ästhetik Schillers insgesamt auszeichnet. Deren wesentlichste Teile werden, im Gegensatz zum traditionellen Schiller-Bild, zutreffend verstanden als »eine Antwort auf die Fragen (...) die durch die Krisis der Revolution in ihm ausgelöst wurden«[33]. Aber schon für die Analyse seiner Poetik werden Schillers Zeiterfahrungen nicht mehr explizit herangezogen; weder das Stilkriterium der Simplizität in der Bürger-Rezension beispielsweise noch das der »symbolischen Operation« in der Matthisson-Rezension sind nach ihrem geschichtlichen Ort und Stellenwert bestimmt. Im Falle der Dichtung werden die politisch-gesellschaftlichen Erfahrungen der philosophisch-ästhetischen Schriften ganz vergessen – zugunsten einer ausgesprochen theologischen Perspektive. Benno von Wiese löst das Versprechen nicht ein, das mit seiner These gegeben schien: »Von seinen frühesten Anfängen an denkt und dichtet Schiller zugleich.« [34] Das Zugleich wird in von Wieses Darstellung zu einem widersprüchlichen Nebeneinander; Schillers »lediglich ästhetisches Verhalten zu den religiösen Phänomenen« [35], das Benno von Wiese in Schillers Philosophie so vorzüglich beschreibt, wird im Blick auf die *Maria Stuart* wieder angezweifelt. Es entsteht die These, daß »nicht der christliche Glaube (...) durch das Theater profaniert, sondern das für Schiller bereits Profane dieses Glaubens durch das Theater

---

30 Ebda, S. 365 f.

31 Als »formal-ästhetisch« charakterisiert Storz hier denn auch seinen Formbegriff (S. 15).

32 von Wiese, Schiller, S. 483.

33 Ebda, S. 446.

34 Ebda, S. 97.

35 Storz, Schiller, S. 345.

erneut geheiligt«[36] werde. Das ist die Umkehrung der dramatischen Gesamtperspektive, in der das Religiöse geradezu zum Symbol einer Kunst wird, die, mittels sakraler Phänomene, jenes Schöne auf dem Theater herstellt, das versöhnend auf den entfremdeten Menschen in Schillers Zeit wirken soll. Nicht aber soll »in der Phantasie (...) jener religiöse Vorgang vorweggenommen und damit auch schon realisiert werden, wie der durch die Übermacht des Endlichen bedrohte Mensch sein Dasein endgültig im Transzendenten verankert«[37]. Welche Gefahren ein so buchstäbliches Verständnis des Transzendenten in Schillers Dramen impliziert, geht unmittelbar aus der Interpretation der *Jungfrau von Orleans* hervor. Die Tragödie, im vordergründig-wörtlichen Sinn gedeutet als »das parabolisch-legendäre Drama von der Fremdheit des Transzendenten inmitten einer eitlen, unreinen, herabziehenden Welt«[38], zeigt, nach Benno von Wiese, »eine auch sonst zu beobachtende Grenze in Schillers Menschendarstellung«[39]. Diese Kritik an der künstlerischen Qualität des Dramatikers Schiller ruht auf dem Mißverständnis, Johanna sei einmal als Gottgesandte und einmal als wirklicher Mensch konzipiert: »Das naive gottbegeisterte Handeln der Heldin und ihre ins Künstlerische stilisierte Selbstaussage zeigen ebenso einen Bruch in ihrer ins Allgemeine und Überpersönliche erhobenen Gestalt wie die Spannung zwischen Engel Gottes und menschlicher Schwachheit.«[40] Johanna ist aber, recht verstanden, nichts als Mensch, unterm Anruf der idealen Idee in der unmenschlichen Geschichte handelnd, und inmitten dieser paradox strukturierten Situation erwacht sie zum Bewußtsein ihrer Schuld, zu jenem Bewußtsein, das von Wiese als »Bruch« kritisiert, das aber bei Schiller unablösbar an Tragik gebunden ist. Erst die symbolisch verfahrende Auslegung vermeidet die voreilige Kritik, in die eine buchstäblich verfahrende leicht fällt.

2. Die Geschichtlichkeit der Interpretation

Die Forderung, Kunst, ästhetische Theorie und Zeiterfahrung Schillers hermeneutisch zu vermitteln, folgt aus der Einsicht in das hermeneutische Verhältnis zwischen Kunst und Kunstbetrachter: der Text als die objektive Gegebenheit fordert das subjektive, zeitbedingte Vorverständnis des Interpreten zur Entfaltung, Bewußtwerdung und Selbstkorrektur heraus. Daß wir Kunst als geschichtlich bedingt und durch Reflexionsstufen vermittelt verstehen, ist Folge eines Vorverständnisses, das die individuelle Existenz und die Äußerungen des Geistes bestimmt sieht durch die konkrete geschichtliche Situation, die das Produkt von Tradition, sozialen und wirtschaftlichen Verhältnissen ist: »In Wahrheit gehört die Geschichte nicht uns«, bemerkt Hans-Georg Gadamer, »sondern wir gehören ihr. Lange bevor wir uns in der Rückbesinnung selber verstehen, verstehen wir uns auf selbstverständliche Weise in Familie, Gesellschaft und Staat, in denen wir leben (...) Die Selbstbesinnung des Individuums ist nur ein Flackern im geschlossenen Stromkreis des geschichtlichen Lebens.«[41] Das Verständnis des Individuums als einer geschichtlich vermittelten, vom Wandel der Gesellschaft, Politik und Ökonomie abhängigen

36 von Wiese, Schiller, S. 722.
37 Ebda, S. 723.
38 Ebda, S. 735.
39 Ebda, S. 736.
40 Ebda, S. 735.
41 Gadamer, Wahrheit, S. 261.

Kraft, ist keineswegs selbstverständlich, sondern hängt mit einem Prozeß zusammen, dessen wahre Ausmaße und dessen Folgen noch immer nicht zur Genüge erfaßt und ins allgemeine Bewußtsein eingedrungen sind. Gemeint ist der Aufstieg und die Ausbreitung der Sozialwissenschaft im Gesamtgefüge der Wissenschaften. Ralf Dahrendorf hat unlängst davon gehandelt – nicht pro domo, sondern in Erkenntnis eines revolutionären Sachverhalts: »Was die Theologie für die mittelalterliche Feudalgesellschaft und die Philosophie für die Zeit des Überganges zur Moderne bedeutete, das bedeutet die Soziologie für die industrielle Gesellschaft. Alle drei Disziplinen waren oder sind, von ihren ausdrücklichen Erkenntniszielen abgesehen, Instrumente der Selbstdeutung historischer Epochen.«[42] Daß der Soziologie eine maßgebliche Rolle als Erkenntnisinstrument zufällt, erklärt sich aus der Geschichte ihrer Entstehung: sie entstand »aus einer historischen Situation des Umbruchs am Schnittpunkt der (etwas ungenau) gerne als feudal bezeichneten Epoche und der industriell-kapitalistischen Moderne; sie entstand aus dem Staunen über die Erfahrung, daß bislang als natürlich erlebte Verhältnisse sich als historisch und wandelbar herausstellen sollten.«[43]

Die neue Erfahrung des Wandels wirtschaftlicher und sozialer Verhältnisse impliziert die beiden erkenntnistheoretischen Gesichtspunkte, welche diese Arbeit leiten. Der eine Gesichtspunkt betrifft das Objekt, das erkannt wird: geschichtlicher Wandel schlägt sich, wie immer vermittelt und stilisiert, auch in den Hervorbringungen des philosophischen und künstlerischen Geistes nieder. In engem Kontakt mit dem Soziologen und Historiker, die Veränderungen im gesellschaftlichen und politischen Gefüge analysieren, fragt der Literaturwissenschaftler nach den Folgen, die sich aus solchen Veränderungen für dichterische Gebilde ergeben: »Die Literatur ist Arbeit an den Fragen der Epoche, auch wenn sie dabei die Epoche transzendiert.«[44]

Der andere Gesichtspunkt betrifft das Subjekt, das erkennt: geschichtlicher Wandel schlägt sich in der Kunstauffassung nieder, die als jeweils traditions- und zeitbedingte der kontrollierenden Reflexion bedarf. »Ein Begriff von dem, was Dichtung sei, bestimmte Erkenntnisabsicht, Sprachmöglichkeiten, die aus der Erfahrung mit Dichtung und aus der wissenschaftlichen Tradition erwachsen sind, und der Bildungshorizont des Interpreten bestimmen von vornherein Verstehen und Auslegung.«[45] Weil die an Tradition und Zeitverhältnisse gebundenen, subjektiv gebrochenen Voraussetzungen des methodischen Vorverständnisses keineswegs wie von selbst zu einer legitimen Erkenntnisperspektive sich zusammenschließen, sind sie auf ihre Angemessenheit hinsichtlich des Erkenntnisobjekts zu überprüfen. Das methodische Postulat historisch neutralen, objektiven Erkennens entzieht sich solcher Kontrolle. Der Vergangenheit ohne gegenwartsbedingte Vorverständnisse und Vorentscheidungen sich zuwenden zu wollen, ist eine Intention, die als undurchschaute, ungeprüfte Abhängigkeit von Zeitströmungen sich entlarvt: als Positivismus, der in die Geisteswissenschaften zu einer Zeit hineingetragen wurde, da die Naturwissenschaften kraft ihrer Methode, einer objektiven und exakten, am empirischen

42 Ralf Dahrendorf: Gesellschaft und Freiheit. Zur soziologischen Analyse der Gegenwart. München 1961. S. 13.

43 Ebda, S. 17.

44 Alfred Andersch: Die Blindheit des Kunstwerks. In: A. A.: Die Blindheit des Kunstwerks und andere Aufsätze. (edition suhrkamp) Frankfurt/M. 1965. S. 33.

45 Ricklefs, Hermeneutik, S. 286.

Befund und am Experiment verifizierbaren Analyse, von einer Entdeckung zur andern triumphierend fortschritten. Das daran ausgerichtete Ideal geisteswissenschaftlicher Objektivität systematisch aufgehoben und die Notwendigkeit reflektierter »Vorurteile«, geschichtlich bedingter Vorentwürfe, d. h. die unaufhebbare Standortgebundenheit des Interpreten folgerichtig entfaltet zu haben, ist ein Verdienst Gadamers. Geleitet von der Einsicht, daß es die »undurchschauten Vorurteile« sind, »deren Herrschaft uns gegen die in der Überlieferung sprechende Sache taub macht«[46], plädiert Gadamer für das Durchschauen und Bewußtmachen der immer schon vorhandenen gegenwartsbedingten Vorurteile: »Wer verstehen will, wird sich von vornherein nicht der Zufälligkeit der eigenen Vormeinung überlassen dürfen, um an der Meinung des Textes so konsequent und hartnäckig wie möglich vorbeizuhören – bis etwa diese unüberhörbar wird und das vermeintliche Verständnis umstößt. Wer einen Text verstehen will, ist vielmehr bereit, sich von ihm etwas sagen zu lassen. Daher muß ein hermeneutisch geschultes Bewußtsein für die Andersheit des Textes von vornherein empfänglich sein. Solche Empfänglichkeit setzt aber weder sachliche ›Neutralität‹ noch gar Selbstauslösung voraus, sondern schließt die abhebende Aneignung der eigenen Vormeinungen und Vorurteile ein. Es gilt, der eigenen Voreingenommenheit innezusein, damit sich der Text selbst in seiner Andersheit darstellt und damit in die Möglichkeit kommt, seine sachliche Wahrheit gegen die eigene Vormeinung auszuspielen.«[47] Demnach besteht das wahre hermeneutische Verhältnis zwischen Gegenwart und überliefertem Text weder darin, daß eine unüberbrückbare Distanz vorausgesetzt noch darin, daß eine naive Angleichung erzwungen wird. Vielmehr gilt: »Jede Begegnung mit der Überlieferung, die mit historischem Bewußtsein vollzogen wird, erfährt an sich das Spannungsverhältnis zwischen Text und Gegenwart. Die hermeneutische Aufgabe besteht darin, diese Spannung (...) bewußt zu entfalten.«[48] Weil »das Forschungsinteresse, das sich der Überlieferung zuwendet, durch die jeweilige Gegenwart und ihre Interessen in besonderer Weise motiviert«[49] ist, muß die Angemessenheit dieser Interessen gegenüber der Sache muß durch Reflexion gesichert werden: geschichtliches Verstehen erfordert ein Bewußtsein der eigenen Geschichtlichkeit.

Die Prüfung der zeitbedingten Vormeinungen auf ihre Legitimation hin erfolgt nach Gadamer unter einem doppelten Aspekt: dem der »Herkunft« und dem der »Geltung«[50]. Die »Herkunft« unserer Vormeinung, die Erkenntnisobjekt und erkennendes Subjekt eingebunden sieht in ökonomische, soziale und politische Verhältnisse, haben wir skizziert: die wachsende Relevanz der Gesellschaftswissenschaft im Gesamtgefüge der Wissenschaften rückte die geschichtliche Dimension der menschlichen Existenz ins allgemeinere Blickfeld, vermittelte die Erfahrung der Geschichte als wirtschaftlicher und gesellschaftlich-politischer Wandel, der den Formenwandel im künstlerischen Werk und den Methodenwandel im erkennenden Bewußtsein erzeugt. Wie zeitbezogen speziell diese Blickrichtung ist, bedarf kaum ausgreifender Hinweise: »auch die Gesellschaft ist im letzten Jahrzehnt nur allzu sehr in Mode geraten«[51], konstatiert Ralf Dahrendorf, und Walter Müller-Seidel fürchtet, daß die von den Kategorien des Geschichtlichen und Gesellschaft-

46 Gadamer, Wahrheit, S. 254.
47 Ebda, S. 253 f.
48 Ebda, S. 290.
49 Ebda, S. 269.
50 Ebda, S. 252.
51 Dahrendorf, Gesellschaft, S. 7.

lichen geleitete Methode, so fruchtbar sie auch ist, in modischen unreflektierten Gebrauch geraten könne: »Es ist noch keine drei Jahre her«, so lesen wir anläßlich einer Diskussionsveranstaltung über das Thema »Kleist und die Gesellschaft«, »daß man nach einer Epoche der geschichtslosen Interpretationskunst auf einem Germanistenkongreß in Mannheim die Wendung von der Rehabilitierung des Geschichtlichen beiläufig hörte; und es ist noch keine zwei Jahre her, daß bei uns eine Festschrift mit dem Titel »Literatur und Gesellschaft« erschien, an die unsere eigene Diskussionsveranstaltung anknüpft (...) Drei Jahre oder zwei Jahre sind im Gang einer Wissenschaft eine sehr kurze Zeit. Dennoch ist eine Fragestellung wie die unsere keine Frage mehr. Sie versteht sich von selbst, wenn die Angst nicht berechtigt sein könnte, es gehöre auch dieses Thema schon wieder der Mode an: der Mode im Methodischen, die das Gesetz der gebotenen Erneuerung diskreditiert.«[52] Im Falle der Schiller-Forschung ist eine modische Hinwendung zu außerdichterischen Phänomenen allerdings nicht zu konstatieren; der Überblick über die wissenschaftliche Literatur und die starke, in ihr fortwirkende Tradition zeigte vielmehr, daß ein intensiver Blick auf die Dimension des Geschichtlichen und seiner Folgen für Theorie und Poetik erforderlich ist. An Beweiskraft gewinnt diese zeitbedingte methodische Perspektive in dem Maße, wie sie vom Gegenstand selber, der Klassik Schillers, legitimiert wird. Der Aspekt solcher »Geltung« sei in Kürze dargestellt.

3. Der Begriff des »Klassischen«

Dem methodischen Vorverständnis kann die deutsche Klassik nur unter der Voraussetzung entsprechen, daß die Idee des Normativen neu gefaßt wird. »Das Klassische ist gerade dadurch eine wahrhaft geschichtliche Kategorie, daß es mehr ist als ein Epochenbegriff oder ein historischer Stilbegriff und daß es dennoch nicht ein übergeschichtlicher Wertgedanke sein will (...) Das erste also an dem Begriff des ›Klassischen‹ (und das entspricht auch ganz dem antiken wie dem neuzeitlichen Sprachgebrauch) ist der normative Sinn. Sofern diese Norm aber auf eine einmalige vergangene Größe rückschauend bezogen wird, die sie erfüllte und darstellte, enthält sie immer schon einen Zeit-Ton, der sie geschichtlich artikuliert.«[53] Gadamers Definition hat ihre Ergiebigkeit darin, daß sie »die Verknüpfung des normativen mit dem historischen Sinnmoment«[54] im Begriff des Klassischen anvisiert. So ist die zentrale Idee der deutschen Klassik, die Idee der Bildung, normativ gemeint, doch hat diese Norm ihre Substanz an reflektierten Zeiterfahrungen. Die klassische Kunst orientiert sich an der Idee der Bildung als einer zeitüberdauernden Konstante – und zeitüberdauernd ist diese Idee nur insofern, als sie dem geschichtlichen Prozeß bewußt unterworfen wird, Künstler und Publikum sie in der Auseinandersetzung mit den jeweiligen Zeitverhältnissen reformulieren. Die Reflexion auf die Zeitbedingungen in ihrer traditionsgebundenen, gesellschaftlich-politischen und ökonomischen Gestalt kann allein zum normativen Postulat erhoben werden. Was die klassische Kunst theoretischer Anstrengung verdankt, wurde angedeutet durch Verweise auf Cassirers Studien zur deutschen Geistesgeschichte[55].

---

52 Walter Müller-Seidel: Kleist und die Gesellschaft. Eine Einführung. In: Kleist und die Gesellschaft. Eine Diskussion. Berlin 1965. S. 30.

53 Gadamer, Wahrheit, S. 271 f.

54 Ebda, S. 270.

55 Vgl. unsere Ausführungen S. 32 f.

Deren Besonderheit, die Reflexion auf Bedingung und Ziel geistigen Schaffens, erreicht in der Epoche der deutschen Klassik ihren Höhepunkt. »Jedem Fortgang im Tun entspricht eine vertiefte Besinnung auf die Gründe des Tuns« – diese wechselseitige Durchdringung von Theorie und künstlerischer Gestaltung gewinnt bei Schiller Modellcharakter. Das gilt für den doppelten Idyllenaspekt im Drama, der an das Fortschrittsdenken der Zeit gebunden ist, aufgrund einer Analyse der Französischen Revolution (*Briefe über die Ästhetische Erziehung*) für Schiller an Bedeutung gewinnt und in der Theorie eingehend entfaltet wird *(Über Naive und Sentimentalische Dichtung)*; es gilt für eine zwischen Symbol und Allegorie angesidelte Sinnbildsprache, die aus der Matthisson-Rezension als naturwissenschaftlich bedingt, aus den *Briefen über die Ästhetische Erziehung* zugleich als gesellschaftlich-politisch bedingt sich erklären läßt; und es gilt für Schillers künstlerische Wirkungsabsichten, die zeittypische Entfremdungserscheinungen, kraß hervorgetreten während der Französischen Revolution, aufheben wollen – Wirkungsabsichten, die in den *Briefen über die Ästhetische Erziehung* theoretisch begründet und im Briefwechsel mit Goethe für die Praxis relevant gemacht werden. Die Vermittlung von Zeitgeschichte und Kunst durch das Medium der Reflexion: zu dieser charakteristischen Verfahrensweise sah sich Schiller schon durch die Philosophie und Ästhetik Kants veranlaßt, dem u. a. die Epoche das Attribut »philosophierend« verdankt. Was z. B. die *Briefe über die Ästhetische Erziehung* Kantschen Ideen schulden, sei es in direkter Aneignung oder in Gegenentwürfen, ist aus divergierenden Perspektiven mehrfach dargestellt worden[56]. Wie sehr das philosophische Zeitklima aber auch in Schillers Bürger-Rezension gegenwärtig ist, und zwar in Gestalt einer Verknüpfung von Bildungsidee und schichtspezifischen Gegensätzen im Volk, wurde erst jüngst vermerkt[57]. Die Ideen der Volkstümlichkeit und Idealität sind jeweils als Antwort auf Zeitverhältnisse konzipiert: auf die Kluft zwischen den nur theoretisch Gebildeten und den ganz Ungebildeten, zwischen »Auswahl« und »Masse« der Nation (NA, Bd. 22, S. 247). Diese Kluft aufzuheben ist Sache der Dichtung, die im leicht faßlichen, allgemein verständlichen Bild das fortgeschrittene Bewußtsein des philosophierenden Zeitalters zurückspiegeln würde. Durch die Sinnlichkeit des Bildes wäre die verkümmerte Empfindungskraft der bloß theoretisch Gebildeten, durch den leicht faßlichen Bedeutungsgehalt die Reflexionskraft der Ungebildeten zu aktivieren: tendenziell würden also schichtspezifische Unterschiede auf einer allgemeinen höheren Bildungsstufe ausgeglichen. »Die Sitten, den Charakter, die ganze Weisheit ihrer Zeit müßte sie (die Dichtung), geläutert und veredelt, in ihrem Spiegel sammeln und mit idealisierender Kunst aus dem Jahrhundert selbst ein Muster für das Jahrhundert erschaffen.« (NA, Bd. 22, S. 246) Der *Wilhelm Tell* versucht dieses geschichtsbewußte Postulat demonstrativ einzulösen – davon wird speziell im letzten Kapitel der Arbeit, das die Wirkungsabsichten des Schauspiels zum Gegenstand hat, die Rede sein. Von Schillers geschichtlichem Reflexionswillen zeugt erst recht, daß er sogar die Lyrik in den philosophischen Anspruch, in die »ganze Weisheit« der Zeit einbezieht. »Diese

---

56 Erinnert sei nur an einige zu wenig ausgeschöpfte Studien wie Ernst Cassirers Schiller-Kapitel in »Freiheit und Form«, Eduard Sprangers »Schillers Geistesart gespiegelt in seinen philosophischen Schriften und Gedichten« (in: Die Erziehung 17 [1941/1942]. S. 33 bis 48), oder Paul Menzers »Schiller und Kant« (in: Kant-Studien 47 [1955/1956]. H. 2 u. 3. S. 113–147, 234–272.)

57 Walter Müller-Seidel: Schillers Kontroverse mit Bürger und ihr geschichtlicher Sinn. Festschrift zum 65. Geburtstag von Paul Böckmann. Hamburg 1964. S. 294–318.

Lyrik ist im ganzen eine solche der gesteigerten Distanz. Ihre Formen sind Ausdruck der höchsten Bewußtheit im Gegensatz zur fast unbewußten Lyrik des Sturm und Drang. Das Ereignis der Französischen Revolution wie die kritische Philosophie scheinen in den ihm folgenden Jahrzehnt, im letzten des zu Ende gehenden Jahrhunderts, eine Anstrengung des Geistes gefördert zu haben, der sich auch die Lyrik nicht zu entziehen vermag, wenn sie selbst in eben diesem Zeitalter noch etwas bedeuten will.«[58]

Das Klassische beansprucht keine Geltung in Gestalt von Lebensanweisungen und Weltbildern, die aus künstlerischen Erzeugnissen abgelöst werden, noch läßt sich die Bauform dieser Erzeugnisse zur Norm erheben. Klassisch ist allenfalls der in theoretischer Anstrengung erfaßte, aber unwiederbringlich vergangene Zeitbezug, der als formverändernde Kraft im dichterischen Produkt wirkt: in den Distanzformen der Lyrik Schillers; seiner leicht faßlichen, massiv sinnlichen Darstellung schwieriger Inhalte in den Balladen; in den symbolisch-allegorischen Formen seiner Dramenkunst; in idyllischen Strukturen, die das Dramatische verschärft hervortreten lassen und dadurch dem Drama eine neue Spannweite verleihen; in praktischen Wirkungsabsichten, die durch das Drama die Vermittlung von Reflexion und Sinnlichkeit leisten wollen. Unsere zeitbedingte Perspektive scheint der Perspektive Schillers angemessen: seinem analytischen Blick auf naturwissenschaftliche, politische, gesellschaftliche Sachverhalte, die zunächst in einer neuen Ästhetik und Poetik und dann auch in der dramatischen Produktion greifbar werden.

---

58 Ebda, S. 311.

2. Kapitel

Schillers Symbolsprache

Daß die Erkenntnis der Schillerschen Idyllik im Drama von der Erkenntnis seiner sinnbildlichen Formen abhängt, wurde im ersten Kapitel dieser Arbeit angedeutet. Weil die Forschung sich auf Schillers symbolische Verfahrensweise nicht intensiv genug eingelassen hat, entgingen ihr Motive und Themen des Idyllischen, die sich vorzugsweise in symbolisch-allegorischen Sinnbildern verbergen. Aber auch das Problem des handelnden Menschen, das Feld des Dramatischen also, ist adäquat nur zu erfassen im Blick auf Schillers Symboltechnik: ihre Analyse ist somit eine Grundvoraussetzung der Interpretation und darf als ebenso selbständiger wie notwendiger Teil dieser Arbeit gelten. An Verbindlichkeit kann diese Analyse in dem Maße gewinnen, wie sie sich im Umkreis der Epoche bewegt; es liegt nahe, Goethes Symbolik mit einzubeziehen und sie, in Theorie und Praxis, mit der Sinnbildsprache Schillers zu vergleichen: erst so läßt sich die schwer faßbare Mitte zwischen Symbol und Allegorie umreißen, in der Schillers Sinnbildsprache angesiedelt ist.

I. Die Entwicklung des klassischen Symbolbegriffs

1. Der vorklassische Symbolbegriff

Die Vernachlässigung der Schillerschen Symbolsprache deutet auf ein allgemeineres Versäumnis hin: auf die mangelnde Einsicht in den geschichtlichen Sinn des Klassikers. Friedrich Dürrenmatt, der es vermeidet, Schiller »ins Absolute, Endgültige, Vorbildliche aufzublähen« [1], verwahrt sich mit Recht gegen die oft uneingestandene Meinung, Schiller habe »seine Zeit fallen lassen, um Klassik zu treiben, Zeitloses, Symbolisches, so daß wir aus diesem Grunde endlich in seinen späteren Werken weder seine noch unsere Zeit erkennen« [2]. Eher das Gegenteil ist der Fall: Schillers Symbolsprache enthüllt sich als Antwort auf seine Zeit und zeugt von seinem idealistischen Bildungswillen. Der geschichtliche Gehalt seiner klassischen Symbolkunst erschließt sich zumal dann, wenn wir sie abheben von Gedankengängen aus seiner vorklassischen Periode. Wir denken vorab an seine *Philosophischen Briefe*. Benno von Wiese macht darauf aufmerksam, daß ihr »Kernstück«, die *Theosophie des Julius*, kennzeichnend für Schillers »Jugendphiloso-

1 Friedrich Dürrenmatt: Friedrich Schiller. In: F. D.: Theaterschriften und Reden. Zürich 1966. S. 215.

2 Ebda, S. 226.

phie« ist.[3] Sie ist aber nicht minder erhellend für die erste Phase in der Entwicklung seines Symbolbegriffs. Der Künstler, auf den Julius hier zu sprechen kommt, hat eine ideale Ansicht von der Welt: »Das Universum ist ein Gedanke Gottes. Nachdem dieses idealistische Geistesbild in die Wirklichkeit hinübertrat (...) so ist der Beruf aller denkenden Wesen, in diesem vorhandenen Ganzen die erste Zeichnung wiederzufinden, die Regel in der Maschine, die Einheit in der Zusammensetzung, das Gesetz in dem Phänomen aufzusuchen und das Gebäude rükwärts auf seinen Grundriß zu übertragen.« (NA, Bd. 20, S. 115) Die auf den göttlichen »Grundriß« hin transparente Welt, die auf das göttliche »denkende Wesen« hinweisende »Erscheinung in der Natur«, ist damit Symbol des Gedanken Gottes: »Die große Zusammensetzung, die wir Welt nennen, bleibt mir jezo nur merkwürdig, weil sie vorhanden ist, mir die mannigfaltigen Aeußerungen jenes Wesens symbolisch zu bezeichnen.« (NA, Bd. 20, S. 115 f.) Das Symbol versteht sich als Identität von Erscheinung und Wesen, Gestalt und höchster Idee, Natur und höchstem Geist: »Die Geseze der Natur sind die Chiffern, welche das denkende Wesen zusammenfügt, sich dem denkenden Wesen verständlich zu machen – das Alphabet, vermittelst dessen alle Geister mit dem vollkommensten Geist (...) unterhandeln.« (NA, Bd. 20, S. 116) Trägt die *Theosophie des Julius* auch »ausgesprochenen Bekenntnischarakter« [4], wie gesagt wurde, so ist ihr dagegen ein ausgesprochen geschichtlicher Charakter noch kaum zuzubilligen. Ihr Bekenntnis ist vor allem ein Bekenntnis zu philosophischen Vorbildern: zu Shaftesbury, Locke, Leibniz und Wolff, und das vom Künstler zu entwerfende Bild ist eine »Abwandlung der Leibniz-Wolffschen Theodizee« [5]. Das läßt sich am Verhältnis des Julius zu den Naturwissenschaften erläutern. Ihr Einfluß auf das geschichtliche Bewußtsein wird noch nicht erfaßt; das analytische, die Welt auf mathematische Formeln reduzierende Verfahren wird poetisch-unkritisch verklärt und zum Zeugen der Gegenwart des göttlichen Wesens in der Welt stilisiert: »Eine neue Erfahrung in diesem Reiche der Wahrheit, die Gravitation, der entdekte Umlauf des Blutes, das Natursystem des Linnäus heißen mir (...) nur Widerschein eines Geistes, neue Bekanntschaft mit einem mir ähnlichen Wesen. Ich bespreche mich mit dem Unendlichen« (NA, Bd. 20, S. 116). So werden auch naturwissenschaftliche Gesetze nur abermals zum Symbol der Gedanken Gottes; die diesen Gesetzen unterliegenden Vorgänge in der Wirklichkeit erscheinen als Sinnbilder des Unendlichen, so daß jedes »Zeichen dem Bezeichneten durchaus getreu bleibt« [6]. Die Wirklichkeit ist von sich aus transparent auf das göttliche denkende Wesen; ihrem Symbolcharakter eignet etwas Frageloses, insofern sie Ausdruck höchster Harmonie ist: Erscheinung und Wesen fallen zusammen.

2. Der Einfluß der Naturwissenschaften

In der Folgezeit wandelt sich Schillers Auffassung des Symbols. Das hängt mit einer neuen Auffassung der Naturwissenschaften zusammen, wie sie in das Gedicht *Die Götter Griechenlands* (SA, Bd. 1, S. 156 ff.) eingeht. Die Gegenwart des Gött-

---

3 von Wiese, Schiller, S. 98 ff.

4 So in den Anmerkungen der Hanser-Ausgabe: Friedrich Schiller. Werke in 3 Bden. Unter Mitwirkung von Gerhard Fricke hrsg. von Herbert G. Göpfert. München 1966. Bd. I. 762.

5 von Wiese, Schiller, S. 105.

6 Ebda, S. 108.

lichen in der Welt, die noch von der *Theosophie des Julius* beschworen wurde, erscheint jetzt als unwiderrufliche Vergangenheit. Die Identität von Natur und höchster Idee, Wirklichkeit und göttlicher Wesenheit, wird ins goldene Zeitalter der Griechen zurückprojiziert; für die Zerstörung dieser Identität macht Schiller die Naturwissenschaften verantwortlich. Sie führen auf ein geheimnisloses physikalisches Gesetz zurück, was einst göttlich beseelt schien: »Wo jetzt nur, wie unsere Weisen sagen, / Seelenlos ein Feuerball sich dreht, / Lenkte damals seinen goldnen Wagen / Helios in stiller Majestät« (SA, Bd. 1, S. 157). Erschien die »Gravitation« – das von Newton entdeckte Gesetz der Schwerkraft – noch in der *Theosophie des Julius* als »Widerschein« des »vollkommensten Geistes«, so enthüllt sich diese Gravitation jetzt als ein Prinzip, das mit monotoner Regelmäßigkeit alle Erscheinungen der Natur sich unterwirft: »Fühllos selbst für ihres Künstlers Ehre, / Gleich dem toten Schlag der Pendeluhr, / Dient sie knechtisch dem Gesetz der Schwere, / Die entgötterte Natur.« (SA, Bd. 1, S. 160) Die mechanistische Welterklärung dringt in Schillers Bewußtsein ein und revolutioniert seine Anschauung der Natur: »Und an ewig gleicher Spindel winden / Sich von selbst die Monde auf und ab.« (SA, Bd. 1, S. 160) Dieser Sachverhalt hat weitreichende Folgen für Schillers Symbolbegriff. Vertreiben die Naturwissenschaften die göttliche Wesenheit aus der Natur, indem sie jede Erscheinung auf eine physikalische Formel zurückführen, so taugt die Wirklichkeit nicht länger als Symbol einer höchsten Idee, des »Gedanken Gottes«. Die zum seelenlosen Feuerball gewordene Sonne hat ihre höhere Symbolkraft verloren und ist zu einem sprachlosen Zeichen abgewertet. Nicht mehr aus dem erscheinenden Objekt tritt dem dichtenden Subjekt ein Symbolgehalt entgegen, sondern es muß diesen jetzt in das erscheinende Objekt erst hineinlegen. Die entleerte Wirklichkeit muß demnach, damit sie wieder symbolhaltig werde, vom Dichter entsprechend umgeformt, »zugerichtet« werden. Das will der Begriff der »symbolischen Operation« (NA, Bd. 22, S. 271) sagen, den Schiller in seiner Rezension *Über Matthissons Gedichte* (vgl. NA, Bd. 22, S. 265 ff.) entwickelt. Aus dem Gedicht *Die Götter Griechenlands* zieht diese Rezension die theoretischen und poetologischen Folgerungen. Die wiederholte Wendung von der »unbeseelten Natur« (NA, Bd. 22, vgl. S. 271) und vom »toten Buchstaben der Natur« (NA, Bd. 22, S. 273) weist darauf hin. Da die Natur von sich aus dem Menschen nicht mehr Sinnbild seiner Seele und seines Geistes ist, macht er sie dazu kraft einer »symbolischen Operation«: »Es gibt zweierlei Wege, auf denen die unbeseelte Natur ein Symbol der menschlichen werden kann: entweder als Darstellung von Empfindungen oder als Darstellung von Ideen.« (NA, Bd. 22, S. 271) Mit der Theorie begnügt sich indes Schiller nicht; er macht durch interpretatorische Hinweise zu Matthissons Gedichten beispielhaft einsichtig, »wie vermittelst jenes symbolischen Akts die gemeinen Naturphänomene des Schalles und des Lichts von der ästhetischen Würde der Menschennatur partizipieren können« (NA, Bd. 22, S. 272). Er rühmt an Matthisson, daß er Naturerscheinungen nicht einfach abbildet, sondern sie in der künstlerischen Komposition nach eigenem Ermessen so miteinander verknüpft, daß sie ihrer sprachlosen Partikularität entrinnen. Es ist die »glückliche Wahl harmonierender Bilder« (NA, Bd. 22, S. 276), »die glückliche Zusammenstellung der Bilder« und »die liebliche Stetigkeit in ihrer Sukzession«, wodurch ein Gedicht »Ausdruck einer bestimmten Empfindungsweise, also Seelengemälde wird« (NA, Bd. 22, S. 277). Ebenso können die »gemeinen Naturphänomene« (NA, Bd. 22, S. 272) Träger von Ideen werden. Voraussetzung ist, daß die »symbolisierende Einbildungskraft«, wie Schiller bezeichnenderweise das dichterische Organ nennt, nach Gesetzen der »Vernunft« (NA, Bd. 22, S. 273) verfährt. Hier legt Schiller den Grund zu jener wechselseitigen Durchdringung von »Imagination und Bewußtheit«[7], die Paul Böckmann als ein Charakteristikum der deutschen Klassik erkennt. Die Einbildungskraft, die Naturerscheinungen dichterisch verknüpft, »behandelt« diese zugleich nach den »Regeln« der »Vernunft« (NA, Bd. 22, S. 273). Sie verfährt insofern symbolisch, als sie gemäß diesen Regeln das Naturphänomen dichterisch umformt und zum »Ausdruck von Ideen« macht. So wird der Vernunft »diese Erscheinung ein Sinnbild ihrer eigenen Handlungen, der tote Buchstabe der Natur wird zu einer lebendigen Geistersprache« (NA, Bd. 22, S. 273). Indem Schiller Phantasie und Bewußtheit, Einbildungskraft und Ideenvermögen aufeinander abstimmt und mit ihrer Hilfe die empirische Natur in veränderter Weise dichterisch vergegenwärtigt, weist er auf seine klassische Symbolsprache voraus. Die vom Dichter hervorgebrachte »Stetigkeit, mit der sich die Linien im Raum oder die Töne in der Zeit aneinanderfügen«, kann zum »Symbol der inneren Übereinstimmung des Gemüts mit sich selbst und des sittlichen Zusammenhangs der Handlungen und Gefühle« (NA, Bd. 22, S. 273) werden.

3. Der politisch-gesellschaftliche Befund

Die vom dichtenden Subjekt ausgeführte »symbolische Operation« am empirischen Objekt geht in der Matthisson-Rezension auf die desillusionierende Erfahrung zurück, die Schiller den Naturwissenschaften verdankt. Der geschichtliche Sinn des von Schiller geforderten »symbolischen Akts« (NA, Bd. 22, S. 272) liegt darin, daß der Dichter die wachsende Geltung dieser Wissenschaften in sein Bewußtsein einbezieht. Die durch sie zum »toten Buchstaben« gewordene Natur erfordert eine geistbestimmte Symbolkunst. Diese Kunst wird aber, wie Schiller bald erkennt, von der Wirklichkeit insgesamt erfordert. Zur naturwissenschaftlichen gesellt sich bei Schiller eine gesellschaftlich-politische Erfahrung, die in dieselbe Richtung weist: zum »gemeinen Naturphänomen«, zur »entgötterten Natur«, zum »toten Buchstaben der Natur« tritt in Schillers Auffassung die »gemeine Empirie«, die grobe Mechanik des modernen Staats, wo »aus der Zusammenstückelung unendlich vieler, aber lebloser, Theile ein mechanisches Leben im Ganzen sich bildet« (NA, Bd. 20, S. 323). Die Einsicht in diesen Sachverhalt verdankt Schiller seiner Analyse der Französischen Revolution. Er führt ihr Scheitern zurück auf die in der modernen Zeit unaufhaltsam fortschreitende »schärfere Scheidung der Wissenschaften« und »strengere Absonderung der Stände und Geschäfte« (NA, Bd. 20, S. 322 f.). Die Entwicklung der Naturwissenschaft »entgöttert« nicht nur die Natur, sondern sie manifestiert sich auch in der Differenzierung technischer Verfahrensweisen, die für die Expansion und Organisation des Staates nutzbar gemacht werden. Wirtschaft, Handel, Administration gewinnen an Umfang und werden zugleich in zahllose Teilbereiche aufgespalten; die einzelnen Menschen entfremden sich dem anonymen Ganzen, der Enge ihrer Tätigkeit korrespondiert eine wachsende innere Verarmung. Als Gegenbild zur Disharmonie und Verarmung in der modernen Epoche zeichnet Schiller die paradiesische Zeit der alten Griechen: »Zugleich voll Form und voll Fülle, zugleich philosophierend und bildend, zugleich zart und energisch sehen wir sie die Jugend der Phantasie mit der Männlichkeit der Ver-

---

7 Böckmann, Klassik, Sp. 1639.

nunft in einer herrlichen Menschheit vereinigen.« (NA, Bd. 20, S. 321) Diese Antithese zwischen moderner Selbstentfremdung und antiker Harmonie greift Schiller in der Schriftt *Über Naive und Sentimentalische Dichtung* auf. Es geht ihm darum, aus seinen gesellschaftlich-politischen Erfahrungen unmittelbare Folgerungen für seine Kunst zu ziehen. Diese Folgerungen münden in jene Poetik einer symbolischen Verfahrensweise, die er in der Matthisson-Rezension aufgrund seiner naturwissenschaftlichen Erfahrungen formuliert hatte. Es ist eine Verfahrensweise, die der naive Dichter der Antike nicht kannte. Die in der antiken Kunst präsente Welt ging nicht aus einer »symbolischen Operation« hervor, sondern war reiner Spiegel der Wirklichkeit. Denn in der »antiken« Wirklichkeit war noch das Ideal selber gegenwärtig. Da sich im alten Griechenland, wie Schiller es sieht, »Sinne und Vernunft, empfangendes und selbstthätiges Vermögen (...) noch nicht getrennt« (NA, Bd. 20, S. 436 f.) hatten, und der »Mensch noch mit allen seinen Kräften zugleich, als harmonische Einheit wirkt«, konnte sich der Dichter auf die »Nachahmung des Wirklichen« (NA, Bd. 20, S. 437) beschränken. Nachahmen bedeutete hier, »der Menschheit ihren möglichst vollständigen Ausdruck zu geben« (NA, Bd. 20, S. 437). Das zu tun, bleibt nach Schiller die Bestimmung aller Kunst. Aber die moderne Kunst vermag dies nicht mehr auf dem Weg der Nachahmung des Wirklichen. Denn der Mensch ist, wie bereits die *Briefe über die Ästhetische Erziehung* darlegten, sich selbst entfremdet. Die Berufswelt hat die »sinnliche Harmonie in ihm aufgehoben« und die »Übereinstimmung zwischen seinem Empfinden und Denken« existiert nur noch als eine Idee, die »erst realisirt werden soll, nicht mehr als Thatsache seines Lebens« (NA, Bd. 20, S. 437). Daher darf sich der sentimentalische Dichter der modernen Epoche nicht an der Wirklichkeit orientieren, sondern ausschließlich an der Idee, die aus der Wirklichkeit verschwunden ist. Seine künstlerische Aufgabe ist die »Erhebung der Wirklichkeit zum Ideal oder, was auf eins hinausläuft, die Darstellung des Ideals« (NA, Bd. 20, S. 437). Die hier gemeinte Erhebung ist identisch mit der »symbolischen Operation«, die Schiller in der Matthisson-Rezension beschreibt. In seiner Schrift *Über Naive und Sentimentalische Dichtung* findet er für diese Operation die prägnante Formel: »Der Gegenstand wird hier auf eine Idee bezogen, und nur auf dieser Beziehung beruht seine dichterische Kraft (NA, Bd. 20, S. 441) Daß diese Beziehung einen starken Eingriff des dichtenden Subjekts in den empirischen Gegenstand erfordert, will Schiller jetzt, in der Schrift *Über Naive und Sentimentalische Dichtung*, mit dem Begriff der »sentimentalischen Operation« (NA, Bd. 20, S. 478 Anm.) sagen. Wie die »symbolische Operation« macht die sentimentalische »aus einem beschränkten Objekt ein unendliches« und die Identität beider dichterischer Verfahrensweisen wird vollends evident, wenn es von der sentimentalischen heißt, sie vermöchte es, »einen von aussen zu rohen Stoff von innen heraus, durch das Subjekt, zu vergeistigen, den poetischen Gehalt, der der äussern Empfindung gemangelt hatte, durch Reflexion nachzuholen, die Natur durch die Idee zu ergänzen« (NA, Bd. 20, S. 478 Anm.). Vergeistigung, Poetisierung, ideelle Ergänzung durch den Dichter kennzeichnen dessen Verhaltensweise zu den empirischen Gegenständen. Den »äußeren Stoff« »zu einem idealischen umschaffen« (NA, Bd. 20, S. 450) bedeutet, ihn zum symbolischen Träger einer Idee zu machen. Es kommt demnach darauf an, durch einen stilisierenden Eingriff dem empirischen Gegenstand seine vordergründige gewöhnliche Bedeutung zu entziehen und ihm eine höhere ideale Bedeutung einzusenken. Schiller skizziert auf diesem Wege einen Symbolbegriff, der erst wieder von der modernen Forschung, vor allem durch die Studien Wilhelm Emrichs, eingehender entwickelt wurde. Die ursprüngliche, wirklichkeitsverhaftete Bedeutung, deren sich der Gegenstand nie ganz entledigt, und die ganz anders strukturierte Idee, der er symbolisch zum Ausdruck verhelfen soll, erzeugen jene Spannung, die Emrich als konstitutiv für das symbolische Sprechen erachtet, wenn er auf dem unüberbrückbaren »Abstand« zwischen dem »unmittelbar Erscheinenden und dem Sinn, zwischen Bild und Bedeutung«[8] insistiert: »Dichterische Wahrheit entsteht erst aus dem Widerstreit zwischen Wesen und Erscheinung, den zu befrieden die Dichtung immer erneut sich aufgerufen fühlt.«[9] Eben diese Spannung meint Schiller, wenn er vom sentimentalischen Dichter sagt, er habe es »immer mit zwey streitenden Vorstellungen und Empfindungen, mit der Wirklichkeit als Grenze und mit seiner Idee als dem Unendlichen zu thun« (NA, Bd. 20, S. 441). An dieser Spannung haben denn auch die Leser teil, insofern sie die »Vorstellung der Einbildungskraft«, d. h. den der Empirie entnommenen, vom Dichter vorgestellten Gegenstand, »mit einer Vernunftidee zu vereinigen haben, und also immer zwischen zwey verschiedenen Zuständen ins Schwanken gerathen« (NA, Bd. 20, S. 441 Anm.).

4. Die Beziehung auf die Praxis im Briefwechsel mit Goethe

Der dialektische Zusammenhang zwischen einer naturwissenschaftlich und politisch-gesellschaftlich entfremdeten Empirie einerseits und der erforderlichen Symbolsprache andererseits wird für Schiller gleich zu Beginn seiner klassischen Dramenpraxis relevant. Es bezeugt die hohe Bedeutung der Theorie für das künstlerische Schaffen, daß Schiller seine entstehende klassische Poetik der Symbolsprache für die Arbeit am *Wallenstein* fruchtbar macht. Zumal in bezug auf Schillers Figurengestaltung wird diese Symbolsprache bedeutungsvoll. Nur mit ihrer Hilfe läßt sich der Horizont der überpersönlichen Idyllenmotivik ausmessen, in den Schillers Personen hineinreichen.

Wie wichtig der Briefwechsel zwischen Goethe und Schiller für die Entstehung der klassischen Symbolsprache ist, hat Paul Böckmann angedeutet. Eine hervorragende Rolle spielt dabei das Jahr 1797. Böckmann macht darauf aufmerksam, daß diese Symbolsprache »auf die im 18. Jahrhundert entstandene Bewußtseinssituation bezogen« bleibe und »ihre Beispielhaftigkeit erst in ihrer geschichtlichen Bestimmtheit«[10] gewinne. Anhand der *Götter Griechenlands,* der Matthisson-Rezension, der *Briefe über die Ästhetische Erziehung* und der Schrift *Über Naive und Sentimentalische Dichtung* versuchten wir diesen Wechselbezug zwischen geschichtlicher Situation und symbolischen Verfahren zu erläutern. Er tritt mit aller Schärfe und mit der Verbindlichkeit der Praxis während Schillers Gestaltung des Wallenstein-Stoffes hervor. Schiller spricht von der »Bedeutungslosigkeit« empirischer Erscheinungen und konstatiert abermals die Entfernung der »gemeinen Empirie« vom »Ideal« (Jonas, Bd. 5, vgl. S. 174). Das führt ihn zu einer grundsätzlichen Kritik an der naiven Nachahmung des Wirklichen. Der »neuere« Dichter, heißt es, »schlägt sich mühselig und ängstlich mit Zu-

---

8 Wilhelm Emrich: Das Problem der Symbolinterpretation im Hinblick auf Goethes *Wanderjahre*. In: DVjs. 26 (1952). S. 339.

9 Ebda, S. 340.

10 Böckmann, Klassik, vgl. Sp. 1636 f.

fälligkeiten und Nebendingen herum, und über dem Bestreben, der Wirklichkeit recht nahe zu kommen, beladet er sich mit dem Leeren und Unbedeutenden, und darüber läuft er Gefahr, die tiefliegende Wahrheit zu verlieren, worinn eigentlich alles *Poetische* liegt« (Jonas, Bd. 5, S. 167 f.). Daß die Wirklichkeit nicht immer transparent sei auf die »tiefliegende Wahrheit« hin, ist der die Arbeit am *Wallenstein* leitende Gesichtspunkt. »Wahrheit« meint hier sowohl das Ideal höchster Menschlichkeit, das erst in der Idylle realisiert wäre, wie jede allgemein menschliche Idee überhaupt. Schillers in die konkrete geschichtliche Wirklichkeit eindringender Blick gewahrt deren formlose Willkür, Verdinglichung und Unübersichtlichkeit. Ein Übermaß an Zufälligkeiten, Nebendingen und Entfremdungen verdeckt das allgemein Menschliche. Wollen die der Empirie entnommenen Gegenstände der Kunst daher nach wie vor Symbole des allgemein Menschlichen sein, so muß an ihnen eine »symbolische Operation« vorgenommen werden. Ein wichtiger Schritt dazu ist die Stilisierung, wie sie Schiller bei Shakespeare beobachtet. Er rühmt zumal dessen »Darstellung des Volkskarakters« (Jonas, Bd. 5, S. 173). Nicht »die Masse und Menge mit ihrer Bedeutungslosigkeit« vergegenwärtigt der englische Dramatiker, sondern er fördert das Wesen des Volks zutage, indem er »mit einem kühnen Griff (...) ein paar Figuren, ich möchte sagen, nur ein paar Stimmen aus der Masse« herausnimmt und sie »für das ganze Volk gelten« läßt (Jonas, Bd. 5, S. 174). Nennt Schiller das Resultat dieser stilisierenden Verfahrensweise zunächst ein »poetisches *Abstractum*« (Jonas, Bd. 5, ebda), so gebraucht er wenig später dafür den Begriff des Symbols (Jonas, Bd. 5, vgl. S. 291). Schiller erwartet von solcher symbolischer Stilisierung nicht nur, »daß die Poesie sich reinigte«, sondern daß »ihre Welt enger und bedeutungsvoller (sich) zusammenzöge«, d. h. die »symbolischen Behelfe« selbst müßten bedeutungvsoller sein als die wirklichen Gegenstände (Jonas, Bd. 5, vgl. S. 313). Stilisierung hieße, den »flachen Erscheinungen« der Wirklichkeit im Kunstwerk »eine unendliche Tiefe« (Jonas, Bd. 5, S. 252) verleihen. Symbolisch dichten meint demnach, den empirischen Gegenstand in ein sinnbildliches Zeichen zu übersetzen und diesem Zeichen zugleich einen allgemein menschlichen Gehalt einzusenken. So weist der Briefwechsel auf die Schrift *Über Naive und Sentimentalische Dichtung* zurück, wo dem Künstler aufgetragen wird, den »mangelhaften Gegenstand zu ergänzen« und auf eine allgemeinere Idee zu beziehen. Durchaus unter dieser Perspektive will sich Schiller im Briefwechsel mit Goethe der gesamten Wirklichkeit symbolisierend bemächtigen. Die Empirie als die »Zusammenstückelung unendlich vieler, aber lebloser, Theile« (NA, Bd. 20, S. 323) muß im dichterischen Gegenentwurf als »ein Ganzes der Menschheit« (Jonas, Bd. 5, S. 251) erscheinen. Am empirischen Gegenstand, fordert Schiller, müsse sich »das Ideen Vermögen (...) versuchen und ihn von seiner *symbolischen* Seite faßen, und so eine Sprache für die Menschheit daraus (zu) machen« (Jonas, Bd. 5, S. 251 f.). Wie diese Symbolisierung sich vollzieht, lehrt Schillers Figurengestaltung.

Die Figuren im *Wallenstein* sollten Schillers ersten Entwürfen zufolge in Prosa sprechen. In Übereinstimmung mit Goethe kritisiert Schiller dann einige Zeit später die Prosa als den »puren Realism«, der »so gewaltsam angreifend« und »heftig wirkt« (Jonas, Bd. 5, S. 379); die »gemeine Empirie«, an welche diese Sprachform erinnert, soll ja gerade distanziert werden. Schiller greift zur metrischen Sprachform und macht dabei eine wahrhaft revolutionäre Erfahrung: »Seitdem ich meine prosaische Sprache in eine poetisch-rhythmische verwandle, befinde ich mich unter einer ganz anderen Gerichtbarkeit als vorher« (Jonas, Bd. 5, S. 289).

Denn der *Rhythmus* »behandelt«, so lesen wir, »alle *Charaktere* und alle *Situationen* nach Einem Gesetz«; er führt sie »in Einer Form« aus. Daraus ergibt sich für den Dichter die Forderung, »von allem noch so *characteristisch* verschiedenem etwas Allgemeines, rein menschliches zu verlangen« (Jonas, Bd. 5, S. 290). Sprechen die Personen dieselbe rhythmische Sprache, so müssen sie diese äußere Beziehung durch eine innere bestätigen, wenn Form und Gehalt nicht beziehungslos auseinandertreten sollen. Die voneinander noch so verschiedenen Figuren will Schiller unterm Zeichen des Allgemeinen, rein Menschlichen zusammentreten lassen. Sie sollen ihre äußere formale Beziehung dadurch in eine innere hinüberführen, daß sie jeweils auf allgemein menschliche Sachverhalte hinlenken und als Träger repräsentativer Ideen sich zu erkennen geben. Schiller vermag diesen überindividuellen Charakter dramatischer Figuren in aller Schärfe zu fassen, als er eine seiner metrischen Sprache immanente Tendenz entdeckt: die Tendenz zur episch-reflexiven Breite. »Die *Jamben*«, so konstatiert er, »unterhalten« »eine poetische Gemüthlichkeit, die einen ins Breite treibt« (Jonas, Bd. 5, S. 292). Es scheint ihm, als ob ihn »ein gewißer epischer Geist angewandelt habe« (Jonas, Bd. 5, S. 293), den er sich aus dem Einfluß Goethes erklärt. Diesem Geist gibt Schiller bewußt nach: »Ich lasse meine Personen viel sprechen, sich mit einer gewißen Breite herauslassen« (Jonas, Bd. 5, S. 418). Schiller sieht darin abermals eine »Abweichung von der Wirklichkeit« (Jonas, Bd. 5, ebda), denn Wortkargheit, so erläutert er, »möchte (...) der Natur handelnder Charaktere gemäßer erscheinen« (Jonas, Bd. 5, ebda). Aber eben in dieser Abweichung erfüllt sich »ein höheres poetisches Gesetz«. Es ist das Gesetz, das von dichterischen Figuren Symbolkraft fordert. Diese Symbolkraft wird ihnen durch die epische Breite ihrer Reden zuteil: sie erlaubt ihnen, grundlegende Sachverhalte und repräsentative Gedanken in angemessener Ausführlichkeit darzustellen und auszusprechen. Die Figuren werden zu »symbolischen Wesen«, d. h. zu Trägern überindividueller Ideen und typischer Verhaltensweisen: »Sobald man sich erinnert, daß alle poetischen Personen symbolische Wesen sind, daß sie, als poetische Gestalten, immer das allgemeine der Menschheit darzustellen und auszusprechen haben, und sobald man ferner daran denkt, daß der Dichter so wie der Künstler überhaupt auf eine öffentliche und ehrliche Art von der Wirklichkeit sich entfernen und daran erinnern soll daß ers thut, so ist gegen diesen Gebrauch nichts zu sagen.« (Jonas, Bd. 5, ebda) Die so verstandene Symbolkraft der Schillerschen Figuren ist eine conditio sine qua non für das Verständnis seiner Dramen. So ist die dichte Streuung idyllischer Strukturen nur dann ausfindig zu machen, wenn man den Symbolwert der Personen, ihre Funktion, Träger überpersönlicher Ideen zu sein, als eine Prämisse in Schillers Gestaltungsweise anerkennt. Nur unter dieser Voraussetzung läßt sich der entscheidende Anteil ermitteln, den Wallenstein, Max und Thekla ebenso wie Johanna und Tell an der idealen Idee der Idylle haben.

5. Der Anteil deutscher Verhältnisse an der Symbolbildung

Das der »symbolischen Operation« entspringende Ideal wurde von Georg Lukács am Beispiel der Schrift *Über Naive und Sentimentalische Dichtung* aus summarisch materialistischer Perspektive kommentiert [11]. Auf Schillers zeitgeschicht-

11 Georg Lukács: Schillers Theorie der modernen Literatur. In: G. L.: Goethe und seine Zeit. Bern 1947. S. 78–109.

liche Analyse in der Matthisson-Rezension und in den *Briefen über die Ästhetische Erziehung* geht Lukács nicht ein, auch der Symbolbegriff wird nicht verwendet, aber doch stets vorausgesetzt und folgender Kritik unterworfen: »Statt die schwere, oft ganz übermenschliche Arbeit des modernen Dichters zu analysieren, mit der inmitten der kleinlichen Prosa des bürgerlichen Lebens so tief gegraben werden muss, dass die wesentlichen Bestimmungen des bürgerlichen Lebens poetisch konkret an die Oberfläche treten, dreht Schiller das Problem idealistisch um: er deckt nicht den konkreten dialektischen Zusammenhang zwischen den dem Leben unmittelbar entnommenen Details und den ihnen zugrunde liegenden, in ihnen verborgenen wesentlichen Bestimmungen auf. Vielmehr betrachtet er den Realismus in den Details als ein blosses Mittel, als einen Vermittlungsweg dazu, um von den *nicht erfahrungsgemäß* aufgefassten und damit dem Leben starr gegenübergestellten wesentlichen Zügen zu der poetisierten Oberfläche des Lebens zurückkehren zu können.« [12]

Das Urteil bedarf einer partiellen Differenzierung, die zugleich den ganzen zeitgeschichtlichen Gehalt von Schillers Symbolkunst erkennen lassen soll. »Die kleinliche Prosa des bürgerlichen Lebens« – sie regierte das Deutschland Schillers. Wir werden später zeigen, welche Folgen diesem Deutschland aus der Kleinstaaterei erwachsen waren: Versteinerung wirtschaftlich zurückgebliebener Verhältnisse, die wiederum stabilisierend auf die hergebrachte ständische Ordnung zurückwirkten, Konservativismus der auf diese Ordnung jahrhundertelang eingeschworenen Herrschenden und Beherrschten [13]. Franz Schnabel erinnert daran, daß dieser Zustand das 18. Jahrhundert zäh überdauert hat: »Im Ganzen bot die Wirtschaftskultur zu Beginn des 19. Jahrhunderts das Bild eines erstarrten Lebens« – Unternehmungsgeist und Tatkraft »schlummerten unter dem Drucke der Kleinstaaterei und der absoluten Fürstengewalt« [14]. Die Prosa des bürgerlichen Lebens war von einer trostlosen Statik – daher scheint die Forderung unangemessen, inmitten dieser Prosa so tief zu graben, daß die wesentlichen Bestimmungen des bürgerlichen Lebens poetisch konkret an die Oberfläche treten: diese Bestimmungen waren sowohl in wirtschaftlicher wie politisch-gesellschaftlicher Hinsicht unwesentlich geworden, erstarrte Überlieferung, welche angesichts der wirtschaftlichen Dynamik der in energischer Entwicklung begriffenen europäischen Nationalstaaten – z. B. England oder Frankreich – zur unmaßgeblichen Randerscheinung herabgesunken war. Schiller hat sich denn auch von der deutschen Prosa bürgerlichen Lebens im wahrsten Sinne des Wortes distanziert: er hat sie durch die metrische Sprachform ersetzt, die fundamentale Bedingung seiner »symbolischen Operation«; der poetische Rhythmus sollte auch die entfernteste Erinnerung an die gehaltlose Faktizität der täglichen Prosa tilgen. Daraus entspringt der hohe Abstraktionsgrad und die Realismusferne seiner klassischen Dramen. Denn die poetisch-rhythmische Darbietung anspruchsvoller Sachverhalte erfordert nicht nur eine hochstilisierte Sprache, sie tendiert auch zu einer epischen Breite, welche der »Natur handelnder Charaktere« nicht angemessen ist – die Distanz zur normalen Wirklichkeit wird gleichsam verdoppelt. Dramenfiguren, die in epischer Breite sich auslassen dürfen, werden zu Symbolen: sie können repräsentative Ideen in angemessener Ausführlichkeit darstellen und als Träger überpersönlicher Sachverhalte agieren. Lukács nennt das die »*nicht erfahrungsgemäß* aufgefassten und damit dem Leben starr gegenübergestell-

12 Ebda, S. 95. 13 Vgl. unsere Ausführungen S. 197–201.
14 Schnabel, Geschichte, 3. Bd., S. 261 f.

ten wesentlichen Züge«. Das erfordert im Hinblick auf Schillers theoretische und künstlerische Intention eine Korrektur: in Figuren wie Octavio, Wallenstein, Max ist ein zeitgeschichtlicher Erfahrungsgehalt verborgen. Nicht von ungefähr stellt Schiller im Prolog zum *Wallenstein* einen Zusammenhang zwischen seiner Trilogie und der Französischen Revolution her. Die Idee einer neuen Zeit idealidyllischer Prägung, partiell manifest in Wallensteins Sternenglauben, vor allem aber in den Visionen und der Existenz des jungen Piccolomini – das ist eine zeittypische Idee, die der Französischen Revolution unmittelbar vorgeordnet ist und in die Erwartungen eingeht, die zum Teil in sie gesetzt werden. Allerdings hat Schiller solche zeitgeschichtlichen Zusammenhänge ihrer spezifisch empirischen Gestalt entkleidet und poetisch sublimiert: Vermochte die deutsche Gegenwart aufgrund politischer Zersplitterung und wirtschaftlich-gesellschaftlichen Anachronismus nationale dichtungswürdige Gegenstände nicht zu bieten, wie Goethe wiederholt bemerkt hat, so ließen sich doch auch aktuelle Vorgänge europäischen Rangs aus Schillers Sicht nicht einfach abbilden. Seine Begründung ist hier angeführt worden. Indem die mechanistische Welterklärung zusehends Naturvorgänge auf physikalische Formeln, geheimnisvolle Erscheinungen auf Gesetzmäßigkeiten, irrationale Vieldeutigkeit auf mathematische Regeln zurückführte, wurden zugleich Bedingungen für eine technisch-wirtschaftliche Entwicklung geschaffen, die der entstehende Nationalstaat förderte und ausnutzte: als Resultat beschreibt Schiller Arbeitsteilung und Entfremdung zwischen dem nur partiell ausgebildetem Individuum und einem zum anonymen Selbstzweck sich erhebenden Staat. Die Empirie erscheint verdinglicht, von Zufälligkeiten und Privatinteressen unübersichtlich durchkreuzt – »aus der Zusammenstückelung unendlich vieler, aber lebloser, Theile« bildet sich »ein mechanisches Leben im Ganzen« (NA, Bd. 20, S. 323). Durch die künstlerische Reproduktion der Empirie würde der Zuschauer nur wiederum in »die gemeine enge Wirklichkeit peinlich zurück versetzt« (SA, Bd. XVI, S. 121). Auch die Reproduktion vergangener Geschichte kann dieser Gefahr nicht abhelfen – denn in der Vergangenheit zeichnet sich schon tendenziell die aktuelle verdinglichte Empirie ab: der Stoff des *Wallenstein* bietet Schiller eine »Staatsaction«, die »schon an sich selbst etwas trocken« ist (Jonas, Bd. 5, S. 270), ein »unsichtbares abstractes Objekt«, das in »kleine und viele Mittel« und in »zerstreute Handlungen« zerfällt (Jonas, Bd. 5, S. 121). Daher stilisiert Schiller das vorgefundene Material so lange, bis es zu einer lückenlos verfugten, mit zwingender Notwendigkeit ablaufenden Handlung gediehen ist. Was darin an historische Details erinnert, suggeriert nicht, wie Lukács meint, die »Oberfläche des Lebens«, auch nicht die »poetisierte«. Eben sie will Schiller entfernt wissen: »Es ergibt sich daraus von selbst, daß der Künstler kein einziges Element aus der Wirklichkeit brauchen kann, wie er es findet, daß sein Werk in a l l e n seinen Teilen ideell sein muß, wenn es als ein Ganzes Realität haben (...) soll.« (SA, Bd. XVI, S. 122) Für diese Abkehr von der Realität plädiert Schiller um der realen Zuschauer willen: durch Rhythmus und Symbolik will er die »vereinigte Beziehung eines Produktes auf das Gefühlvermögen und auf das Ideenvermögen« (NA, Bd. 20, S. 461) zustande bringen: die nur partiell ausgebildeten Zeitgenossen sollen ihrer Partikularität entrinnen angesichts symbolischer Dramenfiguren, die das »a l l g e m e i n e der Menschheit darzustellen und auszusprechen haben«; die Sinnlichkeit und die reflexive Breite ihrer rhythmischen Sprache soll die gespaltene, sinnlich-intellektuelle Doppelnatur der Menschen wieder versöhnen.[15]

15 Ausführlich beziehen wir uns auf dieses Problem im 4. Kapitel dieser Arbeit.

Was hier als ambivalente Relation zwischen Zeitgeschichte und »symbolischer Operation« sich abzeichnet, als Widerspiel zwischen symbolischer Verflüchtigung der Wirklichkeit und hochgespannten Wirkungsabsichten, bestätigt demonstrativ der *Wilhelm Tell*. Typische Zeitinhalte und fortgeschrittene Ideen sind in die Struktur des Schauspiels insofern transponiert, als dieses aus vorgeschichtlich beschränkter Idylle zu einer höheren Idylle führt, in welcher einzelner und Gemeinschaft auf qualitativ neuer Stufe vereint sind. Hegel hat an Schiller diese zeittypische Idee einer höheren Vermittlung von Individuum und Gesellschaft hervorgehoben – die Idee des fortschrittlichen bürgerlichen Humanismus. Im Durchgang durch die bedrohende Geschichte wachsen sowohl dem Individuum Tell wie der Eidgenossenschaft neue Qualitäten zu, wie die Interpretation zeigen wird. Die bedrohende Geschichte ist aber weder nach dem Modell der Französischen Revolution noch nach dem eines zeitgenössischen nationalen Kampfes gezeichnet. Es ließe sich ja durchaus denken, daß die Bedingungen, die Schiller zufolge Entstehung und Verlauf der Französischen Revolution erklären, auch als Bedingungen für Entstehung und Verlauf einer dramatischen »Staatsaction« angeführt werden. Davor scheut jedoch Schiller zurück; die von ihm in theoretischer Anstrengung analysierten gesellschaftlich-politischen Veränderungen in der modernen Geschichte sind ebenso wenig Gegenstand der künstlerischen Darstellung wie die spezifische Erscheinungsform des modernen Individuums, die fortschreitende Disharmonie seiner Kräfte und sein immer abstrakteres Verhältnis zum Ganzen. Die Helden des Schauspiels, Tell und die Schweizer, sind von einer idealidyllischen Integrität, wie in der modernen Geschichte sie sich nirgendwo findet – ihre revolutionäre Gegenverschwörung stützt sich auf eine unzerstörbare Unschuld und darf daher gelingen. Die Darstellung der Empirie und ihrer Bedingungen wird einer zeitbezogenen emphatischen Wirkungsabsicht untergeordnet, die sich auf eine »symbolische Operation« stützt: die leichte Faßlichkeit der symbolischen Personen, die stilisierte anspruchsvolle Simplizität ihres dramatischen Entwicklungsprozesses, soll Schillers Intention zufolge Gebildete und Ungebildete gleichermaßen ansprechen, schichtspezifische Unterschiede aufheben; die Eingestaltung musikalischer und malerischer Momente in den geschichtsphilosophischen Dreischritt zielt darauf, die gestörte, sinnlich-reflexive Doppelnatur der Zeitgenossen zu versöhnen [16].

Die enge Wirklichkeit deutscher Kleinstaaterei und die dynamische Entwicklung europäischer Nationalstaaten, die das Individuum an isolierte Arbeitszwecke band und in abstrakte gesellschaftliche Verhältnisse drängte: beides schlug sich bei Schiller als vorwiegend negativer Erfahrungsgehalt nieder. Der wiederum bedingt, zusammen mit naturwissenschaftlichen Erfahrungen, seine Symbolsprache. Nicht als gering darf der Anteil der besonderen Situation Deutschlands veranschlagt werden. Auf der einen Seite mag das Fehlen fortschrittlicher öffentlicher Verhältnisse, die dem Individuum unablässig Gewicht und Schwerkraft der Empirie ins Bewußtsein rufen, die Tendenz zur symbolischen Abstraktion empirischen Materials potenziert haben. Zum anderen bildete die tägliche Erfahrung der besonderen deutschen Verhältnisse eine Schranke, die eine direkte und ausdauernde Versenkung in die allgemeineren Verhältnisse, in Ursachen und Geschichte der Französischen Revolution, verwehrte. Daß Schiller die »plebejischen Formen und Inhalte« der Revolution als die einzig mögliche Voraussetzung einer »Öffentlichkeit des modernen bürgerlichen

---

16 Vgl. unsere Ausführungen S. 221–227.

Lebens«[17] durchschaut und gleichzeitig »seine Entscheidung gegen die plebejischen Tendenzen getroffen«[18] habe, ist unter diesen Umständen, bei fortwährender Distanz zum Geschehen in Frankreich, nicht denkbar. In den »plebejischen Tendenzen« konnte Schiller kaum die »ersten Anfänge der proletarisch-revolutionären Tendenzen«[19] vermuten – auch der Möglichkeit von Erfahrung sind durch bestimmte geschichtliche Konstellationen strenge Grenzen gesetzt. Geleitet vom idealistischen Vertrauen in kunsterzieherische Kräfte, ein für die kleinstaatlichen, politisch zurückgebliebenen Verhältnisse charakteristisches Vertrauen[20], hat Schiller in den »niederen Klassen« ein durch die sublimierte Kunst zu sublimierendes potentielles Theaterpublikum erblickt. Aus diesem Grund geht auch die Masse, wie jede Erscheinung modernen Lebens, nicht unmittelbar ins künstlerische Werk ein. Schiller versagte sich die Darstellung der Empirie und der ihr zugrunde liegenden Ursachen, weil er sie als negativ erfuhr: die realistische künstlerische Reproduktion hätte seiner These zufolge den Zuschauer abermals an die Negativität gefesselt. Daher kehrt er sich indirekt gegen sie, durch sein Symbolverfahren. Stilisierte Handlung, episierender Rhythmus und repräsentative, allgemein menschliche Figuren, sinnliche und reflexive Formelemente treten zu einer Kunstgestalt zusammen, die im Zuschauer als versöhnende idealidyllische Gegenkraft zu seiner unversöhnten Natur und zum anonymen gesellschaftlichen Ganzen wirken soll. Über der Realität, deren Voraussetzungen und Bedingungen unangetastet fortdauern, erhebt sich in künstlerischen Darbietungsformen ein abstrakter utopischer Gegenwille.

II. Die Symbolik Schillers und Goethes in ihrer Beziehung zur Allegorie

1. Die Theorie

Unsere interpretatorischen Hinweise zu Schillers Symbolik lassen sich verdeutlichen und gewinnen an geschichtlicher Verbindlichkeit durch entsprechende Hinweise zur Symbolik Goethes. Dabei sind wir uns bewußt, daß die Verwendung des Wortes Symbol im Hinblick auf Schiller problematisch ist. Es ließe sich einwenden, daß Schillers Symbol der Definition nicht entspreche, die Goethe vorgeschlagen hat. »Das ist die wahre Symbolik, wo das Besondere das Allgemeine repräsentiert«, heißt es in den *Maximen und Reflexionen*[1]. Goethe gelangt zu dieser Definition durch die antithetische Abgrenzung gegenüber der Allegorie, die zugleich eine folgenschwere Herabsetzung dieser Kunstform impliziert: »Es ist ein großer Unterschied, ob der Dichter zum Allgemeinen das Besondere sucht oder im Besonderen das Allgemeine schaut. Aus jener Art entsteht Allegorie, wo das Besondere nur als Beispiel, als Exempel des Allgemeinen gilt; die letztere aber ist eigentlich die Natur der Poesie, sie spricht ein Besonderes aus, ohne ans Allgemeine zu denken oder darauf hinzuweisen.«[2] Das sind jeweils sehr eng gefaßte Bestimmungen; keine von ihnen trifft auf Schillers sinnbildliche Formen zu. Geht er in seinen Dramen vom

17 Lukács, Schiller, S. 87.
18 Ebda, S. 88.
19 Ebda.
20 Vgl. unsere Ausführungen S. 199–201.
1 Goethes Werke. Hamburger Ausgabe in 14 Bden. Hamburg 1953. Bd. 12. S. 471, Nr. 751.
2 Ebda.

Besonderen, vom geschichtlichen Fall, aus, so schaut er doch keineswegs »im Besondern das Allgemeine«. Das geht etwa aus seinem Kommentar zur *Jungfrau von Orleans* – »das historische ist überwunden« (NA, Bd. 30, S. 224) – unmißverständlich hervor. Das Historische taugt für eine solche Schau nicht; Schiller sieht in ihm, wie wir ausführten, »das Leere und Gemeine« (Jonas, Bd. 5, S. 252); das historisch Empirische ist ein mechanisches Ganzes »flacher Erscheinungen« (Jonas, Bd. 5, S. 252), ob es sich nun um Erscheinungen der Natur oder um politisch-gesellschaftliche Phänomene handelt. Erst der Dichter gibt ihnen »eine unendliche Tiefe«. Erst das Subjekt, das einen Begriff von der Idee hat, verwandelt das ideenlose Objekt zum sinnbildlichen Träger der Idee. Am »Gegenstand«, der »leer« und »gehaltlos« ist, sagt Schiller, »wird sich das Ideen Vermögen versuchen und ihn von seiner *symbolischen* Seite faßen« (vgl. Jonas, Bd. 5, S. 251 f.). Geht demnach Schiller vom Gegenstand, vom Besonderen aus, wie der Symboliker im Goetheschen Sinne, bestimmt der Gegenstand in gewisser Weise die künstlerische Formensprache, so entdeckt Schiller darin doch nicht ein »Allgemeines«; vielmehr verfährt er wie der Allegoriker im Goetheschen Sinn, der dem Gegenstand Bedeutung und Tiefe, d. h. einen repräsentativen Ideengehalt, erst verleiht. Derart halten sich Schillers sinnbildliche Formen in einer sehr schwer faßbaren, nie eindeutig zu fixierenden Mitte zwischen dem Symbol und der Allegorie im Sinne der angeführten Definitionen Goethes.

Dem vorläufig skizzierten Sachverhalt trägt die wissenschaftliche Literatur nicht in der erforderlichen Weise Rechnung. Sie läßt entweder die Symboltheorien Schillers und Goethes unterschiedslos zusammenfallen oder spielt sie gegeneinander aus. So geht Hans-Georg Gadamer bei seiner sonst ausgezeichneten Rehabilitierung der Allegorie von dem Vorurteil aus, die »Abwertung der Allegorie« sei »das beherrschende Anliegen der deutschen Klassik« [3]. Auch Hans Robert Jauss hält in seinen instruktiven Bemerkungen zum Verständnis der Allegorie der deutschen Klassik vor, daß sie »Symbol und Allegorie als sich ausschließende Gegenbegriffe« [4] nehme. Die von der deutschen Klassik vorgenommene »Unterscheidung zwischen Symbol und Allegorie«, so führt Jauss im einzelnen aus, habe »wesentlich zur Abwertung der allegorischen Dichtform beigetragen, die auch in der Geschichte der literarischen Forschung einen deutlichen Niederschlag gefunden hat« [5]. Eine solche Unterscheidung ist zumindest von Schiller nicht durchgeführt worden, der in Theorie wie in Dichtung gerade zwischen Symbol und Allegorie im engeren Sinne vermittelt. Auch bei Goethe liegen in einigen theoretischen Bemerkungen Ansätze zu einer solchen Vermittlung vor, und das nimmt den nicht wunder, der die *Natürliche Tochter* oder gar die späten Dramen gegenwärtig hat. Angesichts der manifesten Vermittlungstendenzen bei Schiller ist es jedenfalls nicht angängig, der deutschen Klassik summarisch eine Abwertung der Allegorie zu unterstellen. Umgekehrt liegt kein Anlaß vor, den »Symboliker« Goethe gegen den »Allegoriker« Schiller auszuspielen. Die Differenz, die zwischen den Symbolbegriffen der beiden Klassiker waltet, ist in der Tat nicht so beträchtlich, wie Curt Müller und Bengt Algot Sörensen, zwei für diesen poetologischen Problembereich qualifizierte Forscher, annehmen. Curt Müller legt Goethe auf die »echte Symbolik«, Schiller dagegen auf

3 Gadamer, Wahrheit, S. 75.

4 Hans Robert Jauss: Form und Auffassung der Allegorie in der Tradition der Psychomachia. In: Medium Aevum Vivum. Festschrift für Walter Bulst. Heidelberg 1960. S. 183.

5 Ebda, S. 181.

die »allegorische Behandlung« [6] fest und sieht darin einen unversöhnlichen Gegensatz. Ähnlich spricht Sörensen mit Beziehung auf die Poetik der beiden Klassiker vom »polaren Gegensatz des Symbolischen und Allegorischen« [7]. Offenbar wird hier die Bedeutung einiger Definitionen Goethes überschätzt – und zugleich normativ verstanden. Denn Müller wie Sörensen halten an dem Vorurteil gegenüber der Allegorie fest, das die deutsche Literaturwissenschaft so lange und so unreflektiert mitgeschleppt hat, trotz Walter Benjamins *Ursprung des deutschen Trauerspiels* [8]. »Die Gegenwärtigkeit«, bemerkt Curt Müller, gebe »dem Symbol einen Vorzug vor dem Zeichen« [9], und umgekehrt unterscheide sich das Zeichen »wegen des Mangels an Darstellungsvermögen vom wirklichen Symbol« [10]. Hier kündigt sich jene abwertende Perspektive an, die noch der dänische Forscher teilt, wenn er die »begriffsgebundene Allegorie in ihrer künstlerischen Bedenklichkeit« [11] von der »wahrhaft künstlerischen Symbolik« abhebt, die jede »Gefahr eines Abgleitens in das Allegorische oder Zeichenhafte« [12] vermeide. So erweist sich die Kritik an der allegorischen Ausdruckssprache als eine Konsequenz der schroffen Konfrontation von Symbol und Allegorie. Daß es solcher Konfrontation im Grunde nicht bedürfte, stellt Walter Müller-Seidel fest. Schon Grimmelshausens allegorische Darstellung macht es schwierig, »in jedem Fall eine Abgrenzung zum Symbol hin zu erreichen« [13], und umgekehrt »verzichtet die Symbolkunst der klassisch-romantischen Dichtung nicht völlig auf die Allegorie« [14]. In der Tat sollte man in bezug auf die deutsche Klassik nicht von vornherein auf eine unversöhnliche Antithese, sondern immer auch auf eine Vermittlung zwischen symbolischem und allegorischem Sprechen gefaßt sein. Um im Falle Schillers und Goethes diese Vermittlung differenziert beschreiben zu können, dürfen als vorläufige Interpretationskategorien das Symbol und die Allegorie im engeren Sinne verwendet werden. Denn da diese Scheidung nun einmal vorliegt, ist sie »nicht einfach rückgängig zu machen« [15]. Wir bedienen uns ihrer, um zu zeigen, daß Schillers und Goethes sinnbildliche Formensprachen auch in der klassischen Zeit sich gelegentlich in einer schwer faßbaren Mitte zwischen dem Symbol und der Allegorie bewegen, wobei eine »zarte Differenz« [16] darin liegt, daß Schiller mehr als Goethe der allegorischen Verfahrensweise zuneigt. Gleichsam idealtypisch soll die Verwandtschaft und die Differenz an zwei Dramen der Hochklassik hervortreten, die beide zur selben Zeit entstanden: an Goethes *Natürlicher Tochter* und an Schillers *Jungfrau von Orleans*.

6 Curt Müller: Die geschichtlichen Voraussetzungen des Symbolbegriffs in Goethes Kunstanschauung. Leipzig 1937. S. 229.
7 Bengt Algot Sörensen: Symbol und Symbolismus in den ästhetischen Theorien des 18. Jahrhunderts und der deutschen Romantik. Kopenhagen 1963. S. 108.
8 Walter Benjamin: Ursprung des deutschen Trauerspiels. Frankfurt/M. 1963. Vgl. besonders S. 174 ff.
9 Müller, Symbolbegriff, S. 12.
10 Ebda, S. 13.
11 Sörensen, Symbol, S. 237.
12 Ebda, S. 287 f.
13 Walter Müller-Seidel: Die Allegorie des Paradieses in Grimmelshausens *Simplicissimus*. In: Medium Aevum Vivum. Festschrift für Walter Bulst. Heidelberg 1960. S. 277.
14 Ebda, S. 278.
15 Ebda, S. 277.
16 So lautet die schöne Wendung Goethes, die er bei einem Vergleich zwischen seinem und Schillers sinnbildlichem Sprechen findet (in: Goethe, Hamburger Ausgabe. Bd. 12. S. 471, Nr. 751).

2. Die künstlerische Praxis

a) Goethes *Natürliche Tochter*

Daß bei Goethe Theorie und künstlerische Praxis in Fragen der Symbolik nicht immer übereinstimmen müssen, lehrt ein Blick auf sein Revolutionsdrama *Die Natürliche Tochter*. Die Sinnbildsprache dieser Dichtung ist nicht ohne weiteres mit dem »Gestaltsymbol« identisch, dessen zentralen Stellenwert in Goethes Poetik Curt Müller und B. A. Sörensen beschrieben haben. »Das Wesen des klassischen Gestaltsymbols war (...) Erfüllung und Gegenwart«[17], lesen wir, und damit ist »dieses in sich selbst ruhende, sich selbst aussprechende Symbol«[18] mit mustergültiger Prägnanz charakterisiert. Daß dieser »Begriff des Gestaltsymbols« indessen »am meisten vom Geist der deutschen Klassik geprägt«[19] sei, wie Sörensen behauptet, ist eine sehr anfechtbare These. Denn der »Geist der Klassik« bezeugt sich nicht nur in einzelnen theoretischen Äußerungen, sondern auch in der Dichtung. Und diese widerlegt in ihren sinnbildlichen Formen vielerorts die Schlußfolgerung, in die Sörensens Ausführungen münden: »Man kann das Goethesche Symbol nicht in dem Sinne ›deuten‹, daß man hinter dem Bild eine Bedeutung sucht (...) Will man das Symbol in Goethes Geist deuten, muß man es beschreiben.«[20] Eugenie und der Herzog in der *Natürlichen Tochter* tun gerade das Umgekehrte: Sie deuten Vorgänge und Bilder und erheben sie erst dadurch zum Symbol. Ein solcherart reflektiertes Symbol aber hat die Richtung zur Allegorie. Es fügt sich nicht der Definition, die Curt Müller für das Goethesche Symbol im allgemeinen heranzieht; ihr zufolge lebt »das Symbol in Goethes Sinne (...) aus seiner unmittelbaren Gegebenheit«[21]. Ebenso wenig fügt sich die Symbolik im Revolutionsdrama der normativen Wertschätzung, der sich das reflexionslose und unmittelbare, in sich selber ruhende Gestaltsymbol bei Curt Müller erfreut: »Es kommt demnach für die echte Symbolik nicht auf das Wissen um eine dem Gegenstand beigelegte Symbolik an, wie es die allegorische Behandlung fordert, sondern die wahre Natur ist zugleich die Bedeutung, die eben symbolisch zum Ausdruck kommt.«[22] Immer wieder vollziehen die Personen in Goethes Revolutionsdrama die allegorische Behandlung, die Curt Müller hier geringschätzt; bei einem zentralen Bild dieses Dramas, dem Bild des Sturzes, kommt es gerade »auf das Wissen um eine dem Gegenstand beigelegte Symbolik an«.

Eugeniens Sturz vom Pferde in den Abgrund trägt seine Bedeutung nicht stumm in sich, sondern erhält sie durch den Herzog, der diesen Sturz als »ersten Eintritt in die Welt« (V. 455)[23] erläutert, genauer: als Sturz aus dem geschichtslosen Paradies in die gefahrvolle, der Unmenschlichkeit anheimgebende Geschichte: »Und nun auf einmal, wie der jähe Sturz / Dir vorbedeutet, bist du in den Kreis / Der Sorgen, der Gefahr herabgestürzt (...) Ach! soll ich nun nicht mehr ins Paradies, / Das dich umgab, am Abend wiederkehren, / Zu deiner Unschuld heil'gem Vorgefühl / Mich von der Welt gedrängter Posse retten! / Du wirst fortan, mit

---

17 Sörensen, Symbol, S. 109.
18 Ebda, S. 112.
19 Ebda.
20 Ebda, S. 122.
21 Müller, Symbolbegriff, S. 240.
22 Ebda, S. 229.
23 Zitiert wird *Die Natürliche Tochter* nach: Goethes Werke. Hamburger Ausgabe. Bd. 5. 1952.

mir ins Netz verstrickt, – / Gelähmt, verworren, dich und mich betrauren.« (V. 465 ff.) Der Herzog verfährt hier mit einem Ereignis in der Weise, die Curt Müller eine »allegorische Behandlung« nennt; er legt ihm eine Bedeutung bei, die es von sich aus nicht hat. Die so geübte Deutung aber gehört einem Bewußtseinsvorgang an: das Symbol des Sturzes gerät dadurch in die Nähe zur Allegorie, daß es auf eine reflektierte rationale Ebene transponiert wird. Walter Müller-Seidel hat daran erinnert, daß dieses überwiegend rationale Element die Allegorie im engeren Sinn von dem Symbol im engeren Sinn unterscheidet.[24] Bereits Curt Müller hatte diese Unterscheidung im Anschluß an Goethes »klare Abgrenzung des Rationalen vom Irrationalen« [25] getroffen, und Sörensen formulierte einen Gegensatz »zwischen der Unaussprechlichkeit und Inkommensurabilität des Symbols einerseits und der begrifflichen Eindeutigkeit der Allegorie andererseits« [26]. Wie sehr das Symbol des Sturzes durch das deutende Bewußtsein zu dieser »begrifflichen Eindeutigkeit« tendiert, wie sehr es im Medium der Reflexion eine allegorische Färbung annimmt, läßt sich, nicht expressis verbis, aber indirekt, aus entsprechenden Bemerkungen von Hans-Egon Hass ersehen. Hass weist darauf hin, wie Goethe in der *Natürlichen Tochter* selbst »eine offenbar symbolische Gegenständlichkeit nicht in der Sphäre des sinnlichen Zeichens stehen läßt« und wie die Symbole »aus ihrer Stummheit im Konkreten emporgehoben« werden »in die Ebene des Bewußtseins, in der ihr Sinn ausgesprochen wird« [27]. Die allegorische Richtung, die hier ein Symbol durch den Anteil des deutenden Bewußtseins gewinnt, läßt sich nun nicht allein am Bild des Sturzes verfolgen. Sondern diese Richtung schlägt auch das zentrale Motiv des Schmucks ein, das mit dem des Sturzes mittelbar verknüpft ist. Die Gefahr und Unmenschlichkeit der Geschichte symbolisiert Goethe im Sturz Eugeniens ebenso wie im Bild des Schmucks. Diesen hat Eugenie vorzeitig an sich genommen, und, in seine Betrachtung versunken, deutet sie sich ihn. Nicht unmittelbar und unreflektiert erscheint das Bild als Symbol, sondern im Medium des deutenden, sinnverleihenden Bewußtseins einer Figur: »Und dieses Kleid und seine Farben, sind / Sie nicht ein Sinnbild ewiger Gefahr? / Die Schärpe deutet Krieg, womit sich, stolz / Auf seine Kraft, ein edler Mann umgürtet. / O meine Liebe! Was bedeutend schmückt, / Es ist durchaus gefährlich.« (V. 1139 ff.) Eugeniens Interpretation erhebt das Bild des Schmucks zum »Sinnbild«, wie sie selbst sagt. So vollzieht das deutende Bewußtsein eine Symbolisierung, die bereits allegorischen Charakter hat. Dieser allegorische Charakter des Schmucksymbols tritt im Fortgang des Dramas verschärft hervor. Wie der Sturz vom Pferd steht der Schmuck metaphorisch für den Sturz des Menschen aus dem ungeschichtlichen Paradies in die unparadiesische Geschichte. Indem Eugenie das Schmuckkästchen vorzeitig öffnet, entgegen dem Verbot des Herzogs, erfährt sie an sich selbst, was im Sündenfallgleichnis die Menschheit insgesamt erfahren hat. Abermals ist es das deutende Bewußtsein, das entscheidenden Anteil an der Symbolbildung hat: »O, so ist's wahr, was uns der Völker Sagen / Unglaublichs überliefern! Jenes Apfels / Leichtsinnig augenblicklicher Genuß / Hat aller Welt unendlich Weh verschuldet. / So ward auch mir ein Schlüssel anvertraut: / Verbotne Schätze wagt' ich aufzuschließen, / Und aufgeschlossen hab' ich mir das Grab.« (V. 1920 ff.) Zum sinnfälligen Symbol

---

24 Müller-Seidel, Allegorie, S. 276 f.
25 Müller, Symbolbegriff, S. 19.
26 Sörensen, Symbol, S. 118.
27 Hass, Goethe. *Die Natürliche Tochter*, S. 237.

wird der Vorgang erst durch Eugeniens Reflexion: sie stellt ihn unter die Perspektive des biblischen Sündenfalls und verleiht ihm dadurch einen rational fixierbaren Sinn. Das deutende Bewußtsein beläßt das Bild nicht in der inkommensurablen Vieldeutigkeit, die dem Gestaltsymbol eignet, sondern rückt es in eine gewisse Eindeutigkeit, die der allegorischen Zeichensprache zugehört.

Die allegorische rationale Qualität, die Goethes Symbolik hier gewinnt, wird durch den Traditionszusammenhang bestätigt, in den sich das deutende Bewußtsein Eugeniens fügt. Am Beispiel von Grimmelshausen hat Walter Müller-Seidel erläutert, was ein vorgegebenes Allgemeines, z.B. die bekannte Überlieferung des christlichen Glaubens, für das Sinnbild bedeutet. Je mehr nämlich das Sinnbild auf einen Traditionszusammenhang zurückweist, um so weniger ist es Symbol im engeren Sinn, um so eindeutiger, rationaler und »allegorischer« wird es: »Bei Grimmelshausen und weithin im 17. Jahrhundert ist das Allgemeine im Glauben gegeben; mehr noch ist es vorgegeben (...) das ermöglicht jene Beziehungs- und Gleichnissprache, von der Karl Viëtor gesprochen hat. Sie kann sich um der vorgegebenen Bezugspunkte willen nicht zum Unbestimmten des Symbols erweitern (...) Daß sich die Bilder und Vorstellungen nicht beliebig zum Unbestimmten erweitern können, bedeutet eine Bevorzugung des Rationalen gegenüber dem Irrationalen.«[28] Selbstverständlich ist deshalb die Sinnbildsprache Grimmelshausens nicht mit derjenigen Goethes zu verwechseln. Grimmelshausens Allegorie hat einen strengen Bezug zum christlichen Glauben, der im Falle Goethes so sehr säkularisiert ist, daß auch das symbolische Sprechen ein größeres Eigenrecht behauptet. Nur ist es kein absolutes Eigenrecht: das Sündenfallgleichnis als der außerdichterische Bezugspunkt gibt dem Symbol des Schmucks jenen festumgrenzten Sinn, den in erhöhter Deutlichkeit die Allegorie in sich trägt. Wie sehr auch das dichterische Verständnis des Sündenfalls vom entsprechenden christlichen Verständnis sich unterscheiden mag, so haben doch Tradition und Übereinkunft diesem biblischen Phänomen einen Sinn gegeben, den Goethe nicht beliebig und willkürlich verändern will. Tradition und Übereinkunft geben dem auf den Sündenfall bezogenen Schmucksymbol eine gewisse Eindeutigkeit, die sich von der schwebenden Vieldeutigkeit des Symbols im engeren Sinne entfernt und eine Richtung zum Allegorischen hat. Damit greift Goethe in der Dichtung über seine Theorie hinaus. In der *Farbenlehre* hatte er einen symbolischen Gebrauch der Farbe vom allegorischen unterschieden. Stimmt die unmittelbare Wirkung einer Farbe mit der Bedeutung überein, die sie in sich trägt, so liegt ein symbolischer Gebrauch der Farbe vor. Symbolik versteht sich demnach als intuitives Erfassen eines Sinnes, ohne daß ein Vorverständnis notwendig wäre. Allegorisch dagegen wird nach Goethe die Farbe, wenn »etwas Konventionelles« im Spiel ist, »indem uns erst der Sinn des Zeichens überliefert werden muß, ehe wir wissen, was es bedeuten soll«[29]. Im Sündenfallgleichnis ist uns ein solcher Sinn überliefert, der seinerseits den Sinn des Schmucksymbols näher bestimmt und ihm eine allegorische Färbung gibt. »Das Konventionelle«, so erläutert Curt Müller, »verlangt Überlieferung der Bedeutung; nur dem, der weiß, enthüllt sich der Sinn, wie es nach Goethe bei der Allegorie der Fall ist. Das Symbol in Goethes Sinn dagegen lebt aus seiner unmittelbaren Gegebenheit.«[30] Damit ist Goethes Theorie zutreffend angedeutet – aber zugleich tritt der Abstand zur Dichtung hervor, deren Symbol-

28 Müller-Seidel, Allegorie, S. 276.
29 Goethe, Hamburger Ausgabe, Bd. 13. S. 520, Nr. 917.
30 Müller, Symbolbegriff, S. 240.

sprache gerade nicht aus »unmittelbarer Gegebenheit« »lebt«, sondern aus dem »Konventionellen« im Sinne einer »Überlieferung der Bedeutung«, wie das Beispiel des überlieferten Sündenfallgleichnisses zeigt.

Dennoch ist das so verstandene Symbol der Dichtung nicht allegorisch im engeren Verstand des Worts. Das deutende Bewußtsein und die Überlieferung haben zwar entscheidenden Anteil an der Symbolbildung in der *Natürlichen Tochter* und sie geben auch der Goetheschen Sinnbildsprache eine gewisse Eindeutigkeit, indem sie das Irrationale des Symbols in das Rationale der Allegorie hinüberspielen. Aber von der Allegorie entfernt sich Goethes Sinnbildsprache zugleich wieder durch Anschaulichkeit und Sinnennähe. Mehr als die Allegorie geht nämlich Goethes symbolisches Sprechen von einem Bild aus, das als solches bereits etwas von der Bedeutung enthält, die im Symbol zum Ausdruck kommen soll. Ausgezeichnet erläutert diesen Sachverhalt Curt Müller; er weist auf die »charakteristische Eigenart des Symbols« hin, das »nicht auf ein anderes, Transzendentes, nur äußerlich hinweist, sondern im Sinnlichen des Phänomens schon etwas vom Sinn selbst zur Darstellung oder zum Ausdruck bringt« [31]. Am Beispiel des Sturzes erweist sich, wie zutreffend diese Bestimmung ist. Denn hier ist im »Sinnlichen des Phänomens« – in Eugeniens fast tödlichem Sturz vom Pferd – etwas vom symbolischen Sinn selbst enthalten, vom fast tödlichen Sturz des Menschen aus dem Paradies in die Geschichte. »Es handelt sich«, führt Curt Müller aus, »bei der Symbolbegegnung nicht nur um einen subjektiven Akt von Sinngebung und Sinnfindung, sondern ein objektives Merkmal lenkt weckend den Blick über die vordergründige Erscheinungswelt hinaus auf eine zweite eigentliche Welt der Bedeutung.« [32] Im sinnlichen Phänomen des Sturzes ist jenes »objektive Merkmal« enthalten, das auf die »zweite eigentliche Bedeutung« hinlenkt: mit Eugeniens konkretem Sturz assoziieren wir eine Gefährlichkeit und Gefährdung, die wir auch mit dem Sturz aus dem Paradies in die Geschichte verknüpfen. So bewegt sich Goethes Sinnbildsprache in der *Natürlichen Tochter* in einer schwer faßbaren Mitte zwischen dem Symbol und der Allegorie im engeren Sinn. Dem Symbol ist Goethes sinnbildliches Sprechen insofern verwandt, als es im Sinnlichen des Phänomens, im konkreten Bild, bereits jenes objektive Merkmal in sich birgt, das auf die hintergründige unsinnliche Bedeutung hinlenkt; der Allegorie aber nähert sich dieses Sinnbild insofern an, als es seine Bedeutung nicht unmittelbar und stumm in sich trägt, sondern sie erhält durch das sinnverleihende, bedeutungstiftende Bewußtsein der Figuren; wo diese Figuren dann das Bild in einen eindeutigen, rational umschreibbaren Traditionszusammenhang rükken, verstärkt sich noch sein allegorischer Charakter.

b) Schillers Jungfrau von Orleans

Von solchen Erwägungen her läßt sich Schillers Symbolkunst schärfer umreißen. Vor dem Hintergrund der Goetheschen Sinnbildsprache kann der spezifische Charakter der »symbolischen Operation« Schillers hervortreten. Gewiß ist die Sinnbildsprache in der *Jungfrau von Orleans* nicht jederzeit identisch mit der anderer klassischer Werke: sie ist vielmehr aufs äußerste gesteigert, konsequent zugespitzt und repräsentiert nahezu ein Extrem. Aber gerade das Extrem kann gleichsam idealtypisch, in aller Schärfe, eine prinzipielle Tendenz des symbolischen Verfahrens Schillers beleuchten. Das gestattet uns zugleich, einen besonderen Fragenbereich dieser Arbeit, die Idyllenthematik, zu berühren.

31 Ebda, S. 10.
32 Ebda, S. 16.

Wie Goethe in der *Natürlichen Tochter*, so entfaltet Schiller in der *Jungfrau von Orleans* seine Symbolik aus einem religiösen Motivbereich. Das Sündenfallgleichnis hat entscheidenden Anteil an der Symbolik des Schmucks; der verbotene Genuß des Paradiesapfels und die vorzeitige Öffnung des Kästchens sind in der *Natürlichen Tochter* wechselnde Metaphern desselben Sachverhalts: des Sturzes aus dem Paradies in die Geschichte. Religiöse Vorstellungen bezieht Schiller entschiedener noch als Goethe in sein Drama ein, um sich aber auch entschiedener als dieser von ihnen zu entfernen. Die Spannung zwischen dem ursprünglichen Sinn des religiösen Phänomens und dem Sinn, der ihm im Verlauf der Dichtung zuteil wird, verschärft sich aufs äußerste. Vorauszuschicken ist eine theologische Erläuterung des Symbols, von dem Schiller zunächst ausgeht: im Drama ist die Jungfrau Maria auf einer »weißen Fahne« als »Himmelskönigin mit dem schönen Jesusknaben« abgebildet. Sie ist gleichzeitig als Jungfrau und als Mutter dargestellt, macht also evident, was Walter Benjamin die »Paradoxie des theologischen Symbols«, die »Einheit von sinnlichem und übersinnlichem Gegenstand«[33], genannt hat. Diese Paradoxie ist nicht widersinnig: es zeugt nur von der göttlichen Reinheit der Jungfrau Maria, wenn sie auf übernatürliche Weise Mutter geworden ist. Ihre sinnliche Erscheinung ist unmittelbarer Ausdruck der übersinnlichen Idee göttlicher Reinheit. So ist die Gestalt Marias ein ideales Symbol im traditionellen literaturwissenschaftlichen Sinn: »Der Zusammenfall oder besser die Gleichzeitigkeit des Ausdrucks seiner selbst und eines andern, der Darstellung seines Wesens und eines höheren Seins ist die Eigenart des Symbols.«[34]

Dieses Symbol stellt Schiller nun in einen allegorischen Verweisungszusammenhang. Er gründet im politischen Auftrag, der Johanna zuteil wird: »Lichtweiß wie diese Fahn ist unsre Sache, / Die reine Jungfrau ist ihr keusches Sinnbild.« (V. 1770 ff.)[35] Wie in der *Natürlichen Tochter*, so trägt auch hier das Bild seine Bedeutung nicht stumm in sich; es ist nicht Gestaltsymbol, das aus sich selber spricht, sondern erhält allegorischen Charakter durch das deutende Bewußtsein einer Figur. Das Bild der Fahne wird durch Johannas Kommentar zum »Sinnbild« einer »Sache«, eines politischen Auftrags. Die »lichtweiße« Farbe der Fahne und ihr Bild, die reine Jungfrau, sollen die Idealität dieses politischen Auftrags versinnlichen. Das religiöse Symbol wird uneigentlich, allegorisch verstanden: als sinnfälliges Gleichnis eines Vorgangs in der Geschichte. Ebenso versteht Eugenie das biblische Motiv des Sündenfalls als Gleichnis für einen ihre geschichtliche Existenz begründenden Vorgang. Aber ein Unterschied zwischen beiden Formen des sinnbildlichen Sprechens tritt gleichwohl zutage. Das in der *Natürlichen Tochter* zitierte Sündenfallgleichnis spiegelt Goethe im Motiv des Sturzes und des Kästchens wider, so daß Sündenfall, Sturz und Kästchen auf denselben Sachverhalt verweisen: auf den Verlust des Paradieses. Der Sinn des religiösen Gleichnisses wird in der Dichtung Goethes nicht entscheidend verändert. Demgegenüber entfernt sich der dichterische Sinn der Maria-Gestalt deutlich von ihrem ursprünglichen religiösen Sinn: die Idee göttlicher Reinheit, die Maria im christlichen Verständnis symbolisiert, wird im dichterischen Verständnis zur Reinheit der idealpolitischen Idee, das ästhetischen Staats. Zwischen Sündenfall und Kästchenmotiv in der *Natürlichen Tochter* waltet eine unmittelbare, auf denselben Sachverhalt hinweisende Beziehung; das

33 Benjamin, Ursprung, S. 175.
34 Müller, Symbolbegriff, S. 14.
35 *Die Jungfrau von Orleans* wird zitiert nach der Nationalausgabe, Bd. 9, Weimar 1948.

Verhältnis dagegen zwischen Marias ursprünglich religiöser und ihrer dichterischen Symbolkraft ist das einer qualitativen Differenz: die Reinheit Marias weist nicht mehr auf das Reich Gottes zurück, sondern bezieht sich auf eine idealpolitische Idee, deren Realisierung auf Erden dieses Reich überflüssig machen würde. Zwischen der Gestalt Marias und ihrer dichterischen Bedeutung besteht demnach eine äußerste Spannung, die Walter Benjamin zufolge ein Merkmal der Allegorie ist, wenn er vom »Abgrund zwischen bildlichem Sein und Bedeuten« spricht und von der »dialektischen Bewegung« in diesem Abgrund [36]. Es ist diese Spannung, die Schillers sinnbildliche Sprache mehr als die Goethesche an die Allegorie heranrückt. Erheben die beiden Klassiker das Bild erst durch das deutende und reflektierende Bewußtsein zum Sinnbild und verleihen ihm dadurch allegorischen Charakter, so verschärft Schiller diesen, indem er die Spannung zwischen Erscheinung und Wesen, sinnlichem Phänomen und Bedeutung aufs höchste steigert.

Diese gesteigerte allegorische Spannung läßt sich auch am Motiv der Liebe ablesen. Johanna fragt, wie sie »solcher Tat«, wie sie des geschichtlichen Auftrags sich »unterwinden« (V. 1084 f.) könne, und erhält von Maria als Antwort: »Eine reine Jungfrau / Vollbringt jedwedes Herrliche auf Erden, / Wenn sie der irdschen Liebe widersteht. / Sieh m i c h an! Eine keusche Magd wie du / Hab ich den Herrn, den göttlichen, geboren, / Und göttlich bin ich selbst!« (V. 1087 ff.) Die Reinheit der Idee wird gewährleistet durch die Reinheit ihres Trägers, die sich in Form des Liebesverzichts ausdrücken soll. Der Verzicht auf die Liebe wird zum Sinnbild der Reinheit der Idee. Handelnd muß Johanna diese Idee, die Idee des ästhetischen Staats, verletzen: daher muß denn auch mit notwendiger Konsequenz anstelle des Verzichts auf die Liebe die Erfahrung der Liebe treten. Die Liebeserfahrung wird zum Sinnbild der befleckten Reinheit der Idee. Freilich erkennt nur der Zuschauer diesen Symbolwert der Liebe. Die handelnde Figur, Johanna, sieht in ihrer Liebeserfahrung nur die Verletzung des göttlichen Gebots: »Nicht Männerliebe darf dein Herz berühren / Mit sündgen Flammen eitler Erdenlust« (V. 414 f.). Indem der Zuschauer die säkularisierte symbolische Bedeutung des »göttlichen Gebots« erkennt, vollzieht er einen Abstraktionsvorgang, den der Betrachter der *Natürlichen Tochter* nicht mitvollziehen muß. Denn dort braucht er den Verstehenshorizont der Figuren nicht zu überschreiten. Das deutende Bewußtsein des Herzogs und Eugeniens verleicht Bildern und Vorgängen eine Bedeutung, die der Zuschauer als verbindlich betrachten darf. In der *Jungfrau von Orleans* dagegen genügt das deutende Bewußtsein Johannas nicht: die Liebeserfahrung, die ihr als Scheitern des göttlichen Auftrags erscheint, erkennt der Zuschauer als symbolisches Zeichen für das Scheitern der idealgeschichtlichen Idee. Diese zweifache Reflexion über einen Gegenstand, die Deutung der Liebe einmal im Medium der Figur, dann im Medium des Zuschauers, spielt den Gegenstand eher in den Bereich der Allegorie als in den des Symbols hinüber. Der ursprüngliche Sinn des Gegenstands und der ihm in der Dichtung verliehene Sinn rücken weit auseinander. So formuliert der Erzbischof den ursprünglichen Sinn der Liebe wie folgt: »Dem Mann zur liebenden Gefährtin ist / Das Weib geboren – wenn sie der Natur / Gehorcht, dient sie am würdigsten dem Himmel!« (V. 2205 ff.) Diesem Sinn der Liebe als einer natürlichen, gottgewollten widerspricht die Bedeutung, die sie im symbolischen Verweisungszusammenhang des Dramas erhält: dort ist die Liebe Zeichen für die tragische Schuld des Menschen am Scheitern der Idee. Diese äußerste Diskrepanz zwi-

36 Benjamin, Ursprung, S. 182.

schen Liebe und symbolischem Sinn, zwischen Gegenstand und Bedeutung, zwischen dem sinnlichen Phänomen und seinem dichterischen Gehalt bezeugt die allegorische Tendenz von Schillers sinnbildlichem Sprechen. Sie ist noch entschiedener als diejenige Goethes. In Eugeniens Sturz vom Pferd, im Sinnlichen des Phänomens, ist bereits etwas von seiner übersinnlichen Bedeutung enthalten; das jedem Sturz immanente Moment der Gefährdung ist das objektive Merkmal, das auf die übersinnliche Bedeutung, die Gefährdung durch die Geschichte, hinlenkt. Schiller dagegen verwandelt das Phänomen der Liebe so sehr, daß sie, das schlechthin Natürliche, als Schuld erscheint: als Schuld des Handelnden an der Verletzung der idealen Idee. Dieser Idee und ihrem Schicksal gilt unsere weitere Betrachtung. Denn als Idee der Idylle gehört sie in die Mitte der zu leistenden Interpretation. Wie sehr diese Interpretation auf den spezifischen Charakter von Schillers Symbolkunst zu achten hat, sollten diese präludierenden Ausführungen anzeigen. Der idyllische und der geschichtliche Themenkreis seiner Dramen wie auch ihr dramatisches Spannungsverhältnis erschließt sich erst in der Reflexion auf Schillers sinnbildliche, der Allegorie sich nähernden Formen.

3. Kapitel

Das Spannungsverhältnis zwischen Idyllik und Dramatik

Gang und Brennpunkte der Interpretation

Gliederungskriterien

Darzulegen war die Dringlichkeit der Fragestellung und das methodische Vorverständnis, das unsere Drameninterpretationen leitet. Dieses Vorverständnis führte uns auf Schillers Symbolsprache; erst sie sichert die Möglichkeit eines angemessenen Verständnisses seiner Dramen, des *Wallenstein*, der *Jungfrau von Orleans* und des *Wilhelm Tell*. Der vorherrschende Aspekt, unter dem sie betrachtet werden, ist das Spannungsverhältnis zwischen Idyllik und Dramatik. Um es klar und differenziert zu beschreiben, muß zunächst, in einem ersten Teil, die verborgene und verstreute Motivik und Symbolik des Idyllischen eigens erhellt werden. Der zweite Teil beschreibt die Formen und die Konstellationen, in denen Schiller das bezeichnete Spannungsverhältnis vergegenwärtigt. Damit sehen wir uns zugleich in den inneren Vorgang der Dramen geführt, den wir in einem dritten Teil weiter verfolgen. Er handelt von der tragischen Situation und den Konsequenzen, die sich daraus für die Idee der Idylle und die Träger dieser Idee ergeben. Der vierte, abschließende Teil soll die versöhnende Schicht aufdecken, die – in der Tragödie – unter dem Zeichen des Idyllischen das Tragische transzendiert und – im Schauspiel – das gute Ende herbeiführt.

Der Weg, den die Interpretation beschreibt, folgt demnach in jeder Phase der Fragestellung unserer Arbeit. Diese Fragestellung impliziert die These, daß der innere Vorgang der in Frage stehenden Dramen organisiert werde durch die polare und vielfach verschlungene Beziehung zwischen den Formen eines spezifisch idyllischen und eines spezifisch dramatischen Themenkreises. Aus dieser Blickrichtung auf drei klassischen Dramen ergibt sich die Darstellungsweise der Untersuchung: Die Werke werden nicht nacheinander abgehandelt, gleichsam als isolierte Gebilde sui generis, sondern unter vier gemeinsamen Gesichtspunkten betrachtet, die aber der Interpretation so viel Raum lassen, daß die spezifische Eigenart der Dramen, ihre Unterschiede und ihre Wandlungen, hervortreten können. Diese Darstellungsweise soll einem doppelten Sachverhalt Rechnung tragen: dem der Einheit und dem der Verschiedenheit in der Einheit. Schillers klassische Dramen bezeugen ihre Verwandtschaft durch zentrale, in eine komplexe Symbolsprache eingeformte Motive, die auf dieselbe Grundfigur sich zurückführen lassen: auf die Dialektik von Idee und geschichtlichem Handeln. In der Symbolsprache setzt sich der stilbildende Wille der Epoche der Klassik im allgemeinen, in der bezeichneten Grundfigur die Eigentümlichkeit Schillers im besonderen durch. Aber zugleich bewahrt sich jedes Drama eine Individualität, die die Spannweite seiner klassischen Formensprache, ihre Vielfalt und ihren Wandel erzeugt – ganz im Sinne seiner aus der Praxis gewonnenen

Einsicht: »Man muß, wie ich bei diesem Stück *(Die Jungfrau von Orleans)* sehe, sich durch keinen allgemeinen Begriff feßeln, sondern es wagen, bei einem neuen Stoff die Form neu zu erfinden, und sich den Gattungsbegriff immer beweglich erhalten.« (NA, Bd. 30, S. 176)

Stilkategorien. Relevanz der Redeformen

Erst innerhalb der angedeuteten dialektischen Grundfigur läßt sich das Spannungsverhältnis von Idyllik und Dramatik angemessen erfassen. Es ist das Verdienst Max Kommerells, diese Grundfigur entdeckt und mit unvergleichlicher Prägnanz nachgezeichnet zu haben. Seine Einsicht, es sei die Bedingung der Idee, Tat werden zu müssen, führt in die Mitte der tragischen Vorgänge hinein. »Als Darsteller des handelnden Menschen ist Schiller die Ausnahme der deutschen Poesie (...) Wenn Schiller von Idee handelt, handelt er von Tat, wenn er von Tat handelt, wird er die Idee nicht los.« Der Handelnde erfährt die Idee »als auf den Weltstoff bewegt. Ihre Unversöhnlichkeit mit diesem ist so groß wie die Notwendigkeit, daß sie ihn ergreife.« [1] In einem etwas länger zurückliegenden Forschungsbericht ist an diese Erkenntnis mit Nachdruck erinnert worden: »Hier ist fast auf eine Formel gebracht, worum es geht.« [2] Aber auch Hinweise dieser Art haben die Forschung nicht dazu bewogen, Kommerells Studie, die nun schon vor 35 Jahren erschienen ist, der Vergessenheit zu entreißen und, sei es in Aneignung oder Widerspruch, gebührend einzubeziehen. Die von Kommerell ausgewiesene Dialektik zu entfalten, d. h. ihre zahlreichen Themen und Motive zu entdecken und ihre sich wandelnden Formen herauszukristallisieren, ist eine unumgängliche Aufgabe. Die Idee, auf die der Handelnde blickt, hat, inhaltlich gesehen, ihre wesentliche Substanz an idyllischen Motiven: am Motiv der Freude und der Schönheit, der Jugend und des Glücks, des Segens, der idealen Einheit von Herz, Gedanke und Wort, der Harmonie und des Friedens. Die Welt, die durch den Handelnden in die zweite höhere Idylle umgewandelt werden sollte, ist die Welt der Geschichte und das heißt: der Konflikte, der Intrigen, des Scheins und der Verstellung, des »Notzwangs der Begebenheiten«. Im Raum der Tragödie wird die Absage an die Tragödie gedichtet durch den Ausblick auf die übertragische Idylle. Im Drama entwirft der Handelnde eine Idee, deren Realisierung das Drama selbst aufheben und unnötig machen würde: die Idee der überdramatischen Idylle. Diese verschwiegene Paradoxie manifestiert sich sinnfällig in sehr plastischen Formen und Konstellationen, die sich von Drama zu Drama wandeln. Themen und Motivbereiche stellen sich nicht abstrakt dar, sondern gehen in Sinnbilder, Gestalten und Stilfiguren ein. Im Hinblick auf Schiller hat man, voreilig besorgt um die religiöse und weltanschauliche »Aussage«, diese genuin dichterischen Qualitäten oft vergessen. Mit generellen Deutungskategorien wie Realismus und Idealismus oder erste Idylle, Geschichte, zweite Idylle darf man sich nicht begnügen, sondern aufzufinden sind die individuellen Darbietungsweisen, in die solche Inhalte eintreten. Denn »Dichtung spricht nicht sachlich-mitteilend oder gedanklich erörternd, sondern darstellend. Gewiß trägt sie eine Fülle von Sachgehalten und Gedanken mit sich; aber sie gelten nicht als solche, sind kaum jeweils wörtlich zu nehmen, sondern werden in einen übergrei-

1 Kommerell, Schiller, S. 7 u. 12 f.
2 Walter Müller-Seidel: Zum gegenwärtigen Stand der Schiller-Forschung. In: DU 4 (1952). Heft 5. S. 109.

fenden Verweisungszusammenhang hineingenommen, der seinen Sinn in der Darstellung verbirgt (...) Die Sache bleibt hier an die Gestalt des Textes gebunden, an eine bestimmte Sprachgestalt und Kunstform.«[3] So entfaltet sich der innere Vorgang in der *Wallenstein*-Trilogie vorzugsweise in der Form der Antithese, die im Streit der Handlungsimpulse, in der Szenenabfolge, in den Gruppierungen und Konstellationen der Figuren sich manifestiert. Max und Thekla z. B. agieren als Symbole der Idylle und bilden die Antithese zur Welt der Geschichte, die ihre Auftritte durchkreuzt und ablöst. Der polar bewegte Verlauf, der die Trilogie kennzeichnet, spitzt sich zu in der *Jungfrau von Orleans*: die Form der Antithese verschärft sich zur Form des Widerspruchs, der Erscheinung und Handeln der Heldin wie auch die Szenenbewegung prägt. Johanna, »schön zugleich und schrecklich«, ist Symbol der verlorenen und der zukünftigen Idylle und gleichzeitig Symbol handelnder Unmenschlichkeit im Feld der Geschichte. Die Antithese, hier zur offenkundigen, sinnlich greifbaren Paradoxie verschärft, ist im *Wilhelm Tell* zur Form der spannungsreichen Relativierung und Ergänzung umgebildet. Der Unterschied ist insofern gattungsbedingt, als das Schauspiel von vornherein auf die Versöhnung angelegt ist, auf die höhere Idylle, in die der einzelne und die Gemeinschaft über den konfliktgeladenen Weg durch die Geschichte eingehen. Ob sich aber die Antithese zum Widerspruch steigert oder zum Korrektiv und Komplement abmildert: gemeinsam ist diesen Stilfiguren, daß sie sich mit auffallender Intensität durch das Medium des Sprachverhaltens und der Redeformen äußern. Das ist ein für Schillers Dramen konstitutiver Sachverhalt, wie sehr er bislang auch übersehen wurde. Das Verhalten der Figuren zur Sprache, die Rede als Thema in der Rede, die Erhebung des dialogischen Prinzips zum Gegenstand des Dialogs, die Diskussion über das deutende Wort im Wort selbst: diesen und verwandten Aspekten verdankt das Spannungsverhältnis zwischen Idyllik und Dramatik die ihm eigene Intensität. Von der idealen, paradiesisch schönen Einheit zwischen Herz, Wort und Tat bei Max und Thekla hebt sich antithetisch die täuschende Handhabung des Worts, die Redeform der Verschleierung und der willkürlichen Verfälschung ab, der sich Terzky, Illo oder auch Octavio bedienen. Johanna stellt ihren Widerspruchscharakter, ihre symbolische Präfiguration der Idylle und ihren Verrat an der Idee der Idylle, vor allem im paradoxen Sprachverhalten dar: in segenstiftender glückbringender Rede und zugleich in unmenschlicher Verurteilung. Die Eidgenossen im *Wilhelm Tell* besinnen sich im Dialog auf die rettende Kraft des Dialogs, den sie zunächst, unter Vernachlässigung tatkräftigen Handelns, zu überschätzen drohen, wie umgekehrt Tell, der einzelne, zunächst der Tat entschieden den Vorzug vor dem Wort gibt, ehe er in sein Handeln dann auch das rettende Wort einbezieht.

Erst die intensive Beschreibung der angedeuteten Formen und Konstellationen enthüllt eine besondere Qualität der klassischen Dramen Schillers: ihre äußerste Spannweite, ihre ins entfernte Extrem verlegten Gegenpole. Durch den Ausblick auf die Idylle, auf Glück und Harmonie, dichtet Schiller eine höchstmögliche Verschärfung der konfliktgeladenen Geschichtswelt. Umgekehrt gewinnt das Idyllische als das Übertragische seine besondere glückverheißende Leuchtkraft gerade im Spiegel des Tragischen. Das »Klassische« ist, von hier aus gesehen, stets auch Verschärfung, gesteigerte Spannung und äußerste Polarität.

---

3 Paul Böckmann: Die Interpretation der literarischen Formensprache. In: P. B.: Formensprache. Studien zur Literaturästhetik und Dichtungsinterpretation. Hamburg 1966. S. 494.

I. Die Idylle und ihre Symbole

Vorweg ist zu betonen, daß wir im ersten Teil unseres interpretatorischen Kapitels keine selbstgenügsame Erkundung idyllischer Motive vornehmen wollen, so als käme es uns auf eine Harmonisierung der Schillerschen Dramen an. Im Gegenteil: die Beschreibung des idyllischen Themenkreises ist nur der Horizont, vor dem sich dann das Dramatische in seiner ganzen Schärfe abheben und in seiner komplexen Bedeutung entfalten soll.

1. »Wallenstein«

Daß Idyllenmotive und ihr Stellenwert in der *Wallenstein*-Trilogie noch kaum erhellt wurden, hat seinen Grund in der komplexen und beziehungsreichen Symbolsprache des Dramas. Erst dem auf die Symbolik gerichteten Blick »erschließen« sich die darin »verschlossenen« Motive, die allesamt dem zentralen Formzug des Dramas sich unterordnen. Wie immer in Schillers Tragödien ist dieser Formzug beschreibbar als die Dialektik des Handelns. Vom Handeln her und seinen Problemen läßt sich der Stellenwert der im Drama verstreuten Motive ermitteln. Der genauen Erläuterung der Idyllenmotivik sei daher eine Analyse dessen vorausgeschickt, was Wallenstein in seinem Monolog als ein Ziel seines Handelns bezeichnet: den Umsturz der alten Ordnung. Daß die Idee des Umsturzes den Anspruch auf persönliche Machtfülle und zugleich die Idee einer neuen Zeit impliziert, geht dann aus einer Analyse der Sternensymbolik hervor. Dabei wird der idyllische Charakter dieser neuen Zeit sichtbar. Die Idyllensymbolik der Sterne zeigt den Zielpunkt von Wallensteins Handeln an: die Herstellung einer neuen Ordnung paradiesischer Prägung im Zeichen Wallensteinschen Glanzes. Von diesem Zielpunkt her lassen sich verwandtschaftliche Züge zwischen Wallenstein und den beiden Liebenden, Max und Thekla, aufdecken. Der Symbolcharakter etwa von Jupiter und Venus, astrologische Chiffren einer schönen idyllischen Zukunft, steht in einer engen Beziehung sowohl zu den Erfahrungen der vergangenen paradiesischen Reise, die Max und Thekla machten, als auch zu ihren Erwartungen einer goldenen Zeit, die Wallenstein herbeiführen soll. Darüber hinaus geben sich Max und Thekla durch die Einheit von Sprache und Herzen, durch die Idealität und Schönheit ihres Verhaltens als Symbole der Idylle zu erkennen. Sie präfigurieren die einer paradiesischen Zeit zugehörige Existenzweise, wo Gefühl, Gedanke, Wort und Tat widerspruchslos zusammentreten. Dieser Interpretationsgang vermag allmählich die breite Streuung der Idyllenmotive und ihre enge Verflechtung kenntlich zu machen. Freilich gerät dabei die spezifische Dialektik von Wallensteins Handeln noch nicht ins Blickfeld. Nur der idyllische, auf eine neue schöne Zeit gerichtete Zielpunkt wird zunächst erhellt. Damit ist keine Stilisierung der Wallenstein-Gestalt ins Ideale beabsichtigt. Aber die schwindelnde Tiefe der Dialektik, in der das Handeln sich verfängt, läßt sich erst von den idealen paradiesischen Intentionen des Handelns her ermessen. Die Tragik des Handelns offenbart ihre wahre Schärfe und Gewalt erst unterm Aspekt des übertragischen idyllischen Bereichs, in den das Handeln führen sollte.

a) Die Idee der neuen Ordnung

Ausgangspunkt unserer Interpretation soll Wallensteins großer Monolog sein, und zwar hauptsächlich dessen zweiter Teil. Er hebt sich stärker vom ersten Monologteil ab, als man anzunehmen pflegt. Thema des ersten Monologteiles ist die Unausweichlichkeit des Verrats am Kaiser. Daraus hat man gefolgert, daß Wallenstein im zweiten Teil diesen drohenden Verrat eigens erläutert und rechtfertigt. Man hält sich dabei vor allem an den Begriff des »Beginnens«, den Wallenstein verwendet: »Und was ist dein Beginnen? Hast du dirs / Auch redlich selbst bekannt? Du willst die Macht, / Die ruhig sicher thronende erschüttern, / Die in verjährt geheiligtem Besitz, / In der Gewohnheit festgegründet ruht, / Die an der Völker frommem Kinderglauben / Mit tausend zähen Wurzeln sich befestigt.« (Tod, V. 192 ff.) [4] Wallenstein, lesen wir bei Kurt May, werde sich hier »bewußt (...), daß die Tat, die er vorhat, ein Verbrechen sein wird« [5]. Ähnlich spricht Benno von Wiese in diesem Zusammenhang von dem »moralisch vieldeutigen, halb gewollten, halb ungewollten« »Vorhaben«, »noch im Namen des Reiches das Heer und die Generale zum Übertritt zu den Schweden zu verleiten und damit zum Abfall vom Kaiser, der ja bisher mit dem Prinzip auf legitime Weise identisch war« [6]. Demnach würde der zweite Teil des Monologs das Thema des Verrats wieder aufgreifen und weiterführen, über das Wallenstein schon im ersten Teil nachgedacht hat. Gegen diese Auffassung wagen wir die These, daß Wallensteins »Beginnen« nicht auf den plötzlich unausweichlichen und bedenklichen Übertritt zum Feind verweist, sondern auf eine überpersönliche und überlegte geschichtliche Zielsetzung. Entscheidend ist hier der philologische Befund; er trennt unmißverständlich den ersten Monologteil vom zweiten. Im zweiten gibt Wallenstein zu verstehen, daß er sich zu seinem »Beginnen« »redlich selbst bekannt« habe. Zum Verrat dagegen kann sich Wallenstein gerade nicht »redlich« bekennen – daran läßt der erste Teil keinen Zweifel: »Beim großen Gott des Himmels! es war nicht / Mein Ernst, beschloßne Sache war es nie.« (Tod, V. 146 f.) Das deutet auf den thematischen Unterschied zwischen den beiden Monologteilen. Der Übertritt zu den Schweden erscheint Wallenstein als Zwang, den zu erleiden »rauh gebietend / Die Not jetzt, die Erhaltung von mir heischt« (Tod, V. 181 f.). So heißt es im ersten Teil von Wallensteins Selbstbefragung. Im Gegensatz zu diesen Ausdrücken des Zwangs ist auf das modale Hilfsverb im zweiten Teil zu achten, das Wallensteins »Beginnen« als ein freies politisches Wollen, als eine Konzeption aus freier Einsicht ausweist: »Du willst die Macht, / Die ruhig, sicher thronende erschüttern« (Tod, V. 193 f.). Wallensteins überindividuelles geschichtliches Wollen zielt auf den Umsturz der bestehenden Ordnung, deren Fragwürdigkeit er am Schluß seines Selbstgesprächs entlarvt. Die Zusammenarbeit mit den Schweden aber, die im ersten Monologteil als drohender Zwang vor ihm aufsteigt, ist nur eines der Mittel zur Realisierung dieser Umsturzidee, freilich ein höchst unangemessenes. Davon wird später zu handeln sein. Hier geht es darum, die genannte Idee und ihre Berechtigung zu erfassen.

Die alte Ordnung entzündet in Wallenstein eine revolutionäre politische Haltung. Wallenstein stellt eine Ordnung in Frage, die sich selbst schon nicht mehr in Frage stellt. Tadelnd vermerkt Kurt May Wallensteins Ton der »Verachtung« [7]. Benno von Wiese meint, daß in die »negativ verächtliche Bewertung des ewig Ge-

4 *Wallenstein* wird zitiert nach der Nationalausgabe, Bd. 8, Weimar 1949. Abkürzung für *Die Piccolomini:* (Picc.), für *Wallensteins Tod:* (Tod).
5 Kurt May: Friedrich Schiller. Idee und Wirklichkeit im Drama. Göttingen 1948. S. 130.
6 von Wiese, Schiller, S. 660.
7 May, Schiller, S. 130.

strigen (...) Ehrfurcht für die konservativ erhaltenden überpersönlichen Mächte des geschichtlichen Lebens«[8] gemischt ist. In Wahrheit ist Wallensteins Redehaltung auf legitime Weise ironisch. Er prägt den Begriff des »frommen Kinderglaubens«, nennt die Geltung »göttlich«, die dem Alten zuerkannt wird, weil es das Alte ist, bezeichnet die »Kraft« des »Jahres«, die Kraft der Zeit als »heiligend« (Tod, V. 195 ff.). Die Ironie setzt religiöse Termini in Zusammenhang mit Unmündigkeit und Denkklischees. Die herrschende Ordnung erhält sich durch erstarrte Verhaltensweisen und pseudo-religiöse Legitimation am Leben. Die Vermutung drängt sich auf, daß der politisch Handelnde, der scharfsichtig die Fragwürdigkeit des Alten aufzeigt und Front dagegen bezieht, auf eine veränderte Ordnung blickt. Es läßt sich die These wagen, daß Wallenstein erstarrte Verhältnisse erneuern will, daß er ein überpersönliches politisches Ziel verfolgt – mag er damit auch persönliche Machtansprüche verbinden. Von diesen Ansprüchen wird noch zu reden sein, auf keinen Fall sollten sie aus dem dialektischen Zusammenhang mit überindividuellen allgemeinen Zielvorstellungen herausgelöst werden. von Wiese versteht Wallensteins politische Konzeption als eine schrankenlos subjektive, wenn er vom »Feldherrn« spricht, »der sich an den durch die Geschichte gegründeten Ordnungen vergreift, um seine eigenen phantastischen Pläne in ihr durchzusetzen«[9]. Entsprechend hatte schon Kurt May dem Helden vorgeworfen, er attackiere skrupellos die »ehrwürdige Ordnung von Staat und Reich«, die »Macht, bei der noch das Recht in der Welt wohnt«[10]. Fordern nicht schon die kaum beachteten Reden des Kellermeisters (Picc., IV, 5) zu einer anderen Auslegung? Die methodische Prämisse, daß noch die unscheinbaren Bausteine eines Kunstwerks ein Gefälle zu seiner Mitte haben, mag sich gerade an manchen Erklärungen des Kellermeisters bewähren. Da ist etwa vom »böhmschen Majestätsbrief« die Rede, »den wir dem Kaiser Rudolf abgezwungen, / Ein köstlich unschätzbares Pergament, / Das frei Geläut und offenen Gesang / Dem neuen Glauben sichert, wie dem alten.« (Picc., V. 2089 f.) Der neue Glaube ist unterdrückt, seitdem der Kaiser den »Majestätsbrief (...) selbst mit seiner Schere« (Picc., V. 2099 f.) zerschnitt. Dieser Zerstörung gilt Wallensteins beredter Tadel im Gespräch mit Wrangel (Tod, V, 313 ff.). Sowohl seine wie des Kellermeisters Vorwürfe sind unüberhörbar. Die alte Ordnung erweist sich als intolerant, insofern sie, in erstarrten Vorstellungen befangen, den herkömmlichen Glauben absolut setzt und den neuen verfolgt. Damit berühren wir den Punkt, den Wallenstein im Schlußteil seiner Selbstbefragung zum eigenen Problem ausweitet. Um das Problem von alter und neuer Religion im besonderen geht es freilich darin nicht. Wohl aber geht es um die Denkgewohnheiten, die sich allem Neuen gegenüber verschließen, etwa gegenüber neuen Glaubenssätzen. Daher macht Wallenstein solche Denkgewohnheiten und das hergebrachte Ordnungsgefüge zum Gegenstand seiner Kritik im Schlußteil des großen Monologs. Von diesem Monologteil aus lassen sich denn auch Perspektiven auf ein neues Verständnis der Person Wallenstein eröffnen. Das Verständnis seiner Person, so ließe sich formulieren, hängt davon ab, ob man seine überpersönlichen Zielvorstellungen wahrnimmt. Das Allgemeine, auf das Wallenstein sich richtet, ist enthalten in der Idee des Umsturzes, welche offenbar die Idee einer

8 von Wiese, Schiller, S. 660.
9 von Wiese, Schiller, S. 655.
10 May, Schiller, S. 130.

neuen Ordnung impliziert. In der Tat hat Wallenstein eine ideale Reichsvorstellung, die er gegen die eigennützige Interessensphäre des Wiener Hofs durchsetzen will: »Vom Kaiser freilich hab ich diesen Stab, / Doch führ ich jetzt ihn als des Reiches Feldherr, / Zur Wohlfahrt aller, zu des G a n z e n Heil, / Und nicht mehr zur Vergrößerung des E i n e n!« (Picc., V. 1180 ff.) Wir begegnen einem humanen politischen Aspekt, wie ihn an anderer Stelle Max Piccolomini angedeutet hatte. Max verteidigt Wallenstein, »weil an Europas großem Besten / Ihm mehr liegt als an ein paar Hufen Landes, / Die Östreich mehr hat oder weniger –« (Picc., V. 569 ff.). Das bezeugt Wallensteins Sorge für ein höheres Ganzes, worin konventionelle Machtinteressen außer Kraft gesetzt wären. Es ist jene Sorge für die Idee eines neuen Friedens, welche sogar Octavio bestätigen muß: »Nichts will er, als dem Reich den Frieden schenken; / Und weil der Kaiser d i e s e n Frieden haßt, / So will er ihn – er will ihn dazu z w i n g e n !« (Picc., V. 2333 ff.)

Es könnte scheinen, als würde mit derartigen Bemerkungen eine Stilisierung der Wallenstein-Gestalt vorbereitet. Daran sind wir freilich nicht interessiert, auch wenn der Gang der Interpretation uns zwingt, den Blick zunächst auf Wallensteins idealen Ideenhorizont zu lenken. Dabei bleibt zunächst die spezifische Dialektik unberücksichtigt, in die sich der Handelnde verstrickt: Handeln versteht sich als Dienst an der überpersönlichen Idee und an der eigenen Macht. Beides ist unlösbar miteinander verknüpft, denn zur Herstellung der Idee bedarf es des mächtigen Subjekts. Aber in der Macht lauern auch die Tücken, die diese Idee überspielen: aus der Macht entspringen unabweisbar die selbstbezogenen bedenklichen Gedankenspiele, die sich unvermeidlich ins Wort drängen und dem Gegner zum Entwurf einer Intrige dienen, die den Handelnden zur Gegenintrige, zu Verrat und Schuld zwingt. Davon wird zu sprechen sein. Vorläufig geht es darum, den angedeuteten Ideenhorizont zu erläutern und im einzelnen zu bestimmen durch eine Analyse der Wallensteinschen Sternensymbolik. Dieser Analyse bedarf es schon deshalb, weil die astrologischen Chiffren bisher nur flüchtig angeleuchtet oder einseitig mit negativen Akzenten versehen wurden. Damit blieb nicht nur Wallensteins Negation des Alten und seine Idee einer neuen Zeit unerhellt; verborgen blieb auch der spezifisch idyllische Charakter dieser neuen Zeit. In Wallensteins Sternenglauben schimmert das Bild einer idyllischen Zukunft auf, die der revolutionären Erneuerung der alten Ordnung entspringen soll.

b) Astrologischer Turm. Sternenstunde

Das Motiv des Lichts, des Schönen und des Friedens

Der symbolische Gehalt jener neuen paradiesischen Ordnung, auf die Wallenstein blickt, ist vorzüglich in Theklas Beschreibung des astrologischen Turms konzentriert. Von den dort aufgestellten sechs oder sieben Königsbildern, als welche die Planeten erscheinen, interessieren uns zunächst vor allem Jupiter und Venus: »Doch eine schöne Frau stand ihm zur Seite, / Sanft schimmerte der Stern auf ihrem Haupt, / Das sei die V e n u s, das Gestirn der Freude. / Zur linken Hand erschien M e r k u r geflügelt. / Ganz in der Mitte glänzte silberhell / Ein heitrer Mann, mit einer Königsstirn, / Das sei der J u p i t e r, des Vaters Stern, / Und M o n d und S o n n e standen ihm zur Seite.« (Picc., V. 1611 ff.) Der »silberhelle« Glanz, der von Jupiter ausstrahlt, erlaubt einen Vergleich: Im ersten Bekenntnis zu seinem Sternenglauben nennt Wallenstein Jupiter den »hellen Gott« (Picc., V. 968); die unter seinem Zeichen Geborenen sind die »hellgebornen (...) Joviskinder« (Picc., V. 985); ihr entsiegeltes Auge sieht außerdem die zentralische Sonne (vgl. Picc., V. 983 f.), das Reich des Lichts, worin Jupiter herrscht. In dem Gedicht *Sehnsucht* entwirft Schiller in visionärer Schau eine idyllische Zukunft, worin das Lichtmotiv wiederkehrt: »Ach wie schön muß sich's ergehen / Dort im ewgen Sonnenschein«. (SA, Bd. 1, S. 17) Und im berühmten, über die Idylle handelnden Brief an Humboldt nennt er diese eine »poetische Darstellung« von »lauter Licht«, »lauter Freyheit«, »lauter Vermögen« (Jonas, Bd. 4, S. 338). Wenn dem Motiv des Lichts hier die Begriffe Freiheit und Vermögen zugesellt werden, so erhält es dadurch einen Symbolcharakter, den auch die *Wallenstein*-Dichtung ihm verleiht. Erinnert sei, daß Max auf der paradiesischen, von »tausend Sonnen aufgehellten« Reise »heiter« war, befreit vom Zwang und vom Drängen der Zeit. Die Sphäre des Lichts meint Heiterkeit in diesem spezifischen Sinn uneingeschränkten Freiseins – das muß man sich vergegenwärtigen, wenn Jupiter, »der helle Gott«, zugleich als »heitrer Mann« dargestellt ist. So wird Wallensteins Blick auf Jupiter zum Symbol seines Blicks auf eine idyllische Existenzweise, wo im Medium vollkommener Freiheit die Aufhebung der Zeit in der Zeit erfahrbar würde, um Schillers eigene Definition des wahrhaft ästhetischen Zustands zu verwenden (vgl. NA, Bd. 20, S. 353). Kein Zufall ist es, wenn schließlich Jupiter und Max unter dem Motiv des Lichtes einander zugeordnet werden: Den toten Max Piccolomini verwechselt Wallenstein am Ende der Trilogie mit Jupiter; beide fließen in Wallensteins Bewußtsein ununterscheidbar ineinander. »Es ist der Stern, der meinem Leben strahlt, / Und wunderbar oft stärkte mich sein Anblick« (Tod, V. 3417 f.), heißt es von Jupiter und ähnlich heißt es von Max: »sein Leben / Liegt faltenlos und leuchtend ausgebreitet« (Tod, V. 3423 f.) ... »Er machte mir das Wirkliche zum Traum, / Um die gemeine Deutlichkeit der Dinge / Den goldnen Duft der Morgenröte webend –« (Tod, V. 3446 ff.). Die Metapher vom »goldnen Duft der Morgenröte« erhebt Max zum Symbol einer neuen paradiesischen Zeit: das Adjektiv »golden« weist in diesem Drama stets auf die Idylle; »Morgenröte« aber deutet eine neue Zeit an. Weil nun Max zuletzt mit Jupiter ineinanderfließt, so ist damit zugleich etwas über die Symbolkraft des Gestirns ausgesagt: es versinnbildlicht Wallensteins Hinwendung zu einer neuen Ordnung paradiesischen Charakters. Die Schönheit dieser Ordnung wird vorzüglich durch Venus repräsentiert, die Wallenstein mit Jupiter zusammen als seine beiden »Segenssterne« bezeichnet. In Venus, der »schönen Frau«, ist zugleich die »Freude« als eine dem zwischenmenschlichen Bereich zugehörige Konstante eingezeichnet: Schönheit und Freude werden zu Chiffren eines paradiesischen Friedens, worin das Glück mit dem »Heiteren«, dem Freisein vom Diktat der Zeit und jeglicher Beschränkung unlösbar verknüpft ist. Darin stimmt die Sternensymbolik zugleich aufs genaueste mit jener neuen Friedensidee zusammen, die in den Wendungen von der »Wohlfahrt aller«, des »Ganzen Heil«, »Europas großem Besten« zum Ausdruck gelangt.

Diese Koinzidenz von idyllischer Friedensidee und Sternensymbolik bestätigen aus negativer Perspektive Mars und Saturn, jene geschichtebildenden Gestirne, deren Entmächtigung Wallenstein erhofft. In Mars, den der astrologische Turm in kriegerischer Rüstung vorstellt, fürchtet Wallenstein »den alten Schadenstifter« (Tod, V. 14). Zu ihm, dem Symbol des Kriegs, gesellt sich Saturnus, die Macht, die »über allem, was das Licht scheut, waltet« (Tod, V. 28). Saturnus wird im astrologischen Turm dargestellt als ein »grämlich finstrer Greis« mit einem »trübgelben Stern« (vgl. Picc., V. 1606 f.). Die Charakteristika sind verräterisch und stimmen mit jenen überein, die Wallenstein auf den politischen Vertreter alter Ordnungen anwendet: »Was grau für Alter ist, das ist ihm göttlich« (Tod, V. 216). Die Zuordnung der Begriffe »grau« und »Alter« hier entspricht exakt der Verbindung von »finster« und »Greis« dort: Saturnus ist Sinnbild einer Zeit, einer Ordnung, die erstarrt ist und sich überlebt hat. Das unerfreuliche, matte Licht hat nicht minder zeichenhaften Charakter als das strahlende. Zum »Trübgelben«, »Lichtscheuen« gesellt sich das »Grämliche« und »Greisenhafte« als Symbol veralteter Ordnungen, wie sich umgekehrt der »silberhelle« Glanz, die »zentralische Sonne« auf das Heitere und das Glück, die Freude und das Schöne in neuer Friedensordnung beziehen. So werden von Schiller Motive, die für die Gattung Idylle und das Idyllische typisch sind – Friede, Schönheit, vor allem aber Freiheit vom Diktat der Zeit [11] – zur Utopie einer neuen, politisch idealen Zeit verschmolzen.

Zögern und Sternenstunde

Der aufgewiesene Symbolgehalt von Wallensteins Sternenwelt gestattet es, den Zusammenhang zwischen Handeln und Zögern des Helden zu erfassen. Nicht dasjenige Zögern sei zunächst analysiert, das bewirkt wird durch die Nachricht von der Gefangennahme Sesins, sondern das an die Sternenstunde gebundene. Es vermag nach unserer Auffassung paradoxerweise den idyllischen Zielpunkt von Wallensteins Handeln zu erhellen und so den Stellenwert der Idyllenmotivik im Drama zu ermitteln. Im Gegensatz dazu hat die Forschung Wallensteins Zögern einseitig mit negativen Akzenten versehen [12], oder als Ausdruck des »Spielers Wallenstein« verstanden, der darauf abziele, »im geschichtlichen Bereich irdischer Verkettungen (...) Raum auszusparen für das reine, zweckfreie Spiel« [13]. Bedingt ist dieses Zögern durch Wallensteins Sterne: »Ich kann jetzt noch nicht sagen, was ich tun will« (Picc., V. 999), hören wir den Zaudernden sagen, und Illos Vermutung: »O! du wirst auf die Sternenstunde warten« (Picc., V. 961), bestätigt Wallenstein selbst. Um das reine zweckfreie Spiel geht es dabei nicht, sondern im Gegenteil um eine verbindliche Relation zwischen Sternenwelt und Geschichte. Diese Relation wird versinnbildlicht durch die »Geisterleiter, die aus dieser Welt des Staubes / Bis in die Sternenwelt, mit tausend Sprossen, / Hinauf sich baut, an der die himmlischen / Gewalten wirkend auf und nieder wandeln« (Picc., V. 978 ff.). Den himmlischen Gewalten, die an der Geisterleiter auf und nieder wandeln, ist das Attribut »wirkend« beigegeben: Wallenstein sieht sie als Vermittler zwischen irdischer und himmlischer Sphäre; sie symbolisieren für ihn den Einfluß der Sterne auf die Geschichte. Diesen Einfluß erkennt »das Aug nur, das entsiegelte, / Der hellgebornen, heitern Joviskinder« (Picc., V. 984 f.). Wallenstein sucht nun offenbar den Zeitpunkt des günstigsten Einflusses zu erkunden: »Die himmlischen Gestirne machen nicht / Bloß Tag und Nacht, Frühling und Sommer – nicht / Dem Sämann bloß bezeichnen sie die Zeiten / Der Aussaat und der Ernte. Auch des Menschen Tun / Ist eine Aussaat von Verhängnissen, / Gestreuet in der Zukunft dunkles Land, / Den Schicksalsmächten hoffend übergeben. / Da tut es not, die Saatzeit zu erkunden, /

---

11 Für Renate Böschenstein ist der Versuch, »die Zeit aus der menschlichen Existenz auszuschließen (...) wohl der interessanteste Gesichtspunkt, unter dem die Idylle betrachtet werden kann« (Böschenstein, Idylle, S. 9).

12 Als Beispiel dafür kann der Aufsatz von Peter Coulmas »Wallenstein kontra Schiller« (in: Zeitschrift für Deutschkunde 1941 [55]) herangezogen werden, wo es bezüglich Wallensteins Zaudern heißt: »In der Unangepaßtheit zwischen den Forderungen der Lage und seiner Unfähigkeit, sie zu erfüllen, liegt die ›Schuld‹ Wallensteins.« (S. 317.)

13 Seidlin, Wallenstein, S. 131.

Die rechte Sternenstunde auszulesen, / Des Himmels H ä u s e r forschend zu durchspüren, / Ob nicht der Feind des Wachsens und Gedeihens / In seinen E c k e n schadend sich verberge. / Drum laßt mir Zeit.« (Picc., V. 986 ff.) Die Metapher vom menschlichen Tun als einer Aussaat von Verhängnissen bedeutet: das menschliche Tun zieht Folgen nach sich, die nicht dem Zufall unterliegen – sie sind den himmlischen Gestirnen »hoffend übergeben«. Anders gesagt: die Planeten entscheiden über die Folgen und Ergebnisse des Handelns. Ihnen ist nach Wallensteins Überzeugung anheimgestellt, ob das Handeln glücklich oder unglücklich ausfallen wird: zu unterscheiden ist zwischen Planeten, die als Feinde »des Wachsens und Gedeihens« wirken, und solchen, die Wallenstein an späterer Stelle »segenvoll« (Tod, V. 19) nennt. Hinter diesen Termini, denen zunächst eine astrologische Beliebtheit anzuhaften scheint, verbirgt sich ein verbindlicher Gehalt. Es hat sich gezeigt, daß die Feinde »des Wachsens und Gedeihens«, Mars und Saturn, Symbole des Kriegs und erstarrter Ordnung sind, wie umgekehrt die »segenvollen« Sterne, Venus und Jupiter, mit Wallensteins Idee einer neuen Friedensordnung zusammenstimmen, insofern sie als Sinnbilder eines paradiesischen Seins sich zu erkennen geben. Damit erscheint Wallensteins Warten unter einem positiven Aspekt: diejenige Sternenkonstellation soll das Zeichen zum Handeln geben, in der die Kräfte des Kriegs und der erstarrten Überlieferung sich nicht länger geltend machen, in der vielmehr die »segenvollen«, auf eine idyllische Ordnung hin wirkenden Kräfte sich ungehindert entfalten. Die erwartete Sternenkonstellation soll als irdische Konstellation in der Geschichte wiederkehren. Handelnd will Wallenstein realisieren, was als Idee in Jupiter und Venus symbolisch angedeutet ist: den in einer neuen Zeit möglichen Frieden, der die in Mars und Saturn verkörperte friedlose Wirklichkeit und alte Ordnung überwunden hat und der des »Ganzen Heil«, die »Wohlfahrt aller« in den Formen der Freude, der Schönheit, der Heiterkeit und des Glücks verbürgt.

Jupiters Doppelcharakter und Wallensteins Zweideutigkeit. Die wissenschaftliche Literatur

Um dem Eindruck einer Idealisierung Wallensteins vorzubeugen, sei an Jupiter erinnert: im astrologischen Turm wird er als »heitrer Mann mit einer Königsstirn« dargestellt. Das Motiv des Heiteren wurde dem des Lichts zugeordnet und in seinem Symbolwert für die idealidyllische Konzeption Wallensteins aufgehellt. Daß Jupiter aber durch eine Königsstirn sich auszeichnet, deutet zugleich auf seinen Symbolwert als politische Größe hin. In Jupiter wird zeichenhaft Wallensteins Verlangen nach politischer Macht und Freiheit der politischen Entscheidung vorgestellt. Beides, Macht und Freiheit, benötigt Wallenstein, um seine neue idealgeschichtliche Zielsetzung gegen die konservativen Gegenkräfte (Octavio, Wiener Hof) durchzusetzen. Aber beides droht sich auch zu verselbständigen und entbindet in Wallenstein das Eigeninteresse, das sich in verräterischem Gedankenspiel und bedenkenlosen Reden niederschlägt: aus dem Selbstgefühl, das Macht und Freiheit verleihen, werden stets auch Vorstellungen entwickelt, die sich als unangemessene Mittel zum idealpolitischen Zweck enthüllen. Dieser zweischneidige Sachverhalt entreißt die Wallenstein-Figur jeder Eindeutigkeit, verleiht ihr das Schillernde und Widersprüchliche, das die Interpreten immer wieder in den Bann schlägt. Nur darf man es nicht bei der Feststellung der Undurchsichtigkeit Wallensteins bewenden lassen oder sie charakterologisch deuten, sondern muß sie auf ihren symbolischen Grund, auf das dialektische Verhältnis von politischer Macht und idealpolitischem

Ziel hin durchsichtig machen. Welche Gefahren und welche Tücken in Macht und Freiheit unvermeidlich lauern, wird eingehend bei der Analyse des Monologs darzustellen sein. Hier sei Wallensteins idealidyllische Intention im Blick auf die wissenschaftliche Literatur nochmals hervorgekehrt.

In der Kritik, die an Wallenstein gemeinhin geübt wird, leben eingeschliffene, an eine lange Tradition gebundene Vorurteile fort; fruchtbare Hinweise dieser Tradition sind selten weiterentwickelt worden. Das aus dem Jahre 1930 stammende *Wallenstein*-Kapitel in der Monographie H. A. Korffs über den »Geist der Goethezeit« [14] charakterisiert Wallenstein in erster Linie als Repräsentant der »unsittlichen Welt des politischen Realismus« [15], mit der summarischen Einschränkung allerdings, daß seine Friedensidee ihm etwas von einem »revolutionären Idealisten« [16] verleihe. Diese divergierenden Angaben hätten differenziert, aufeinander bezogen und gerade am Sternenglauben, dessen Analyse Korff ausspart, ausgewertet werden können. Statt dessen hat man den Blick einseitig auf den »realpolitischen Wallenstein« [17] gerichtet, den man nicht übersehen, aber auch nicht über Gebühr hervortreten lassen sollte. Hermann Schneider zufolge ist Wallenstein bis kurz vor seinem Tod der »ärgste Materialist«, der »sogar in den Sternen nichts anderes zu finden vermag als Wegweiser zu seinen rein irdischen Zielen, und der die hehre obere Welt in den Dienst der irdischen Leidenschaften Herrschsucht und Machthunger stellt« [18]. An diesem negativen Urteil nimmt noch Kurt May keine Korrektur vor, wenn er ausführt, daß auch die Sternensymbolik »keinen höheren idealen Wert, keinen geistigen Gehalt sichtbar« mache, »der in Wallenstein seinem elementaren Machtwillen haltgebietend begegnen könnte« [19]. Weil aber die Analyse des Sternenglaubens die Idee einer neuen Ordnung im Zeichen idyllischen Friedens hervortreten läßt, gewinnt Wallenstein gerade Anteil an dem »geistigen Gehalt«, den Kurt May vermißt und widerlegt solcherart dessen Vermutung, daß er »eine letzte Einfügung seines Wesens, Verhaltens, Handelns in eine für ihn und die Menschen (...) verbindliche Ordnung zu entbehren scheint« [20]. Die in der Sternenwelt verborgene Idee, die mit Wallensteins Kritik an der alten Ordnung im zweiten Teil seines Monologs zusammenstimmt, wird in ihrer Bedeutung auch von Gerhard Storz nicht erfaßt. Er kritisiert das »widersinnige, ja frevelhafte« Verhalten Wallensteins, der »nach den Gaben des saturnischen Dunkels« »verlange«, ohne doch auf die »Zugehörigkeit zur lichten Höhenregion zu verzichten« [21]. Der geschichtlich Handelnde in Schillers Tragödie kann weder auf das eine noch auf das andere verzichten: die »eigensüchtigen fragwürdigen Antriebe überlagern nicht die »allgemein gerechtfertigten Ziele« [22], wie Storz behauptet, sondern sie treten in ein tragisches Verhältnis zueinander, das ohne jeden moralischen Vorwurf zu analysieren sein wird. Dieses Verhältnis übersieht von vornherein, wer, wie etwa Hans August Vowinckel, Wallenstein nur als »großen, schöpferischen Menschen« versteht, als

---

14 Hermann August Korff: Geist der Goethezeit. Leipzig 1930. S. 238–263.
15 Ebda, S. 252.
16 Ebda, S. 242.
17 Ebda, S. 253.
18 Hermann Schneider: Vom Wallenstein zum Demetrius. Stuttgart 1933. S. 46.
19 May, Schiller, S. 94.
20 Ebda, S. 119.
21 Storz, Schiller, S. 283.
22 Ebda, S. 298.

»geschichtlich im eigentlichen Sinn, weil Geschichte schaffend«[23], nicht aber als Träger einer Idee[24], was Wallenstein doch auch ist, insofern er die Geschichte im Blick auf eine ideale Idee verändern will. An dieser Idee sehen die englischen Forscher W. F. Mainland[25] und E. L. Stahl[26] vorbei, die Wallenstein als puren Realisten charakterisieren. Auch Joachim Müller bezieht die in der Sternensymbolik enthaltene Idee in seine Zeichnung Wallensteins nicht mit ein und dämonisiert Wallensteins »Machtanspruch«[27]. Der Sternenglaube ist aber ein entscheidender Sublimierungsfaktor in Wallensteins politischem Denken, wie schon Reinhard Buchwald andeutet, wenn auch ohne die notwendige Evidenz. Buchwald begnügt sich mit der etwas unverbindlichen Bemerkung: »Es sind also das Kind im Manne Wallenstein und zugleich der Dichter in ihm, die sich in seinen Sternenglauben gerettet haben.«[28]

Einzig Oskar Seidlin entwirrt hier und dort das astrologische Geflecht. Zu wünschen bleibt allerdings, daß Wallensteins astrologisches Motiv nicht »ontologisch«, im Sinne »existentieller Wesensschau«[29] gedeutet, sondern auf die Symbolik geschichtlichen Handelns bezogen wird. Gewiß möchte Wallenstein »einen Schwebezustand schaffen (...) in dem er ganz frei verfügen kann«[30], aber diese Freiheit ist sowohl Selbstzweck wie Voraussetzung für eine überpersönliche Neuordnung; in ihr waltet eine unausweichliche Dialektik, die Wallenstein über den vereinfachenden Vorwurf der »Hybris«[31] erhebt.

Einen ähnlichen Vorwurf macht auf anderem Wege auch Benno von Wiese, der eine wohl unstimmige Parallele zwischen der Astrologie im *Wallenstein* und der Magie in Goethes *Faust* zieht: »Aber der Spiegel von Magie oder Astrologie bleibt trüb und täuschend, weil sowohl Faust wie Wallenstein ihn zugleich auch zum Mittel erniedrigen, sich der Welt zu bemächtigen und, statt das Unerforschliche fromm zu verehren, es in berechenbarer Weise in ein praktisches Handeln hineinziehen«[32]. Die Wallenstein-Figur, Träger repräsentativer, dialektisch miteinander verknüpfter Sachverhalte, erhält den Akzent eines einmaligen und rätselhaften, durch unvermittelte Widersprüche gekennzeichneten Charakters, wenn auf der einen Seite das astrologische Motiv den Helden angeblich »über das Politische hinaus ins Religiöse und Geheimnisvolle«[33] hebt, auf der anderen Seite der »Kern seines Wesens«[34] als »harter ehrgeiziger Herrscherwille«[35] bestimmt wird, aus dem

---

23 Hans August Vowinckel: Schiller, der Dichter der Geschichte. Eine Auslegung des *Wallenstein.* Berlin 1938. S. 75 f.

24 Vowinckel, Schiller, vgl. S. 67.

25 William Faulkner Mainland: Schiller and the Changing Past. London 1957. S. 40: »Wallenstein and Octavio are both, in Schillers sense, realists«.

26 E. L. Stahl: Friedrich Schillers Drama. Oxford 1954. Stahl gibt seinem *Wallenstein*-Kapitel die bezeichnende Überschrift: »The Realist als Hero« und behauptet: »his tragedy is the tragedy of a realist engaged in, and defeated by, the politics of power and intrigue« (S. 104).

27 Joachim Müller: Das Edle in der Freiheit. Leipzig 1959. S. 130.

28 Reinhard Buchwald: Schiller. Wiesbaden 1954. S. 356.

29 Seidlin, Wallenstein, S. 121.

30 Ebda, S. 122.

31 Ebda, S. 124.

32 von Wiese, Schiller, S. 650.

33 Ebda.

34 Ebda, S. 649.

35 Ebda.

ein »phantastischer (...) Traum von Macht«[36] fließt, der Traum eines Feldherrn, »der sich an den durch die Geschichte gegründeten Ordnungen vergreift, um seine eigenen phantastischen Pläne in ihr durchzusetzen«[37]. Die »durch die Geschichte gegründeten Ordnungen« sollte man in diesem Fall mehr unter dem kritischen Aspekt von Wallensteins Monolog sehen – im Sinne des Urteils von Max Kommerell: »Die Legalität sitzt immer auf der Anklagebank«[38], und entsprechend möchte man Wallensteins Tun und Wollen nicht nur als »phantastischen Traum von Macht« verstanden wissen, sondern immer bezogen auch auf ideale geschichtliche Zielsetzungen. Wallensteins Tragik wird aus dem ebenso notwendigen wie vergeblichen Versuch abzuleiten sein, gesteigerte Machtfülle und die Idee der politisch gewordenen Idylle zu versöhnen.

Diese Idylle trat uns im Symbolgehalt des Sternenglaubens entgegen. Die hier versuchte Analyse setzt uns wohl in Widerspruch zur wissenschaftlichen Literatur, dafür aber in Übereinstimmung mit Schiller. Unverständlich ist, daß dessen briefliche Äußerungen zu dem in Frage stehenden Problem bislang nicht ernsthaft erwogen wurden. Möglicherweise hat man sie zu leicht befunden, in Anlehnung an seine Einsicht: »Wenn die Wallensteinischen Stücke ein Jahr lang gedruckt durch die Welt gelaufen sind, kann ich vielleicht selbst ein paar Worte darüber sagen. Jetzt liegt mir das Product noch zu nahe vor dem Gesicht« (NA, Bd. 30, S. 34). Die Briefstelle trifft sich mit dem Satz Valérys: »Wenn ein Werk erschienen ist, hat die Deutung, die ihm sein Verfasser gibt, nicht mehr Gewicht als die eines anderen (...) Meine Absicht ist nur meine Absicht, und das Werk ist das Werk.«[39] Kein unumstößlicher Autoritätsanspruch kommt demnach den Hinweisen Schillers auf Wallensteins Sternenglauben zu, wohl aber könnten sie unsere Ausführungen verdeutlichen. Vorauszuschicken ist Schillers erste Konzeption der Person Wallenstein, wie sie im Brief an Körner vom 28. November 1796 sich findet: »Auch die Leidenschaften selbst, wodurch er bewegt wird, Rachsucht und Ehrbegierde, sind von der kältesten Gattung. Sein Charakter endlich ist niemals edel und darf es nie seyn, und durchaus kann er nur furchtbar (...) erscheinen.« (Jonas, Bd. 5, S. 121 f.) Diese Zeichnung scheint im Laufe der künstlerischen Arbeit sich zu verändern mittels des astrologischen Motivs. Zunächst erscheint dieses Schiller als pure »Fratze«, und er wendet sich am 4. Dezember 1798 an Goethe mit der Frage, ob ihr überhaupt ein »gewisser tragischer Gehalt« eigne und sie nicht »bloß als lächerlich« auffalle: »Der Fall ist sehr schwer, und man mag es angreifen wie man will, so wird die Mischung des Thörigten und Abgeschmackten mit dem Ernsthaften und Verständigen immer anstößig bleiben.« (NA, Bd. 30, S. 8 f.) Goethes Antwort ist dann der Ariadnefaden, an dem Schiller aus den Widersprüchlichkeiten herausfindet, wie er mit Enthusiasmus versichert: »Es ist eine rechte Gottesgabe um einen weisen und sorgfältigen Freund (...) Ich weiß nicht welcher böse Genius über mir gewaltet, daß ich das astrologische Motiv im Wallenstein nie recht ernsthaft anfaßen wollte (...) Ich sehe aber jetzt vollkommen ein, daß ich noch etwas bedeutendes für diese Materie thun muß«. (NA, Bd. 30, S. 10 f.). Das »bedeutende«, das astrologische Motiv transformierende Moment teilt ein knappes Vierteljahr später der Brief an Böttiger mit. Die in der ersten Konzeption noch regierenden Leidenschaften der »Rachsucht und

---

36 Ebda, S. 653.
37 Ebda, S. 654.
38 Kommerell, Schiller, S. 14.
39 Paul Valéry: Windstriche. Frankfurt/M. 1959. S. 171.

Ehrbegierde«, das »Furchtbare« und »Unedle« der Wallensteinfigur treten zugunsten eines idealen, im Sternenglauben versinnbildlichten Denkens zurück: »Was an ihm groß erscheinen, aber nur s c h e i n e n konnte, war das Rohe und Ungeheure, also gerade das was ihn zum tragischen Helden schlecht qualifizierte. Dieses mußte ich ihm nehmen und durch den I d e e n s c h w u n g, den ich ihm dafür gab, hoffe ich ihn entschädigt zu haben.« (NA, Bd. 30, S. 34) Der »Ideenschwung« Wallensteins, von dem Schiller spricht, trat uns im idealgeschichtlichen Aspekt seiner Vorstellungswelt entgegen. Es ist eine Vorstellungswelt mit idyllischen Strukturen. Wie wesentlich sie sind, soll eine Betrachtung Theklas und des jungen Piccolomini zeigen. Sie werden sich aufgrund der bis jetzt geleisteten Interpretation in manchen Zügen als geheime Verwandte Wallensteins enthüllen. Die geheime Verwandtschaft dieser Personen aufdecken heißt zugleich, die breite Streuung idyllischer Themen in diesem Drama erfassen: in Max und Thekla, den Symbolgestalten des Paradieses, konzentriert sich, was Schiller an Idyllik in dieser Tragödie entfaltet hat. Denn das Dasein der beiden Liebenden ist nicht nur charakterisiert durch den Rückblick auf die vergangene und den Ausblick auf eine zukünftige Idylle, sondern es präfiguriert selber, durch die ideale Einheit von Gedanke, Herz und Wort, paradiesische Existenzweise.

c) Die Verwandtschaft zwischen Max, Thekla und Wallenstein im Zeichen des Idyllischen

Die idyllische Friedensreise der Liebenden

Ausgangspunkt unserer weiteren Betrachtung sei die Erinnerung der beiden Liebenden an ihre idyllische Friedensreise. »Die Liebe ist ein wesentliches Thema der Idylle«[40], stellt Renate Böschenstein fest, und in der Tat hat Schiller es vermocht, sie zum Brennpunkt zahlreicher idyllischer Motive zu machen. Bedrängt von der »ungewöhnlich treibenden Bewegung« (Picc., V. 1452) in der dramatischen Gegenwart blickt Max zurück auf die »Wohnungen der ewgen Freude« (Picc., V. 1444) und vergleicht seinen vergangenen Zustand mit dem eines »selgen« Geistes (Picc., V. 1443). Das Bild, in dem er diesen Zustand vergegenwärtigt, ist ein typisch idyllisches: »Auf einer Insel in des Äthers Höhn / Hab ich gelebt in diesen letzten Tagen« (Picc., V. 1561 f.). Wenn von der Idylle gesagt wurde, daß der »Charakter des Abgeschirmten, Eingegrenzten, Geborgenen« ihren Raum bestimme[41], so kann das Bild der Insel diesen Wesenszug besonders einprägsam symbolisieren[42]. Dieses Bild und das religiöse Vokabular – »ewig«, »selig« – deuten auf das Paradiesische der Reise, auf einen Zustand, wo die voranschreitende Zeit nicht mehr ins Bewußtsein dringt. Die Erfahrung der Vergänglichkeit und Veränderlichkeit entfällt: »O! goldne Zeit / Der Reise, wo uns jede neue Sonne / Vereinigte, die späte Nacht nur trennte! / Da rann kein Sand und keine Glocke schlug. / Es schien die Zeit dem Überseligen / In ihrem ewgen Laufe still zu stehen.« (Picc., V. 1476 ff.) Max hat die Aufhebung der Zeit in der Zeit erfahren, und in der Befreiung von aller Zeitgewalt ist er der »Überselige« und »Glückliche« gewesen, Charakteristika, die mit

---

40 Böschenstein, Schiller, S. 9.

41 Ebda, S. 8.

42 Zu Bernhard Blume, der die »Insel als Symbol in der deutschen Literatur« untersucht (in: Monatshefte für dt. Unterricht, dt. Sprache und Literatur [1949]. S. 239–247), bemerkt Böschenstein: »Die Werke, in denen Blume die Wunschlandschaft der I n s e l aufsucht *(Insel Felsenburg, Robinson, Ardinghello)*, sind bedeutsam für den Umkreis der Idylle, zumal Blume, über das konkrete Motiv hinausgehend, auch das ›Inselhafte‹ einbegreift, wie es etwa in *Hermann und Dorothea* zutage tritt.« (Böschenstein, Idylle, S. 18.)

den von Thekla verwendeten sich decken: »Er ist nicht heiter. Warum ist ers nicht? / Ihr, Tante, habt ihn mir so schwer gemacht! / War er doch ein ganz andrer auf der Reise! / So ruhig hell! so froh beredt!« (Picc., V. 1547 ff.) Dieses der bedrängenden Zeitnot enthobene schwerelose Sein des heiteren und des froh beredten, des überseligen und von Freude durchwalteten Menschen hat sich im Zeichen glänzenden Lichts vollzogen. Max erinnert sich, daß ihn »jede neue Sonne« (Picc., V. 1477) mit Thekla zusammenführte, und mit der Wendung: »von tausend Sonnen war sie aufgehellt« (Tod, V. 1371) beschwört Thekla an späterer Stelle jene paradiesische Zeit. Dieselben Motive begegneten uns in der Beschreibung von Wallensteins Gestirnen. Jupiters Reich ist das der »zentralischen Sonne« und dazu stimmt, daß er, der »helle Gott«, als »heiterer Mann« dargestellt ist: hier wie in der »goldnen Zeit der Reise« meint die Sphäre des Lichts »Heiterkeit« im Sinne uneingeschränkten Freiseins, zeitlosen Glücks. Hier wie dort ist eine idyllische Thematik angeschlagen, die auf eine verborgene Beziehung zwischen Wallensteins Sternenwelt und den jungen Liebenden hinweist.

Die Welt der Idylle in den Reden des jungen Piccolomini.
Das Motiv des Heiteren, des Wunderbaren und des unendlichen Vermögens

Eine überraschend eindringliche Evidenz erfährt die angedeutete Beziehung im 4. Auftritt des 3. Aufzugs. Er folgt unmittelbar auf die idyllischen Reiseerinnerungen, scheint jedoch mit diesen nichts gemeinsam zu haben. Aber das ist nur scheinbar so. Die in diesem Auftritt erfolgende Darstellung des astrologischen Turms enthält ja die von uns analysierte paradiesische Symbolik der Wallensteinschen Gestirne, und diese Darstellung löst überdies jenen heiteren Redewechsel zwischen Max und Thekla aus, der eine schöne idyllische Zukunft vergegenwärtigt. Es weist auf die Verwandtschaft zwischen Wallenstein, Max und Thekla hin, wenn die Sternenwelt des Feldherrn zum Anlaß eines befreienden Dialogs zwischen den Liebenden werden kann. Und es bezeugt die Relevanz dieses Dialogs für unser Thema, wenn ihn ein dichtes paradiesisches Motivgeflecht durchzieht. Darüber hinaus hat dieser Auftritt einen zentralen, von Schiller selbst hervorgehobenen Stellenwert im Ganzen des Dramas.

Zwei Aufgaben hatte Schiller sich gestellt, als er den in Frage stehenden Auftritt konzipierte: ein Gegengewicht zum »geschäftigen Wesen der übrigen Staatsaktion« hervorzubringen und sämtliche im Drama verstreuten Themen, die ihrer »freymenschlichen Natur nach« von der bloß berechnenden Staatsaktion sich abheben, in dieser Szene zu versammeln und aufeinander zu beziehen. Von beiden Zielen legt der Brief an Goethe vom 9. November 1798 Zeugnis ab, wo es zunächst heißt: »Ich bin seit gestern endlich an dem poetisch-wichtigsten bis jetzt immer aufgesparten Theil des Wallenstein gegangen, der der Liebe gewidmet ist, und sich seiner freymenschlichen Natur nach von dem geschäftigen Wesen der übrigen Staatsaction völlig trennt, ja demselben, dem Geist nach, entgegensetzt.« (NA, Bd. 30, S. 2) Es zeigt die Bedeutung des »poetisch-wichtigsten« Teils des *Wallenstein* an, daß er sogar die übrige Handlung zu überspielen droht: »Was ich nun am meisten zu fürchten habe ist, daß das überwiegende menschliche Interesse dieser großen Episode an der schon feststehenden ausgeführten Handlung leicht etwas verrücken möchte (...) und jemehr mir die Ausführung derselben gelingen sollte, desto mehr möchte die übrige Handlung dabey ins Gedränge kommen.« (NA, Bd. 30, S. 3) Ist diesen Äußerungen zufolge der bezeichnete Auftritt eine Antithese zur politischen Aktion, so kommt ihm noch eine zweite Funktion zu: »Vor der Hand ist nun mein

Geschäft, mich aller Motive, die im ganzen Umkreis meines Stücks für diese Episode und in ihr selbst liegen zu bemächtigen« (NA, Bd. 30, S. 3). Verwandte, hier und dort angeschlagene Motive will Schiller in dieser Szene konzentrieren, ein Unterfangen, das wir nachzeichnen, indem wir die heitere Beredsamkeit des jungen Piccolomini vergegenwärtigen.

Theklas Hinweise auf Wallensteins »segenvolle Sterne« lösen die beschwingten Reden des jungen Piccolomini aus. Seine »heitere« Sprachhaltung und Wallensteins Sternenglaube hängen unmittelbar zusammen. »O! nimmer will ich seinen Glauben schelten / An der Gestirne, an der Geister Macht. / Nicht bloß der S t o l z des Menschen füllt den Raum / Mit Geistern, mit geheimnisvollen Kräften, / Auch für ein liebend Herz ist die gemeine / Natur zu eng, und tiefere Bedeutung / Liegt in dem Märchen meiner Kinderjahre, / Als in der Wahrheit, die das Leben lehrt.« (Picc., V. 1619 ff.) Max setzt die von »Geistern«, von »geheimnisvollen Kräften« erfüllte Sternenwelt Wallensteins in Zusammenhang mit dem »Märchen« seiner »Kinderjahre«. Beide Bereiche bezeichnen dieselbe Idealsphäre. Wie Wallenstein sich in seiner Sternenschau über das »Irdische, Gemeine« (Picc., V. 973) erhebt, über das Wirkungsfeld des nur kalkulierenden Realisten vom Schlage eines Illo, so erhebt sich Max über die »gemeine Natur«. Wallenstein wird gewahr, was in der Sternensphäre »geheimnisvoll bedeutend webt« (Picc., V. 976), Max nennt es mit einem verwandten Begriff die »tiefere Bedeutung« von Märchen und Kinderjahren. Genauere Auskunft über diese Bedeutung geben die folgenden, sehr emphatischen Verse: »Die heitre Welt der Wunder ists allein, / Die ihre ewgen Räume mir eröffnet, / Mir tausend Zweige reicht entgegen streckt, / Worauf der trunkne Geist sich selig wiegt. / Die Fabel ist der Liebe Heimatwelt, / Gern wohnt sie unter Feen, Talismanen, / Glaubt gern an Götter, weil sie göttlich ist.« (Picc., V. 1627 ff.) Max nimmt in der Phantasie die Begegnung mit dem Wunderbaren, den Göttern und »Fabelwesen« vorweg. Er charakterisiert die ersehnte ideale Welt durch die Attribute »heiter« und »ewig« – Attribute, die er schon zur Charakteristik der idyllischen Friedensreise mit Thekla verwendet hatte: so tritt der unlösbare Zusammenhang zwischen dem Begriff des »Heiteren« als Chiffre des Freiseins und dem des »Ewigen« als Aufhebung der Zeit in der Zeit abermals hervor. Diesen Zusammenhang erfährt der wahrhaft Liebende. Max nennt ihn einen »trunknen Geist«, der »sich selig wiegt«, und das heißt, Anteil am schwerelosen, heiteren Sein der Götter gewinnt. Das in den Versen herangezogene religiöse Vokabular – »ewig«, »selig« – erinnert wieder an die Beschreibung der idyllischen Friedensreise. Die Welt der Idylle, der idealen Liebe und der Götter ist identisch: so versteht sich, daß Max mit seiner Liebe, deren göttliche Tendenz er auf der paradiesischen Reise entdeckt hatte, gern in die göttliche Welt der »Fabel«, Feen und »Talismane« flüchten würde. In jener Liebe, die er an Theklas Seite in den Formen der Freude, des Heiteren, des seligen Schwebens jenseits der friedlosen Wirklichkeit erfahren hatte, ereignete sich der »Übertritt des Menschen in den Gott« (Jonas, Bd. 4, S. 338). Diesen Übertritt erhofft sich Max jetzt in der Phantasie, einer Phantasie, die seine Sprache rhythmisch beflügelt; er ist »so froh beredt« wie einst, während der »goldnen Zeit der Reise«.

Die Einbildungskraft des jungen Piccolomini schlägt zuletzt eine Brücke zur Sternenwelt Wallensteins. Das ist kein Zufall. Nicht nur repräsentieren Wallensteins Idealsterne die von Max beschworene Welt der Götter, der Idylle, der idealen Liebe, sondern Wallenstein, der in der Geschichte Handelnde, ist auch allein dazu befähigt, diese Welt zu realisieren. »Die alten Fabelwesen sind nicht mehr, /

Das reizende Geschlecht ist ausgewandert; / Doch eine Sprache braucht das Herz, es bringt / Der alte Trieb die alten Namen wieder, / Und an dem Sternenhimmel gehn sie jetzt, / Die sonst im Leben freundlich mit gewandelt« (Picc., V. 1635 ff.)... Einst war die Welt mythologisch beseelt. Schillers poetisches Bild der im Leben freundlich mitwandelnden Götter und Fabelwesen soll die frühere Immanenz des Göttlichen in der Welt reflektieren, dieselbe Immanenz, die auch Max und Thekla auf ihrer idyllischen Friedensfahrt erfahren hatten. Nicht undeutlich erinnern die zuletzt zitierten Verse des jungen Piccolomini an die Eingangsstrophe der *Götter Griechenlands:* »Da ihr noch die schöne Welt regiertet, / An der Freude leichtem Gängelband, / Glücklichere Menschenalter führtet, / Schöne Wesen aus dem Fabelland!« (NA, Bd. 1, S. 190) Von einer göttlichen Präsenz solcher Art im Leben kann jetzt, wie Max bezeugt, nicht mehr die Rede sein. Aber während in Schillers Gedicht die Götter sich aus der Welt zurückziehen, gehen sie für den jungen Piccolomini wie für Wallenstein am Sternenhimmel, um von dort eines Tages ins Irdische zurückzuwirken und die Geschichte zu vollenden: »Dort winken sie dem Liebenden herab, / Und jedes Große bringt uns J u p i t e r / Noch diesen Tag, und V e n u s jedes Schöne.« (Picc., V. 1641 ff.) Die Götter des jungen Piccolomini, seine »Fabelwesen«, die »heitere Welt der Wunder« oder das »Märchen der Kinderjahre«: sie sind nur wechselnde Namen für Wallensteins Sterne, die ihrerseits Metaphern und symbolische Behelfe für Ideale darstellen. Jupiter und Venus figurieren symbolisch als Idealwelt des schönen heiteren Seins, worin Freude, Glück und Friede herrschen. Die Hinwendung zu dieser paradiesischen Welt befreit und löst für Augenblicke, das verrät die gelöste und heitere Redehaltung des jungen Piccolomini. Die Phantasie, welche die Sternenwelt als das Symbol einer idyllischen Zeit in sein Blickfeld rückt, erhebt ihn für die Dauer seiner Rede über die dramatische Wirklichkeit – im Sinne einer Strophe aus dem Gedicht *Das Reich der Schatten:* »Aber frey von jeder Zeitgewalt, / Die Gespielin seliger Naturen / Wandelt oben in des Lichtes Fluren, / Göttlich unter Göttern, die Gestalt. / Wollt ihr hoch auf ihren Flügeln schweben, / Werft die Angst des Irrdischen von euch, / Fliehet aus dem engen dumpfen Leben / In der Schönheit Schattenreich!« (NA, Bd. 1, S. 247 f.) Nur daß im Unterschied zu dieser Strophe Wallensteins Sternenglaube nicht bloß die zeitlich beschränkte Flucht in der »Schönheit Schattenreich« begünstigt, sondern darüber hinaus in Max die schöne Hoffnung auslöst, daß demnächst in der Geschichte selber realisiert werde, was in der Sternenwelt zeichenhaft vorweggenommen ist.

Träger der »schönen Hoffnung« des jungen Piccolomini ist Wallenstein, den er visionär in einer weiteren, nach der Besiegung des Mars anbrechenden Idylle vorstellt: »Bald wird sein düstres Reich zu Ende sein! / Gesegnet sei des Fürsten ernster Eifer, / Er wird den Ölzweig in den Lorbeer flechten, / Und der erfreuten Welt den Frieden schenken. / Dann hat sein großes Herz nichts mehr zu wünschen, / Er hat genug für seinen Ruhm getan, / Kann jetzt sich selber leben und den Seinen. / Auf seine Güter wird er sich zurückziehn, / Er hat zu Gitschin einen schönen Sitz, / Auch Reichenberg, Schloß Friedland liegen heiter – / Bis an den Fuß der Riesenberge hin / Streckt sich das Jagdgehege seiner Wälder. / Dem großen Trieb, dem prächtig schaffenden, / Kann er dann ungebunden frei willfahren. / Da kann er fürstlich jede Kunst ermuntern, / Und alles würdig Herrliche beschützen – / Kann bauen, pflanzen, nach den Sternen sehen – / Ja, wenn die kühne Kraft nicht ruhen kann, / So mag er kämpfen mit dem Element, / Den Fluß ableiten und den Felsen sprengen, / Und dem Gewerb die leichte Straße bahnen. / Aus unsern Kriegsgeschichten werden dann / Erzählungen in langen Winternächten –«

(Picc., V. 1654 ff.)... Der Handelnde ist in einen idyllischen Zustand eingekehrt, den Schiller in der Schrift *Über Naive und Sentimentalische Dichtung* als die »höhere Harmonie« bezeichnet, »die den Kämpfer belohnet, die den Überwindern beglückt« (NA, Bd. 20, S. 472). Dieser Harmonie ist jene Vielfalt der Möglichkeiten zugemessen, jene Unbeschränktheit des Handelns, die das mehrfach wiederholte modale Hilfsverb (»kann«) auszudrücken sucht. Diesen Sachverhalt hebt Schiller in seinen Äußerungen über die Idylle nachdrücklich hervor: »R u h e wäre also der herrschende Eindruck dieser Dichtungsart, aber Ruhe der Vollendung, nicht der Trägheit; eine Ruhe, die aus dem Gleichgewicht nicht aus dem Stillstand der Kräfte, die aus der Fülle nicht aus der Leerheit fließt, und von dem Gefühle eines unendlichen Vermögens begleitet wird.« (NA, Bd. 20, S. 472 f.) In den visionären Versen des Max: »Dem großen Trieb, dem prächtig schaffenden, / Kann er dann ungebunden frei willfahren« ist dieses unendliche Vermögen in vollendeter Ruhe festgehalten. Wie sehr die Vision Piccolominis mit der Idyllenvorstellung verwandt ist, die Schiller in seinem berühmten Brief an Humboldt entwickelt hat, mag aus einem Zitat hervorgehen: »alles Sterbliche ausgelöscht, lauter Licht, lauter Freyheit, lauter Vermögen – keinen Schatten, keine Schranke, nichts von dem allen mehr zu sehen –« (Jonas, Bd. 4, S. 338). Wie die Beschränkung durch die Zeit die des Tuns impliziert, wie alles Zögern des Handelnden zuletzt ein Ende haben und dieser schuldig werden muß, so gehören umgekehrt das von der Zeitgewalt befreite Sein und das ungemessen glückliche Vermögen zusammen. In der Idylle macht sich der Wechsel der Stunden nicht mehr als Not und Bedrängnis geltend. Jene Aufhebung der Zeit in der Zeit wäre eingetreten, die Max auf der idyllischen Reise erfahren hatte. Indem er in seiner Vision in mehrfachen Variationen das unbegrenzte Wirkenkönnen durchscheinen läßt, entsteht das Bild einer Zukunft, die eine endlose Gegenwart ist: jenes paradiesische Sein, das Wallenstein vorschwebt und das, inmitten einer durch den Frieden »erfreuten Welt«, am Glück und an der Freude denselben Anteil hat wie am »Heiteren« und am »Schönen«, Attribute, die den Aufenthaltsort des in die Idylle Heimgekehrten prägen.

Die überindividuelle Dimension der Figuren unterm Aspekt des Neuen und des Lebendigen

Die zahlreichen Bezüge, die zwischen Wallensteins Sternenglauben und der erinnerten und vorweggenommenen Idylle in Maxens Rede spielen, führen auf die Verwandtschaft zwischen Max, Thekla und Wallenstein. Es kennzeichnet den Feldherrn und den jungen Piccolomini, daß ihr Blick auf das Paradies eine neue Ordnung mit umfaßt. Idyllischer Friede und die Herbeiführung einer neuen Zeit werden zusammengedacht. Max rühmt an Wallenstein, »wie er alles weckt / Und stärkt und neu belebt um sich herum« (Picc., V. 424 f.). Wallensteins neu belebende Kraft hat eine geschichtliche Dimension, weil sie sich gegen die überkommenen erstarrten Ordnungen kehrt. Max macht sich zum Anwalt dieses Erneuerungswillens, der an einem goldenen Frieden, an »Europas großem Besten«, orientiert ist: »Das Orakel / In seinem Innern, das lebendige –, / Nicht tote Bücher, alte Ordnungen, / Nicht modrigte Papiere soll er fragen.« (Picc., V. 459 ff.) Dem lebendigen »Orakel« in Wallensteins Innerem ist die Sehnsucht Piccolominis nach der »neuverjüngten Erde« (Picc., V. 503) verwandt. Im Wunsch nach dem Lebendigen und Neuen sind der Feldherr und Max miteinander verbunden. Ist Wallenstein der geschichtsmächtige Träger dieses Wunsches, so ist Max dessen symbolisches Spiegelbild: »Sei mir willkommen, Max. Stets warst du mir / Der Bringer irgend einer schönen Freude, / Und, wie das glückliche Gestirn des Morgens, / Führst du die Lebenssonne mir herauf.« (Picc., V. 755 ff.) Dieser Gruß hat symbolische Kraft: Max, das »glückliche Gestirn des Morgens«, versinnbildlicht den Anbruch einer neuen Zeit und zugleich antizipiert er – der »stete Bringer irgendeiner schönen Freude« – symbolisch Glück und Schönheit dieser Zeit. Was Wallenstein in der Geschichte zu realisieren gedenkt, ist in der Person des Max als Sinnbild bereits zugegen. Und was Max und Thekla als Entschwundenes beklagen, die »schöne Zeit der goldnen Reise«, soll in der Zukunft durch Wallenstein wiederkehren – erweitert um die geschichtliche Dimension des Neuen. Denn das Neue, das auf dem Grund der überwundenen alten Ordnung erstehen soll, müßte als gesellschaftsbildende, politisch konstruktive Qualität im zukünftigen Paradies gegenwärtig sein. Erlebten Max und Thekla die goldne Zeit der Reise in einem abgeschirmten Bereich, auf einer Insel gleichsam, die von Politik und Geschichte abgeschnitten war, so müßte die neue goldne Zeit diese Politik und diese Geschichte in veränderter idealer Gestalt in sich aufnehmen. In Gestalt von »Europas großem Besten« z. B. würde die neue Idylle sich manifestieren oder in Gestalt jenes unendlichen Vermögens, das Max visionär beschworen und der künftigen Existenz Wallensteins zugedacht hat. Denn wie zur vorgeschichtlichen Idylle eine wenn auch glückliche Beschränktheit gehört, so gehört zur geschichtlich vollendeten Idylle welthaltige Fülle.

Die Ambivalenz der Beziehung

Auch an dieser Stelle sei, um den Eindruck willkürlicher Stilisierung abzuwehren, auf die Doppelgesichtigkeit der Verhältnisse hingewiesen. In der Beziehung zwischen den drei Figuren ist immer schon eine entfremdende Kraft verborgen. Max idealisiert Wallenstein; für sein idyllisch strukturiertes Denken ist typisch, daß er die politische Macht des Feldherrn rein als Mittel zum idealpolitischen Zweck begreift; die Dialektik, in der sich politische Macht und Freiheit der politischen Entscheidung notwendig verfangen, entgeht ihm. Daher wehrt er die Bedenken Theklas im Hinblick auf Wallenstein ab. Die paradiesische Unschuld seiner Gesinnung verbietet es ihm fast bis zuletzt, die Gefahr der Verselbständigung und des Eigeninteresses wahrzunehmen, die in geschichtlicher Herrschaft lauert. Wenn Wallenstein das Ansinnen seiner Gattin, Thekla mit Max zu verbinden, grob mit der Antwort niederschlägt, er werde seine Tochter nur mit einem Herrscher aus königlichem Hause verheiraten (Tod, III, 4), so meldet sich darin das Interesse an der Macht als solcher an: Macht und Freiheit, derer Wallenstein zur Durchsetzung idealidyllischer Intentionen bedarf, bergen Tücken, die diese Intentionen immer wieder durchkreuzen und zuletzt überspielen – eine Dialektik, die in Wallensteins widersprüchlichem und mehrdeutigem Verhalten sich äußert. Bei der Analyse des Monologs sei diese Dialektik entfaltet, im Anschluß daran ist die Entfremdung zwischen den Liebenden und Wallenstein nachzuzeichnen. In diesem Kapitel war die eine Seite der Dialektik hervorzukehren: Wallensteins Blick auf eine neue, vom Frieden, vom »Schönen«, vom »Heiteren« regierte Ordnung, welcher auch Max und Thekla entgegensehen. Hält man sich diese Seite gegenwärtig, so zergeht das starre dualistische Prinzip, das man seit H. A. Korff unermüdlich in die *Wallenstein*-Dichtung hineinlegt. Daß, nach Korff, »dem realpolitischen Wallenstein in Max ein Idealist« [43] konfrontiert sei, behaupten auch Hermann Schneider [44] und

43 Korff, Goethezeit, 2, S. 252.

44 Schneider, Wallenstein, S. 21: »dem Realisten und Materialisten Wallenstein stehen in Max und Thekla die Bürger eines idealen Reiches gegenüber«.

Gerhard Fricke [45], und die Tradition dieser undifferenzierten Kontrastvorstellung setzen noch Kurt May [46] und E. L. Stahl fort, wenn es etwa heißt: »In a depressingly realist atmosphere Max clings to idealism and Schillers profound distaste for the principles of both Wallenstein and Octavio Piccolomini found relief in the imaginative contemplation of this contrast.« [47] Nur Oskar Seidlin hat einzelne Züge entdeckt, die das Gemeinsame zwischen Max, Thekla und Wallenstein anzeigen [48], und solche Züge waren hier zu präzisieren, zu ergänzen und von unserer besonderen Fragestellung her zu entfalten.

Max und Thekla als Symbolgestalten der Idylle

Wie sich in diesem Drama hinter jeder Person ein überindividueller Horizont auftut, so weisen auch die Züge, welche Max und Wallenstein miteinander verbinden, in einen überpersönlichen Bereich. Schillers Dramenfiguren interpretieren heißt ihren symbolischen Charakter erschließen. Denn erst dieser verleiht dem dramatischen Vorgang seine Tiefendimension und seine wahre Spannung: Im Spiegel des Idyllischen verschärft sich das Tragische. Will man das Idyllische in seinem vollen Umfang erfassen, muß zuletzt die ganze Symbolkraft Max' und Theklas vergegenwärtigt werden. Sie erscheint vor allem in jener wahrhaftigen Ausdruckssprache, der eine paradiesische Integrität eignet. Durch diese paradiesische Integrität unterscheiden sich Max und Thekla von Wallenstein, dessen Redeweise notwendig der vorbildlichen Eindeutigkeit und Spontaneität entraten muß. Paul Böckmann deutet zutreffend die Sprache des jungen Piccolomini als Antithese zur Sprache der anderen Figuren: »Eine Gegenposition gegen die das Drama durchwaltende Zweideutigkeit alles Redens und Handelns macht nur Max Piccolomini sichtbar, der die mögliche Einheit von Gedanke, Wort und Tat noch durch seinen Untergang bezeugt. Der Abstand zwischen Gedanke und Wort ist ihm noch nicht bewußt geworden, so wenig wie die Möglichkeit, durch Reden oder Schweigen bestimmte Zwecke zu befördern.« [49] Dergleichen einsichtsvollen Sätzen ist das Stichwort zugesellt, auf das auch O. J. Matthijs Jolles aufmerksam gemacht hat: Reden und Handeln des jungen Piccolomini, so befindet Böckmann, würden davon Zeugnis ablegen, daß »er sich ganz der Stimme seines Herzens anvertraut« [50]. Aufzuzeigen ist

---

45 Gerhard Fricke: Schiller und die geschichtliche Welt. In: G. F.: Studien und Interpretationen. Frankfurt/M. 1956. S. 116: »Der Idealist Max wird von diesem Realisten (Wallenstein) unvermeidlich in die Abstraktheit des Ideologen und Schwärmers gedrängt.«

46 May, Schiller, S. 124: »Der tiefe, heillose Gegensatz der in sich selig Liebenden zu der Unrast der dämonischen Willensnatur ist schon aus ihnen selber spürbar.«

47 Stahl, Schiller, S. 94 f.

48 Seidlin, Wallenstein, S. 125 ff.

49 Paul Böckmann: Gedanke, Wort und Tat in Schillers Dramen. In: Jahrbuch der deutschen Schillergesellschaft IV (1960). S. 20.

50 Ebda. – O. J. Matthijs Jolles gibt zu diesem Fragenkreis einige aufschlußreiche Hinweise in seinem Aufsatz »Das Bild des Weges und die Sprache des Herzens. Zur strukturellen Funktion des sprachlichen Bildes in Schillers *Wallenstein*.« (In: Deutsche Beiträge zur geistigen Überlieferung V [1965]. S. 109–142) Nicht so sehr auf die paradiesisch-utopische Struktur des »ungeteilten Herzens« und auf ihre Beziehung zu anderen Idyllenmotiven richtet Jolles seinen Blick, sondern auf das »schöne Herz« in seiner Funktion als verpflichtendes Leitbild für das Leben. (Vgl. S. 140 ff.) Der Idealisierung des Schicksals, das Max und Thekla erleiden, entspricht die idealistische Kritik am Verhalten Wallensteins. (S. 124 f.)

die Relevanz des hier verwendeten Begriffs des »Herzens«, den Schiller zu einem poetischen Motiv verdichtet, an dem noch präziser als bisher die Symbolkraft der Figuren Max und Thekla sich einsehen läßt. Denn die Sprache des Herzens regiert Wort und Tat der beiden Liebenden in jener unmittelbaren und unverstellten Weise, die als paradiesisch zu bezeichnen ist. Beispielhaft ist eine Äußerung Theklas: »Ich sollte minder offen sein, mein Herz / Dir mehr verbergen, also wills die Sitte. / Wo aber wäre Wahrheit hier für dich / Wenn du sie nicht auf meinem Munde findest?« (Picc., V. 1725 ff.) In den Formen der Offenheit und Wahrhaftigkeit, der unverstellten Redeweise, teilt sich das Herz mit; daher lehnt Octavio es ab, seinen Sohn in seine geheimen Intrigen einzuweihen: »Ich muß ihn seiner Unschuld anvertrauen. / Verstellung ist der offnen Seele fremd« (Picc., V. 376 f.). Die »Unschuld des Herzens« wird Max dann im Dialog mit eben diesem Vater bewahren müssen, der sie längst verraten hat an jene verschleiernde und täuschende, entstellende und verfälschende Redehaltung gegenüber Wallenstein: »Hier gilts, mein Sohn, dem Kaiser wohl zu dienen, / Das Herz mag dazu sprechen, was es will.« (Picc., V. 2459 f.) Aber alle Zumutungen Octavios, an der Intrige mitzuwirken, wehrt Max entschieden ab: »Ich kann nicht wahr sein mit der Zunge, mit / Dem Herzen falsch –« (Picc., V. 2604 f.). Nirgends als in der Beziehung zu Thekla verwirklicht sich schließlich die wahrhaftige und offene, vertrauende und unschuldige Sprache: »Vertrauen, Glaube, Hoffnung ist dahin, / Denn alles log mir, was ich hochgeachtet. / Nein! Nein! Nicht alles! Sie ja lebt mir noch, / Und sie ist wahr und lauter wie der Himmel. / Betrug ist überall und Heuchelschein (...) Der einzig reine Ort ist unsre Liebe, / Der unentweihte in der Menschlichkeit.« (Tod, V. 1214 ff.) Die angeführten Zitate erinnern an Schillers Theorie über das »N a i v e der Denkart« (vgl. NA, Bd. 20, S. 416 ff.). Die naive Denkart ist, wie die Natur oder das Kind, »Vergegenwärtigung des Ideals«; sie ist aufgrund ihrer »Integrität«, ihrer »Aufrichtigkeit«, ihres »Vertrauens« ein idyllisches Phänomen. Von dieser Denkart legt die Redehaltung der Liebenden Zeugnis ab: Max und Thekla verbinden ein »Herz voll Unschuld und Wahrheit« mit der »strengen Wahrheit des Ausdrucks«, »wo die Sprache den Gedanken, den sie ausdrückt, noch gleichsam nackend läßt«. Wer Reden und Handeln derart in Kongruenz bringt mit dem Gedanken und in dieser Einheit die »Unschuld des Herzens« bezeugt, ist nach Schillers Formulierung durch »schöne Menschlichkeit« ausgezeichnet und beträgt »sich selbst an den Höfen der Könige mit einer Ingenuität und Unschuld, wie man sie nur in der Schäferwelt findet«: womit die Theorie unsere These bestätigt, daß Max und Thekla vermöge der unverstellten, in Wort und Tat sich bezeugenden Sprache des Herzens zu Symbolen des Idyllischen werden, zu Sinnbildern paradiesisch-idealen Verhaltens. Dazu stimmt die Theorie der unverkünstelten Sprache im goldenen Zeitalter, wie sie Frans Hemsterhuis in seiner für das deutsche Geistesleben des ausgehenden 18. Jahrhunderts wichtigen Schrift »Alexis ou de l'âge d'or« entwickelt: »C'était alors que le langage était absolument parfait, n'ayant d'autres mots ni de signes, que ceux que les fortes affectations internes obligèrent les organes à manifester par la parole et le geste.«[51]

51 Zitiert nach Albert Funder: Die Ästhetik des Frans Hemsterhuis und ihre historischen Beziehungen. Bonn 1913. S. 82.

2. »Die Jungfrau von Orleans«

Die Verwandtschaft zwischen dem *Wallenstein* und der *Jungfrau von Orleans* läßt sich gerade von unserer Fragestellung her erkennen. Die »goldne Zeit der Reise«, die Max und Thekla in der Erinnerung aufbewahren, ist von ähnlicher Struktur wie das Paradies, aus dem Johanna zieht. Dank der idealen Einheit von Herz und Sprache sind die Liebenden im *Wallenstein* Symbole paradiesischer Menschlichkeit; ebenso symbolisiert Johanna die vergangene und die zukünftige Idylle dank ihrer segenstiftenden Redeweise, ihrer Schönheit und ihres Beschützertums. Aber anders als Max und Thekla ist die Jungfrau von Orleans gleichzeitig zur aktiven Realisierung der idealgeschichtlichen Idee aufgerufen. Handelnd soll sie verwirklichen, worauf Wallenstein im Medium seines glückverheißenden Sternenaspekts bezogen ist. Die neue, in eine höhere Idylle mündende Zeit, wie sie in Wallensteins Sternensymbolik präfiguriert ist, zeichnet sich auch in Johannas idealgeschichtlicher Vision ab. Was im *Wallenstein* in verschiedene Dramenfiguren auseinandergelegt wird, tritt in der Figur der Johanna zusammen: sie ist Symbol des verlorenen und zukünftigen Paradieses und handelnder Träger der paradiesischen Idee in einem. Schiller konzentriert in der *Jungfrau von Orleans* in einer Person jenen Zusammenhang, den er im *Wallenstein* erst durch verschiedene Personen stiftet. Diese Konzentration steht im Dienste einer Steigerung: im Element des Handelns gewinnt Johanna an Geschichtlichkeit gegenüber Max und Thekla, und als Symbol des Paradieses gewinnt sie an Idealität gegenüber Wallenstein. In welcher Weise solche Konzentration und Steigerung die Spannung zwischen Idyllik und Dramatik verschärft, ist später zu beschreiben. Vorerst geht es darum, den idyllischen Themenkreis auszuschöpfen. Denn erst von diesem Themenkreis her ist der tragische Vorgang angemessen zu bestimmen.

a) Johannas Vision der idealgeschichtlichen Idylle

Ähnlich wie Max Piccolomini in seiner Rede vom »schönen Tag«, von der Heimkehr in die Menschlichkeit, ähnlich wie Wallenstein in seiner Sehnsucht nach einer glück- und friedenverheißenden Sternenkonstellation, so hält auch Johanna das Bild einer idyllischen Zeit lebendig, in der sich die Geschichte erfüllen würde. Die Züge dieses Bildes nachzuzeichnen, hat die wissenschaftliche Literatur bisher versäumt. Dieses Bild der zweiten höheren Idylle trägt dieselben Züge wie Schillers ästhetischer Staat: die futurischen Idealentwürfe in der Schrift *Über Naive und Sentimentalische Dichtung* und in den *Briefen über die Ästhetische Erziehung* sind nahezu identisch. Das soll eine Interpretation des Prologs zeigen. Sie verfolgt das Ziel, Johannas Vision des ästhetischen Staats erst zu beschreiben, um sie dann als die idealgeschichtliche Umsetzung von Johannas ungeschichtlichem Arkadien zu erläutern. So wird es möglich sein, Johanna als Symbol beider Idyllenwelten, der vorgeschichtlichen und der geschichtlich vollendeten, zu erkennen. Nur der Aufweis der breiten Streuung solcher Idyllenstrukturen kann die Tiefe der dramatischen Aporien, die Schärfe des tragischen Vorgangs erhellen.

Den Prolog beschließt eine Stanze, deren feierliche Strenge angemessen Johannas Auszug aus dem Paradies und ihren sogenannten »religiösen Auftrag«[52] vermitteln kann. »›Geh hin! Du sollst auf Erden für mich zeugen‹« (V. 408) – so beginnt dieser Auftrag, aber sein Zweck scheint in der Stanze nicht unmittelbar religiöser

52 von Wiese, Schiller, S. 737.

Natur zu sein: »›Errettung bringen Frankreichs Heldensöhnen, / Und Reims befrein und deinen König krönen!‹« (V. 423 f.) Das klingt nach pragmatisch politischer Zielsetzung und man zögert, diese mit Benno von Wiese »religiös« zu nennen, mag der Urheber des Auftrags auch von Johanna als Gott selbst verstanden werden. Was Schiller hier mit Gott meint, ist aus dem »engeren Verständnis des Religiösen« herauszunehmen. So lautet die berechtigte Forderung Heinz Ides [53]. Aber dasjenige Verständnis, das Ide anstelle des religiösen vorschlägt, ist seinerseits bedenklich. »Das Verpflichtende«, meint Ide, das »sichtbar und gestaltbar als ›Gott‹« auftrete, sei nichts anderes als das »Inbild des menschlichen Selbst«, des »unwiderstehlichen reinen Geists«, der »gegen alles Natürliche, also auch gegen das menschliche Fühlen als gegen Natur gepanzert« [54] sei. Dieser Auffassung ist aus zwei Gründen zu widersprechen. Einmal ist zu bedenken, daß »Gott« als Symbol im Schillerschen Sinn nicht einfach den Gegensatz zur »Natur«, sondern zugleich deren Versöhnung mit dem »reinen Geist« bedeutet. Das hat Gerhard Kaiser überzeugend dargelegt [55]. Zum andern geht es im Drama Schillers nicht nur um »das Inbild des menschlichen Selbst«, um die individuelle Selbstvollendung des Menschen, sondern der Mensch steht zugleich im Dienst einer überindividuellen idealgeschichtlichen Idee. Es ist die Idee der zweiten höheren Idylle. Das geht aus einer längeren Rede hervor, die Johanna noch im Prolog des Dramas hält. Unterm Aspekt dieser Rede gewinnt der realpolitische Zweck des »göttlichen« Auftrags einen idealgeschichtlichen Charakter. Johanna entwirft das Bild eines Königs, »der den heilgen Pflug beschützt, / Der die Trift beschützt und fruchtbar macht die Erde, / Der die Leibeignen in die Freiheit führt, / Der die Städte freudig stellt um seinen Thron – / Der den Schwachen beisteht und den Bösen schreckt« (V. 347 ff.). Der die Knechtschaft aufhebende und jeder Unterdrückung entgegenwirkende König realisiert, was Schiller in den *Briefen über die Ästhetische Erziehung* das »vollkommenste aller Kunstwerke« nannte: den »Bau einer wahren politischen Freyheit« (NA, Bd. 20, S. 311). Der König, den Johanna herbeisehnt, verknüpft diese Freiheit mit idealer Menschlichkeit: metaphorisch hierfür steht das Bild des Throns – er ist ein »Obdach der Verlassenen« (V. 356) – oder die Benennung des Königs – »Engel der Erbarmung« (V. 353) – oder die Rede vom Vertrauen des »Gerechten« zum König (V. 358). Nicht die »Wiederherstellung einer in ihrem Ordnungsgefüge bis auf den Grund erschütterten geschichtlichen Welt« [56] ist demnach der Sinn von Johannas Auftrag. Ziel ist vielmehr eine idealgeschichtliche Welt, die höhere, noch nie realisierte Idylle. Sie ist durchaus nicht harmlos und problemlos; der gängigen Idyllenvorstellung widerspricht sie insofern, als sie mit den »Schwachen«, »Verlassenen«, und »Bösen« rechnet, mit Disharmonien, die sich allerdings nicht zum unaufhebbaren Widerspruch verselbständigen. Diesen Aspekt verschärft dann Goethes Idyllenkonzeption: indem Goethe die Geschichte samt ihren Problemen in die übergreifende versöhnende Natur mit einbeziehen will, akzeptiert er den »Riß als Be-

53 Heinz Ide: Zur Problematik der Schiller-Interpretation. Überlegungen zur *Jungfrau von Orleans.* In: Jahrbuch der Wittheit zu Bremen VIII (1964). S. 77.

54 Ebda, vgl. S. 77 f.

55 Vgl. Kaiser, Johannes Sendung. Kaiser zufolge bezeichnet die »Sphäre des Göttlichen« in der »Metaphorik des Dramas« den »Menschen in seiner Berufung zum Ideal der Menschheit« (S. 226), wo »aus der ursprünglichen Natur die zur höchsten Würde hinaufgeläuterte Natur des vollendeten Menschen geworden ist« (S. 221) und »alle Sittlichkeit Natur und alle Sinnlichkeit Geist« ist (S. 235).

56 von Wiese, Schiller, S. 737.

standteil der idyllischen Welt selbst«[57]. Das Klassische ist, gerade in seinen sublimsten Vorstellungen über Harmonie, von fragloser Harmonisierung weit entfernt. Die den Gefährdungen gewachsene Idylle, die Johanna vorzeichnet, ist dem ästhetischen Staat in charakteristischer Weise verwandt. Wenn der »Gerechte« in Johannas Vision »mit dem Löwen um den Thron scherzet« (vgl. V. 359), so klingt das gewiß an »die messianische Königsherrschaft alttestamentlicher Prophetien (Jes. 11)« an, wie Gerhard Kaiser vermerkt[58], aber zugleich erinnert ein Verb wie »scherzen« an den Spielcharakter von Schillers ästhetischem Staat, wo nach seinen Worten auch noch »der trotzige Löwe dem Zaum eines Amors gehorchen« (NA, Bd. 20, S. 412) wird. Ebenso erinnert Johannas Bild der Freiheit an den ästhetischen Staat, wo »alles – auch das dienende Werkzeug ein freyer Bürger« ist, »der mit dem edelsten gleiche Rechte hat« (NA, Bd. 20, S. 412), und Johannas Vision eines Königs der Liebe, des unmittelbaren Verstehens und des ritterlichen Beistands ruft uns diediesen Idealstaat abermals ins Gedächtnis zurück: »Eine schönere Nothwendigkeit kettet jetzt die Geschlechter zusammen (...) die Seele schaut in die Seele (...) Jetzt wird die Schwäche heilig und die nicht gebändigte Stärke entehrt« (NA, Bd. 20, S. 409). Johannas visionäre Einbildungskraft projiziert das gegenwärtige, vom Krieg zerrissene Frankreich in eine idyllische Zukunft: »Dieses Land des Ruhms, / Das schönste, das die ewge Sonne sieht / In ihrem Lauf, das Paradies der Länder, / Das Gott liebt, wie den Apfel seines Auges« (V. 332 ff.). Im Zusammenklang mit dem Ideal schöner Menschlichkeit, wie es im König eingezeichnet wird, erscheint so Johannas visionärer Entwurf als Spiegelung jener höheren Idylle, die Schiller in der Schrift *Über Naive und Sentimentalische Dichtung* skizziert: »Der Begriff dieser Idylle ist der Begriff eines völlig aufgelösten Kampfes sowohl in dem einzelnen Menschen, als in der Gesellschaft, einer freyen Vereinigung der Neigungen mit dem Gesetze, einer zur höchsten sittlichen Würde hinaufgeläuterten Natur, kurz, er ist kein andrer als das Ideal der Schönheit auf das wirkliche Leben angewendet.« (NA, Bd. 20, S. 472)

Die in Schillers Kulturphilosophie wie in Johannas Auftrag hervortretende Idee des Paradieses auf Erden widerspricht spezifisch religiösen Glaubensinhalten. Denn das Heil ist im religiösen Verständnis als ewiges, jenseitiges definiert, nicht aber als irdisches, in der Geschichte herzustellendes. Abgelöst von christlicher Glaubenskonsequenz gewinnt der Begriff Gott wie überhaupt jeder religiöse Begriff im Raume dieser Dichtung einen symbolischen Sinn. Schillers »ästhetisches Verhalten zu den religiösen Phänomenen«[59] läßt sich gerade an Johannas Auftrag einsehen, den diese als einen von Gott gegebenen versteht. Ein göttliches Gebot hat per definitionem unbedingte Geltung; Schiller kann mit seiner Hilfe sinnfällig die unabweisbare Forderung der idealgeschichtlichen Idee an den Menschen demonstrieren. Das Gesetz Gottes wird zum symbolischen »Behelf«, der den unbedingten Anspruch der Idee auf ihre geschichtliche Verwirklichung in aller Schärfe hervorzutreiben vermag. Und das heißt zugleich, daß dieser symbolische Behelf den Menschen als Handelnden bestimmt, daß Menschsein sich als Handeln im Blick auf die Idee versteht. Nur unter diesem Aspekt erhalten die übrigen religiösen Begriffe des Dramas ihren wahren Symbolwert: sie beziehen sich, direkt oder indirekt, auf die Idee der idealen Idylle und auf das Scheitern dieser Idee. Daß Johanna die ideale Idylle symbolisch

57 Böschenstein, Idylle, S. 80.
58 Kaiser, Johannas Sendung, S. 214.
59 Storz, Schiller, S. 263.

präfiguriert, zeigt eine genaue Betrachtung ihrer arkadischen Existenzweise. Zwischen der idyllischen Schäferwelt, die im Drama nur als eine entschwindende, in Auflösung begriffene vergegenwärtigt wird, und dem zu realisierenden ästhetischen Staat besteht ein enger, noch wenig erforschter Zusammenhang.

b) Johannas Arkadien

Wenn Johannas arkadisches Idyll in der Auflösung begriffen ist, so spiegelt sich darin ein Moment Schillerscher Kulturphilosophie. Die Geschichte als Feld der dramatischen Handlung setzt den Auszug aus dem Paradies voraus. Grundsätzlich stellt sich in Schillers Dramen »die ursprüngliche, heile Natur nicht als Gegebenheit, sondern als entschwindender Ausgangspunkt dar. Die Harmonie ursprünglicher Natur ist ein Ideal, das nur als sich entziehendes vergegenwärtigt werden kann.« [60] Daß Schillers Zeichnung der entschwindenden »heilen Natur« an die Tradition der Pastoraldichtung anknüpft, hat Horst Rüdiger in seiner lesenswerten Studie angedeutet [61]. Zu bestimmen bleiben die einzelnen arkadischen Idyllenmotive, die im dramatischen Vorgang so relevant werden: Johannas Arkadien ist nämlich die naive Präfiguration des ästhetischen Staats, den die Heldin im dramatischen Handeln zu realisieren gedenkt.

Johannas Abschiedsgruß im Prolog reflektiert zwei für die abendländische Idyllendichtung typische Züge: den idealtypischen locus amoenus, der an die Landschaft der Vergilschen Eklogen mit ihren »Grotten, Hainen, Bächen und Bäumen« [62] erinnert, und die »harmonische Entsprechung von Mensch und Natur« [63]: »Lebt wohl, ihr Berge, ihr geliebten Triften, / Ihr traulich stillen Täler lebet wohl! (...) Ihr Wiesen, die ich wässerte! Ihr Bäume, / Die ich gepflanzet, grünet fröhlich fort! / Lebt wohl ihr Grotten und ihr kühlen Brunnen! / Du Echo, holde Stimme dieses Tals, / Die oft mir Antwort gab auf meine Lieder – (...) Ihr Plätze alle meiner stillen Freuden, / Euch lass' ich hinter mir auf immerdar!« (V. 383 ff.) Im *Wallenstein* erschien die idyllische Freude als der vollkommene Einklang zweier Liebenden und als Aufhebung der Zeit in der Zeit: »O! goldne Zeit / Der Reise, wo uns jede neue Sonne / vereinigte (...) Es schien die Zeit dem Überseligen / In ihrem ewgen Laufe still zu stehen.« (Picc., V. 1476 ff.) In beiden Dramen ist demnach die idyllische Welt, die der Vergangenheit angehört, durch die Harmonie zwischen Person und Umgebung gekennzeichnet. Zu dieser Qualität tritt die der Schönheit. Auf sie verweist Thibauts Anrede an seine Tochter: »– Ich sehe dich in Jugendfülle prangen, / Dein Lenz ist da, es ist die Zeit der Hoffnung, / Entfaltet ist die Blume deines Leibes« (V. 55 ff.). Die hier angeschlagene Thematik der Jugend und der Schönheit, die schon im *Wallenstein* am Beispiel der Gestalten Max und Thekla entfaltet wurde, hat zentralen Stellenwert in Schillers Idyllenkonzeption. Das im Gedicht *Sehnsucht* entworfene Bild der Idylle ist ein Zeugnis dafür: »Dort erblick' ich schöne Hügel, / Ewig jung und ewig grün!« (SA, Bd. 1, S. 17) Im Prolog der *Jungfrau von Orleans* kehrt dieses Motiv der Schönheit und der Jugend wieder, wenn Thibaut im Blick auf Johanna sagt, daß »Gott / Mit reicher Schönheit ihren Leib geschmückt, / Mit hohen Wundergaben sie gesegnet, / Vor allen Hirtenmädchen die-

60 Kaiser, Johannas Sendung, S. 213.

61 Rüdiger erkennt »das vorgeprägte Bild vom Hirten« als ein für Schiller »allzeit präsentes literarisches Versatzstück, das der Meister des Kulturgemäldes dort einbaut, wo das Thema ›Naturzustand‹ angeschlagen wird«. (Rüdiger, Das Pastorale, S. 235.)

62 Böschenstein, Idylle, S. 11.

63 Ebda, S. 69.

ses Tals« (V. 126 ff.). Die beiden letzten Verse verknüpfen das Motiv idealer Schönheit mit dem Motiv des Segens und der Glücksfülle, als deren Stifterin Johanna erscheint: »Und unter ihren Händen wunderbar / Gedeihen Euch die Herden und die Staaten; / Um alles was sie schafft, ergießet sich / Ein unbegreiflich überschwenglich Glück.« (V. 139 ff.) Schönheit und segenbringendes Glück sind idyllische Qualitäten, wie Schiller sie zumal der Person des jungen Piccolomini verliehen hatte: »Sei mir willkommen, Max. Stets warst du mir / Der Bringer irgendeiner schönen Freude, / Und, wie das glückliche Gestirn des Morgens, / Führst du die Lebenssonne mir herauf.« (Picc., V. 754 ff.) Anders aber als Max, der nicht handelnder Träger der Idee ist, eignet Johanna neben ihrer Schönheit und ihrer segenbringenden Kraft eine Gabe, die sie zum Handeln prädestiniert: ihr vorbildliches Beschützertum, die typische Eigenschaft des Hirten. »Sie ganz allein, die löwenherzge Jungfrau, / Stritt mit dem Wolf und rang das Lamm ihm ab« (V. 200 f.).

Überblickt man die genannten Motive, dann wird der enge Zusammenhang zwischen Johannas arkadischer Idylle und ihrer idealgeschichtlichen Idyllenvision deutlich: Harmonie und Schönheit, Glück und Segen im Arkadien Johannas sollen wiederkehren in einem zukünftigen Paradies, das schöne Menschlichkeit einem Schutz gewährenden, Glück und Segen stiftenden König verdankt. Die in Johanna versinnlichte arkadische Idylle will in eine politische hinübergeführt werden: Johannas arkadischer Einklang mit der Natur soll auf höherer Stufe als Einklang aller Menschen in einer idealen Gesellschaftsordnung wiederkehren. Die Hauptfigur des Dramas kann als ideale Vermittlerin zwischen naturhaftem Paradies und ästhetischem Staat erscheinen, weil ihre segensreiche Schönheit an jenes erinnert und diesen präfiguriert. Diese Vermittlerrolle Johannas, ihren doppelten idyllischen Symbolwert, entfaltet Schiller im dramatischen Vorgang – davon zeugen die zahlreichen Hinweise auf Johannas Schönheit und Anmut, auf ihre Sanftheit und glückbringende Versöhnungskraft und Johannas eigene Rück- und Vorblicke während des Handlungsverlaufs. Das zeigt zugleich die Relevanz idyllischer Motive im Gesamtraum des Dramas. Ein kurz zusammenfassender Vergleich mit der Idyllenmotivik im *Wallenstein* erhellt die entscheidende Bedeutung, die im klassischen Dramenschaffen Schillers der idyllische Themenkreis gewinnt. Wie Max und Thekla ist Johanna eine Symbolgestalt des Paradieses, ausgezeichnet durch die idyllischen Qualitäten der Jugend, der Schönheit und der glückverheißenden Menschlichkeit: sie weist auf das verlorene Paradies zurück und präfiguriert das zukünftige, durch geschichtliches Handeln erst herzustellende. Daß Johanna dieses Handeln auf sich nimmt, unterscheidet sie von Max und Thekla und begründet ihre Verwandtschaft mit Wallenstein. Was dieser im Medium des glückverheißenden Sternenaspekts schaut – die in Venus und Jupiter eingezeichnete neue Zeit des Schönen, des Friedens, der heiteren Freiheit – erscheint auch in Johannas Vision des idealen Königs. Handelnd wollen Wallenstein und Johanna die Idee des ästhetischen Staats realisieren. Auf bedrängende Weise konzentriert demnach Schiller in Johanna, was im *Wallenstein* durch verschiedene Figuren repräsentiert wird: die symbolische Anschauung des Paradieses und das geschichtliche, auf die ideale Idylle zielende Handeln. Weil aber das Handeln unmenschliche Mittel nicht vermeiden kann, wird Johanna im dramatischen Vorgang zum Symbol paradiesischer Menschlichkeit und handelnder Unmenschlichkeit zugleich. Wie Schiller diese Aporie in Johannas widerspruchsvolles Handeln übersetzt, soll die Deutung des dramatischen Geschehens vergegenwärtigen.

3. »Wilhelm Tell«

Die Entwirrung des idyllischen Motivgeflechts im *Wallenstein* und in der *Jungfrau von Orleans* ist unerläßlich im Blick auf den tragischen Vorgang: es wird sich zeigen, daß dieser an die Idee der Idylle gebunden ist und im Spiegel der Idylle eine höchstmögliche Verschärfung und Steigerung erfährt. Die im tragischen Vorgang scheiternde Idee der geschichtlich vollendeten Idylle wird im dramatischen Geschehen des *Wilhelm Tell* realisiert: dem Scheitern in der Tragödie entspricht das Gelingen im Schauspiel. Der Einsicht in die besondere Qualität der neuen Idylle muß eine Analyse der alten zerbrechenden Idylle vorausgehen. Diese wird zunächst vor allem durch die Hauptfigur, durch Tell, repräsentiert: er ist deren exemplarisches Symbol, wie aus seinem Verhältnis zum Wort und zur Tat hervorgeht. Dieses Verhältnis hebt ihn ab von der Gemeinschaft, die sich kraft des Wortes konstituiert, aber schwer zum Handeln findet, während Tell zunächst die einsame Tat dem Dialog entschieden überordnet. In einem komplexen, auf höherer Stufe sich lösenden Spannungsverhältnis zwischen einzelnem und Gemeinschaft, zwischen Wort und Tat zeichnet sich die bisher übersehene Struktur des Dramas ab. Um sie zu erfassen, gilt es, zunächst die vor dem Einbruch der Geschichte liegende Idylle und vor allem ihr Symbol, die Tell-Gestalt, zu beschreiben.

a) Die bedrohte Idylle der Eidgenossen

Schillers symbolische Verfahrensweise – »der Gegenstand wird hier auf eine Idee bezogen« (NA, Bd. 20, S. 441) – erstellt zu Beginn des Dramas eine Situation, wo Gegenstände, Klang und Wort sich zur Idee der vorgeschichtlichen Idylle verdichten. Typische Requisiten der Idyllendichtung – »Hütte«, »heller Sonnenschein«, »Kuhreihen«, »harmonisches Geläut der Herdenglocken« [64] – sind symbolischer Ausdruck eines Glücks, das in dreifacher Gestalt jeweils denselben Zusammenklang zwischen Mensch und Natur vorführt: der Fischerknabe singt von »seliger Lust« im Bereich des Wassers, der Hirte zeichnet den Rhythmus seines Daseins im Rhythmus der Jahreszeiten vor und der Alpenjäger beschwört in selbstgewissem Stolz seinen tatkräftigen Mut »auf schwindligtem Weg« (1. Aufzug, 1. Szene). Dieser glückliche Zusammenklang zwischen Natur und Mensch ist ein zentrales Motiv aller Idyllendichtung. Wir hatten zu zeigen versucht, daß Johannas Abschied von Arkadien, ihre elegische Vergegenwärtigung idyllischen Seins, denselben Zusammenklang zum Thema hatte: »Lebt wohl, ihr Berge, ihr geliebten Triften (...) Ihr Plätze alle meiner stillen Freuden«. Das als Glück empfundene Sein in der Natur ruht auf dem Gleichmaß und einem gesetzmäßigen Kreislauf – das geht aus Melchthals Beschreibung der eidgenössischen Hirtenwelt hervor: »Denn so wie ihre Alpen fort und fort / Dieselben Kräuter nähren, ihre Brunnen / Gleichförmig fliessen, Wolken selbst und Winde / Den gleichen Strich unwandelbar befolgen, / So hat die alte Sitte hier vom Ahn / Zum Enkel unverändert fortbestanden, / Nicht tragen sie verwegne Neuerung / Im altgewohnten gleichen Gang des Lebens.« (V. 1015 ff.) Die von den Tyrannen bedrohte Freiheit der Eidgenossen versteht sich demnach nicht als Bedingung fortschreitenden Bewußtseins und geschichtlichen Wandels, sondern als gewollte Wiederkehr eines statisch gleichförmigen, in Naturgesetzen geborgenen Glücks. Diese idyllische Lebensform kennzeichnet Schiller als »naiv«: als »das stille schaffende Leben, das ruhige Wirken

64 *Wilhelm Tell* wird zitiert nach: Schillers Sämtliche Werke. Säkularausgabe. Bd. 7.

aus sich selbst, das Daseyn nach eignen Gesetzen, die innere Nothwendigkeit, die ewige Einheit mit sich selbst« (NA, Bd. 20, S. 414). Daß hier die kulturphilosophische Idee nicht zufällig in die dichterische Gestaltung hineinwirkt, zeigt sich, wenn sich Schillers theoretische Reflexion über das »Naive der Denkart«, über »Vertrauen«, »Redlichkeit«, »schöne Menschlichkeit«, »Ingenuität« und »Unschuld« (vgl. NA, Bd. 20, S. 416 ff.) in Bertas Reflexion über das eidgenössische Volk wiederholt: »Wo wär die sel'ge Insel aufzufinden, / Wenn sie nicht hier ist, in der Unschuld Land? / Hier, wo die alte Treue heimisch wohnt, / Wo sich die Falschheit noch nicht hingefunden, / Da trübt kein Neid die Quelle unsers Glücks, / Und ewig hell entfliehen uns die Stunden.« (V. 1700 ff.) Das Motiv der Unschuld, des Glücks, des Einklangs mit der Natur begegnete uns auch im *Wallenstein* und in der *Jungfrau von Orleans*. Wie im *Wilhelm Tell* ist in den beiden Tragödien die vorgeschichtliche Idylle ein konstitutives Element im Gesamtdrama: sie ist die Präfiguration der zweiten geschichtlich vollendeten Idylle, des ästhetischen Staats, auf den das Handeln in der Geschichte zielt. Ganz im Sinne eines vor der Geschichte liegenden Idyllendaseins wird von Wallenstein die anfängliche Existenz des jungen Piccolomini beschrieben: »Sanft wiegte dich bis heute dein Geschick, / Du konntest spielend deine Pflichten üben, / Jedwedem schönen Trieb Genüge tun, / Mit ungeteiltem Herzen immer handeln.« (Tod, V. 719 ff.) Deutlich tritt aus diesen Versen jene fraglose Harmonie hervor, die auch das idyllische Dasein der Schweizer kennzeichnet und die etwa in der Friedensreise Theklas und Piccolominis einen Höhepunkt findet. Die paradiesische Aufhebung der Zeit in der Zeit, derer die Liebenden dort selig inne werden, ist nur gesteigerter Ausdruck des naiven zeitlosen Friedens, in dem die Schweizer leben. Er hatte auch Johannas vorgeschichtliche idyllische Existenz geprägt: das Hirtenmädchen erfuhr fraglose Harmonie im Einklang mit der Natur, den »geliebten Triften«, den »traulich stillen Tälern«, jenen »Plätzen (...) meiner stillen Freuden«. Der Beginn der Schillerschen Dramen markiert jeweils den Einbruch der Geschichte in diese geschichtslos glückliche, »naive« Welt. Im *Wilhelm Tell* veranlaßt die Gefährdung der idyllisch-naiven Idealität den greisen Attinghausen zu jener elegischen Rekapitulation, die ein wesentliches Element von Schillers Kulturphilosophie festhält; betrauert wird von Attinghausen der Übergang von einer als Natur empfundenen Idylle in die Geschichte als den Schauplatz der »Naturwidrigkeit unserer Verhältnisse, Zustände und Sitten« (NA, Bd. 20, S. 430): »– O unglücksel'ge Stunde, da das Fremde / In diese still beglückten Täler kam, / Der Sitten fromme Unschuld zu zerstören! / – Das Neue dringt herein mit Macht, das Alte, / Das Würd'ge scheidet (...) Unter der Erde schon liegt m e i n e Zeit; / Wohl dem, der mit der n e u e n nicht mehr braucht zu leben!« (V. 949 ff.) Dem Gegensatzpaar von »Alt« und »Neu« korrespondiert die Antithese von »Hütte und Palast«; ein festes literarisches Versatzstück, das den Kontrast zwischen schuldloser Naturidylle und der Negativität geschichtlicher Welt abbilden soll, wie aus dem instruktiven Aufsatz Herman Meyers zu lernen ist [65]. Dieser Topos durchzieht das Drama in vielfach abgewandelter Form, so wenn Melchthal die »festen Schlösser der Tyrannen« mit der »Hütte« seines Vaters konfrontiert (V. 748 f.), oder wenn Attinghausen das »einförmige Geläut« der »Herdenglocken« vom »stolzen Kaiserhof« abhebt, wobei er dem ersten Glied der Antithese die »uralt fromme Sitte« zuordnet, dem zweiten dagegen die »fremde falsche Welt« (vgl. 2. Aufzug, 1. Szene). Das Überlieferte erscheint als unschuldige Natur;

65 Meyer, Hütte und Palast.

idyllisches Dasein zieht sein Glück aus einer ungebrochenen naiven Geisteshaltung, die an der gesetzmäßigen Wiederkehr des Gleichen sich orientiert. Aber dieses Glück ist zu Beginn des Dramas schon in Frage gestellt: eignet dem Charakter der Eidgenossen noch idyllische Integrität, so ist ihre idyllische Daseinsordnung doch prinzipiell gestört. Die Eidgenossen erkennen im Einbruch tyrannischer Mächte eine politische Intention, die mit keinem Ereignis in ihrer bisherigen Existenz vergleichbar ist. Wie Attinghausen die Auflösung des »Alten« durch ein grundsätzlich »Neues« beklagt, so konfrontieren Stauffer und Walter Fürst »die alten Zeiten und die alte Schweiz« mit der erstmals eindringenden Unterdrückung durch die Geschichte: »Ein solches war im Lande nie erlebt, / Solang' ein Hirte trieb auf diesen Bergen.« (V. 539 f.)

Nur Tell verschließt sich diesem Einblick in das einzigartige unvergleichliche Ereignis und in die Notwendigkeit einer prinzipiellen Gegenaktion: sein unerschütterter Glaube an die friedliche Bewahrung der alten Idylle weist ihn als deren eigentlichen Repräsentanten aus. Dieser Glaube entspringt vor allem seinem von Naturgesetzen geleiteten Denken, das im Zusammenklang mit einer vorbildlichen Tatkraft ihn zum beispielhaften Symbol der naiven Idylle macht.

b) Tell als Symbol der vorgeschichtlichen Idylle

Es sei zunächst versucht, die Tell-Gestalt, wie sie sich vor der Apfelschußszene darstellt, zu beschreiben. Erst von da her wird es möglich sein, die Veränderungen zu bestimmen, die dank dieser Szene bei Tell statthaben. Wie die eidgenössische Volksgemeinschaft insgesamt so gewinnt auch Tell im dramatischen Vorgang eine neue Qualität: daher unterscheidet sich denn auch die Idylle am Ende des Dramas wesentlich von der ursprünglichen Idylle. Demgegenüber herrscht in der wissenschaftlichen Literatur die Tendenz vor, den Helden eher als einen Charakter mit statischen Merkmalen zu zeichnen. Das von Ludwig Bellermann im Jahre 1891 entworfene Bild, das Tell als »Hausvater« darstellt, als »schlichten einfachen Landmann von ruhigem, friedliebendem, auf sein Tagewerk beschränkten Sinn«[66], kehrt bei Benno von Wiese wieder, der Tell als den »Redlichen, den Bürger, den Hausvater«[67], als »schlichten und redlichen Mann«[68] bestimmt – in Übereinstimmung mit Gerhard Storz: »Anstelle des interessanten Charakters steht jetzt der redliche, schlichte Mann aus dem Volk.«[69] Daß überdies Tell »ein Mann der That, nicht des Rats«[70] sei, ist eine weitere traditionelle Charakteristik, die psychologisch, nicht symbolisch gemeint ist. Nur Fritz Martini und W. F. Mainland betrachten diese Figur unter einem prinzipiell anderen Aspekt. Mainlands Wendung von der »education of the individual«[71] weist über ein Interpretationsverfahren hinaus, das die Personen im Drama als fertige Charaktere beschreibt. Die grundsätzliche Fragwürdigkeit dieses Verfahrens in bezug auf die Gattung des Dramas ist erst jüngst hervorgehoben worden: »La description des personnages selon leur caractère semble maintenant abandonnée (...) Les personnages dramatiques diffèrent beaucoup plus entre eux par leur mode d'existence poétique que par leurs ›qualités de caractère‹. Ce mode d'existence dépend de la fonction que le per-

66 Ludwig Bellermann: Schillers Dramen. Berlin 1891. Teil 2. S. 450.
67 von Wiese, Schiller, S. 770.
68 Ebda, S. 772.
69 Storz, Schiller, S. 410.
70 Bellermann, Schiller, S. 443.
71 Mainland, Schiller, S. 119.

sonnage doit remplir dans l'oeuvre: certains d'entre eux apparaissent comme porteurs d'un motif à exprimer, d'une sentence à transmettre, d'autres représentent un milieu social ou incarnent une idée.«[72] Solchen Verweisen werden in besonderem Maße Schillers Personen gerecht, die als Figuren, als Träger allgemeiner Sachverhalte und überindividueller Prozesse, agieren. Entzieht sich demnach die Tell-Gestalt der Kategorie des statischen Charakters, so ist zugleich die an dieser Gestalt hervortretende Wandlung nicht individuell-psychologischer Art, sondern meint den Übertritt aus einer idyllisch-naiven Seinsweise in eine geschichtlich entfremdete und zuletzt geschichtlich vollendete Seinsweise, nicht unähnlich dem von Schiller mehrfach gezeichneten kulturphilosophischen Dreischritt. Und wie in Schillers Theorie keine der drei Stufen ideologisch abgewertet wird, so ist auch die anfängliche Existenzweise Tells nicht mit negativen Akzenten zu versehen. Sie läßt sich zumal aus dem knappen Dialog mit Stauffacher bestimmen, dem man noch immer wenig Beachtung schenkt.

Naturgebundenes Denken und naive Unschuld

Tells Besonderheit, die ihn von seinen Mitbürgern abhebt, erscheint nach zwei Seiten hin. Ihn charakterisiert einmal, was Schiller das »Naive der Denkart« nennt: ein an Naturvorgängen orientiertes, noch ungeschichtliches Bewußtsein von höchster Unschuld, das ihn zum eigentlichen Repräsentanten der bedrohten Idylle und zu ihrem friedlichsten Bewahrer macht. Und ihn charakterisiert zum anderen das Mißtrauen gegen die gemeinsame Rede und die Hingabe an die spontane Tat – was auf ein ungewöhnliches Selbstgefühl und auf eine paradiesische Unmittelbarkeit des Verhaltens zurückweist. Der in scharfen Stichomythien ausgetragene Dialog mit Stauffacher enthält in nuce dieses Kennzeichen einer idyllisch-naiven Seinsweise. Tells Skepsis gegen einen offenen Konflikt mit den Tyrannen treibt seinen Landsmann zu der verzweifelten Frage: »Soll man ertragen, was unleidlich ist?« (V. 421) – worauf Tells distanzierende Antwort erfolgt: »Die schnellen Herrscher sind's, die kurz regieren. / – Wenn sich der Föhn erhebt aus seinen Schlünden, / Löscht man die Feuer aus, die Schiffe suchen / Eilends den Hafen, und der mächt'ge Geist / Geht ohne Schaden, spurlos, über die Erde. / Ein jeder lebe still bei sich daheim, / Dem Friedlichen gewährt man gern den Frieden.« (V. 422 ff.) Tell vergleicht den Einbruch der geschichtlichen Macht (»die schnellen Herrscher«) in die eidgenössische Idylle mit einem Naturphänomen. Im Bild des Föhns versucht er ein politisches Geschehen zu vergegenwärtigen und die ihm von Stauffacher zugemessene Bedeutung zu relativieren. Die auf Veränderung zielende Geschichte wird unter der Kategorie eines unveränderlichen Naturgesetzes begriffen: »Der mächt'ge Geist« des Föhns verschwindet bald wieder, ohne Spuren zu hinterlassen; er richtet keinen Schaden an, sofern man sich nur ruhig abwartend verhält; nicht anders, schließt Tell, ist es mit dem mächtigen Geist der Geschichte: er verändert nichts; er verschwindet spurlos, sofern man ihn nur aus ruhiger Distanz walten läßt.

Das Tell ein politisches Ereignis in Parallele setzt zu einem Naturvorgang, zeigt an, daß seine Denkstruktur noch unhistorisch ist. Sein Verständnis der Geschichte wie auch sein Verhalten zu ihr fließt aus seiner von der Natur umfangenen Existenz, aus dem Dasein in einer beschützenden und, wie er meint, letztlich unver-

---

72 Irena Slawinska: Les problèmes de la structure du drame. In: Stil- und Formprobleme in der Literatur. Heidelberg 1959. S. 109.

änderlichen Naturordnung. Von ihr ist zunächst sein Denken bestimmt und insofern ist es »naiv« strukturiert – im Schillerschen Sinn. Denn Schiller zufolge gibt es ein Naives der »Natur in Pflanzen, Mineralen, Thieren, Landschaften, so wie der menschlichen Natur in Kindern, in den Sitten des Landvolks und der Urwelt« (NA, Bd. 20, S. 413), welche Natur »die Existenz nach eignen und unabänderlichen Gesetzen« (NA, Bd. 20, S. 413) ist, »das ruhige Wirken aus sich selbst (...) die innere Nothwendigkeit, die ewige Einheit mit sich selbst« (NA, Bd. 20, S. 414). Schiller nennt diese naive Natur an anderer Stelle eine »liebliche I d y l l e« (NA, Bd. 20, S. 429) und Tells an einer unveränderlichen, beschützenden Naturordnung orientiertes Denken weist auf diese Idylle noch in einem anderen Sinn hin. Naiv ist nämlich zugleich Tells Sicherheit, daß dem friedlich Gesinnten auch Friede gewährt werde: Das »Naive der Denkart« entdeckt Schiller eben dort, wo eines Menschen »Vertrauen auf den andern (...) aus der Redlichkeit der eigenen Gesinnungen« »quillt«, wo man »aus eigener schöner Menschlichkeit« vergisst, daß man »es mit einer verderbten Welt zu thun« hat und sich »mit einer Ingenuität und Unschuld« beträgt, »wie man sie nur in einer Schäferwelt findet« (NA, Bd. 20, S. 422). Die hier aufgewiesenen Merkmale des naiv-idyllischen Denkens Tells kehren verkürzt in der Antwort wieder, die Tell auf Stauffachers zweifelnde Frage (»Meint ihr?«) gibt: »Die Schlange sticht nicht ungereizt. / Sie werden endlich doch von selbst ermüden, / Wenn sie die Lande ruhig bleiben sehen.« (V. 429 ff.) Das in der Reaktion der Schlange sichtbare Naturgesetz soll zugleich das Verhalten der geschichtlichen Mächte berechenbar machen, aus einem gesetzmäßigen Naturvorgang soll ein Maßstab für das Verhalten gegenüber diesen Mächten gewonnen werden, wobei zugleich ein naives Vertrauen in deren Gesinnung mitwirkt.

Tells unschuldig-naives, an die Ordnung der Natur sich bindendes Denken weist ihn als vorbildlichen Vertreter idyllischen Daseins aus. In seinem vorbehaltlosen Vertrauen ist er Max Piccolomini verwandt, der das bedrohliche Ausmaß politischer Aktionen zunächst ebenso wenig erfaßt wie Tell. Die »Naturwidrigkeit unserer Verhältnisse, Zustände und Sitten«, die Schillers Kulturphilosophie durch die Heraufkunft der Geschichte bedingt sieht, findet ihren gesteigerten Ausdruck in der Politik der Tyrannen. Sie fügt sich nicht den Kategorien, in denen Tell denkt. Das wird gleich am Schicksal Baumgartens deutlich, den Tell unter Lebensgefahr dem Zugriff der Verfolger entzogen hat. Baumgarten, dem gewiß friedlich Gesinnten, wurde selbst kein Frieden gewährt; des Burgvogts hinterhältiger Angriff auf die Ehre seiner Frau zwang ihn zu einer gerechtfertigten Gegenwehr: »Ihr tatet wohl, kein Mensch kann Euch drum schelten.« (V. 98) Die geschichtliche Realität, die im Falle Baumgartens kraß hervortritt, widerlegt Tells Vertrauen in die versöhnende Kraft eines friedlichen passiven Verhaltens. Daß Tell dieses Vertrauen besitzt, ehrt ihn; es verweist auf die idyllische Struktur seiner Denkart. Sie macht ihm eine konfliktlose friedliche Bewahrung der bedrohten Idylle so wünschenswert. Aber sie kann nicht ermessen, was die geschichtliche Stunde geschlagen hat. Denn der Fall Baumgarten ist ja nur das besondere Zeichen einer stets umfassenden Tyrannei. Diese manifestiert sich zumal im Bau jener Zwingburg, an der Tell mit Stauffacher vorübergeht, noch ehe ihr eigentlicher Dialog einsetzt. »Das ist doch hart, daß wir die Steine selbst / Zu unserm Twing und Kerker sollen fahren!« (V. 359) klagt einer der Gesellen und formuliert bündig die Entfremdung der Arbeit von ihrem wahren Sinn: anstatt Ausdruck der menschlichen Selbstbestimmung zu sein, dient sie deren Zerstörung. Tells Reaktion angesichts der Arbeit an der Zwingburg: »Hier ist nicht gut sein. Lasst uns weitergehn« (V. 380) weist zwar auf eine empfindliche Störung seines idyllischen Fühlens. Entscheidend erschüttert ist er allerdings nicht, wie die kurz darauf formulierten Sentenzen im Gespräch mit Stauffacher verraten. Sie sind, wie schon im Hinblick auf Baumgarten, so auch im Hinblick auf die Zwingburg der besonderen Situation nicht angemessen: Ist Baumgarten friedliebend, so sind es die Eidgenossen insgesamt; vom »friedgewohnten Tal« spricht Attinghausen, der »Unschuld Land« rühmt Berta – aber die Vorfälle um Baumgarten und um die Zwingburg zeigen an, daß – entgegen Tell – dem Friedlichen kein Friede gewährt wird, und daß demnach ein Naturphänomen (»die Schlange sticht nicht ungereizt«) auf die Geschichte nicht übertragbar ist.

Tat und Rede

Wenn Tell auf Stauffachers Vorschlag, einen Konflikt mit den Tyrannen zu riskieren, nicht eingeht, so isoliert er sich dennoch nicht grundsätzlich von der Gemeinschaft. Stauffachers unruhiger Frage. »So kann das Vaterland auf Euch nicht zählen, / Wenn es verzweiflungsvoll zur Notwehr greift?« (V. 438 ff.) ist die beruhigende Antwort beschieden: »Der Tell holt ein verlornes Lamm vom Abgrund, / Und sollte seinen Freunden sich entziehen? / Doch w a s ihr tut, laßt mich aus eurem R a t, / Ich kann nicht lange prüfen oder wählen; / Bedürft ihr meiner zu bestimmter T a t, / Dann ruft den Tell, es soll an mir nicht fehlen.« (V. 445 ff.) Tell kehrt sich weder antithetisch gegen die Gemeinschaft, noch fügt er sich in jeder Hinsicht in sie ein. Das unterscheidet ihn erneut von seinen Mitbürgern, die sich im gemeinsamen Wort verabreden. Nicht auf die umsichtige Organisation der Tat durch den »prüfenden« oder »wählenden« Dialog will Tell sich einlassen, sondern nur auf die »bestimmte Tat«. Sie hebt ihn von den anderen ab, wie die Eingangsszene zeigt, und verleiht ihm eine einzigartige Idealität. Während Ruodi, der Fährmann, auf seine und auf seiner Familie Sicherheit bedacht, Baumgarten nicht retten will, wagt Tell unter Lebensgefahr die Fahrt über den tobenden See. Auf den Vorwurf seiner Frau: »Ein Wunder war's, / Daß ihr entkommen – Dachtest du denn gar nicht / An Kind und Weib?« (V. 1526 ff.) entgegnet Tell: »Lieb Weib, ich dacht' an euch, / Drum rettet' ich den Vater seinen Kindern.« (V. 1528 f.) Die fremde Familie, die den Mann und Vater verlieren könnte, wird für Tell zur eigenen Familie. Daher rettet er Baumgarten. Das Schicksal, das fremden Landsleuten droht, steht ihm so eindringlich vor Augen, als wäre es das Schicksal seiner Familie. Nicht Distanz, sondern spontane Vergegenwärtigung bestimmt Tells Verhalten zum Nächsten. Er zeichnet sich durch jene Unmittelbarkeit aus, die eine schrankenlose Hingabe an den anderen ermöglicht. In seiner Tat gelangt eine schöne paradiesische Menschlichkeit zum Ausdruck. Darin ist die Verwandtschaft seiner vorgeschichtlich idyllischen Existenz mit dem arkadischen Dasein Johannas begründet. Auch Johanna zeichnet sich durch die wagemutige Tat, die schrankenlose Hingabe an den Nächsten aus: »Ist sies nicht, / Die ihren ältern Schwestern freudig dient?« (V. 134 f.), rühmt Raimond und er erinnert daran, daß sie »die schwersten Pflichten still gehorsam« (V. 138) übt. Wie bei Tell steht die schwerste Pflicht im Einklang mit der Neigung: sie ist eine ideale Selbstverständlichkeit geworden, die sich im entschlossenen Handeln, in der spontanen Tat bewährt: »Sie ganz allein, die löwenherzge Jungfrau, / Stritt mit dem Wolf und rang das Lamm ihm ab.« Die Unmittelbarkeit opfermutigen Handelns erweist sich als idyllisches Motiv, als Zeichen schöner Menschlichkeit. Wenn Tell aber auch Idealität besitzt im Handeln, so möchte man ihm dennoch nicht ideale Totalität im Schillerschen Sinn zubilligen. Seine tatkräftige Unmittelbarkeit macht ihn mißtrauisch gegen die reflektierende, abwägende, zögernde Vermittlung der Tat durch die gemeinsame Rede. »Wer gar zu viel bedenkt, wird wenig leisten« (V. 1532), entgegnet Tell zwar mit Recht seiner Frau, die ihm seinen Wagemut im Falle Baumgarten vorhält. An der Haltung Ruodis, des Fährmanns, wird das Bedenkliche des allzu vielen »Bedenkens« sichtbar. Tells Kritik an dieser Haltung: »Mit eitler Rede wird hier nichts geschafft« (V. 148) weist auf seine ideale Spontaneität voraus. Wenn Tell aber dem Geständnis Stauffachers: »Mir ist das Herz so voll, mit Euch zu reden« (V. 417) die Sentenz entgegensetzt: »Das schwere Herz wird nicht durch Worte leicht« (V. 418), so relativiert schon der die Eidgenossen betreffende Szenenstrang die Gültigkeit dieser Sentenz. Es ist der Dialog mit Gertrud, der Stauffacher von seiner lähmenden Niedergeschlagenheit befreit, und der Dialog zwischen Stauffacher, Walter Fürst und Melchthal zeigt diesen drei ebenso einen Ausweg aus ihrer scheinbaren Wehrlosigkeit wie es die Rütli-Gespräche stellvertretend für alle Eidgenossen tun. Und Tell selbst schränkt am Ende des Dramas seine Maxime ein. Denn seine letzte Handlung ereignet sich nicht als Tat, sondern in bewußter ausführlicher Rede, und diese Rede tröstet Parricidas »schweres Herz«: »O Tell! / Ihr rettet meine Seele von Verzweiflung.« (V. 3228)

Die Interpretation Fritz Martinis

Unter den hier analysierten Aspekten der Tell-Figur ist Fritz Martinis bedeutende Interpretation zu prüfen. Nur auf den Helden selbst richtet sich diese Interpretation. Martini gibt nämlich zu bedenken, daß Schiller den Tell vielleicht »als ein eigenes, in sich eigenmächtiges Dasein in der Komposition des Dramas – selbst auf Kosten seiner Struktureinheit – herausgehoben wissen wollte« [73]. Ein Formprinzip, dem sich die divergierenden Szenenreihen fügen, scheint aber in diesem Drama dennoch gegenwärtig zu sein. Wir werden zu zeigen versuchen, wie das Spannungsverhältnis zwischen einzelnem und Gemeinschaft beschaffen ist, in welcher komplexen Weise beide zur Rede und zur Tat stehen, und wie sie beide auf einer höheren Stufe harmonisch zueinander finden. Das bedeutet nicht, daß von dieser höheren Stufe aus Tells anfängliche Existenzweise ideologisch abzuwerten ist. Vielmehr erschien sie uns als eine idyllisch-naive, geprägt durch eine ideale Unmittelbarkeit, die in hingebungsvoller Tat sich äußert, und durch eine an Naturgesetzen und an der Naturordnung ausgerichtete Denkart. Fritz Martini geht einen entscheidenden Schritt weiter. Er sieht in Tells Dasein die »Idealität der ästhetischen Totalität« [74] und beruft sich dabei auf Schillers *Briefe über die Ästhetische Erziehung*. Da unsere eigene Arbeit selbst darüber hinweghelfen will, daß der Zusammenhang zwischen Schillers theoretischen Schriften und seinen Dramen immer wieder vergessen wird, ist Martinis Ausgangspunkt entschieden zu begrüßen. Dennoch scheint Vorsicht geboten im Umgang mit dem Begriff, der im Zentrum von Martinis Auslegungen steht: mit der »ästhetischen Totalität« nämlich, die, so heißt es bei Martini, «jeder auch noch so große bestimmte Zweck einschränken und damit vernichten würde. Dieser Tell will und muß – bis an die Grenze des Verstummens – allein sein, frei in allen Spielmöglichkeiten seiner Persönlichkeit, weil ein bestimmter Zweck, sei es selbst der Freiheitskampf gegen widerrechtliche Despotie und für das Vaterland, ihn nur ›speziell‹ machen, in das Partielle verengen würde. Mit anderen Worten: der bestimmte Zweck würde den poetischen Charakter zum historischen

73 Martini, Wilhelm Tell, S. 95.
74 Ebda, S. 104.

Charakter abmindern und ihn damit der Stofflichkeit der Geschichte und des Lokalen anheimgeben.«[75] Dem wäre entgegenzuhalten, daß Tell – seinen eigenen Worten zufolge – ja nicht grundsätzlich sich einem »bestimmten Zweck« versagt: »Bedürft ihr meiner zu bestimmter Tat, / Dann ruft den Tell, es soll an mir nicht fehlen.« Und in Übereinstimmung mit diesem Ja zu einem bestimmten Zweck betont Tell gegenüber seiner Frau: »doch werd' ich mich / Dem Lande nicht entziehen, wenn es ruft« (V. 1520 f.). Keineswegs verhält es sich demnach so, daß Tell »in allen Spielmöglichkeiten seiner Persönlichkeit« »frei« sein »will und muß«[76]. Er ist vielmehr bereit, sich den Forderungen einer bestimmten Situation zu fügen und scheint sich damit bewußt »in das Partielle zu verengen«, das er nach Martini gerade meidet. Aber selbst dort, wo Tell das »Partielle« zu meiden scheint, wo er seinen Frieden und seine Einsamkeit, seine Distanz vom allgemeinen Gespräch behaupten will: »bewahrt er sich« dort wirklich »die Freiheit zum höchsten Spiel«?[77] Oder ist diese Freiheit nicht vielmehr eingeschränkt durch den Einbruch politischer Mächte in die eidgenössische Idylle? Martini spricht von dem Tell, »der die Notwendigkeit von Geduld und Schweigen zu verteidigen wagt«[78], und verwendet damit gerade einen Begriff – Notwendigkeit –, der die »Freiheit zum höchsten Spiel« ausschließt. Wenn nach Tells Auskunft die »einzge Tat jetzt Geduld und Schweigen« ist, so ist das eine wahrhaft passive »Tat«, eine solche, die der von Martini gesehenen »spontanen, unbeschränkten Aktivität der ganzen Person in der Fülle ihrer Kräfte«[79] entgegensteht.

Tells Aufforderung zu Geduld und Schweigen bietet einen zweiten Gesichtspunkt, der seiner »ästhetischen Totalität« zu widersprechen scheint. Denn diese Aufforderung kommt aus seiner an den Gesetzmäßigkeiten der Natur orientierten Denkart, die wir beschrieben haben. Am Bild des Föhns und der Schlange möchte Tell das gegenüber dem geschichtlichen Einbruch erforderliche Verhalten des Menschen erläutern. Aus Naturvorgängen gewinnt er einen Maßstab für die menschliche Verhaltensweise: sie soll von friedlicher Geduld sein und damit die bedrohte Idylle auf konfliktlose Weise bewahren. Aber Tells naiv-idyllisches Denken, das sich hier kundgibt, ist den geschichtlichen Vorgängen gegenüber nicht angemessen. Es kann deren wirkliches Ausmaß nicht erfassen. Tells »fromme Denkart«, die ihn zum Vertreter der unschuldigen Idyllenwelt macht, kann das »Ungeheure« noch nicht einbeziehen, das sich am Beispiel Baumgartens oder der Zwingburg manifestiert. Seiner idyllischen Vorstellungswelt widerstrebt es, darin eine zielbewußte, stets umfassendere Politik der Unmenschlichkeit zu erblicken. Daher rät er vertrauensvoll dort zu Geduld und Schweigen, wo den Tyrannen das Schweigen und die Passivität willkommen ist zur Festigung ihres Regiments: »Wer klug ist, lerne schweigen und gehorchen« (V. 2086) – so läßt sich Geßler vernehmen. Tells in idyllischer Naturordnung gebundenes Bewußtsein bezeugt eine paradiesische Integrität; aber es verhindert zugleich eine realistische Durchdringung der politischen Außenwelt; es verhindert jene Erkenntnis der besonderen geschichtlichen Stunde, die Tell erst später gewinnt und die dann im Dialog mit Stüssi sich ausspricht. Diesen Sachverhalt berührt Werner Kohlschmidt in einer aufschlußreichen Studie[80].

---

75 Ebda.
76 Ebda, S. 104.
77 Ebda.
78 Ebda, S. 105.
79 Ebda, S. 104.
80 »Die Ignorierung der Gefahr grenzt an Eigensinn, der wieder aus dem Gesetz seines

Verhält es sich aber so, daß in Tells Denken die Dimension geschichtlichen Erkennens vorerst noch nicht wirksam ist und er am Mißtrauen gegen das helfende Wort überdies noch festhält, dann ist Tell gerade auch unter diesen beiden Gesichtspunkten Totalität noch nicht zuzubilligen. Ihrer war Tell gewiß in der Welt der Idylle teilhaftig; aber das Drama führt mit Tells erstem Auftreten schon den Einbruch der Politik in diese Welt vor. Und dieser Einbruch fordert von Tell nicht nur ein Verhalten auf einen »bestimmten Zweck« hin, das Martini in Abrede stellt, sondern dieser Einbruch verändert auch Tells Umgebung in einer Weise, daß sie sich seinem an den Ordnungen und Gesetzen der Natur ausgerichteten Denken nicht mehr fügt.

II. Formen des Spannungsverhältnisses zwischen Dramatik und Idyllik

Das vorhergehende Kapitel sollte die verstreuten, in Symbolen versteckten Idyllenthemen in ihrem Zusammenhang hervortreten lassen: erst dadurch kann ihr Spannungsverhältnis zum dramatischen Vorgang beschrieben werden. Es wird sich zeigen, daß dieses Spannungsverhältnis in spezifischen Formen sich äußert: Paradoxie, Antithese, vermittelnden Relativierungen. Die Stilfigur der Paradoxie strukturiert zumal den inneren Vorgang der *Jungfrau von Orleans.* Johanna ist sowohl Symbol einer höheren paradiesischen Menschlichkeit wie auch Symbol handelnder Unmenschlichkeit: Johanna ist »schön zugleich und schrecklich«. Im *Wallenstein* ist diese Paradoxie nicht unmittelbar szenisch, wohl aber als verschwiegene Dialektik von Macht und Freiheit präsent. Zur Durchsetzung ideal-idyllischer Ziele bedarf es gerade jener machtvollen Freiheit, die verführerische Tücken in sich birgt, Tücken, die zuletzt den Handelnden in den Bann tragischer Notwendigkeit schlagen. In dieser Paradoxie spitzt sich der dramatische Vorgang zu, der in Antithesen abläuft. Den geschichtlichen Zwängen, vergegenwärtigt durch Intrigen und zweideutiges Sprachverhalten, steht die Vision der Idylle gegenüber. Es strukturiert die innere Bewegung des *Wallenstein,* daß die geschichtliche Welt der Intrige, der Machtpolitik, der willkürlichen verfälschenden Redehaltungen ständig konfrontiert ist mit paradiesisch schöner Menschlichkeit (Max, Thekla) und mit Idyllenentwürfen. Das verschärft die Gewalt des tragischen Vorgangs: im Spiegel der dramatischen Intrige leuchtet der idyllische Vollendungscharakter auf; im Spiegel des Idyllischen steigert umgekehrt die zweideutige politische Welt ihre dramatische Intensität und gewinnt an Schwere und Unerbittlichkeit. Es liegt in der Gattung begründet, daß wir im *Tell* weder die Kunstfigur der Paradoxie, des nur auf tragische Weise lösbaren Widerspruchs, noch die der schroffen Antithese ausfindig machen. Als Schauspiel ist der *Wilhelm Tell* von Anfang an auf Versöhnung hin konzipiert: das Antithetische ist umgebildet in die Form der Relativierungen und der Ergänzungen. Zwei idyllisch strukturierte Phänomene treten hier in ein ge-

---

unpolitischen, die Welt nach der eigenen Sittlichkeit einschätzenden Wesens sich herleitet.« (S. 90) Oder: »Die allzu große, instinktive Sicherheit, mit der Tell seines einsamen Weges ging, im vollen Wissen um seine Abseitigkeit, schloß in sich die Gefahr der Ungeschichtlichkeit oder doch des Ungeschichtlichwerdens.« (Werner Kohlschmidt: Tells Entscheidung. In: Schiller. Reden im Gedenkjahr 1959. Stuttgart 1961. S. 95.)

schichtlich erzeugtes Spannungsverhältnis: der einzelne und die Gemeinschaft, die individuelle Hingabe an die ideale Tat und die gemeinsame Verschwörung im rettenden Wort.

Ist aber auch in den drei Dramen einmal das Antithetische dominierend, sodann seine Überspitzung ins Paradoxe und schließlich seine Erweichung ins Relativierende und Ergänzungsbedürftige: so ist diesen Stilformen doch allen gemeinsam, daß sie sich im gleichen Medium dramatisch entfalten. Ihre Darbietung erfolgt im Sprachverhalten der Figuren, ihren Redehaltungen, ihren Reflexionen über die Rede in der Rede. So übersetzt Johanna die Paradoxie von idyllischer Menschlichkeit und geschichtlich geforderter Unmenschlichkeit in die segenstiftende und glückbringende, bzw. in die unheilstiftende und verderbliche Redehaltung. Im *Wallenstein* wird ein zweideutiges, allen idealpolitischen, idyllischen Zielen abgeneigtes Sprachverhalten in ständigen Antithesen konfrontiert mit offenen und wahrhaftigen Reden, die das Thema der Idylle umkreisen. Dabei wird im Dialog über den Dialog, im Wort über das Wort diskutiert – unversöhnt, in schroffem Gegensatz. Derselbe Sachverhalt kehrt, unterm Vorzeichen der Versöhnung, im *Tell* wieder: im Dialog wird der Dialog zum rettenden Prinzip erhoben, so daß zuletzt ein ganzes Volk sich im Wort vereint. Die Relevanz des Worts manifestiert sich im feierlich-rituellen, fast episch selbstgenügsamen Charakter, den es auf der Rütli-Szene erhält. Das gemeinsame Wort aber gilt nicht unbedingt, sondern bedarf der Tat des einzelnen als relativierenden Korrektivs und als Ergänzung; die Tat wiederum, deren Repräsentant Tell ist, hat ihrerseits keine absolute Geltung im Dramenganzen: sie bedarf der Unterstützung und Ergänzung durch das gemeinsame Wort. In jedem Falle ist also das Spannungsverhältnis zwischen Idyllik und Dramatik, das alle drei Dramen verbindet, präsent in Paradoxien, Antithesen und Relativierungen, die derselben Darbietungsweise gehorchen: die dramatische Kraft der Rede, die Besinnung auf das Wort im Wort ist ein strukturbildender Faktor von höchstem Rang.

1. »Wallenstein«

a) Das antithetische Bauprinzip. Idyllenentwurf und Intrige im 1. Aufzug

Entfaltet sich die Paradoxie von übertragischer Hoffnung und tragischer Desillusionierung in der *Jungfrau von Orleans* im widerspruchsvollen Verhalten einer Figur, so erscheint sie im *Wallenstein* in einer kontrapunktischen Szenenfolge und in spiegelbildlichen Kontrasten. Hinweise auf dieses Bauprinzip findet man nur vereinzelt, bei Gerhard Storz, Hans Schwerte, breiter gestreut in der ideenreichen Studie »Wallensteinsches Welttheater« von Clemens Heselhaus[1]. Gegenüber allen neuen Deutungen der *Wallenstein*-Trilogie zeichnet sie sich darin aus, daß sie entschieden den Blick auf deren übertragische Gehalte lenkt. Es wird die These formu-

1 Im Anschluß an die zentrale These von der Simultaneität der Handlung, die Storz (Schiller) entfaltet, hebt Schwerte durch aphoristische Hinweise hervor, daß nicht das zeitliche Nacheinander, sondern Gleichzeitigkeit der Szenen, auch antithetischer Szenen, für den dramatischen Vorgang im *Wallenstein* charakteristisch sei. Dieser »Formeinfall der simultanen Parallelität« verleiht dem von uns untersuchten Spannungsverhältnis zwischen Dramatik und Idyllik einen bedrängenden Akzent mehr. (Hans Schwerte: Simultaneität und Differenz des Wortes in Schillers *Wallenstein*. In: GRM XV [1965]. S. 18) Weniger formanalytisch, eher an zentralen Themen orientiert ist das »Wallensteinsche Welttheater« von Clemens Heselhaus (in: DU 12 [1960]. H. 2. S. 42–71).

liert, daß Schiller keine »Gesamttragödie gestaltet, sondern eine eigentümliche Verbindung eines welttheaterhaften Gemäldes mit einer Tragödie«[2] hervorgebracht hätte. Welttheater, wie Heselhaus in Anlehnung an Calderón und Hofmannsthal es versteht, bedeutet, »der Welt, wie sie ist, die Idee von einer Welt, wie sie sein müßte, entgegenzuhalten«[3] und zwar so, daß die »ästhetische Welt (...) der gemeinen Welt (...) überlegen ist«[4]. Daß die ideale Welt die empirische demaskiere und zuletzt deren Ohnmacht aufzeige, will die genannte Studie darlegen, und ihr Vorzug ist, daß sie die breite Streuung übertragischer Strukturen – eben jenes welttheaterhafte Gemälde – ausfindig macht. So erscheinen die Friedensidee des Max Piccolomini, Theklas »Zurückziehung auf das Herz«[5], der »Geistglaube Wallensteins«[6] als Kräfte, welche die geistige Demaskierung der »Intrigenwelt, die das Drama entfaltet«[7] anstreben und die »tiefe Unwirklichkeit dieser Welt vor dem Geist«[8] aufzeigen. Dergleichen Bemerkungen sind von unserer Seite aufzugreifen, aber in einem anderen Sinne als dem von Heselhaus intendierten weiterzuführen. Seine Studie relativiert das Tragische, weil sie dessen Unwirklichkeit vor den idealen Weltmetaphern hervorhebt, ohne aufzuzeigen, daß erst aus der Sicht einer schöneren und wahreren Welt das dramatische Geschehen seine ganze Schwere und Unerbittlichkeit gewinnt. Gerade durch den Ausblick auf die Idylle dichtet Schiller eine höchstmögliche Vertiefung und Verschärfung des Tragischen.

Diese These ist am 1. Aufzug der *Piccolomini* beispielhaft zu erläutern. Wie die folgenden Akte fügt sich auch dieser in Schillers Technik der tragischen Analysis. Schrittweise wird enthüllt, was bereits geschehen ist. Wir wohnen einem Entschleierungsprozeß bei, der seinen Höhepunkt in Wallensteins Monolog findet. Dort gewinnt Wallenstein das klare Bewußtsein einer Situation, die im Vorraum der Tragödie schon vorhanden ist. Denn im Vorraum der Tragödie fielen schon die verhängnisvollen, Wallensteins Gedankenspiel entspringenden Worte. Sie betreffen in spielerisch-unverbindlicher Weise eine mögliche Zusammenarbeit mit den Schweden. Diese Worte sind für Octavio, den Vertreter der alten Ordnung, ein willkommenes Mittel, um Wallenstein, den Vertreter des Neuen, zu entmächtigen. Aus Wallensteins Reden hat Octavio das Netz gesponnen, in das sich Wallenstein verfangen wird. Der die *Piccolomini* einleitende Akt vermittelt einen ersten Einblick in Octavios Intrige, wenn dieser gleich anfangs zu Questenberg bemerkt: »Sie sehn nun selbst, welch ein gefährlich Amt / Es ist, das sie vom Hof mir überbrachten –« (Picc., V. 297 f.). Antithetisch zu Octavios zweideutig-verderblichem Unterfangen verhält sich des jungen Piccolomini idyllische Friedensvision, die in diesen Aufzug eingelagert ist. Zwischen Octavios verhängnisvoller Intrige und einer goldenen Zeit, die alle Intrige und alles tragische Verhängnis transzendieren würde, entsteht eine für das Drama typische Antinomie:

> O schöner Tag! wenn endlich der Soldat
> Ins Leben heimkehrt, in die Menschlichkeit,
> Zum frohen Zug die Fahnen sich entfalten,
> Und heimwärts schlägt der sanfte Friedensmarsch.

2 Heselhaus, Welttheater, S. 46.
3 Ebda, S. 45.
4 Ebda, S. 46.
5 Ebda.
6 Ebda, S. 61.
7 Ebda.
8 Ebda, S. 52.

Wenn alle Hüte sich und Helme schmücken
Mit grünen Maien, dem letzten Raub der Felder!
Der Städte Tore gehen auf, von selbst,
Nicht die Petarde braucht sie mehr zu sprengen,
Von Menschen sind die Wälle rings erfüllt,
Von friedlichen, die in die Lüfte grüßen, –
Hell klingt von allen Türmen das Geläut,
Des blutgen Tages frohe Vesper schlagend.
Aus Dörfern und aus Städten wimmelnd strömt
Ein jauchzend Volk, mit liebend emsiger
Zudringlichkeit des Heeres Fortzug hindernd –
Da schüttelt, froh des noch erlebten Tags,
Dem heimgekehrten Sohn der Greis die Hände.
Ein Fremdling tritt er in sein Eigentum,
Das längst verlaßne, ein, mit breiten Ästen
Deckt ihn der Baum bei seiner Wiederkehr,
Der sich zur Gerte bog, als er gegangen,
Und schamhaft tritt als Jungfrau ihm entgegen,
Die er einst an der Amme Brust verließ.
O! Glücklich, wem dann auch sich eine Tür,
Sich zarte Arme sanft umschlingend öffnen –
(Picc., V. 534 ff.)

Der »Zweck« der Idylle, hören wir von Schiller, »ist überall nur der, den Menschen (...) in einem Zustand der Harmonie und des Friedens mit sich selbst und von außen darzustellen« (NA, Bd. 20 S. 467). Diesen Idyllentypus reflektiert die Vision des jungen Piccolomini: man muß nur auf die Bezüge achten, die zwischen der entworfenen Zukunft und dem dramatischen Geschehen spielen, das von Octavios Intrige vorangetrieben wird. Dieser enthüllt auch dem Sohn sein Maskenspiel nicht und verbirgt vorläufig seine Ziele, indem er es an Offenheit gegenüber Max fehlen läßt: »Unwissenheit allein kann ihm die Geistesfreiheit / Bewahren, die den Herzog sicher macht.« (Picc., V. 378 f.) An die Stelle dieses zweideutigen Verhältnisses zwischen Sohn und Vater Piccolomini tritt in der vorgezeichneten Idylle die Geste des harmonischen Verständnisses zwischen »Greis« und »heimgekehrtem Sohn«. Solche umgekehrten Entsprechungen, welche das Spannungsverhältnis zwischen Dramatik und Idyllik verdeutlichen und steigern, lassen sich durchgehend verfolgen. Der antithetischen Gruppierung der Figuren – Max als Repräsentant einer veränderten Ordnung hier und Octavio mit Questenberg als Vertreter des Überkommenen dort – diesem schroffen Gegeneinander der Personen, das in jedem Fall das dramatische Geschehen konstituiert, setzt sich in Maxens Vision jener überdramatische »Zustand« entgegen, »den die Kultur, wenn sie überall nur eine bestimmte Tendenz haben soll, als ihr letztes Ziel beabsichtet« (NA, Bd. 20, S. 467). Dieses Ziel bedeutet, einem literarischen Topos gemäß, die harmonische Verbundenheit von Volk, Familie und einzelnem. Zeichen dafür sind in dieser Vision ein »jauchzend Volk«, die frohe Gebärde des Greises und die angedeutete Umarmung am Ende. Dieses konventionelle idyllische Zukunftsbild lebt noch heute in geschichtsphilosophischen Vorstellungen fort: »Mit der Vollendung des Endes erreichen wir den Einklang der Seelen, schauen einander in liebender Gegenwart, in grenzenlosem Verstehen.« [9] Die schöne Menschlichkeit, wie sie in der goldenen Zeit eines neuen Friedens möglich wäre, hebt sich überdeutlich von der menschlich zwei-

9 Karl Jaspers: Vom Ursprung und Ziel der Geschichte, Frankfurt/M.Hamburg 1956. S. 13.

deutigen Intrige ab. Die Idylle, wie Max sie entwirft, ist von erhöhter Wirkung, weil sie die dramatischen Konfliktstoffe überwinden würde, die im Maskenspiel und im schroffen Gegeneinander der Personen verborgen sind. Absichtlich sprechen wir im Konjunktiv von dieser Überwindung, weil auch durch die bewegte Rede des Max die konjunktivischen Modi sich verfolgen lassen. Die Wunschformeln (»O«) und die futurischen »Wenn«-Sätze deuten den Unterschied zwischen dramatischer Gegenwart und idyllischer Zukunft an, und eine Bemerkung Questenbergs provoziert jene leidenschaftliche Entgegnung Maxens, die diesen Unterschied in aller Schroffheit fixiert: »Ihr seid es, die den Frieden hindern, ihr! / Der Krieger ists, der ihn erzwingen muß. / Dem Fürsten macht ihr's Leben sauer, macht / Ihm alle Schritte schwer, ihr schwärzt ihn an – / Warum? Weil an Europas großem Besten / Ihm mehr liegt als an ein paar Hufen Landes, / Die Östreich mehr hat oder weniger – / Ihr macht ihn zum Empörer, und, Gott weiß! / Zu was noch mehr« (Picc., V. 565 ff.).

Max richtet seine Vorwürfe gegen das hinterlistige Handeln, dessen die Vertreter der alten Ordnung sich bedienen, freilich nicht nur, um Wallensteins Politik zu korrigieren, wie Max meint, sondern um dessen Sturz herbeizuführen. Denn Wallenstein richtet seinen Blick auf jene Idee eines idyllischen Friedens, die Max visionär ins Bild faßt. Es ist ein idyllischer Frieden, der im Zeichen einer neuen Ordnung zu gründen wäre: einer Ordnung, die, indem sie »an Europas großem Besten« sich orientiert, die überkommenen politischen Formen Österreichs hinter sich läßt. Die antithetische Gruppierung der Figuren in diesem Auftritt – Max auf der einen, Questenberg und Octavio auf der anderen Seite – versinnbildlicht die Antithetik zwischen einem idyllischen Frieden im Zeichen des Neuen und einer Festigung der alten Ordnung. Dieses den tragischen Vorgang auslösende Gegeneinander von Beharren und Veränderung, dem wir in Wallensteins Monolog begegnet sind, hält Octavio an anderer Stelle vorwurfsvoll mit folgenden Wendungen fest: »Nichts will er, als dem Reich den Frieden schenken; / Und weil der Kaiser *diesen* Frieden haßt, / So will er ihn – er will ihn dazu *zwingen*! / Zufriedenstellen will er alle Teile« (Picc., V. 2333 ff.). Auch in dem Auftritt, von dem hier die Rede ist, verrät eine Entgegnung Octavios, daß Wallensteins revolutionäre Friedensvorstellungen die Anhänger der Tradition auf den Plan gerufen haben: »Mein Sohn! Laß uns die alten, engen Ordnungen / Gering nicht achten! Köstlich unschätzbare / Gewichte sinds« (Picc., V. 463 ff.) – so lautet des alten Piccolomini Antwort auf die Kritik seines Sohns an »toten Büchern, alten Ordnungen, modrigten Papieren« (vgl. Picc., V. 461 f.), welche Kritik zugleich als Rechtfertigung der Wallensteinschen Politik einer Neuordnung gedacht ist. Damit ordnet sich Max ausdrücklich Wallenstein zu. Den überindividuellen Bereich, in dem beide miteinander verbunden sind, haben wir beschrieben. Max, das »glückliche Gestirn des Morgens«, ist für Wallenstein das Symbol einer neuen Zeit und als der »stete Bringer irgend einer schönen Freude« nimmt er sinnbildlich das Glück und die Schönheit dieser paradiesischen Zeit vorweg; umgekehrt ist Wallenstein für Max der geschichtliche Träger einer idealgeschichtlichen Ordnung, die wir als politisch gewordene Idylle, als ästhetischen Staat im Schillerschen Sinne verstehen dürfen. Angesichts der Hinordnung dieser beiden Figuren auf eine idyllische Zukunft im Zeichen neuer Ordnung fällt die Intrige Octavios doppelt schwer ins Gewicht. Denn diese arbeitet auf das Scheitern der neuen Ziele, auf den Sturz Wallensteins hin und zieht Max ins Unglück. Mit der revolutionären Idee selbst ist die Gegenverschwörung gesetzt, und diese dialektische Spannung wird insofern verschärft, als

Schiller Idee und Gegenspiel schroff aneinander spiegelt. Die vorgezeichnete Idylle gewinnt ihre Leuchtkraft und Idealität gerade von ihrem negativen Gegenbild her, der antithetischen Figurenkonstellation, des Maskenspiels und der Intrige. An der positiven Spiegelschrift des Übertragischen, wie die visionär vorgestellte Idylle es versinnbildlicht, vertieft und verdichtet sich der tragische Gehalt des Dramas.

Treffen diese Überlegungen zu, dann sollte die Scheidung von Clemens Heselhaus wieder aufgegeben werden: die Scheidung der *Wallenstein*-Trilogie in eine Tragödie hier und in ein Welttheater dort. Das Drama darf gerade deshalb als »reine« Tragödie bezeichnet werden, weil die utopisch-humane Perspektive weniger die »tiefe Unwirklichkeit der Welt vor dem Geist« aufzeigt, als vielmehr die tragische Wirklichkeit der Welt verschärft und verdichtet. Und wenn am Ende der Trilogie nicht die Katastrophe triumphiert, wenn der tragische Vorgang zuletzt transzendiert wird, so kommt dadurch kein »Welttheater« zustande, sondern zur Anschauung kommt das Gesetz der klassischen Tragödie, die, so sah es Friedrich Sengle, noch im Scheitern ein übertragisches Moment vergegenwärtigt [10].

b) Die Entfaltung der Antithetik im Medium des Sprachverhaltens

Problemstellung

Das Widerspiel zwischen Idyllik und Dramatik, das wir am Beispiel des 1. Aufzugs erläutert haben, läßt sich am eindringlichsten von den Redehaltungen der Figuren her erfassen. Die Thematik der Rede, des Sprachverhaltens, ist konstitutiv für Schillers klassische Dramen. Bereits im 1. Aufzug fiel auf, daß Octavio sich gegenüber seinem Sohn maskierte – taktisch klug bediente er sich einer verschleiernden, verdeckenden Redeweise. Diese Taktik tritt im Verlauf des Dramas immer deutlicher ins Blickfeld und führt in die Mitte des tragischen Vorgangs hinein. Die Relevanz des Worts, die Deutung des Worts im Wort, ist noch kaum zum Gegenstand der Schiller-Forschung erhoben worden. Sprachanalysen sind, was die Interpretation dramatischer Werke anbetrifft, nach Auskunft Fritz Martinis überhaupt »ein fruchtbares und weithin unerschöpftes« Thema [11]; im Falle Schillers ist auf eine Arbeit Walter Müller-Seidels über die Jugenddramen [12], ein Kapitel in der Studie Kurt Mays [13], auf eine vergleichende Betrachtung Paul Böckmanns und einige direkt daran anknüpfende Beobachtungen Hans Schwertes [14] zu verwei-

---

10 »Die Katastrophe in irgendeiner Form ist ein konstituierendes Element der Tragödie«... »der Tragiker muß durch sie hindurch, aber hinter der Katastrophe erhebt sich die Versöhnung« (Friedrich Sengle: Vom Absoluten in der Tragödie. In DVjs. XX [1942]. S. 272).

11 »Verheißungsvolle und ergiebige Ansätze, es im Prinzipiellen wie in der Einzelanalyse zu durchdenken, sind neuerdings von Paul Böckmann, Matthijs Jolles und Walter Müller-Seidel mittels der Interpretationen und Bauanalysen von Dramen Schillers und Kleists vorgelegt worden.« (Fritz Martini: *Weh dem, der lügt!* oder von der Sprache im Drama. In: Die Wissenschaft von deutscher Sprache und Dichtung. Festschrift für Friedrich Maurer. Stuttgart 1963. S. 438.).

12 Walter Müller-Seidel: Das Pathetische und das Erhabene in Schillers Jugenddrama. Diss. Heidelberg 1949. Der sprachkünstlerische Aspekt tritt dort insofern hervor, als gezeigt wird, wie das »Pathetische« als eine die Dramen des jungen Schiller organisierende Formkraft sich der Redehaltungen der Figuren bemächtigt.

13 May, Schiller, darin das Kapitel »Die Sprachanalyse im Beitrag zur Sinnauslegung des Wallenstein«. S. 169–189.

14 Böckmann, Gedanke, Wort und Tat. Böckmann dankbar verpflichtet, prägt Schwerte

sen. Die hier hervortretenden Ansätze sind umzubilden und fortzuführen unter einem bislang unbeachteten Aspekt. Sowohl im *Wallenstein* wie in der *Jungfrau von Orleans* und im *Wilhelm Tell* entsteht eine spezifische Dramatik dadurch, daß in der Rede die Rede diskutiert, daß im Dialog der Dialog zum Prinzip erhoben wird. So läßt sich etwa die Stilfigur des Paradoxen, strukturbildend für die *Jungfrau von Orleans*, unmittelbar an Johannas widerspruchsvollem Sprachverhalten aufzeigen: es verweist auf ihre schöne, segenstiftende, d. h. idyllisch-ideale Menschlichkeit ebenso sehr wie auf ihre handelnde Unmenschlichkeit, die gerade die Idee einer höheren Idylle beschädigt. Umgekehrt ist etwa für Tell die spontane Hingabe an die Tat und die Absage an das vermittelnde Wort bezeichnend. Darin schlägt sich etwas von seiner idyllischen Naivität nieder, die er am Ende, nach seinem Konflikt mit der Geschichte, in eine idyllische Totalität umwandelt: nun zeichnet er sich durch Tat, Gedanke und Wort gleichermaßen aus. Entsprechend findet die eidgenössische Gemeinschaft von der Rede als einheitsstiftender Kraft endlich auch, nach bedenklichem Zögern, zur geschichtsmächtigen Tat hin. Im *Wallenstein* erschließt die Beschreibung des Sprachverhaltens nicht nur den Bauplan des Dramas, die »tragische Analysis«, sondern die Redeformen des Verschleierns, der Willkür, der Verstellung, der Täuschung und der Hinterlist bilden den einen Pol jenes Spannungsverhältnisses, dessen Gegenpol die Offenheit der Rede ist, die ideale paradiesische Einheit von Denken und Wort.

Unser Versuch, den dramatischen Vorgang von den Sprachverhältnissen her zu erhellen, muß zunächst die wenigen Hinweise der Forschung kritisch einbeziehen. Kurt Mays Kritik an Wallenstein – wir zitierten und beurteilten sie schon an früherer Stelle – orientiert sich am »Kern und Grund seines Wesens« [15], so, als wäre Wallenstein mehr Charakter denn Figur, als ließe folglich seine Rede auf Charakterzüge schließen. Dementsprechend sollen der »mehrfache Abfall seines Tones (...) ins Alltägliche«, die Art der »Wortstellung« [16], das »ringende, keuchende, stoßende Wort« [17] ungewollt Wallensteins dominierende Eigenschaft verraten, seinen »Selbst-Machtwillen« [18]: öfter »sind unbewußt mitunterlaufende Sprachgesten in der wohlstilisierten Rede sozusagen hinter ihrer effektvollen Fassade die für sein Wesen aufschlußreichsten« [19]. Weil Kurt May in der Kategorie des Charakters denkt, mutet er einzelnen Stilzügen eine individualisierende und psychologisierende Funktion zu und überanstrengt sie auf Kosten der sie übergreifenden Redeweise. Bezüglich der handelnden Menschen Schillers gilt stets noch die Einsicht Max Kommerells, sie seien »Orte des Austrags, Felder sich messender Ansprüche, Fälle an denen die Rechte von Instanzen gegeneinander geklärt werden« [20]: Figuren also, die repräsentativ für etwas stehen, und als Träger überindividueller Sachverhalte eignet ihnen allen jene stilisierende, sentenzhafte Redeweise, der eine mimetisch-charakterisierende Kraft nicht zukommt. Nur indem Kurt May

---

(Simultaneität, S. 25) den Begriff »Wortdifferenz«: die »Brüchigkeit des Wortes zwischen Sein und Schein, Wahrheit und Täuschung«.

15 May, Schiller, S. 111.

16 Ebda, S. 112.

17 Ebda, S. 120.

18 Ebda, S. 121.

19 Ebda, S. 120.

20 Kommerell, Schiller, S. 7.

»die idealisierende Form des Verses und des Sprechens«[21] unterschätzt, »die eine klare Grenzlinie zu jeder realistischen oder naturalistischen ›Nachahmung‹ zieht«[22], kann er einzelne Sprachgesten überschätzen und sie als Ausdruck der »Unrast der dämonischen Willensnatur«[23] mißverstehen. So verliert denn das Urteil, das Kurt May über Wallenstein gewinnt, an Verbindlichkeit: die Festlegung auf Charakterzüge wie den »Selbst-Machtwillen« erscheint als unzulässige Vereinfachung angesichts Wallensteins überpersönlichen Ansprüchen und seinem Interesse an einer idealen Idee. Dem *Wallenstein* angemessener ist Paul Böckmanns Studie. Sie bestimmt zunächst treffend das Wort als »Aktion«[24], als Potenz, die »den Gang des Handelns festlegt«[25], und grenzt dann an präzisen Beispielen dieses »an Sprache gebundene Handeln«[26] ein. Das Drama, so führt Böckmann aus, beginne »in dem entscheidenden Augenblick, als Wallenstein handelt, und zwar dadurch, daß er seine Truppen wie auch Frau und Tochter nach Pilsen holt« – und wie Wallenstein hier durch das aktionsgeladene Wort in der Form des Befehls eine Handlung in Gang setze, so handle er weiter, »indem er sich der listig täuschenden Worte bedient. Er verlangt, daß sich ihm die Generäle neu verpflichten und zwar bedingungslos«[27]. Die Handlungsimpulse Wallensteins gewinnen, nach den Worten Böckmanns, im »Gefüge des Dramas (...) entscheidende Bedeutung«[28], insofern sie sich dann auch in der Eidesformel und in der Bankettszene niederschlagen. »Der Befehl, die Verpflichtungsformel, der Eid, aber auch der Pakt mit den Schweden sind an Sprache gebundene Handlungen, die ihre eigene Dramatik in sich tragen.«[29]

So vielversprechend der Ausgangspunkt Böckmanns indessen ist, das Wort im Drama nicht primär als mitgeteilten Inhalt zu verstehen, so wenig läßt sich gerade an solchen Beispielen einsehen, daß hier die Handlung den Rang einer »poetischen« oder »tragischen Fabel« gewinnt[30]. Denn Wallensteins Befehl, die Eidesformel, die Unterschrift der Offiziere sind von entschieden sekundärer Bedeutung gegenüber jenem handlungsarmen inneren Vorgang, der den *Wallenstein*-Stoff erst in die tragische Fabel verwandelt, die er geworden ist. Dieser Vorgang hat bereits im Vorraum der Tragödie sich vollzogen und wird im Drama Schritt für Schritt entschleiert – bis zu Wallensteins Monolog hin, der ihn in äußerster Konzentration widerspiegelt. Wir wohnen einem Entschleierungsprozeß bei, der Enthüllung eines vergangenen Geschehens; die »tragische Analysis« zeichnet die Entstehung der vor dem Drama bereits vorhandenen Situation nach, welche Wallenstein zum Verrat zwingt. Erst mit Wallensteins Einsicht in die Unvermeidlichkeit des Verrats gewinnen die von Böckmann zitierten aktionsgeladenen Worte eine gewisse, wenn auch nur pragmatische Bedeutung: sie werden zu Gelenkstellen, die den äußeren Geschehnisablauf organisieren. So lockt etwa das erschlichene Wort der Offiziere Wrangel rascher aus seiner Zurückhaltung, es läßt in den Augen Wallensteins den

---

21 von Wiese, Schiller, S. 654.
22 Ebda.
23 May, Schiller, S. 124.
24 Böckmann, Gedanke, Wort und Tat, S. 4.
25 Ebda, S. 6.
26 Ebda, S. 13.
27 Ebda, S. 16 f.
28 Ebda, S. 17.
29 Ebda, S. 18.
30 Ebda, S. 14.

erzwungenen Verrat aussichtsreicher erscheinen und schlägt ihn dergestalt mit jener Blindheit, die seinen äußeren Sturz beschleunigt.

Überblick

Der angedeutete Entschleierungsprozeß erfolgt im Medium antithetischer Redehaltungen: Freunde und Gegner bereden und decken auf, was Wallenstein im Vorraum der Tragödie unverbindlich dahingesagt hat. Seine spielerischen Reden über eine mögliche Zusammenarbeit mit den Schweden werden zum Gegenstand der Interpretation: die Rede wird zum Gegenstand der Rede. Und außerdem wird diese Interpretation ihrerseits beredet. Terzky, Illo, Octavio, Max diskutieren ihre Deutungsweisen: in der Sprache wird das Sprachverhalten thematisch. Die Antithese, in die Schiller das Spannungsverhältnis von Idyllik und Dramatik einformt, realisiert sich in gegensätzlichen Verhaltensweisen zum Wort oder im Widerspiel von intrigantem Sprachverhalten und idealgeschichtlichen Intentionen. Davon mag zunächst ein kurzer Überblick überzeugen, ehe dann an wenigen Beispielen die entscheidenden Enthüllungsstationen des dramatischen Vorgangs eingehender beschrieben werden.

Im 6. Auftritt des 2. Aufzugs versucht Illo mit berechnender Rhetorik, Wallenstein zum Verrat zu überreden, zu einem rein machtpolitischen, alle idealen Ziele mißachtenden Schritt – ein Versuch, dem Wallenstein in einer hymnisch-visionären Rede seinen idealpolitischen Bezug zu den Sternen entgegensetzt. Es folgt im 3. Aufzug eine Präzisierung und Erweiterung dieser Antithese. Terzky und Illo kommen, wie beschrieben wurde, durch verfälschende Auslegungen überein, Wallenstein in den »Notzwang der Begebenheiten« hineinzustoßen. Ihrem intriganten Sprachverhalten antwortet wenig später, im 4. und 5. Auftritt des 3. Aufzugs, die von jedem Kalkül freie und wahrhaftige Redeweise Theklas und des jungen Piccolomini. Dementsprechend kontrastiert dem intendierten »Notzwang der Begebenheiten« die ersehnte paradiesische Freiheit. Wollen Illo und Terzky den Feldherrn durch rücksichtslose Ausnutzung der Zeit in einen nur egozentrischen Krieg hineinlocken, so erinnern sich die Liebenden ihrer paradiesischen Friedensreise, deren schöne zeitlose Heiterkeit in einer zweiten höheren Idylle wiedererstehen soll. Offen und unverstellt, in idealer Kongruenz von Herz, Gedanken und Wort gibt Max seiner Hoffnung Ausdruck. Gemessen an den berechnenden Redehaltungen, am willkürlichen Deuten von Worten, fällt der visionäre, rhythmisch beflügelte Hymnus des jungen Piccolomini doppelt ins Gewicht. Träger seiner Hoffnung ist Wallenstein, dessen »Segenssterne«, Jupiter und Venus, dieselbe Qualität haben wie die von Max beschworenen »Märchen«, »Götter« und »Fabelwesen«: sie stehen metaphorisch für ein allgemeines Glück, für Frieden, Schönheit und Freiheit. So verbinden sich in diesem 3. Aufzug unterm Zeichen der Sternensymbolik Max und Thekla mit Wallenstein: alle drei Figuren beziehen sich auf eine neue paradiesische Ordnung und heben sich dadurch von den bloßen Intriganten (Illo, Terzky) wie von den Repräsentanten der alten Ordnung (Octavio) ab. Die angedeutete Antithese erscheint aber auch in der Person Wallensteins selbst, in seiner idealgeschichtlichen Intention und seinem zweideutigen Sprachverhalten. Die Folgen dieses Sprachverhaltens zeigt der vierte Aufzug, der sich unmittelbar an die gelösten heiteren Reden des jungen Piccolomini anschließt: auf Wallensteins doppelsinnige Äußerungen sich stützend, versuchen Illo und Terzky, die Offiziere durch einen Eid zum bedenkenlosen Verrat zu zwingen – ein Vorhaben, das sogleich Octavio auf den Plan ruft, zunächst in Gestalt eines Rededuells mit seinem Sohn. Der paradiesischen Einheit von Herz, Gedanke und Wort beim jungen Piccolomini steht Octavios bedenkliches Sprachverhalten gegenüber; Octavio enthüllt, auf dem Höhepunkt der tragischen Analysis, die verhängnisvolle Situation, in die er Wallenstein mittels willkürlicher Deutungen und Behauptungen schon im Vorraum der Tragödie gedrängt hat. In diesem Dialog spiegelt Schiller am schroffsten das Widerspiel zwischen bedenklicher Intrige und idyllischer Idealität in der Form von Redehaltungen, von Kommentaren über die Rede in der Rede.

Beispiele: Illo, Terzky, Wallenstein, Max und Octavio

Im Dialog setzen sich Illo und Terzky mit den von Wallenstein im Vorraum der Tragödie geäußerten Worten auseinander, in der Sprache wird die Sprache thematisch: so, wenn Terzky Wallenstein zur Rede stellt, und ihm die Vieldeutigkeit seiner Worte zum Vorwurf macht: »Woran erkennt man aber deinen Ernst, / Wenn auf das Wort die Tat nicht folgt?« (Picc., V. 856 f.) Thematisch wird die Rede in der Rede, wenn Terzky auf Wallensteins Verhandlungen mit den Schweden anspielt und die Möglichkeit offenbleibt, daß Wallenstein den Verrat nur scheinbar ausüben könnte, mit dem Ziel, die Schweden um so entscheidender zu treffen: »Es sei dir nimmer Ernst mit deinen Reden, / Du wolltst die Schweden nur zum Narren haben, / Dich mit den Sachsen gegen sie verbinden« (Picc., V. 819 ff.). Und daß Wallenstein diese Möglichkeit gerade jetzt, da der Verrat drohend heranrückt, mit Entschiedenheit zu ergreifen gedenkt, läßt sich nicht bestreiten: »Es soll im Reiche keine fremde Macht / Mir Wurzel fassen, und am wenigsten / Die Goten sollens (...) Beistehen sollen sie mir in meinen Plänen / Und dennoch nichts dabei zu fischen haben.« (Picc., V. 838 ff.) Diese Erklärung verärgert Terzky, der wie Illo aus machtpolitischen Gründen am Verrat heftig interessiert ist. Wiederum wird das Wort zum Gegenstand der Deutung im Dialog, wenn Terzky sich wenig später beklagt: »Ich kann mich manchmal gar nicht in ihn finden. / Er leiht dem Feind sein Ohr, läßt mich dem Thurn, / Dem Arnheim schreiben, gegen den Sesina / Geht er mit kühnen Worten frei heraus, / Spricht stundenlang mit uns von seinen Planen, / Und mein ich nun, ich hab ihn – weg, auf einmal / Entschlüpft er, und es scheint, als wär es ihm / Um nichts zu tun, als nur am Platz zu bleiben.« (Picc., V. 1335 ff.) Angesichts dieser Vieldeutigkeit des Wallensteinschen Worts macht sich Illo der willkürlichen Auslegung schuldig: er unterschiebt Wallenstein die feste Absicht zum Verrat. Gerade aber gegen den Verrat, »das Äußerste« (Picc., V. 927), hat sich Wallenstein kurz zuvor gewahrt. Dieses Äußerste dennoch herbeizuführen, ist die Absicht Illos: »Ich denk es schon zu karten, daß der Fürst / Sich willig finden – willig g l a u b e n soll / Zu jedem Wagstück. Die Gelegenheit / Soll ihn verführen. Ist der große Schritt / Nur erst getan, den sie zu Wien ihm nicht verzeihn, / So wird der Notzwang der Begebenheiten / Ihn weiter schon und weiter führen« (Picc., V. 1362 ff.). Die verfälschenden Auslegungen der Worte Wallensteins zielen demnach auf die Herbeiführung des »Notzwangs der Begebenheiten«, dem Wallenstein sich zu entziehen trachtet: er wartet auf die Sternenstunde, auf diejenige Konstellation der Gestirne, in der Saturn und Mars entmächtigt sind, Venus und Jupiter dagegen ihre Kräfte ungehindert entfalten können. Die glückliche Sternenkonstellation soll ihm den Zeitpunkt seines Handelns anzeigen; handelnd will er in der Geschichte realisieren, was in seinen beiden »Segenssternen« symbolisch angezeigt ist: gesteigerte Machtfülle im Rahmen einer neuen Ordnung, wo Freude, Schönheit und Freiheit regieren. Dieser Sinn seines Wartens ergab sich im vorhergehenden Kapitel aus der Analyse der Sternensymbolik.

So entfaltet sich ein Widerstreit zwischen dem bedenklichen Drängen Illos und Terzkys und dem Zögern Wallensteins, ein Widerstreit zwischen intrigantem Sprachverhalten und dem Blick auf eine neue idyllische Ordnung. Dieser Widerstreit geht aber, in verwandelter Form, in Wallensteins Person selbst ein. Abermals bildet das Sprachverhalten den einen Pol der Antithese zwischen politisch bedenklichem Handeln und idealidyllischer Konzeption. Die zitierten Antworten, die Wallenstein etwa auf Illos Fragen gibt, deuten auf eine verdeckende Redeweise. In seinem Verhältnis zum Wort beansprucht Wallenstein für sich eine gewisse Zweideutigkeit. Sie fließt notwendig aus jener Dialektik, die noch zu beschreiben sein wird: Macht und Freiheit, deren jeder Handelnde zur Realisierung seiner idealen Ziele bedarf, enthalten in sich verführerische Tücken. Sie äußern sich in bedenklichen Gedankenspielen und in jenen spielerisch-unverbindlichen Äußerungen, die von Wallensteins Vertrauten, vor allem aber von seinen Feinden, dem Wiener Hof und Octavio, zu willkürlichen Deutungen umgemünzt werden. Die Repräsentanten der alten Ordnung erbauen darauf eine Intrige, die auf die Entmächtigung Wallensteins zielt: daher, aus Gründen der Selbsterhaltung, kann Wallenstein schon nicht mehr, wie gern er auch das Äußerste vermiede, die Möglichkeit einer Gegenintrige, des Verrats, aus seinem politischen Gesichtskreis verbannen.

Der Notzwang der Begebenheiten, in den Wallenstein durch Illos und Terzkys Hinterlist hineintreiben soll, ist durch Octavios täuschende Sprachmanöver bereits geschaffen. Sie drängen die Vermutung auf, Octavio bediene sich bewußt willkürlicher Auslegungen. Wallensteins frühere Worte deutet er als kalten unumstößlichen Plan zur Tat, obwohl er selbst nur zu gut weiß, daß man der Rede nicht jederzeit verbindliches Gewicht zumessen darf: »Stets ist die Sprache kecker als die Tat« (Picc., V. 332). Im Hinblick auf Wallenstein scheint Octavio diese Einsicht absichtlich zu vergessen. Er trachtet den Einwand des Sohnes zu entschärfen, daß Wallenstein aus dem unverbindlichen, ungestümen Affekt heraus geredet habe: »bei kaltem Blute war er, als er mir / Dies eingestand« (Picc., V. 2425). Die Grenzen zwischen Wahrheit und bewußter Lüge werden in dieser Antwort fließend: im Monolog wird Wallenstein gerade den Affekt für die Formulierung verräterischer Reden verantwortlich machen. In Octavios vermeintlich wahrhaftige Redehaltung gegenüber Max drängen sich Halbwahrheiten und Entstellungen ein; die unheimliche Metaphorik, der seine Deutung des Wallensteinschen Worts sich bedient, verrät verfälschende Willkür: »Mit leisen Tritten schlich er seinen bösen Weg, / So leis und schlau ist ihm die Rache nachgeschlichen.« (Picc., V. 2477 f.) Dem ist entgegenzuhalten, daß Wallenstein den »bösen Weg« allenfalls in verbaler Unverbindlichkeit entworfen hat: »Kühn war das Wort, weil es die Tat nicht war.« (Tod, V. 170) Dementsprechend möchte Wallenstein seit Beginn des Dramas entschieden von der spielerischen Kühnheit seiner Reden sich distanzieren, die Octavio ihm als kalte Absicht zur Tat anlastet. Derart gewinnt Octavios Redehaltung kraft ihrer entstellenden Willkür eine Dramatik, deren Schärfe sich dadurch steigert, daß er Wallenstein über die bewußte Mißdeutung hinaus zugleich täuscht und vor ihm sich maskiert. Anstatt Wallenstein zur Rede zu stellen, wie Max fordert, und seinem »kühnen Wort« entschieden zu widersprechen, hat Octavio seinen »Abscheu«, seine »innerste Gesinnung (...) tief versteckt« (Picc., V. 2437 f.).

Dieser verschleierten Redeweise setzt Max die Einheit von Denken und Sprechen entgegen. Zwei verschiedene Verhaltensweisen zur Sprache werden in Stichomythien unversöhnlich konzentriert. Octavio: »Ich drängte mich nicht selbst in sein Geheimnis« – Max: »Aufrichtigkeit verdiente sein Vertraun« – Octavio: »Nicht würdig war er meiner Wahrheit mehr« – Max: »Noch minder würdig deiner war Betrug« (Picc., V. 2443 ff.). In scharfer Wechselrede werden Redehaltungen konfrontiert. In der Sprache wird der Umgang mit ihr diskutiert und zu rechtfertigen versucht: »Mein bester Sohn! Es ist nicht immer möglich, / Im Leben sich so kinderrein zu halten, / Wie's uns die Stimme lehrt im Innersten (...) Hier gilts mein Sohn, dem Kaiser wohl zu dienen, / Das Herz mag dazu sprechen, was es will.« (Picc., V. 2447 ff.) Wallenstein bedroht die alte Ordnung, der Octavio dient, und Wallensteins doppelsinnige Reden bieten Octavio den wirksamsten Vorwand für Gegenmaßnahmen. Wer wie Octavio in die Welt des Handelns hineinwirken und ein politisches Prinzip festigen will, muß zur Verleumdung in der Form verfälschenden Deutens greifen, zum verschleiernden, täuschenden Wort. Alles Reden in der geschichtlichen Welt ist determiniert, auch wenn Max damit nicht einverstanden sein kann: »Ich soll dich heut nicht fassen, nicht verstehn. / Der Fürst, sagst du, entdeckte redlich dir sein Herz / Zu einem bösen Zweck, und du willst ihn / Zu einem guten Zweck betrogen haben! / Hör auf! ich bitte dich« (Picc., V. 2461 ff.). Vergebens widersetzt sich Max seinem Vater, der das Wort so wendet, daß Wallenstein zum Verrat gezwungen wird. Denn die Alternative, die Octavio vor Max aufstellt: Abdankung oder Verrat und Ächtung entfällt, da für den Handelnden kein Verzicht auf das Handeln möglich ist.

Der Sprache im Drama wird gesteigerte Dramatik zuteil, weil sie sich thematisch wird, Redehaltungen beredet, die Doppelsinnigkeit der Worte Wallensteins zum Gegenstand der Interpretation und die Interpretation zum Gegenstand unversöhnlicher Auseinandersetzung macht. Jede einzelne Interpretation wird von allgemeineren Absichten und Ideen geleitet. Wenn Max Octavios täuschendem und verschleierndem Sprachverhalten die ideale Einheit von Herz und Sprache entgegensetzt, dann weist er auf jenes paradiesische Verhältnis zum Wort zurück, das auch Thekla auszeichnet. Daß gerade die Redehaltung dieser beiden Gestalten sie zu Symbolen der Idylle macht, haben wir im vorangegangenen Kapitel begründet: »Ich sollte minder offen sein, mein Herz / Dir mehr verbergen, also wills die Sitte. / Wo aber wäre Wahrheit hier für dich, / Wenn du sie nicht auf meinem Munde findest?« (Picc., V. 1725 ff.) Angesichts dieser idyllischen Idealität im Denken und Sprechen fällt die Redeweise der in die »Staatsaction« verflochtenen Personen doppelt schwer ins Gewicht: »Trau ihnen nicht. Sie meinens falsch (...) Trau niemand hier als mir! Ich sah es gleich, / Sie haben einen Zweck« (Picc., V. 1684 f.), beschwört Thekla den jungen Piccolomini. Sie verweist damit auf die dramatische Antithese zweier Sprachverhalten: im Spiegel des unverstellten wahrhaftigen Worts verschärft sich das auf einen »Zweck« gerichtete »falsche« Wort. Wer in die Geschichte hineinwirken und einen »Zweck« verfolgen will, muß sich der Täuschung, der List und der Verschleierung durch Sprache bedienen. Der »Zweck« aber, der von Illo und Terzky, von Octavio und dem Wiener Hof im Hinblick auf Wallenstein verfolgt wird, erscheint als »Notzwang der Begebenheiten«, und die Notwendigkeit, die Wallenstein in ihre Fänge zieht, gewinnt ihrerseits eine höchstmögliche Schärfe am Gegenbild des Wallensteinschen Sternenglaubens und der Idyllenvisionen Max'. Die als vollendete Freiheit, Glück und Schönheit vorgestellte Zukunft, wie sie in der Sternensymbolik und in Piccolominis »heiteren« Reden aufscheint: diese idyllisch strukturierte Zukunft ist die übertragische Fluchtlinie, an der sich der tragische Vorgang vertieft. So entsteht Dramatik nicht nur durch »an Sprache gebundene Handlungen«[31], durch pragmatische, vom Wort

31 Böckmann, Gedanke, Wort und Tat, S. 6.

heraufgerufene Einzelaktionen, sondern zugleich durch das Spannungsverhältnis unterschiedlicher Sprachhaltungen.

2. »Die Jungfrau von Orleans«

a) Ein Vergleich mit Wallenstein

Wir deuteten bereits an, daß in der Gestalt Johannas konzentriert sei, was im *Wallenstein* in verschiedenen Personen auseinandergelegt ist. Die folgende Beschreibung der Formen, in denen Schiller das Spannungsverhältnis zwischen Idyllik und Dramatik darbietet, wird diese Konzentration eigens erläutern müssen. Den Liebenden im *Wallenstein* ist Johanna insofern verwandt, als sie wie diese aus dem Paradies heraustreten muß: der unwiederbringlichen »goldenen Zeit der Reise« Theklas und des jungen Piccolomini entspricht Johannas verlorenes Arkadien; zugleich bleiben Max und Thekla Symbole paradiesischer Menschlichkeit kraft der idealen Einheit von Herz und Sprache – ähnlich wie Johanna symbolisch an die vergangene Idylle erinnert und die künftige präfiguriert kraft ihrer Schönheit, ihres Beschützertums und vor allem ihrer segenstiftenden Rede. Aber anders als Max und Thekla ist die Jungfrau zugleich geschichtlicher Träger der Idee, der Idee einer idealgeschichtlichen Idylle, die sie wie Wallenstein handelnd herbeizuführen trachtet. Worauf Wallenstein im Medium seiner Sternenschau blickt, was im »glückselgen« Aspekt der Sterne symbolisch eingezeichnet ist: diesen ästhetischen Staat will auch Johanna herstellen. Entwirft sich demnach Johanna im Unterschied zu Max und Thekla handelnd auf die zu verwirklichende Idee hin und bezeugt darin ihre Verwandtschaft mit Wallenstein, so ist doch auch zugleich ein Unterschied gegenüber Wallenstein festzuhalten: im Gegensatz zu ihm möchte Johanna nichts anderes sein als reiner Träger der Idee. Den Anspruch Wallensteins, idealpolitische Intention und gesteigerte Machtfülle miteinander zu versöhnen, erhebt sie nicht mehr; das geschichtliche Subjekt möchte sich ausschließlich zum Objekt der Idee machen im absoluten Gehorsam gegenüber der Idee. Im Element des Handelns gewinnt Johanna an Geschichtlichkeit gegenüber Max und Thekla und an Idealität gegenüber Wallenstein. Diese Steigerung zugunsten einer Figur verschärft zugleich die Spannung zwischen idyllischem und realpolitischem Themenkreis, die unmittelbar an dieser einzelnen Figur zur Anschauung gelangt. Das erhellt ein weiterer Vergleich mit Wallenstein. Er trägt diese Spannung in der Dialektik des Handelns aus, so nämlich, daß er im Dienst an der idealen Idee diese Idee zugleich beschädigen muß. In seiner Sternenschau hat er Anteil an der idealgeschichtlichen Idee der Idylle, aber die Macht und die Freiheit, derer er zur Realisierung der Idee bedarf, zwingen ihm zuletzt ein Handeln auf, das die Idee verletzt. Als geschichtlicher Träger der Idee vergegenwärtigt Johanna wie Wallenstein das Bedenkliche, ja Unheimliche des Handelns, aber sie verschärft es noch, indem sie wie Max und Thekla zugleich als Symbol paradiesischer Integrität und Segensfülle erscheint. Was im *Wallenstein* auf verschiedene Personen »verteilt« war, prallt bei ihr in unauflöslicher Antinomie, in der Form des unversöhnten Widerspruchs direkt aufeinander.

Die thematische Steigerung und Verschärfung zugunsten einer Person hat demnach ihren formalen Niederschlag. Strukturierte im *Wallenstein* die Form der Antithese die innere Bewegung des Dramas, so spitzt sich diese Antithese in der *Jungfrau von Orleans* zu: sie wird zum Paradox. Antithese und Paradox erscheinen aber im gleichen Medium: in dem der Redehaltungen und des Sprachverhaltens. Es ist ein für Schillers dramatische Handlung sehr kennzeichnendes Medium. So läßt Schiller seine Heldin Reden führen, die in schroffem Widerspruch zueinander stehen; und zugleich übersetzt er die Unvereinbarkeit ihrer Reden in ihre paradoxe Erscheinungsweise: Johanna ist »liebliche Gestalt« und »Gespenst des Schreckens« in einem. Die Interpretation kann zeigen, daß Johanna durch ihre segenstiftende Rede und durch ihre »liebliche Gestalt« zum Symbol der verlorenen und der zukünftigen Idylle wird, daß sie aber auch durch unheilbringende Reden und unheimliches Auftreten als Repräsentant eines geschichtlichen Handelns erscheint, das die Idee verletzen muß. Die Heldin enthüllt sich als Träger einander sich ausschließender Seinsweisen: an ihr werden Qualitäten einer höheren idyllischen Menschlichkeit offenbar, und zugleich setzt sie durch Unmenschlichkeit diese Qualitäten außer Kraft. Die spiegelbildlichen Kontrastierungen in einer einzigen Person führen zu einer Konzentration und Verschärfung der dramatischen Aporien.

b) Das Strukturelement der Paradoxie. Idyllische Menschlichkeit und unmenschliches Handeln

Johannas Erscheinungsweise

Die geschichtliche Situation, so deuteten wir an, zwingt den Träger der Idee dazu, immer auch in einer Gestalt aufzutreten, die der Idee von vornherein unangemessen ist. Johanna soll die Idee des ästhetischen Staats, der idealen Gesellschaft, in der Geschichte durchsetzen; aber die Engländer, Gegner Frankreichs, kriegerische Usurpatoren des Orts, wo der idyllische Friede des ästhetischen Staats hergestellt werden soll, zwingen Johanna zu einem kriegerischen Auftreten, das mit ihrem idealgeschichtlichen Programm sich nicht vereinbaren läßt. Schiller steigert diese Diskrepanz, indem er als geschichtlichen Träger der Idee ein junges Mädchen agieren läßt: schärfer noch als an einem Helden tritt an einem weiblichen Wesen das Unheimliche kriegerischen Handelns hervor: »Wie schrecklich war die Jungfrau in der Schlacht, / Und wie umstrahlt mit Anmut sie der Friede!« (V. 2028 f.) Der so formulierte Kontrast ist im dramatischen Vorgang ständig anwesend; er wird in der Szenenverknüpfung selber entfaltet. Im Widerspruch zu Johannas erstem Auftreten am Hoflager Karls, wo sie als Symbol paradiesischer Reinheit erscheint, als »heilig wunderbares Mädchen«, ausgezeichnet durch die »reine Unschuld ihres Angesichts« (1. Aufzug, 10. Auftritt), ist dann im englischen Lager vom »Gespenst des Pöbels«, von »der Hölle Gaukelkunst« und vom »jungfräulichen Teufel« die Rede (vgl. 2. Aufzug, 1., 2. u. 3. Auftritt). Die »Schreckensgöttin«, wie Talbot sie nennt (vgl. V. 1543), erscheint kurz darauf dem jungen Montgomery als »Gespenst der Nacht« »wie aus der Hölle Rachen« (vgl. V. 1568), aber zugleich auch als »liebliche Gestalt«, »blühend in der Jugend Reiz« (vgl. 2. Aufzug, 7. Auftritt). Vor allem die Begegnung mit Burgund ist von diesem Widerspruch durchzogen (vgl. 2. Aufzug, 10. Auftritt). Aus einer »Teufelsdirne« wird sie dort zur »rührenden Gestalt«, »von Gott gesendet«. Damit steht der Schluß dieser Szene, der Johanna als Stifterin paradiesischer Versöhnung ausweist, in unvermitteltem Kontrast zur Montgomery-Szene, die mit Johannas unheimlichem Töten abschließt. Solche Kontraste und Paradoxien entspringen dem abgründigen Mißverhältnis zwischen Idee und geschichtlichem Handeln. Ihre polare Entgegensetzung ist unaufhebbar; eine angemessene Vermittlung im Raum der Tragödie schließt Schiller von vornherein aus. Das wäre Gerhard Kaiser entgegenzuhalten, der Johannas widerspruchsvolle Erscheinung und Handlungsweise zum Symbol menschlicher Vollendung umdeutet: »die Jungfrau ist Inbegriff des knospenhaften Bei-

Sich-Seins, der Krieger Inbegriff der kraftvollen Wendung nach außen. Als kriegerische Jungfrau ist Johanna zart und mächtig, bei sich und außer sich in einem und schließt damit den Kreis des Menschlichen in sich ein und ab. Sie ist ein Bild des vollkommensten und umfassendsten Vermögens, und Schillers Beschreibung eines Götterbildes, der Juno Ludovisi aus dem 15. der *Briefe über die Ästhetische Erziehung* drängt sich auf, wenn es gilt, das Wesen der Jungfrau von Orleans zu erfassen: ›Es ist weder Anmuth noch ist es Würde, was aus dem herrlichen Antlitz einer Juno Ludovisi zu uns spricht; es ist keines von beyden, weil es beydes zugleich ist. Indem der weibliche Gott unsre Anbetung heischt, entzündet das gottgleiche Weib unsre Liebe; aber indem wir uns der himmlischen Holdseligkeit aufgelöst hingeben, schreckt die himmlische Selbstgenügsamkeit uns zurück. In sich selbst ruhet und wohnt die ganze Gestalt, eine völlig geschlossene Schöpfung, und als wenn sie jenseits des Raumes wäre, ohne Nachgeben, ohne Widerstand; da ist keine Kraft, die mit Kräften kämpfte, keine Blöße, wo die Zeitlichkeit einbrechen könnte.‹« [32]

Abermals läßt sich an dieser Betrachtungsweise, an Kaisers Parallelisierung Johannas mit der Juno Ludovisi, lernen, daß die unvermittelte Anwendung der Schillerschen Ästhetik auf seine Dichtung zu Fehlschlüssen führt. Das Götterbild der Juno Ludovisi ist für Schiller Sinnbild zeitenthobenen idealgeschichtlichen Seins. Es kann daher gerade nicht Johannas Wesen erfassen, wie Gerhard Kaiser vorgibt, denn Johanna ist mitten in die Geschichte hineingestellt. Die an ihrer Gestalt erscheinenden Antithesen sind nicht Ausdruck vollkommenen Seins, sondern bezeichnen eine tragische Paradoxie, die mit dem Handeln selbst gesetzt ist. Dieses Handeln, das im Dienst der idealen Idee einer paradiesischen Menschlichkeit steht, muß eben diese Idee verletzen. Kaiser richtet den Blick voreilig auf die handelnde Verwirklichung des Selbst, ohne gleichermaßen das Problem der handelnden Verwirklichung der Idee einzubeziehen. Daher harmonisiert er die spezifische dramatische Konstellation, in der Schiller dieses Problem vergegenwärtigt: die Struktur des unversöhnten Kontrasts, der im Aufbau einzelner Szenen und in der Verknüpfung der Szenen zum Ausdruck gelangt. Schiller entfaltet das dramatische Geschehen getreu dem ersten Bericht über Johannas Eintritt in die Geschichte: »Denn aus der Tiefe des Gehölzes plötzlich / Trat eine Jungfrau, mit behelmten Haupt / Wie eine Kriegesgöttin, schön zugleich / Und schrecklich anzusehn« (V. 951 ff.). Am Schönen, dem sinnbildlichen Hinweis auf die vergangene und zukünftige Idylle, spiegelt Schiller direkt das Schreckliche, das als kriegerisches Handeln zwischen beiden Idyllen vermitteln soll und beiden widerspricht. Das Ineinandergreifen des paradiesischen und des unmenschlichen Aspekts bedingt wie im *Wallenstein* eine Verschärfung und Intensivierung des dramatischen Vorgangs: im Spiegel des Unmenschlichen gewinnt das Idyllische an Anziehungskraft, wie umgekehrt im Spiegel des Idyllischen das Unmenschliche verschärft hervortritt.

Daß der bezeichneten Paradoxie sich König Karl und Dunois nicht bewußt sind, sei in gebotener Kürze vermerkt. Wenn diese beiden Figuren jeweils eine »Lösung« für das Problem des Paradieses bereithalten, so betont das Illusionäre dieser Lösungen nur abermals die unlösbare Dialektik zwischen Idee und Handeln. Karls Verhalten ist unverbindlich; er schafft eine Idylle um sich, lädt »Gaukelspieler und Troubadours« ein, »als waltete im Reich der tiefste Friede« (vgl. V. 447 ff.) – und diese schöne Unverbindlichkeit meint er auch an seinen Sängern rühmen zu müssen:

---

32 Kaiser, Johannas Sendung, S. 216 f.

»Aus leichten Wünschen bauen sie sich Throne, / Und nicht im Raume liegt ihr harmlos Reich« (V. 482 f.). Die unangefochtene »Harmlosigkeit«, die Karl sich ersehnt, liebt er zumal an dem Schafe weidenden König René: »Das ist ein Scherz, ein heitres Spiel, ein Fest, / Das er sich selbst und seinem Herzen gibt, / Sich eine schuldlos reine Welt zu gründen / In dieser rauh barbarschen Wirklichkeit.« (V. 512 ff.) Harmlosigkeit, wie sie hier zutage tritt, ist mit Harmonie nicht zu verwechseln; Karl ist auf der Flucht in eine beschränkte, regressive Idylle, die von der Geschichte abgespalten ist; er möchte die »rauh barbarsche Wirklichkeit« sich selbst überlassen, anstatt sie auf dem Weg über die Geschichte in eine höhere Idylle, in eine Welt der Harmonie umzuwandeln: in jene, die Johanna visionär vorwegnimmt. Hinter ihrer Vision bleibt deutlich die von René und Karl inszenierte Liebesidylle zurück, die als literarische Reminiszenz jenseits der geschichtlichen Welt wiederaufleben soll: »Er will die alten Zeiten wieder bringen, / Wo zarte Minne herrschte (...) Und mich hat er erwählt zum Fürst der Liebe.« (V. 517 ff.) Solche Verse verbieten es, den König von dem letzten der *Briefe über die Ästhetische Erziehung* her zu verstehen, wie Heinz Ide das tut[33]. Es verrät abermals eine unvermittelte Anwendung der ästhetischen Theorie auf das Drama, wenn König Karl als der »hohe Mensch« bezeichnet wird, »der sich von Natur zum schönen Schein erhob, der in der Welt des ästhetischen Scheins lebt«[34]. Unbewußt übt Ide Kritik an seiner eigenen Auffassung, wenn er von »Karls Schwäche« redet, seinem »Wesen, das ihn an der Wirklichkeit scheitern läßt«[35]. Nicht im Scheitern an der Wirklichkeit und in der Flucht vor ihr, sondern nur im Durchgang durch sie gelangt der Mensch zur Vollendung, wie Johannas eigener Schicksalsweg zeigt. Im Drama erscheinen Karls und Renés Idyllen unter dem kritischen Aspekt der Schillerschen Idyllentheorie; darauf hat zutreffend Horst Rüdiger verwiesen: »Am heiligen Ernst Johannas gemessen, wirken die romantischen Schäfereien des Königs Karl und seines Vorbildes, des ›heitren Greises‹ René in der Provence, wie kindisches Spiel: die dichterische Wiederholung der theoretischen Kritik an der konventionellen Bukolik in Gestalt eines dramatischen Gegensatzes, welcher der Bühnenwirkung zugute kommt (...) Es ist der Stil der retrospektiven Idyllik und des Troubadourwesens, den Karl zwar sehr königlich, doch wenig heldenhaft an seinem Hof zu pflegen gedenkt.«[36] Im Gegenzug zu Karl und René formuliert Dunois die Haltung, die allenfalls Liebe und Schönheit zu retten vermöchte: das Handeln in der Geschichte, das Johanna auf sich genommen hat. »Willst du der Liebe Fürst dich würdig nennen, / So sei der Tapfern Tapferster!« »Wer nicht die Schönheit tapfer kann beschützen, / Verdient nicht ihren goldnen Preis.« (V. 538 ff.). Aber die in diesem »tapferen Beschützen« angelegte Aporie durchschaut Dunois nicht: der Handelnde, der auszieht, die Idee der Liebe und der Schönheit zu beschützen, muß sie handelnd zugleich verletzen. Wenn Karl von Dunois, Dunois von der allem Handeln immanenten Aporie widerlegt wird, so weist damit das Drama in verschärfter Form auf das Scheitern der Idee in der Geschichte hin. Die dramatische Explikation dieses Scheiterns geschieht in der Form der Paradoxie. Diese Paradoxie, die wir an der Erscheinungsweise Johannas aufgezeigt haben, ist auch in dem für Schiller typischen Formelement der Redehaltungen gegenwärtig.

33 Vgl. Ide, Jungfrau von Orleans, S. 72.
34 Ebda.
35 Ebda, S. 73.
36 Rüdiger, Das Pastorale, S. 245.

Welches Gewicht der Rede im dramatischen Vorgang des *Wallenstein* zufällt, haben wir zu erläutern versucht. Im *Wilhelm Tell* erhöht sich die Bedeutung der Rede womöglich noch, wie zu zeigen sein wird. Der dramatische Vorgang, der in Schillers Dramen zusehends in die Rede statt in pragmatische Handlung übersetzt wird, gewinnt eben dadurch an geistiger Intensität.[37] Dem Wort wird eine Bedeutung zuteil, die das dramatische Geschehen »verinnert« und sublimiert, zumal dort, wo in der Rede nochmals über die Rede reflektiert wird. Das ist nicht nur im *Wallenstein*, sondern auch in der *Jungfrau von Orleans* der Fall. Am Beispiel der Versöhnungsszene mit Burgund läßt sich die eine Funktion der Rede bestimmen: sie ist Spiegel der Unschuld und Idealität der Idee und hat jene segenstiftende und glückbringende Kraft, die Johanna als Sinnbild paradiesischen Seins ausweist und durch die Frankreich in dieses Sein hinübergeführt werden soll. Am Beispiel der Montgomery-Szene wiederum läßt sich die entgegengesetzte Funktion der Rede bestimmen: sie hat jene unheilbringende, tötende Kraft, der Johanna bedarf, um den Feind der Idee zu überwinden. Aber diese in der Rede sich spiegelnde Unmenschlichkeit beschädigt damit zugleich Johannas Idee der idealen Menschlichkeit. So kann die Doppelgesichtigkeit der Rede ausgezeichnet die in Johannas Auftrag enthaltene Paradoxie erläutern.

Im Dialog mit Burgund spricht Johanna selbst von der »Kunst der Rede«: sie steht im Dienst eines politischen Handelns, das die entfremdete, friedlose Geschichte in einen paradiesischen Idealstaat verwandeln soll. Burgund, Vetter des Königs Karl, hat sich mit Isabelle, der Mutter Karls, den Feinden Frankreichs angeschlossen und damit einen Bürgerkrieg heraufbeschworen: die zum Bürgerkrieg ausgeweitete Spaltung in der königlichen Familie symbolisiert die Entfremdung des Geschichtsprozesses von der Idee des schönen idyllischen Friedens, der Harmonie des ästhetischen Staats. Johannas Versuch einer Versöhnung der Königsfamilie muß zunächst auf Ablehnung stoßen. Burgund hält die Kunst ihrer Rede für die abgefeimte Zungenfertigkeit einer »buhlerischen Circe« und »Teufelsdirne«: »Mit süßer Rede schmeichlerischem Ton / Willst du Sirene! deine Opfer locken. / Arglistge, mich betörst du nicht. Verwahrt / Ist mir das Ohr vor deiner Rede Schlingen« (V. 1742 ff.). Im Gefüge des Dramas gewinnt die Rede insofern entscheidende Bedeutung, als sie zum Gegenstand der Rede wird. Hier, in der Begegnung mit Burgund, ist das Wort von eindeutiger Idealität. Es vermag nach und nach die Zweifel Burgunds zu entkräften: »Verstrickend ist der Lüge trüglich Wort, / Doch ihre Rede ist wie eines Kindes. / Wenn böse Geister ihr die Worte leihn, / So ahmen sie die Unschuld siegreich nach.« (V. 1772 ff.) Johanna zerstreut die letzten Bedenken, wenn sie ihre Sprache als Ausdruck einer idealen Intention zu erkennen gibt: »Ist Frieden stiften, Haß / Versöhnen ein Geschäft der Hölle?« (V. 1779 f.) Jo-

---

37 Daß im übrigen die »Handlung« dem dramatischen Redewechsel nicht vorgeordnet ist, decken neuere Studien auf, z. B. Walter Müller-Seidels Arbeit über Kleist (»Versehen und Erkennen«). Dort heißt es: »Weil der Dialog im Drama nicht eines unter anderen Darbietungsmitteln ist, sondern vom Wesen dieser Dichtungsart nicht weggedacht werden kann, ist primär im Drama nicht die Handlung da, zu der dann sekundär die Rede hinzukommt; eher verhält es sich umgekehrt, nämlich so, daß die Handlung aus der dramatischen Rede sich entwickelt; wie es am Beispiel eines Kleistschen Dialogs bereits angedeutet wurde.« (S. 152) – Hingewiesen sei auch auf den bereits zitierten Aufsatz Fritz Martinis über Grillparzers Lustspiel (»*Weh dem, der lügt!* oder Von der Sprache im Drama«).

hannas Rede offenbart die Unschuld des Herzens und die Idealität ihres politischen Ziels: Herz, Gedanke und Wort treten unterm Zeichen paradiesischer Reinheit zusammen. Denn Schiller zufolge gehört es zum Wesen idyllischen Seins, daß sich ein »Herz voll Unschuld und Wahrheit« durch die »strenge Wahrheit des Ausdrucks« (NA, Bd. 20, S. 426) bezeugt. Diese Wahrheit des Herzens und der Rede, kraft welcher Max und Thekla zu Sinnbildern paradiesisch-idealen Verhaltens werden, gewinnt durch Johanna geschichtsmächtige Wirkung: »Doch jetzt, da ichs bedarf dich zu bewegen, / Besitz ich Einsicht, hoher Dinge Kunde (...) Und einen Donnerkeil führ ich im Munde.« (V. 1794 ff.) Die in der Sprache sich äußernde Reinheit der Idee, ihre Friede stiftende Kraft, ergreift Burgund: »Wie wird mir? Wie geschieht mir? Ists ein Gott / Der mir das Herz in tiefstem Busen wendet!« (V. 1799 f.) Johannas Freude darüber: »Und aus den Augen, Friede strahlend, bricht / Die goldne Sonne des Gefühls hervor« (V. 1808 ff.) ist die Freude über die erreichte Versöhnung. Sie bedeutet Aufhebung der im Bürgerkrieg waltenden Entfremdung und deutet metaphorisch auf einen idealgeschichtlichen Zustand voraus: »Ihr seid vereinigt, Fürsten! Frankreich steigt / Ein neu verjüngter Phönix aus der Asche, / Uns lächelt eine schöne Zukunft an.« (V. 1992 ff.) Die Rede Johannas hat jene segenstiftende und glückbringende Kraft, die dem Paradies zugehört, wie wir aus Johannas Hirtendasein erfahren konnten: »Und unter ihren Händen wunderbar / Gedeihen Euch die Herden und die Saaten; / Um alles was sie schafft, ergießet sich / Ein unbegreiflich überschwenglich Glück« (V. 139 ff.). In Glück und Segen stiftender Rede wird Johanna zum Sinnbild jenes paradiesischen Seins, in das sie Frankreich hinüberzuführen trachtet. Das Scheitern dieser Intention aber wird durch Johannas unmenschliche Redeweise in der Montgomery-Szene offenbar.

Montgomery gehört dem »fremden König« an, und dieser symbolisiert in Johannas Vision des ästhetischen Staats die äußerste Entgegensetzung zu diesem Staat. Der »fremde König« bezeugt durch seine Kriegsführung in Frankreich, daß dort die Idee des Friedens und der Harmonie, die Idee des ästhetischen Staats also, noch nicht realisiert ist. Damit sie realisiert werden kann, bedarf es daher der Gewalt gegen die englischen Streitkräfte: »Denn dem Geisterreich, dem strengen, unverletzlichen, / Verpflichtet mich der furchtbar bindende Vertrag, / Mit dem Schwert zu töten alles Lebende, das mir / Der Schlachten Gott verhängnisvoll entgegen schickt.« (V. 1599 ff.) Dieser bedingungslosen Forderung entsprechend erscheint Johanna dem Montgomery zunächst als die »Schreckliche«, »der Blicke Schlingen« nach ihm auswerfend: »Wie aus der Hölle Rachen ein Gespenst der Nacht« (vgl. V. 1568). Aber in Montgomerys Nähe enthüllt Johanna zugleich, »blühend in der Jugend Reiz« (vgl. V. 1615), jene Qualitäten, kraft welcher sie auf idyllisches Sein zurück- und vorweist: Schönheit und Schutz versprechende Sanftmut. Insofern ist sie in dieser Szene nicht »ganz und gar Amazone«, wie Storz behauptet[38]. »Furchtbar ist deine Rede, doch dein Blick ist sanft, / Nicht schrecklich bis du in der Nähe anzuschaun, / Es zieht das Herz mich zu der lieblichen Gestalt. / O bei der Milde deines zärtlichen Geschlechts / Fleh ich dich an. Erbarme meiner Jugend dich!« (V. 1603 ff.) Die in Johannas Rede enthaltene Erbarmungslosigkeit kontrastiert mit ihrer »lieblichen Gestalt«. Die Paradoxie ließe sich so formulieren: Johannas Gestalt verspricht ein menschliches Erbarmen, das in der Idee des ästhetischen Staats selbst mitgedacht ist, in der kriegerischen Geschichte aber nicht gewährt werden darf: das Erbarmen würde ja gerade den Gegner dieser Idee, den Englän-

---

38 Storz, Schiller, S. 356.

der, schonen. Montgomerys Rede ist ein um Schonung und Milde werbendes Beschwören, dem Johanna schroff ihre ablehnende Antwort entgegensetzt: »Du rufest lauter irdisch fremde Götter an, / Die mir nicht heilig, noch verehrlich sind.« (V. 1620 f.) Indem Johanna Montgomerys Redeweise, sein »Flehen« und »Anrufen«, rücksichtslos abweist, negiert sie die Idee der »Milde«, des »Mitleids«, des »Erbarmens«, der »Liebe«. In der Negation dieser Qualitäten verletzt sie zugleich ihre Idee des idealen Königs, der diese Qualitäten in vorbildlicher Weise ehren soll, der »ein Mensch ist und ein Engel der Erbarmung / Auf der feindselgen Erde« (V. 353 f.). Zur Idee dieses Königs gehört auch die Gnade gegenüber dem Feind, die Johanna vor Burgund beschwört: »Frei, wie das Firmament die Welt umspannt, / So muß die Gnade Freund und Feind umschließen.« (V. 2056 f.) Dem in Montgomery verkörperten Feind muß Johanna diese Gnade versagen; die Furchtbarkeit ihrer Rede zeichnet dem jungen Engländer sein Schicksal vor: »O ich muß sterben! Grausend faßt mich schon der Tod.« (V. 1652)

Die segenstiftende Kraft der Rede in der Begegnung mit Burgund hat paradiesischen Charakter und dient der Herstellung des Paradieses; die unheilvolle Kraft der Rede in der Begegnung mit Montgomery soll dieser Herstellung gleichermaßen dienen und verletzt doch gerade die Idee des Paradieses und der schönen Menschlichkeit. Die Doppelgesichtigkeit der Rede hat ihre Funktion zunächst darin, daß sie im Spiegel des übertragischen Paradieses das Unheimliche geschichtlichen Handelns hervortreibt und umgekehrt im Spiegel des Unmenschlichen schärfer die Idealität des Paradiesischen aufleuchten läßt. Und zugleich schlägt sich in der Doppelgesichtigkeit der Rede die auswegslose Dialektik nieder, in der sich die Idee der schönen Zukunft verfängt.

Die wissenschaftliche Literatur

Im Sinne der hier vorgenommenen symbolischen Betrachtungsweise wäre zu interpretieren, was Benno von Wiese vordergründig das »Hineinhandeln Gottes in die Welt durch den von ihm erwählten Menschen« [39] nennt. Wie für das ganze Drama, so gilt auch für die Montgomery-Szene, daß das religiöse Bewußtsein der Figuren an keiner Stelle den Bewußtseinshorizont der wissenschaftlichen Interpretation bestimmen darf. Die religiöse Deutung etwa, die in Johannas Wirken das »Hineinhandeln Gottes in die Welt« erkennt, findet darin ihre Grenze, daß der Begriff »Gott« unvereinbar ist mit einer Handlungsweise, wie Johanna sie in der Montgomery-Szene demonstriert. Möchte man dennoch beides zusammendenken, so deutet man in die Dichtung ein ideologisches Bekenntnis hinein, das weder in Schillers künstlerischer noch in seiner theoretischen Produktion eine Stütze findet. Vielmehr wäre festzuhalten, daß Johannas unmenschliche Kriegsführung sie in ein Zwielicht rückt, aus dessen Bannkreis sie nicht treten kann; darunter leidet auch sie selbst: »ich muß – mich treibt die Götterstimme, nicht / Eignes Gelüsten – euch zu bitterm Harm, mir nicht / Zur Freude, ein Gespenst des Schreckens würgend gehn« (V. 1660 ff.). Im unbedingten Müssen gehorcht Johanna dem unbedingten Anspruch der Idee auf geschichtliche Realisierung: sie ist deren »blindes Werkzeug«, d. h. sie dient der Idee des Paradieses in der Geschichte, aber sie muß ihr »blind« dienen, unempfindlich gegen die Stimme der Menschlichkeit, unempfänglich für die Bitte um Gnade (Montgomery-Szene). Die Erkenntnis dieser Aporie ist Johanna deshalb versperrt, weil sie ihre Blindheit vordergründig als eine ideale,

39 von Wiese, Schiller, S. 741.

von Gott geforderte Blindheit versteht. Aber im subjektiven Medium ihrer zwiespältigen Empfindungsweise (»m i r nicht zur Freude«) kann diese im Drama stets gegenwärtige Aporie gebrochen aufscheinen.

So weist hier die spezifische Subjektivität des Fühlens auf einen objektiven Sachverhalt: auf die Verletzung der Idee. Das Drama verstehen heißt, über das jeweils subjektive Medium der Figuren dadurch hinausgehen, daß man es als Ausdruck eines objektiven Vorgangs faßt. Schiller objektiviert Johannas zwiespältiges Gefühl (Montgomery-Szene) in der Paradoxie ihrer Erscheinung und ihrer Redeweise. Keineswegs darf man daher die Montgomery-Szene im Sinne Heinz Ides verstehen: als Zeugnis für Johannas »Geschlossenheit in sich«, ihre »Harmonie von Persönlichkeit und Personalität«[40], d. h. für den »Zustand völliger Identität mit dem geistigen Selbst der Person«[41]. Wenn Ide die hier waltenden Paradoxien nicht gewahrt, vielmehr an ihre Stelle die Begriffe der Harmonie und der vollendeten Identität setzt, so liegt das an seiner interpretatorischen Prämisse. Geleitet von der Existenzphilosophie, orientiert am Versuch Oskar Seidlins, an der Gestalt Wallensteins »existentielle Wesensschau«[42] darzustellen, personalisiert und subjektiviert Ide überindividuelle Schillersche Vorstellungen. So bezeichnen die Begriffe »Gott und keusche Magd« Ide zufolge »das verpflichtende eigene geistige Selbst«[43]. In Wahrheit ordnen sich diese Begriffe der Grundfigur der Schillerschen Dramen unter: sie weisen symbolisch auf ein Objekt, dem der Handelnde als Subjekt gegenübertritt: auf die überindividuelle, in der Geschichte herzustellende Idee der zweiten höheren Idylle. Das immer schon widerspruchsvolle Verhältnis des Subjekts zu diesem Objekt, des Handelnden zur idealpolitischen Idee, wird bei Ide einer aktualisierenden Prämisse geopfert. Weil er, ähnlich wie Gerhard Kaiser, die von Kommerell ausgewiesene Dialektik gar nicht erst diskutiert, geraten auch die an diese Dialektik gebundenen Formen der Antithese und der Paradoxie nicht ins Blickfeld. Auch Johanna selbst läßt es in der Montgomery-Szene an der klaren Erkenntnis der tragischen Dialektik fehlen: daher kann man an dieser Stelle des Dramas noch nicht erfahren, »was das Hirtenmädchen unter ›Unschuld‹ und ›Schuld‹« verstehe, wie Horst Rüdiger meint[44]. Denn Schuldbewußtsein müßte sich äußern als Einsicht in das Scheitern des »göttlichen« Auftrags, der Idee, und eben diese Einsicht erreicht Johanna in der Montgomery-Szene noch nicht, so offenkundig ihr Leiden an ihrem Auftrag sich dort auch ausspricht. Erst das Bewußtsein des ungewollten Schuldigwerdens macht sie auch zu einer tragischen Figur: hier wie stets in Schillers Dramen ist die Erkenntnis unvermeidbarer Schuld die Bedingung von Tragik. Zu dieser Erkenntnis gelangt Johanna erst in der Begegnung mit Lionel, die es nachzuzeichnen gilt.

3. »Wilhelm Tell«

Das Widerspiel zwischen Idyllik und Dramatik äußert sich im *Wallenstein* vorzugsweise in der Form der Antithese. In der *Jungfrau von Orleans* ist diese Antithese zur Paradoxie verschärft, im *Wilhelm Tell* dagegen zu den Formen der Relativierung und der Ergänzung, des Korrektivs und des Komplements »erweicht«. Dementsprechend umgebildet ist das Sprachverhalten der Figuren, an dem Schiller in allen drei Dramen das Spannungsverhältnis zwischen Idyllik und Dramatik ent-

---

40 Ide, Jungfrau von Orleans, S. 82.
41 Ebda, S. 87.
42 Vgl. ebda, S. 59 f. Anm. 56.
43 Ebda, S. 85.
44 Rüdiger, Das Pastorale, S. 246.

faltet. Im *Wallenstein* begegnen sich in unversöhnlichem Kontrast idealidyllische Idee und intrigante Redehaltungen, idyllisch schöne Übereinstimmung von Herz, Gedanke, Wort und verdeckendes, verschleierndes Sprechen, das bedenklicher Machtpolitik oder der Bewahrung erstarrter Ordnungen dient. In der *Jungfrau von Orleans* ist diese Antithetik zum paradoxen Zugleich, d. h. zum widerspruchsvollen Sprachverhalten einer einzigen Person zugespitzt. Johanna erinnert und präfiguriert die Idylle symbolisch durch eine segenstiftende und versöhnende Redeweise, stellt aber zugleich auch die Unmenschlichkeit geschichtlichen Handelns durch ein unbarmherziges »tödliches« Sprechen dar. Im *Wilhelm Tell* dagegen verschränken sich harmonisch die divergierenden Verhaltensweisen zur Sprache, die ein divergierendes Verhältnis zum Handeln implizieren. Das Spannungsverhältnis zwischen den beiden Trägern der Idylle, dem tatkräftigen einzelnen und der durch den Dialog sich erst konstituierenden Gemeinschaft, löst sich durch wechselseitige Relativierungen und Ergänzungen auf höherer Stufe.

a) Die Grundfigur des Wilhelm Tell

Die angedeuteten Unterschiede zwischen den drei Dramen sind gattungsbedingt. Was in den Tragödien mißlingen muß, wird im Schauspiel gelingen, das zu seinen konstitutiven Formelementen das »gute Ende« zählt. Im *Wilhelm Tell* gelingt der Sprung in eine höhere Idylle, wo Individuum und Gattung, einzelner und Volk harmonisch sich vereinigen. Die Hervorbringung des ästhetischen Staats geschieht nicht nur durch das handelnde Subjekt, sondern zugleich durch die Gemeinschaft, und zwar so, daß beide eine qualitativ neue Stufe erreichen. Im dramatischen Prozeß selber wird die Idee des ästhetischen Staats entfaltet, Schiller zufolge »die objektive und gleichsam kanonische Form, in der sich die Mannichfaltigkeit der Subjekte zu vereinigen trachtet« (NA, Bd. 20, S. 316), solcher Subjekte nämlich, die sich als »Theile zur Idee des Ganzen hinauf gestimmt haben« (NA, Bd. 20, S. 317), analog zu den »griechischen Staaten«, wo nach Schiller »jedes Individuum eines unabhängigen Lebens genoß, und wenn es Noth that, zum Ganzen werden konnte« (NA, Bd. 20, S. 323). Wenn etwa Edith Braemer diesen Zusammenschluß der Individuen zur Gemeinschaft mit Grund hervorhebt und die durchaus neue Relevanz des Volks als Handlungsträger im Drama Schillers geltend macht[45], gleichzeitig jedoch darin eine Relativierung des Individuums erblickt[46], so entspricht das nicht Schillers dramatischer Intention. Weder ist das Gelingen nur dort verbürgt, wo alle »zusammenstehen« (vgl. Stauffacher, V. 432), noch dort, wo jeder »nur auf sich selbst zählt« (vgl. Tell, V. 435). Das ebenso spannungsreiche wie produktive Widerspiel zwischen der Gemeinschaft und dem einzelnen, zwischen Wort und Tat, konstituiert die dem Schauspiel eigentümliche Dramatik. Sie löst sich harmonisch auf einer höheren Bewußtseinsstufe – dank jener Gunst des Schicksals, die als Theodizee im Schauspiel stets gegenwärtig ist und als die überlegene Regie des Dichters sich zu erkennen gibt. Der Dichter vereinigt die zugleich auseinanderstrebenden und aufeinander angewiesenen Kräfte im ästhetischen Staat, dessen Träger eine neue Qualität erreicht haben. Denn die auf das gemeinsame Wort Eingeschworenen entdecken die Grenzen des gemeinsamen Worts, und Stauffacher, der zuvor den verurteilte, der »selbst sich hilft in seiner eignen Sache« (vgl. V. 1465), feiert eben

45 Edith Braemer: *Wilhelm Tell.* In: Edith Braemer, Ursula Wertheim: Studien zur deutschen Klassik. Berlin 1960. S. 310 f.

46 Vgl. ebda, S. 316 ff.

diese Art der Selbsthilfe zuletzt in Tell, der »unsrer Freiheit Stifter ist« (vgl. V. 3084). Aber die im gemeinsamen Wort verabredete Solidarität zwischen Adligen, Freien und Knechten führt doch auch die Gesellschaft herbei, die nurmehr gleichberechtigte Bürger kennt. Umgekehrt gelangt Tell über sein grundsätzliches Mißtrauen gegen das helfende Wort ebenso hinaus wie über sein Nein zu allem »Prüfen oder Wählen«. Und zwar gelangt er darüber hinaus dank des geschichtlichen Bewußtseins, das seinem idyllisch-naiven, an die Naturordnung gebundenen Denken zuwächst. Das komplexe, einer qualitativen Veränderung ausgesetzte Spannungsverhältnis zwischen Individuum und Gesellschaft, Schweigen und Bereden, Tat und dialogischem Zusammenschluß, erscheint als die Grundfigur des Dramas, der sich die verschiedenen Handlungsebenen einordnen.

b) Die wissenschaftliche Literatur

Diese Grundfigur aufzuweisen, wurde bislang versäumt. Von den Schwierigkeiten eines solchen Aufweises legen die vorliegenden Interpretationen Zeugnis ab, deren unbefriedigende Lösungen noch in den neueren Aufsatz Fritz Martinis hineinwirken, wenn es dort heißt, daß Schiller die Gestalt des Helden vielleicht »als ein eigenes, in sich eigenmächtiges Dasein in der Komposition des Dramas – selbst auf Kosten seiner Struktureinheit – herausgehoben wissen wollte« [47]. Man deckt freilich diese Struktureinheit noch nicht auf, wenn man von Schillers kulturphilosophischem Ideenhorizont her nur auf den Dreischritt reflektiert, den etwa schon Gustav Kettner vor einem halben Jahrhundert angedeutet hat [48], und der ohne genauere inhaltliche Bestimmung auch in neueren Aufsätzen herauskristallisiert wird: »I propose to apply to his *Wilhelm Tell* Schiller's idea of the three stages of human development. These three stages are: first, the idyllic state of unconscious harmony in ›pure nature‹; second, the ›Kulturzustand‹, a condition of inner and outer conflict, of tension and dissension between ›Pflicht‹ and ›Neigung‹, between obligation and natural impulse; and third, the ideal state, where the original naive harmony of the first stage is replaced by a conscious harmony which is the product of reason and will.« [49] So richtig das teilweise ist, so wenig erhellt es die dem Schauspiel spezifische Dramatik, die zwischen erster und zweiter Idylle vermittelt. Sie tritt auch in Benno von Wieses Interpretation nicht hervor, die vom Motiv der Familie als dem Sinnbild der »Urformen gemeinschaftlichen sittlichen Zusammenlebens« [50] ausgeht und unter diesem Aspekt »eine doppelte Bewegung in diesem Drama« sieht: »bei den Eidgenossen des Rütli handelt es sich um den Entschluß, ihre vom Kaiser verbrieften Rechte, und sei es auch mit Gewalt, wiederzuerlangen. Denn ihre republikanische Freiheit wurzelt in der patriarchalischen Freiheit von Familien und Sitten. Das Motiv der Familie tritt auch bei ihnen in abgewandelter Form auf: in Melchthals Sohnesbindung an seinen geblendeten Vater, in Baumgartens Einstehen für sein ›Hausrecht‹, ja noch in Attinghausens erzieherischer Haltung zu dem treulosen Neffen Rudenz. Das alles kann und soll von dem Eintreten für allgemeine Menschenrechte und besondere Freiheiten des Schweizer Ge-

47 Martini, Wilhelm Tell, S. 95.

48 »Der konkrete geschichtliche Vorgang wird zu einem Idealbilde, in dem symbolisch das letzte Ziel der geschichtlichen Entwicklung überhaupt angedeutet ist.« (Gustav Kettner: *Wilhelm Tell*. Eine Auslegung. Berlin 1909. S. 156.)

49 G. W. Field: Schiller's theory of the Idyl and Wilhelm Tell. In: Monatshefte für dt. Unterricht, dt. Sprache und Literatur 42 (1950). S. 13.

50 von Wiese, Schiller, S. 774.

meinwesens nicht abgelöst werden. Umgekehrt steht Wilhelm Tell zwar allein da, er ist der extreme, exemplarische, vom Dichter isolierte Fall äußerster und tückischster Bedrohung eines Vaters. Aber, indem er in eigener Sache handelt, handelt er doch zugleich für alle. Nur darum kann seine ja gar nicht individualisiert, sondern in fast holzschnittartigem Umriß gegebene Gestalt mit dem Volk als Ganzem wiederum eins werden, ohne daß ein Trennendes übrig bliebe, weil die Empörung des Vaters aus der gleichen Wurzel hervorgeht wie die Empörung der Eidgenossen.«[51] Das »Einswerden« zwischen einzelnem und Volk wird hier allzu vereinfacht wiedergegeben. Das Vater-Motiv ist, auch in seinem »politisch-öffentlichen Charakter«[52], gewiß nicht das dieses Drama ausschließlich organisierende Formprinzip, schon darum nicht, weil sich die Berta/Rudenz-Handlung darin nicht einbeziehen läßt, jene Handlung, die auch Gerhard Storz in den Gesamtzusammenhang des Dramas nicht zu integrieren vermag[53]. Zugleich zielt von Wieses angestrengte Herausarbeitung des Vater-Motivs vor allem auf die Herausarbeitung eines bestimmten »Gehalts«, wie Fritz Martini zu Recht kritisch vermerkt[54]. Erst der Aufweis der spannungsreichen dramatischen Konstellationen, in denen sich ein Motiv entfaltet, kann aber auf die Grundstruktur eines Dramas hinlenken. Diese Konstellationen erblicken wir im komplexen Verhältnis zwischen einzelnem und Gemeinschaft, wo Tat und Rede, verschwiegenes Handeln und gemeinsames Wort jeweils aus ihrem absoluten Anspruch heraustreten, sich gegenseitig relativieren und in einer neuen Bewußtheit sowohl des einzelnen wie der Gemeinschaft harmonisch zueinanderfinden. Diesen Prozeß, der von einem differenzierten Spannungsverhältnis zu einer Einheit im Sinne des ästhetischen Staats führt, übersieht auch Edith Braemer, die ihre sehr anregenden Ausgangspunkte rasch einer vorgegebenen Optik unterwirft: »Tell (...) isoliert sich selbst, die Nation ist weiter fortgeschritten als er. Beides kann Schiller nicht vereinigen: er kann nicht die von ihm geplante Hauptgestalt (die Tell sein sollte) in völligen Einklang mit der Nation bringen (...) Irgendwo klafft immer ein Bruch (...) Dieses Auseinanderfallen von geplanten Haupthelden und eigentlichen Handlungsträgern zeigt keineswegs etwa nur eine Grenze von Schillers Realismus. Es handelt sich hier um eine Grenze, die der bürgerlich-klassische Realismus nie ganz überwinden konnte, eine Grenze, die nur die literarische Widerspiegelung einer Wirklichkeit zeigt, in der es keine völlige Verschmelzung zwischen den Individuen und dem gesamten Volk geben konnte (...) Es mußte dem sozialistischen Realismus vorbehalten sein, solche Helden zu schaffen, die in völliger Einheit mit dem Volk als Ganzes stehen.«[55] Diese Argumentation sieht gerade an der Bedingung vorbei, die für Schiller, wie übrigens auch für Hegel, den ästhetischen Staat erst konstituiert: die Bedingung, daß der einzelne nicht bedingungslos in die Gemeinschaft sich einzuordnen hat, wie Edith Braemer vorgibt, sondern daß die einzelnen »bey der höchsten Universalisierung« ihres »Betragens« zugleich ihre »Eigenthümlichkeit retten« (NA, Bd. 20, S. 318). Diese Forderung nach »individuellen« und zugleich »einheitlichen« (vgl. NA, Bd. 20, S. 315 ff.) Charakteren löst Tell im Verlauf des Dramas ebenso ein wie die Gemeinschaft ins-

---

51 Ebda.

52 Ebda.

53 Storz übt Kritik an der Liebeshandlung als einem bloß »obligaten« »Formzug«, »der nicht mehr lebt« und aus dem übrigen Geschehen merkwürdig herausfalle (vgl. Storz, Schiller, S. 418).

54 Martini, Wilhelm Tell, S. 93 f.

55 Braemer, Wilhelm Tell, S. 318 f.

gesamt. Das deutet W. F. Mainland in seinem Aufsatz über das Schauspiel an – in der Wendung nämlich von Schillers »search for conciliation in (...) the theme of the individual and the general will«[56] –, aber das komplexe Spannungsverhältnis, das in diesem Versöhnungsversuch gegenwärtig ist, wird auch in diesem Aufsatz übersehen. Wir versuchen es aufzudecken, indem wir zwei Handlungsstränge, den um die eidgenössischen Adligen und den um die eidgenössischen Landleute gruppierten, aufeinander beziehen und ihr Verhältnis zur Tell-Handlung bestimmen. Dabei ist zunächst die dominierende Stellung hervorzuheben, die, wie im *Wallenstein* und der *Jungfrau von Orleans*, den Redehaltungen der Figuren zukommt: Durch ein Sprachverhalten, das im Dialog den Dialog zum rettenden Prinzip erhebt, organisieren sich die Eidgenossen in verschiedenen Handlungssträngen.

c) Die Gemeinschaft und die Rede

Die Berta/Rudenz-Handlung

Der die Adligen Berta, Rudenz und Attinghausen betreffende Handlungsstrang führt von einer antithetischen zu einer versöhnten Figurenkonstellation. Attinghausens anfängliche Kritik an Rudenz, Eidgenosse wie er, aber Parteigänger Geßlers, zentriert sich im Vorwurf, daß Rudenz das Allgemeine, das Unglück seines Volks, ignoriere um privaten Vergnügens willen: »Jedes Biedermannes Herz / Ist kummervoll ob der tyrannischen Gewalt, / Die wir erdulden – Dich allein rührt nicht / Der allgemeine Schmerz, dich siehet man / Abtrünnig von den Deinen auf der Seite / Des Landesfeindes stehen, unsrer Not / Hohnsprechend nach der leichten Freude jagen / Und buhlen um die Fürstengunst, indes / Dein Vaterland von schwerer Geißel blutet.« (V. 788 ff.)

Die Blindheit des Rudenz enthält ein Moment jener Selbstentfremdung, die Schillers Geschichtsphilosophie beim Übergang der »Natur« in den Stand der »Kultur« wahrnimmt. Wenn auch der Begriff selbst in der Schrift *Über Naive und Sentimentalische Dichtung* nicht auftaucht, so läßt er sich doch unschwer aus Attinghausens Warnung entnehmen: »Die fremde falsche Welt ist nicht für dich, / Dort an dem stolzen Kaiserhof bleibst du / Dir ewig fremd (...) Geh hin, verkaufe deine freie Seele« (V. 849 ff.). Des Rudenz Selbstentfremdung hätte demnach ihren Inhalt darin, daß er eigener Freiheit und Integrität ebenso verblendet absagt wie der Freiheit des Allgemeinen, seines Volks, um in der neuen Welt eines bloß privaten Glücks sich zu versichern. Dieses kann er sich freilich nicht ohne Berta von Bruneck denken, die ihrerseits dem Anspruch des Rudenz sich vorerst versagt. Die Widersprüchlichkeit jener neuen, in die idyllische Welt einbrechenden Zeit durchschauend, erkennend, daß Glanz und Macht der Kultur trübe mit einer Politik der Knechtschaft und Unterdrückung sich vermischen, erteilt sie Rudenz, dem Parteigänger Geßlers, einen abschlägigen Bescheid: »Die Seele blutet mir um Euer Volk, / Ich leide m i t ihm, denn ich muß es lieben (...) Ihr aber, den Natur und Ritterpflicht / Ihm zum geborenen Beschützer gaben, / Und ders v e r l ä ß t, der treulos übertritt / Zum Feind und Ketten schmiedet seinem Land, / Ihr seids, der mich verletzt und kränkt; ich muß / Mein Herz bezwingen, daß ich Euch nicht hasse.« (V. 1618 ff.) Bertas Leiden versteht sich zweifach als eines mit dem guten Allgemeinen und als eines am Geliebten, der dieses an das schlechte Neue verrät. Zwischen die Liebenden und ihr besonderes Glück schiebt sich des Rudenz fragwürdige Isolierung vom Allgemeinen. Auf dessen bitteren Einwurf: »Ihr haßt mich, Ihr ver-

56 Mainland, Schiller, S. 122.

achtet mich!« (V. 1637) folgt die Auskunft: »Tät ichs, mir wäre besser – Aber den / Verachtet s e h e n und verachtungswert, / Den man gern lieben möchte –« (V. 1640 ff.) – womit angezeigt ist, daß noch die Liebenden sich einander zu entfremden drohen in Haß und Verachtung, wenn einer von ihnen dem Anspruch des Allgemeinen sich entzieht. Daß privates Glück erst einem idealen Ganzen entspringen kann, ist die Einsicht Bertas, zu der sie Rudenz zuletzt verhilft: »Wo wär' die sel'ge Insel aufzufinden, / Wenn sie nicht hier ist, in der Unschuld Land? / Hier, wo die alte Treue heimisch wohnt (...) Da trübt kein Neid die Quelle unsres Glücks, / Und ewig hell entfliehen uns die Stunden.« (V. 1700 ff.) Diese Vision paradiesischer Zukunft, die bis ins religiöse Vokabular hinein an die »goldne Reise« Theklas und Max' in der *Wallenstein*-Trilogie erinnert, korrespondiert mit dem Vorausblick des Rudenz, der schließlich persönliche Idylle in einen unaufhebbaren Zusammenhang mit dem allgemeinen Glück zu setzen lernt: es wird »dies verschloßne sel'ge Tal allein / Zum Himmel offen und gelichtet sein! (...) Im Vaterland willst du die Meine werden! / Ach, wohl hab' ich es stets geliebt! Ich fühl's, / Es fehlte mir zu jedem Glück der Erden.« (V. 1688 f. u. 1697 ff.) Zur Erkenntnis reifend, daß das Allgemeine dem Besonderen vorgeordnet ist und dieses determiniert, daß umgekehrt das leidende und unterdrückte Allgemeine des Beistands aller einzelnen bedarf, beugt Rudenz bereitwillig sich dem abschließenden Imperativ Bertas: »Kämpfe / Fürs Vaterland, du kämpfst für deine Liebe! / Es ist e i n Feind, vor dem wir alle zittern, / Und e i n e Freiheit macht uns alle frei!« (V. 1729 ff.)

Der hier vorwaltende Aspekt kritisiert gleichzeitig die These von Gerhard Storz, derzufolge die Liebeshandlung im *Tell* einzig dadurch sich rechtfertigen ließe, daß sie ein poetisches und apolitisches Gegengewicht zum historisch-politischen Bereich sei: nur in den Liebes-Szenen stelle sich »menschliches Wesen sowohl in seiner ursprünglich reinen wie in seiner ganzen, freigewählten Gestalt dar«. »Jede politische Situation« bedeute, nach Storz, »demgegenüber zufallsbedingte Verengung« [57]. Es verhält sich aber gerade umgekehrt: Rudenz tritt erst dann aus seiner »Verengung« und wird sogenannter »ganzer Mensch«; die Liebesrelation entrinnt erst dann ihrer unglücklichen Partikularität, wenn sie sich auf die politische Situation hin erweitert und sie in die persönliche integriert. Damit ist zugleich ein wesentlicher Unterschied zur Liebeshandlung im *Wallenstein* angedeutet. Mündet diese wie im *Tell* in die Vision eines Paradieses, reicht der Vorausblick des jungen Piccolomini in denselben idyllischen Horizont wie derjenige Bertas und Rudenz', so verhält sich doch die Liebeshandlung im *Wallenstein* antithetisch zur politischen Aktion. Diese Antithese zwischen den Symbolen einer neuen paradiesischen Zeit und der tragisch determinierenden Geschichte durchzieht die Struktur des *Wallenstein*-Dramas in ständiger Verschärfung; Rudenz und Berta dagegen erkennen geschichtliches Handeln als Bedingung der paradiesischen Zukunft: ihr Vorausblick nimmt das »glückliche Ende« des Schauspiels vorweg und ist ein Moment der darin von Anfang an gegenwärtigen Theodizee.

Der eidgenössische Handlungsstrang

Entscheidend für den von uns verfolgten Zusammenhang ist, daß Rudenz die notwendige Verknüpfung seiner privaten Situation mit der allgemeinen erst durch den Dialog mit Berta einsehen lernt: »Fahr hin, du eitler Wahn, der mich betört!« (V. 1692) läßt Schiller den jungen Adligen emphatisch ausrufen, um anzuzeigen,

---

57 Storz, Schiller, S. 418.

daß die Rede den Schein aufzulösen vermag und daß erst aus ihr die befreiende Tat für das unterdrückte Allgemeine hervorgehen könnte. Diese Relevanz des Redens für den Zusammenschluß von Individuum und Gattung potenziert sich in jenem Dialog zwischen Stauffacher und Gertrud, der zu weiteren, umfassenderen Unterredungen führt und in der Rütli-Szene schließlich aus einem ganzen Volk politische Dialogpartner macht. Dabei fällt auf, daß man sich in der Rede auf die politische Kraft der Rede besinnt, daß, in einer schweren geschichtlichen Stunde, die Besinnung auf die geschichtliche Energie des Dialogs zum Thema des Dialogs wird. Wie in der *Wallenstein*-Dichtung entsteht dramatische Spannung nicht primär dadurch, daß eine Folge äußerer Aktionen abläuft, sondern dadurch, daß das dialogische Prinzip zum Gegenstand des Dialogs erhoben wird. Darin gewahren wir die für den klassischen Schiller eigentümliche Sublimierung des Dramatischen. Die Unterschiede, die bei solcher Gemeinsamkeit immer noch zwischen den Redehaltungen im *Wallenstein* und im *Tell* walten, sind gattungsbedingt. Die *Wallenstein*-Dichtung als eine Tragödie muß die Reflexion auf das Wort zum Ferment eines tragischen Vorgangs machen: die Freunde (Illo, Terzky) und Gegner (Octavio) Wallensteins deuten seine Worte bewußt willkürlich, verfälschen sie, um ihn in eine verhängnisvolle Isolierung, in den »Notzwang der Begebenheiten« hineinzutreiben. Der *Wilhelm Tell* als Schauspiel muß dagegen die Reflexion auf das Wort zum Ferment eines übertragischen Vorgangs, des glücklichen Endes, machen: kraft der Besinnung auf die Rede schließen sich die Eidgenossen zu einer geschichtsmächtigen Einheit zusammen.

Gertrud und Stauffacher

Gertrud, Stauffachers Frau, versucht dem »finstren Trübsinn« auf die Spur zu kommen, der dessen »Stirne furcht« (V. 197): »Was kann dein Herz beklemmen, sag' es mir. / Gesegnet ist dein Fleiß, dein Glücksstand blüht« (V. 201 f.) – worauf Stauffacher, eingedenk des Geßlerschen harten Jochs, mit dem lapidaren Satz antwortet: »Wohl steht das Haus gezimmert und gefügt, / Doch ach, – es wankt der Grund, auf dem wir bauen.« (V. 214 f.) Präzis hält das einfache Bild Stauffachers Erkenntnis fest, daß der »blühende Glücksstand« des einzelnen dort zum Trug wird, wo die allgemeine Ordnung ins Wanken gerät. Die Reaktion darauf ist ein Dialog, worin das Dialogische selbst zum bewegenden und rettenden Prinzip wird: Nicht nur mahnt Gertrud an die »langen Nächte«, worin die Vorfahren »des Landes Wohl / Bedachten in vernünftigem Gespräch« (V. 245 f.), sondern sie selbst verlegt sich auf das Reden – das einzige Mittel, den Kampf für das bedrohte Ganze zu organisieren: »So höre meinen Rat! (...) Es kommt kein Fischerkahn zu uns herüber, / Der nicht ein neues Unheil und Gewalt= / Beginnen von den Vögten uns verkündet. / Drum tät' es gut, daß eurer etliche, / Die's redlich meinen, still zu Rate gingen, / Wie man des Drucks sich möcht' erledigen« (V. 275 ff.). Der Rat Gertruds, mit Gleichgesinnten zu Rate zu gehen, um das Allgemeine und damit das einzelne vom »Druck« zu befreien, wird zum revolutionären Moment des Umschlags in diesem Dialog: »Frau, welchen Sturm gefährlicher Gedanken / Weckst du mir in der stillen Brust! Mein Innerstes / Kehrst du ans Licht des Tages mir entgegen, / Und was ich mir zu denken still verbot, / Du sprichst's mit leichter Zunge kecklich aus.« (V. 296 ff.)

Stauffacher, Walter Fürst, Melchthal

Die Rede Gertruds wirkt auf eine umfassendere Rede hin, auf den Dialog aller einzelnen. Wie zwischen Rudenz und Berta wird auch hier das Wort zum treibenden Prinzip, das eine Veränderung der bestehenden Situation herbeiführen soll. Das individuelle Glück soll aus der Erneuerung einer gestörten überindividuellen Ordnung hervorgehen und dazu bedarf es des Zusammenschlusses durch die Sprache. Der Dialog entfaltet dramatische Kraft dadurch, daß er das Individuum mit dem Ganzen verbindet und zwischen zerbrechender und neu herzustellender Idylle vermitteln will. Im dramatischen Vorgang bewährt sich die bewegende Kraft des Dialogs zunächst darin, daß Stauffacher auf den Rat Gertruds hin sich mit Walter Fürst bespricht. Der Repräsentant der Schwyz, Stauffacher, und der Repräsentant Uris, Walter Fürst, verständigen sich über das Unerhörte – den Einbruch der Geschichte in die vertraute Idylle: »Ein solches war im Lande nie erlebt, / Solang' ein Hirte trieb auf diesen Bergen.« (V. 539 f.) Ihr Gespräch erfährt wiederum die entscheidende Wendung durch Melchthals Hinweis auf die Rede: »Nicht, weil ich jung bin und nicht viel erlebte, / Verachtet meinen Rat und meine Rede« (V. 666 f.), beschwört Melchthal die beiden Landleute, und die Gewalt seiner Rede treibt diese zur Organisation einer Zusammenkunft auf dem Rütli, deren geschichtsmächtige Wirkung wiederum an das Wort gebunden wird: »So können wir gemeinsam das Gemeine / Besprechen und mit Gott es frisch beschließen.« (V. 736 f.) Wenn Gertruds Erinnerung an das »vernünftige Gespräch« der Vorfahren ein explosives Gespräch mit Stauffacher in Gang setzt, das diesen zu einem weiteren Gespräch mit Walter Fürst hinführt, und wenn dieses wiederum, vorwärtsgetrieben durch Melchthals Bitte um Gehör, zunächst in einen feierlichen Bund zwischen den drei Männern mündet, der den allgemeineren Bund zwischen den Eidgenossen stellvertretend vorwegnimmt: dann wird die organisierende, dramatische Steigerungen erzeugende Kraft des gemeinsamen Wortes in diesem Schauspiel deutlich. Die Besinnung auf das dialogische Prinzip wird zum Thema des Dialogs selbst, der die Individuen an das Ganze bindet und zwischen zerbrochener und neuer Idylle, zwischen dem Ausgangspunkt und dem Zielpunkt des Dramas, vermitteln soll: »Blinder, alter Vater! / Du kannst den Tag der Freiheit nicht mehr s c h a u e n , / Du sollst ihn h ö r e n – Wenn von Alp zu Alp / Die Feuerzeichen flammend sich erheben, / Die festen Schlösser der Tyrannen fallen, / In deine Hütte soll der Schweizer wallen, / Zu deinem Ohr die Freudenkunde tragen, / Und hell in deiner Nacht soll es dir tragen!« (V. 744 ff.)

Der den einzelnen an die Gemeinschaft bindende Dialog soll zur Aktion hinführen: sowohl in der Berta/Rudenz-Szene wie in den Szenen, die sich um das eidgenössische Volk aufbauen, ist dieses Formprinzip wirksam. Insofern darf man denn auch wie Paul Böckmann das Wort im Drama Schillers als aktionsgeladenes verstehen. Aber zu bedenken ist gleichzeitig, daß Rede und Tat im *Tell*-Schauspiel weit auseinanderliegen und daß sich seine Dramatik in der Rede selbst zu konzentrieren scheint. Das gemeinsame Wort gewinnt ein dramatisches Eigengewicht, insofern es, noch vor aller Aktion, eine ganze Szenenreihe hervorbringt und organisiert: es treibt die Gertrud/Stauffacher-Szene zur Szene um Stauffacher/Walter Fürst/Melchthal und führt diese in die Rütli-Szene weiter. Gerade das Geschehen auf dem Rütli kann die erhöhte Relevanz, die der Rede als solcher im *Tell* zukommt, beleuchten: der rituelle Charakter, den zuletzt der Dialog zwischen Stauffacher, Walter Fürst und Melchthal durch das feierlich beschworene Bündnis erhält, potenziert sich in der geheimen Versammlung der Eidgenossen.

Das Rütli-Gespräch

Der umfassende allgemeine Dialog auf dem Rütli soll die actio gegen die Tyrannen vorbereiten – aber diese Vorbereitung gewinnt einen unverkennbaren Selbstzweck. Auffallend ist die Breite des Stauffacherschen Berichts über die Herkunft der Eidgenossen (vgl. V. 1166 ff. und V. 1244 ff.); seine Beschwörung der Vergangenheit ist von epischer Wirkung. Thomas Mann, der schon 1908, »zur Zeit der Zwischengattungen, der Mischungen und Verwischungen« [58], den epischen Kunstgeist im Drama aufzudecken und ihn gegen normative Bestimmungen des Dramas zu verteidigen suchte, rühmt gerade im Blick auf *Wilhelm Tell* Schillers episierende Verfahrensweise [59]. Sie macht Ernst mit der modern anmutenden Poetik des Klassikers Schiller, wonach »die Tragödie in ihrem höchsten Begriffe (...) immer zu dem epischen Charakter h i n a u f streben (...) das epische Gedicht (...) ebenso zu dem Drama h e r u n t e r streben« werde (Jonas, Bd. 5, S. 310). Seiner Episierung verleiht Schiller rituelle Akzente: Stauffachers heroisch idealisierender Bericht führt zweimal zu einem gemeinsamen Ausruf aller versammelten Eidgenossen (vgl. V. 1204 und V. 1289), und deutlich erinnert diese Art des gemeinsamen Ausrufs an Gepflogenheiten der religiösen, in einer Kirche versammelten Gemeinde. Diese Verwandtschaft der Rütli-Szene mit dem Ritus tritt noch einprägsamer hervor, wenn zuletzt der Pfarrer selbst den »Eid des neuen Bundes« in drei Teilen vorspricht, die von der Versammlung jeweils wiederholt werden (vgl. V. 1448 ff.). Gerade am Beispiel der Rütli-Szene lassen sich Thomas Manns hellsichtige Bemerkungen über das Drama nachvollziehen. Er warnt davor, Drama mit dem geläufigen Begriff der Handlung zu übersetzen und schlägt im Blick auf den *Wilhelm Tell* eine weitreichende Differenzierung dieses Begriffes vor: »Wollte man ›Drama‹ im Sinne eines Tuns, einer actio, übersetzen, so müßte man den Begriff der ›Handlung‹ in den der ›heiligen Handlung‹, des Weiheaktes umbiegen, und wie die erste dramatische Handlung eine rituelle Handlung war, so scheint es in der Tat, daß immer das Drama auf dem Gipfel seines Ehrgeizes diesen Sinn wieder anzunehmen strebt. Die Rütli-Szene ist eine ›Handlung‹ ja nur im Sinne von Zeremonie« [60]. Die Zeremonie aber ereignet sich in der Gebärde und im Wort – und daher trifft zumal auf die Rütli-Szene zu, was Thomas Mann unmittelbar darauf vom antiken Drama sagt: »was es eigentlich vorführt, war die pathetische Szene, der lyrische Erguß, ein Handeln von etwas, mit einem Wort die Rede« [61]. So vermag die Rütli-Szene den besonderen Eigenwert zu verdeutlichen, den die Rede im *Tell*-Schauspiel erhält – noch ehe die eigentliche Aktion einsetzt. Die Aktion ist zwar Zielpunkt der episch anmutenden und rituell akzentuierten Dialogführung – aber sie wird vorerst in eine gewisse zeitliche Ferne verschoben. Gewinnt aber die Rede ein besonderes Gewicht dadurch, daß man sich in der Rede auf die Rede besinnt und daß kraft dieser Besinnung aus einem Dialog wie von selbst ein immer umfassenderer Dialog hervorgeht, so drängt sich ein Vergleich mit dem *Wallenstein*-Drama auf. Wir hatten die ungewöhnliche Relevanz beschrieben, die der Rede dort zukommt. Wie im *Tell* konstituiert den dramatischen Vorgang weniger eine pragmatische Tat als die Reflexion auf die Rede. Wallensteins doppelsinnige Äußerungen werden zum Ge-

---

58 Thomas Mann: Versuch über das Theater. In: Th. M.: Gesammelte Werke. Bd. X. Reden und Aufsätze. Frankfurt./M. 1960. S. 27.
59 Ebda, S. 47.
60 Ebda.
61 Ebda, S. 48.

genstand der Äußerungen der Figuren, und deren Äußerungen werden wiederum diskutiert. Verbindet man mit dem Drama notwendig den Begriff der Handlung, so gewahren wir im *Wallenstein* wie im *Tell* eine eigentümliche Sublimierung des Dramatischen. Denn die Handlung ereignet sich weniger in handgreiflichen Aktionen als in der Besinnung auf das Wort – mit dem Unterschied freilich, daß die Redehaltungen der politischen Figuren im *Wallenstein* unterm Aspekt der Intrige stehen: sie führen die Formen der Unverbindlichkeit, der Täuschung und der Verschleierung, der Willkür und der Verfälschung vor, die den Handelnden in den Bann tragischer Notwendigkeit schlagen und ihn zur schuldigen Tat zwingen. Dagegen ist das Sprachverhalten der Figuren im *Tell*-Schauspiel dem Sprachverhalten Max' und Theklas vergleichbar: es bezeugt die Einheit von Herz und Wort, die Kongruenz von Gesinnung und Rede – und aus dieser Kongruenz nur kann die unschuldige Aktion der Gemeinschaft hervorwachsen. Dennoch kann die offene, wahrhaftige Rede dieser Gemeinschaft keine absolute Geltung beanspruchen, wie ein Rückblick auf unsere Interpretation der Tell-Gestalt zeigen soll.

d) Das Spannungsverhältnis zwischen Gemeinschaft und einzelnem, Rede und Tat

Tell war uns bis zur Apfelschuß-Szene als Symbol der untergehenden Idylle erschienen. Dafür sprach seine ideale Unmittelbarkeit im Verhalten zum Nächsten, die ihn skeptisch macht gegen die umsichtige, reflektierte, zögernde Vermittlung der Tat durch »Prüfen« oder »Wählen«, durch Bedenken und Reden. »Wer gar zu viel bedenkt, wird wenig leisten« (V. 1532), hatte er gesagt, und der rasche Entschluß zur Rettung Baumgartens gibt ihm recht. An Ruodi, dem Fährmann, wird das Bedenkliche des Bedenkens und der Rede sichtbar. »Mit eitler Rede wird hier nichts geschafft« (V. 148), hatte Tell dem in der Not versagenden Fährmann vorgeworfen. Derselbe Ruodi nimmt an den Gesprächen auf dem Rütli teil, deren Umsicht und Rücksicht ihrerseits eine Richtung zum bedenklichen Zögern haben: »O hätten wir's mit frischer Tat vollendet, / Verzeih's Gott denen, die zum Aufschub rieten!« (V. 1970 f.) wird Melchthal angesichts der Apfelschuß-Szene ausrufen. Denn das Vertrauen in die »frische Tat«, in die spontane Aktion gegen die Tyrannen, hätte der tragischen Situation zuvorkommen können, in die Tell gerät. Und Rudenz' Kritik an der im gemeinsamen Wort verabredeten Verschiebung der Tat auf das Christfest zeigt die Grenzen an, die dem allgemeinen Gespräch gesetzt sind: »Doch übel tatet ihr, es zu verschieben, / Die Stunde dringt, und rascher Tat bedarf's – / Der Tell ward schon ein Opfer eures Säumens –« (V. 2511 ff.). Die in gemeinsamer Rede getroffene Übereinkunft ist insofern nicht von eindeutiger Positivität, als sie den richtigen Zeitpunkt des Handelns auf folgenschwere Weise verfehlen kann. Der nicht vorausberechenbare Gang der Geschichte kann die tragische Ohnmacht des im Wort Verabredeten aufdecken. Wenn demnach Tell Stauffachers Drängen zu gemeinsamer Rede zurückwies: »laßt mich aus eurem R a t« (V. 442), wenn er die Hilfe durch das Wort gering veranschlagt: »Das schwere Herz wird nicht durch Worte leicht« (V. 418), so hat diese Skepsis ihr bedingtes Recht: sie verweist auf eine ideale tatkräftige Unmittelbarkeit, die Tell nicht aufgeben will zugunsten eines nur mittelbaren Verhaltens, das sich im reflektierenden Abwägen und Reden äußert und nur mühsam zur wirksamen Tat gelangt. Seiner tatkräftigen Spontaneität sich bewußt, hatte Tell gegenüber Stauffacher auf seiner Unabhängigkeit insistiert: »Der Starke ist am mächtigsten a l l e i n.« (V. 437) Dieses Selbstgefühl des einzelnen relativiert abermals die Verbindlichkeit der gemeinschaftlichen Rede und kehrt sich gegen ihren Absolutheitsanspruch. Stauffacher, der durch seinen epischen Vortrag dem Dialog auf dem Rütli einen feierlich verpflichtenden Charkater verleiht, scheint doch zugleich das Bindende und Verpflichtende des gemeinsamen Worts zu überanstrengen: »Laßt die Rechnung der Tyrannen / Anwachsen, bis ein Tag die allgemeine / Und die besondre Schuld auf einmal zahlt. / Bezähme jeder die gerechte Wut, / Und spare für das Ganze seine Rache: / Denn Raub begeht am allgemeinen Gut, / Wer selbst sich hilft in seiner eignen Sache.« (V. 1459 ff.) Das strenge Verbot einer Selbsthilfe darf so unbedingte Geltung nicht beanspruchen. Das wahre Ganze darf nicht als ein System starrer Unterordnung begriffen werden. Am Fall Tells läßt sich lernen, daß man des auf sich selbst gestellten einzelnen bedarf, der ohne Verabredung, nur in persönlicher Gewissensverantwortung, handelt. »Ist es getan, wird's auch zur Rede kommen« (V. 2302), sagt Tell und gerade seine einsame Tat hat erlösende Kraft für das Ganze.

Wenn Tell das Verhalten der Gemeinschaft relativiert und deren Grenzen aufzeigt, so kommt doch auch seinem Verhalten keine absolute Geltung zu. Der seiner tatkräftigen Unmittelbarkeit Vertrauende wird im Verlauf des Dramas auf das »Prüfen oder Wählen« sich einlassen müssen, auf die reflektierte und eingehende Rechtfertigung der Tat im Monolog. Seine im Gespräch mit Stauffacher geprägte Maxime: »Das schwere Herz wird nicht durch Worte leicht« wird durch den dramatischen Vorgang selbst eingeschränkt. Denn wir sahen, wie Berta und Rudenz durch das gemeinsame Wort sich von ihrer Einsamkeit befreiten und gemeinsam auf eine paradiesische Zukunft blicken konnten, wie Gertrud durch die Besinnung auf die Rede Stauffacher von lähmender Verzweiflung löste und wie die Eidgenossen insgesamt durch das Gespräch ihre leidvolle Passivität durchbrachen. Und an der Befreiungsaktion von den Tyrannen ist zuletzt neben Tell doch auch der Beschluß der verschworenen Gemeinschaft maßgeblich beteiligt, wie später aus Melchthals triumphierendem Kommentar hervorgeht: »So stehen wir nun fröhlich auf den Trümmern / Der Tyrannei, und herrlich ist's erfüllt, / Was wir im Rütli schwuren, Eidgenossen.« (V. 2924 ff.) Darf das im gemeinsamen Wort Beschlossene wie auch das gemeinsame Wort selbst keinen Ausschließlichkeitsanspruch erheben, so bedarf es dennoch der im Dialog verabredeten Solidarität. Tells Sentenzen zu Beginn des Dramas: »Beim Schiffbruch hilft der einzelne sich leichter« (V. 433) und: »Ein jeder zählt nur sicher auf sich selbst« (V. 435) sind daher vom Ganzen des Dramas abermals einzuschränken.

Die Relevanz des Dialogs stellt aber auch die Verhaltensweise in Frage, die Tell angesichts der Störung der Idylle vorschlug: »Die einz'ge Tat ist jetzt Geduld und Schweigen.« (V. 420) Das absolute Schweigen fordert gerade Geßler von den Eidgenossen: »Wer klug ist, lerne schweigen und gehorchen.« (V. 2086) Dennoch ist auch das Schweigen nicht prinzipiell zu verwerfen, sondern kann die unumgängliche Forderung einer bestimmten Situation werden. »Ist es getan wird's auch zur Rede kommen« (V. 2301), antwortet Tell kurz vor seinem großen Monolog auf die Frage nach seinem Vorhaben. Denn dieses Vorhaben, der Mord an Geßler, bedarf der Verschwiegenheit und der monologischen Rechtfertigung. Im Dialog mit Stauffacher freilich war Tells Vorschlag zu »Geduld und Schweigen« unangemessen, wenn auch von Tells Denkart her verständlich. Wir charakterisierten sie als eine naiv-idyllische, die den Einbruch der Geschichte an Naturgesetzen mißt und daher das »Ungeheure«, »Widernatürliche« dieses Einbruchs nicht erfassen kann. Dementsprechend kam Tells Rat zum Frieden, zur konfliktlosen Bewahrung der Idylle aus dem Gesetz, das in der vorgeschichtlichen Natur regiert: aus dem Gesetz des Friedens, der sich darstellt in gegenseitigem Vertrauen, Unschuld und

Redlichkeit, in einer schönen paradiesischen Menschlichkeit. Ausgerichtet an der Natur und teilhabend an dieser schönen Menschlichkeit rät Tell zu einer Haltung (»Dem Friedlichen gewährt man gern den Frieden«), die er selbst aufzugeben gezwungen wird. Das wird an der Apfelschuß-Szene zu erläutern sein: sie und die aus ihr hervorgewachsenen Konsequenzen können bestätigen, was wir hier anzudeuten versuchten: daß die Handlungsebenen im *Tell* ihre Einheit zunächst in dem komplexen Spannungsverhältnis bezeugen, in dem sie zueinander stehen. Die Verhaltensweisen des einzelnen und der Gemeinschaft relativieren sich gegenseitig in ihrem Ausschließlichkeitsanspruch; ihre Beziehung zur Tat und zur Rede bedarf der Einschränkung und Ergänzung zugleich. Diese Einschränkung und diese Ergänzung werden wir in einem dramatischen Vorgang gewahren, den der Dichter aus der höchsten Negativität der Apfelschuß-Szene umschlagen läßt in die ideale Positivität des Endes, des ästhetischen Staats.

III. Die tragische Situation und ihre Folgen

Zu beschreiben war, in welcher Weise Schiller das Spannungsverhältnis zwischen Dramatik und Idyllik entfaltet und darbietet. Es wurden die spezifischen Formen und Konstellationen aufgezeigt, in denen Schiller das thematische Widerspiel von dramatischem Geschichtsverlauf und idealgeschichtlicher Idyllenperspektive vergegenwärtigt. Den Höhepunkt dieses Widerspiels zu markieren, stellt sich als nächste Aufgabe. Diesen Höhepunkt erreicht Schiller jeweils in der tragischen Situation des Helden. Sie ist dadurch gekennzeichnet, daß dieser sich seiner Tragik bewußt wird – ein Bewußtsein, das sich stets in einem extensiven Monolog niederschlägt. Es geht also darum, eine dramatische Form – das Selbstgespräch – zu analysieren, die Schiller vor allen anderen Dramatikern auszeichnet, etwa vor Kleist: »Wo es Konflikte gibt, die zur Entscheidung drängen, wie bei Schiller, ist der Monolog von diesen Situationen nicht wegzudenken (...) Es sind Momente der Einsamkeit, in denen die Entscheidung getroffen wird, aber von höchster dramatischer Konzentration, sofern sich für den Handelnden das dialogische Gegeneinander im Für und Wider der Entscheidung bedrängend darbietet (...) Im Monolog wird sich der Handelnde über die Welt und über sich selbst klarer als er es je zuvor war. Die Folgen seines Tuns werden eingesehen, erwogen und überdacht. Der Problematik seines Handelns und des menschlichen Handelns überhaupt wird er sich bewußt. Demgegenüber ist der Monolog im Drama Kleists von durchaus untergeordneter Bedeutung. Im *Prinzen von Homburg* begleiten drei wichtige Monologe den dramatischen Vorgang. Aber daß sich ihre Funktion auffallend von der Gestaltungsweise Schillers unterscheidet, ist unschwer zu erkennen. Fast könnte man auf den ersten Blick den dramatischen Charakter vermissen.« [1]

Die Relevanz des Monologs erhellt daraus, daß er einen fundamentalen Aspekt Schillerscher Dramatik gleichsam in nuce zur Geltung bringt: die Paradoxie geschichtlichen Handelns. Für die *Wallenstein*-Dichtung besagt das: Handeln versteht sich als Dienst an der idealidyllischen Idee, aber in der hierfür erforderlichen Freiheit und Macht sind Tücken, Gefährdungen angelegt, die den Handelnden über-

---

1 Müller-Seidel, Versehen und Erkennen, S. 168 f.

spielen und seine Ideen verletzen. Für die *Jungfrau von Orleans* besagt es: Handeln versteht sich als Dienst an der idealidyllischen Idee, der Idee des ästhetischen Staates, aber der Träger der Idee muß in der entfremdeten, vom Krieg zerrissenen Geschichte in jener kriegerischen Gestalt auftreten, die der Idee unangemessen ist. Für den *Wilhelm Tell* schließlich, das auf ein gutes Ende hin angelegte Schauspiel, stellt sich diese Paradoxie unter positivem Vorzeichen dar: geschichtliches Handeln ist Ausdruck der Selbstentfremdung, des Verlustes einer beschützenden naiven Idylle, zugleich aber ist es Voraussetzung einer neuen höheren Idylle, in der einzelner und Gemeinschaft harmonisch sich ergänzen und vereinigen. Ob sich aber die Paradoxie des Handelns als unversöhnlich darstellt, wie im Falle der Tragödien, oder als aufhebbar, wie im Falle des Schauspiels: evident ist, daß Schiller damit eine höchstmögliche Verschärfung des Dramatischen erreicht. Im Spiegel der idealgeschichtlichen Idylle enthüllt das Tragische erst seine ganze Unerbittlichkeit, wie umgekehrt Schönheit und Qualität der Idylle erst richtig aufleuchten im Spiegel der tragischen Bedrohungen. Indem Schiller das Entgegengesetzte dialektisch verknüpft, in paradoxer Spiegelung es verschränkt, führt er den dramatischen Vorgan in neue, gesteigerte Spannungsverhältnisse hinein.

Enthüllen dergestalt die Dramen ihre Verwandtschaft unterm Aspekt des Monologs und der Paradoxie des Handelns, so ist dennoch auch hier auf spezifische Unterschiede zu achten. Der jeweils verschiedene Stellenwert des Monologs im Dramenganzen muß ermittelt werden. Im *Wallenstein* ist der Monolog das Schlußglied in jener Kette von Entscheidungen, die wir als »tragische Analysis« charakterisiert haben. Schrittweise, Szene für Szene, enthüllt Schiller, was der Tragödie vorausliegt: Wallensteins idealgeschichtliche Intention, in die unvermeidlich bedenkliche Gedanken- und Wortspiele sich mischen, die von Freund und Feind willkürlich in ein intrigantes Gegenspiel umgemünzt werden. In der Form von Antithesen zumal trat uns dieser Sachverhalt entgegen. In Wallensteins Monolog werden nun diese Antithesen auf ihren paradox strukturierten Grund zurückgeführt: auf die verschwiegene Dialektik geschichtlichen Handelns. Schlaglichtartig wird die paradoxe Grundkonstellation enthüllt, aus der Schiller seine antithetische Bauform entwikkelte. Anders als im *Wallenstein* ist diese paradoxe Grundkonstellation in der *Jungfrau von Orleans* ständig präsent: sie prägt sich sinnlich konkret Szene für Szene in der Erscheinungsweise und im Sprachverhalten der Heldin aus. Diese wird zur tragischen Figur aber erst im Monolog, wo sie das Bewußtsein der unaufhebbaren Paradoxie gewinnt. Diese Paradoxie wird in Johannas Selbstgespräch indes nicht erst enthüllt, sondern nur dramaturgisch sinnfällig expliziert: am Beispiel nämlich der Liebe zu Lionel, die Johanna sich verzweifelt bewußt macht. In jedem Fall aber demonstriert der Monolog in den Tragödien das unausweichliche Scheitern der idealgeschichtlichen Idee der Idylle: das verlorengegangene Arkadien läßt sich durch politisches Handeln nicht in ein Elysium, den ästhetischen Staat, hinüberführen. Im Gegensatz dazu erweist sich der Monolog Tells als geschichtlicher Vermittler zwischen erster und zweiter, naiver und höherer Idylle.

Die eingehende Analyse der drei Monologe und ihrer Konsequenzen ist zugleich notwendig im Blick auf die wissenschaftliche Literatur. Deren bisherige Ergebnisse erfordern Differenzierungen und weitreichende Ergänzungen. So ist etwa im Falle Wallensteins der Raum der Freiheit und der Entscheidungsgewalt neu zu bestimmen – im Hinblick darauf, daß die Freiheit selber, kraft der ihr immanenten Paradoxie, den Keim der Notwendigkeit in sich trägt. Das impliziert ein neues Verständnis von Wallensteins Schuld, die vor einer moralisch kritischen

Wertung zu schützen ist. Im Falle Johannas muß es darum gehen, den Symbolcharakter der Liebe, Hauptthema in Johannas Monolog, zu erläutern. Dabei läßt sich erschließen, was bislang nicht erschlossen wurde: die stringente spiegelbildliche Verwandtschaft zwischen der Montgomery- und der Lionelszene, aber auch die Differenz zwischen dem Bewußtseinshorizont der Figur und dem interpretatorischen, von der dramatischen Symbolsprache geforderten Bewußtseinshorizont. Im Falle des *Wilhelm Tell* schließlich werden die neuen Qualitäten zu beschreiben sein, die dem einzelnen und der Gemeinschaft durch den Konflikt mit der Geschichte zuwachsen: die höhere Reflexionsstufe Tells und sein neues Sprachvertrauen einerseits und auf der anderen Seite die Einschränkung des absoluten Redeanspruchs und die neue Tatkraft bei den Eidgenossen.

1. »Wallenstein«

a) Die Paradoxie geschichtlichen Handelns. Freiheit und Notwendigkeit

Dem großen Selbstgespräch Wallensteins geht die Szene voraus, die unterm Zeichen tragischer Ironie steht: Wallenstein ist, bewegt vom Gefühl höchsten Glücks, in die Betrachtung der lange erwarteten, ins Irdische zu übersetzenden Sternenkonstellation versunken: »Glückseliger Aspekt! So stellt sich endlich / Die große Drei verhängnisvoll zusammen, / Und beide Segenssterne, J u p i t e r / Und V e n u s, nehmen den verderblichen, / Den tückschen M a r s in ihre Mitte, zwingen / Den alten Schadenstifter mir zu dienen. / Denn lange war er feindlich mir gesinnt, / Und schoß (...) Die roten Blitze meinen Sternen zu, / Und störte ihre segenvollen Kräfte (...) Saturnus' Reich ist aus (...) Jetzt muß / Gehandelt werden, schleunig, eh die Glücks- / Gestalt mir wieder wegflieht überm Haupt« (Tod, V. 9 ff.). Dies ist die »rechte Sternenstunde«, wo Jupiter und Venus ungestört wirken und ihre »segenvollen Kräfte« durch den Handelnden zur Geltung bringen können. Die Entmächtigung des Mars und des Saturns, Sinnbilder friedloser Wirklichkeit und erstarrter Ordnung, ist Zeichen, handelnd zu realisieren, wofür die astrologische Glücksgestalt symbolisch einsteht: die Idee einer neuen Ordnung idyllischen Charakters, worin Friede und Freiheit, das Schöne und die Freude sich ungehindert entfalten.

Mitten in diese Sternenstunde, die den Wink zum Handeln gibt, fällt die Unglücksbotschaft über die Gefangennahme Sesins. Die Reflexionen Wallensteins über diesen Vorfall in seinem großen Monolog entschleiern ihm das Verhängnis, das ihm durch Octavio schon vor Beginn des Dramas bereitet war. Die Analyse des ersten Monologteils soll dieses Verhängnis erläutern. Die darin hervortretende Macht der Notwendigkeit ist neu zu bestimmen und das Ausmaß von Wallensteins Schuld neu zu erfassen. Die Korrekturen, die wir an der wissenschaftlichen Literatur vornehmen wollen, werden von der besonderen Struktur der tragischen Dialektik gefordert, in der sich alles Handeln in der Geschichte verfängt.

Von Wallensteins revolutionären Ideen her, die der zweite Monologteil andeutet, ergibt sich die Verbindung zum Thema der Macht und der Freiheit im ersten Teil des Monologs: wer neuen Vorstellungen zum Durchbruch verhelfen will, bedarf der Macht und der Freiheit. Wallenstein hat über sie verfügt und sie zu steigern gewünscht. Das Verlangen nach wachsender Größe versteht sich bei einem »Herrschtalent« dieser Art von selbst [2]. Es liegt für ihn nahe, an die böhmische Königskrone

---

2 Im Sinne des Wortes von Max Piccolomini, Wallenstein sei dazu berufen, »Buch-

zu denken. Gerhard Storz bezeichnet ihn deshalb als »Thronräuber« [3]. Redet aus dieser Charakteristik nicht doch jene »parteinehmende wertsetzende Subjektivität« [4], die Storz im Vorgang des Deutens vermieden wissen wollte, weil Schiller sie nach seiner Ansicht vermieden hat? Vom Blickwinkel der Legitimität mag Wallenstein »ein Thronräuber« sein. Aber deren Standpunkt vertritt nicht die Dichtung. Im Gegenteil. Zu bedenken ist, daß Böhmen in der langen Rede des Kellermeisters und in Wallensteins Dialog mit Wrangel als das Land erscheint, worauf das Gewicht alter Ordnungen fühlbar lastet. Der Traum von der Königskrone ist demnach nicht von vornherein mit negativen Akzenten zu verstehen. Bedenklich sind aber zum Teil die Träume von den Mitteln, die zur Königskrone verhelfen könnten. Zum Teil: denn Wallensteins Gedankenspiel mit diesen Mitteln ist positiv und negativ gewendet. Positiv, insofern Wallenstein den Verrat mit den Schweden nur zum Schein planen und mit der taktisch klugen Eroberung der Königskrone zugleich dem Reichsganzen, seinen idealen Zielsetzungen dienen will – zweifellos eine schwierige Strategie; negativ, insofern Wallenstein vor dieser Schwierigkeit zuweilen zurückzuweichen scheint und eine ernsthafte Zusammenarbeit mit den Schweden spielerisch-egoistisch erwägt, eine Zusammenarbeit, die ihm die böhmische Königskrone zwar mühelos einbringen könnte, dafür ihm aber auf Kosten eines idealen Reichsganzen Verbindlichkeiten gegenüber den Schweden auferlegen würde. Uns interessiert in diesem Zusammenhang die negative Seite in Wallensteins Gedankenspiel, weil sie im tragischen Vorgang Bedeutung ersten Ranges gewinnt.

Ungewöhnlich ist der Anteil des Determinierenden am Zustandekommen der Tragik Wallensteins. Die Macht, auf die jedes revolutionäre Handeln angewiesen ist, überredet zu folgenschwerem Gedankenspiel, das in der unverbindlichen Vorstellung einer Zusammenarbeit mit den Schweden gipfelt: »Die Freiheit reizte mich und das Vermögen.« (Tod, V. 149) Dieselbe Freiheit, ohne die keine Idee Tat werden kann, enthält im Keim den Umschlag in die tragische Notwendigkeit. Sie überredet zu Phantasien, worin der Machtwille des Handelnden sich selbstgefällig spiegelt. Der Gebrauch reflexiver Verba enthüllt jene eigentümliche Selbstbezogenheit des Denkens, zu der Macht und Freiheit verführen: »In dem Gedanken bloß gefiel ich mir; / Die Freiheit reizte mich und das Vermögen. / Wars unrecht, an dem Gaukelbilde mich / Der königlichen Hoffnung zu ergötzen?« (Tod, V. 148 ff.) Daß auf den Gedanken das Aussprechen des Gedankens folgt, ist unvermeidlich. Indem Wallenstein Vorstellung und Tat auseinanderhält, weiß er sich frei von schuldiger Absicht und weil er sich schuldlos weiß, teilt er seine Gedankenspiele mit. Anlaß dazu bietet die ganze Skala der Stimmungen, denen der Mensch ausgesetzt ist: »War ich, wofür ich gelte, der Verräter, / Ich hätte mir den guten Schein gespart, / Die Hülle hätt ich dicht um mich gezogen, / Dem Unmut Stimme nie geliehn. Der Unschuld, / Des unverführten Willens mir bewußt, / Gab ich der Laune Raum, der Leidenschaft – / Kühn war das Wort, weil es die Tat nicht war.« (Tod, V 164 ff.) Auf das Aussprechen des Gedankens folgt wiederum mit Notwendigkeit die gegnerische Anklage, formuliert durch die Vertreter der überlieferten Ordnung. Wallensteins unverbindlich gemeinte Worte sind dem Gegner ein willkommener Anlaß, ihn eines verbindlich geplanten Verrats zu bezichtigen und durch

---

stäblich zu vollstrecken die Natur, / Dem Herrschtalent den Herrschplatz zu erobern« (Picc., V. 440 f.).

3 Storz, Schiller, S. 281.

4 Ebda, S. 259.

diese Kompromittierung zu entmächtigen. Was im Bewußtsein der Distanz von Rede und Tat leichthin ausgesprochen war, wird willkürlich als ernsthafte Absicht mißdeutet. Octavio weiß wohl, daß man der Rede nicht allzu verbindliches Gewicht beilegen darf: »Verzagen wir auch nicht zu früh, mein Freund! / Stets ist die Sprache kecker als die Tat« (Picc., V. 331 f.). Entsprechend sagt Wallenstein im Monolog: »Kühn war das Wort, weil es die Tat nicht war.« (Tod, V. 170) Aber im Hinblick auf Wallenstein vergißt Octavio allzu bereitwillig diese Einsicht. Um das Prinzip des Alten gegen das Revolutionäre durchzusetzen, greift der Gegner zur willkürlichen Verfälschung des unwillkürlichen, wie versuchsweise geredeten Wortes: »Jetzt werden sie, was planlos ist geschehn, / weitsehend, planvoll mir zusammen knüpfen, / Und was der Zorn, und was der frohe Mut / Mich sprechen ließ im Überfluß des Herzens, / Zu künstlichem Gewebe mir vereinen, / Und eine Klage furchtbar draus bereiten, / Dagegen ich verstummen muß. So hab ich / Mit eignem Netz verderblich mich umstrickt, / Und nur Gewalttat kann es reißend lösen.« (Tod, V. 171 ff.) Die spielerisch hingesagte Rede ist für den Repräsentanten des Alten bloßer Vorwand, um den grundsätzlichen Konflikt mit dem Repräsentanten des Neuen zu dessen Ungunsten zu wenden, wie Wallenstein genau weiß: »Weh dem, der an den würdig alten Hausrat / Ihm rührt, das teure Erbstück seiner Ahnen!« (Tod, V. 213 f.) Durch die Deutung des Gegners wird identisch, was Wallenstein ursprünglich auseinanderhielt: Rede und Tat. Ihr kann sich Wallenstein nicht länger entziehen, und indem er sie auf sich nehmen muß, kompromittiert er sein überpersönliches politisches Konzept. Der faktische Verrat verrät die idealen Ideen. Wallenstein muß ungewollt schuldig werden.

Ließ sich vom Schlußteil des Monologs aus Wallensteins überpersönliches politisches Konzept anvisieren, so ist anhand des ersten Monologteils das Zwielicht der Negativität zu mildern, das die wissenschaftliche Literatur über die Gestalt des Helden wirft. Zu dieser Korrektur zwingt die Macht des Notwendigen im tragischen Vorgang, die Wallensteins Verfehlung jeden moralischen Akzent nimmt und das Ausmaß seiner Schuld auf ein Minimum reduziert. Noch unlängst hat Paul Böckmann den Dualismus von Freiheit und Notwendigkeit auch in der Wallenstein-Trilogie als ein beherrschendes Formprinzip verstehen wollen und Wallensteins unverbindliches, spielerisches Reden über den Verrat als die Verhaltensweise interpretiert, worin der Mensch seine Freiheit verwirkt[5]. Die Möglichkeit der verantwortungsbewußten oder verantwortungslosen Handhabung des Worts mache den Raum menschlicher Freiheit sichtbar[6]. In Wahrheit ist dieser Raum enger als Böckmann meint, und die Dialektik, in der sich alles Handeln verfängt, von einer Gewalt, die alle Entscheidungsmöglichkeit aufzuheben und den Dualismus von Freiheit und Notwendigkeit unkenntlich zu machen scheint. Denn die Freiheit, über die Wallenstein verfügte und der er bedarf, wenn die Idee Tat werden soll, enthält bereits die tragische Notwendigkeit in sich. Die Freiheit verführt den Mächtigen zu beliebigen Gedankenspielen über zulässige und unzulässige Mittel zu höherer Machtfülle, Gedankenspiele, die der Handelnde duldet, weil er der »Unschuld, / Des unverführten Willens« sich »bewußt« bleibt (V. 167 f.): es drängt ihn keineswegs zur Umsetzung der unverbindlichen Gedanken in die Tat, wohl aber drängen sich diese

5 Böckmann, Gedanke, Wort und Tat, vgl. vor allem S. 19: Das Wort gibt »die dem Menschen offenstehenden Möglichkeiten und damit auch das Maß seiner Freiheit zu erkennen« – und S. 25: »Der Dualismus von (...) Notwendigkeit und Freiheit wird durch die Sprache (...) über den Menschen mächtig.«

6 Vgl. ebda, S. 41.

in einem Augenblick der Erregung ins unverbindliche Wort – und von solchen Augenblicken ist keiner verschont. Derart entstehen aus der Freiheit wie von selbst Gedankenspiele, die, herausgefordert durch zahllose Affekte, sich wie von selbst, unabweisbar, im Wort artikulieren: dieses gibt dem Menschen also nicht »das Maß seiner Freiheit zu erkennen«, sondern ist das unvermeidliche Glied innerhalb eines Kausalnexus, der mit der Freiheit selbst gesetzt ist. So unvermeidbar die Gedankenspiele und ihre Mitteilung sind, so unvermeidbar ist die verfälschende Auslegung des Mitgeteilten durch den Gegner und das daraus hervorgehende Handelnmüssen. Die Freiheit hat nicht nur verspielt, wer mit dem Wort spielt, nicht nur, wer mit Gedanken spielt, sondern wer Freiheit hat, hat sie auch schon verwirkt, weil der Versuchung zum Gedankenspiel kein Handelnder je entgeht.

Der in den Zwang der Notwendigkeit sich verstrickende Mensch muß gegen seinen Willen schuldig werden durch den Vollzug einer unaufschiebbaren Tat. Es ist eine absolut tragische Schuld, die in seiner Existenz als eines in der Geschichte Handelnden angelegt ist. Handeln versteht sich als Dienst an einem Allgemeinen und ist doch zugleich der Versuchung durch die hierfür erforderliche Freiheit und Macht ausgesetzt. Die geschichtliche Welt aber versteht sich als die unbezwingbare Gegenspielerin des neuen Allgemeinen und läßt den Handelnden schuldig werden dadurch, daß sie aus der Versuchung, der kein Handelnder sich entziehen kann, eine willkürliche Anklage formuliert. Diese im Handeln selbst liegende Bedrohung darf man ebensowenig ignorieren wie die tragische Verflechtung von Handeln und Geschichte, wenn anders man der Gefahr entgehen möchte, der Gerhard Storz erliegt, indem er Wallensteins Schicksal aus charakterologischen Gesichtspunkten deutet: »Aus seiner Natur entspringen seine Anziehungskraft, der fürstliche Glanz um seine Person, aber auch seine Verführbarkeit, sein hochfahrender Wahn, endlich seine Schuld.«[7] Die repräsentative Geltung der Wallenstein-Figur, ihre Symbolkraft, die sie aus Schillers prinzipieller Problemstellung, nämlich aus der Dialektik politischen Handelns bezieht, wird verdeckt durch die ausschließliche Kategorie des Charakters. Dieses methodische Verfahren setzt außerdem nolens volens moralische Akzente, die auch Benno von Wiese auf einem anderen Interpretationsweg nicht eliminieren kann. Wallenstein sei »vor einem höheren unbekannten Forum, man mag es Nemesis oder Schicksal oder Gott nennen, bereits verworfen«[8], welches Forum dann auch »ewige Gerechtigkeit«[9] genannt wird. Aber gerade diese Wendung vermeidet den moralischen Aspekt nicht, den zu vermeiden das dichte Geflecht determinierender Zwänge rät, das sich über Wallenstein wirft.

Damit ist bezüglich des Helden keiner »Umwertung der Werte« das Wort geredet. Wenn wir versucht haben, durch die Analyse des Sternenglaubens den Horizont idealgeschichtlicher Ideen in Wallensteins Vorstellungswelt zu umreißen und anhand des Monologs seine Schuld auf ein Mindestmaß zu reduzieren, so bedeutet das keine Idealisierung. Vielmehr gilt es, die Dialektik des Handelns angemessen zu erfassen: dieses will auf der einen Seite Dienst an der idealen Idee sein, aber in der hierfür erforderlichen Freiheit sind zugleich unabweisbare Versuchungen angelegt, die zuletzt die idealen Intentionen des Handelnden tückisch überspielen.

---

7 Storz, Schiller, S. 298.
8 von Wiese, Schiller, S. 655.
9 Ebda, S. 677.

b) Die Ambivalenz der Freiheit und die Ambivalenz der Sternenschau

Die analysierte Dialektik wird zugleich vergegenwärtigt im Zusammenfall von verheißungsvoller Sternenkonstellation und Unglücksbotschaft. Wenn Wallensteins ideale Intentionen in dieser Konstellation endlich symbolisch zusammentreten, wenn er daher endlich zum Handeln sich entschließt, zu einem Handeln im Dienste der in Venus und Jupiter abgebildeten Idee der höheren Idylle, so löst doch sogleich die Nachricht von Sesins Gefangennahme diesen Entschluß wieder auf. Denn die Gefangennahme Sesins schafft plötzlich eine ganz neue Lage: Wallenstein sieht sich jetzt gezwungen, den Verrat auszuüben. Entschieden wehrt sich Wallenstein gegen diesen Zwang: der Verrat läuft den idealen Absichten entgegen, die er noch kurz zuvor in die Tat umzusetzen gedachte. Verzweifelt stemmt sich Wallenstein gegen das Unvermeidliche: »Nicht Opfer, nicht Gefahren will ich scheun / Den letzten Schritt, den äußersten, zu meiden« (Tod, V. 529 f.). Der Verrat würde die Idee einer neuen Ordnung idyllischen Charakters, symbolisiert in der eingetroffenen Sternenkonstellation, beschädigen. In der verzweifelten Frage nach einem Ausweg will Wallenstein die Idee vor dieser Verletzung bewahren. Daher sind die Attribute «jämmerlich« und »unsinnig«, durch die Gerhard Storz Wallensteins Ringen an dieser Stelle charakterisiert[10], unangemessen. Storz macht den Sternenglauben, der Wallenstein hier täuscht, zum »deckenden Symbol« für die »Schuld«[11] des Helden. Oskar Seidlin sieht darin ein Sinnbild seiner »Hybris«[12] und damit ebenfalls seiner »Schuld«, wenn auch »einer existentiellen viel eher als einer moralischen[13]. Vorsichtiger kritisiert Benno von Wiese, daß Wallenstein, anstatt »das Unerforschliche fromm zu verehren«[14], es in berechenbarer Weise in sein Handeln hineinziehe. Wenn aber das Eintreffen der längst erwarteten günstigen Sternenkonstellation mit dem Eintreffen der Unglücksbotschaft zusammenfällt, so hat das einen symbolischen Sinn, der die Dialektik des Handelns betrifft: in der Freiheit, der Wallenstein bedarf, um die in Jupiter und Venus versinnbildlichte Idee der höheren Idylle zu realisieren, lauern zugleich die Gefahren des egozentrischen Gedankenspiels. Dieses Gedankenspiel schlug sich in spielerischen Redensarten nieder, die politisch zu einem nicht mehr kontrollierbaren Gegenspieler der Idee wurden: die Vertreter der alten Ordnung fertigen aus dem unverbindlichen Wort die Anklage des Verrats, die Wallenstein nicht widerlegen kann. Mit der Unglücksbotschaft, der Nachricht von der Gefangennahme Sesins, wird sich Wallenstein dieses Sachverhalts bewußt. Die Freiheit als das erforderliche Mittel zur Realisierung der idealen Idee enthält zugleich die Tücken, die diese Idee beschädigen: Freiheit des Handelns hat ambivalenten Charakter. Die Idealität des Ziels und die Ambivalenz des Mittels weisen auseinander; sie bringen sich nicht zur Deckung. Diese Inkongruenz spiegelt sich symbolisch in der Sternenwelt wider, insofern sie das ideale Ziel des Handelns, aber nicht dessen Zeitpunkt anzeigen, insofern sie demnach den idealen Zweck versinnbildlichen kann, aber als kalkulierbares und kontrollierbares Mittel zum Zweck versagt. Die symbolische Idealität der Sternenwelt und ihr Versagen als materieller Richtungsweiser reflektieren die Ambivalenz der geschichtlichen Freiheit: sie dient der idealen Idee und ist zugleich Keimzelle jener Tücken,

---

10 Storz, Schiller, S. 284.
11 Ebda, S. 283.
12 Seidlin, Wallenstein, S. 124.
13 Ebda, S. 130.
14 von Wiese, Schiller, S. 650.

die schließlich diese Idee überspielen und sie beschädigen. Diese Dialektik macht der Sternenglaube sinnfällig, wenn der »glückselige Aspekt«, Sinnbild der Idee der höheren Idylle, nicht den Zeitpunkt des Handelnkönnens, sondern den des schuldigen Handelnmüssens anzeigt. Eignet aber dem Sternenglauben dieser Symbolgehalt, versinnbildlicht er diese Dialektik, dann zeigt er den Handelnden in einer unausweichlichen Aporie, die den Vorwurf der »Schuld« und der »Hybris« hinfällig macht.

Verzweifelt und vergeblich sucht Wallenstein nach einem Ausweg aus dieser Aporie, nach einer Möglichkeit, den Kausalnexus zu durchbrechen und die Idee vor der Verletzung durch den Verrat zu schützen. Die Gräfin Terzky zeichnet ihm eine Möglichkeit vor, die vernichtend wäre: den Rückgang in eine Idylle, die, jenseits der Geschichte liegend, als der »einförmige Kreis« (NA Bd. 20, S. 469) sich enthüllt, dem Schillers Skepsis galt, eine verkehrte Idylle, von derjenigen qualitativ unterschieden, die eine »höhere Harmonie zu empfinden« gibt, »die den Kämpfer belohnet und den Überwinder beglückt« (NA Bd. 20, S. 472). Die ironischen Verse der Gräfin lauten: »An einem Morgen ist der Herzog fort. / Auf seinen Schlössern wird es nun lebendig. / Dort wird er jagen, baun, Gestüte halten, / Sich eine Hofstatt gründen, goldne Schlüssel / Austeilen, gastfrei große Tafeln geben, / Und kurz ein großer König sein – im Kleinen!« (Tod, V. 506 ff.) Nicht aus dem Handeln in der Geschichte geht diese Idylle hervor, sondern die Flucht vor dem Handeln geht ihr voraus, das doch identisch mit dem Sein des Menschen ist. Sie wäre nur Sinnbild dafür, daß der Mensch, wie Wallenstein eindeutig formuliert, sich als Mensch verfehlt hat: »Wenn ich nicht wirke mehr, bin ich vernichtet« (Tod, V., 528). Aber auch eine Rückkehr in den Dienst des Kaisers ist ihm verstellt: »Er kann mir nicht mehr traun, – so kann ich auch / Nicht mehr zurück« (Tod, V. 653 f.) – und selbst das Zögern, das Ausweichenwollen vor dem Verrat kehrt sich gegen ihn, weil die Zeit für den Gegner arbeitet. Wie in der wahren Idylle »unendliches Vermögen« und Freisein von gefährender Zeitgewalt sich einander zuordnen, so verschränken sich im tragischen Vorgang bedrängende Zeit und Aufhebung der Handlungsfreiheit: »doch zittre vor der langsamen / Der stillen Macht der Zeit (...) gönnst du ihnen Frist, / Sie werden unvermerkt die gute Meinung, / Worauf du jetzo fußest, untergraben (...) bis, wenn der große Erdstoß nun geschieht, / Der treulos mürbe Bau zusammenbricht.« (Tod, V. 83 ff.) Wallenstein, zum Dienst an der Idee einer neuen Ordnung idyllischer Prägung entschlossen, muß schuldig werden, indem er durch den unabweisbaren Verrat die Idee kompromittiert: »Wer miede nicht, wenn ers umgehen kann, / Das Äußerste! Doch hier ist keine Wahl, / Ich muß Gewalt ausüben oder leiden – / So steht der Fall. Nichts anders bleibt mir übrig.« (V. 764 ff.) Es ist eine absolut ungewollte Schuld, die aus dem Handeln in der Geschichte mit unvermeidbarer Notwendigkeit hervorwächst. Schicksal in der *Wallenstein*-Trilogie meint die Verflechtung von Notwendigkeit und tragischer Schuld. Das aller bedrängenden Zeit enthobene Freisein hatte Max in der Phantasie vorweggenommen, als er die Verse »dem großen Trieb, dem prächtig schaffenden, / Kann er dann ungebunden frei willfahren« (Picc., V. 1666 f.) in hymnischen Visionen mehrfach abwandelte. Dem »unendlichen Vermögen«, zentraler Bestandteil in Schillers Idyllentheorie, widerspricht nun schärfstens der »Notzwang der Begebenheiten«, der Wallenstein in seine Fänge zieht: am Bilde der höchsten schicksallosen Positivität, dem »unendlichen Vermögen«, entfalten sich mit unüberbietbarer Schärfe die tragischen Determinanten als die höchste Negativität.

c) Die dramatischen Folgen der tragischen Schuld

Das Scheitern der Idylle

Auf die so formulierte Antithese lenkt ein Aufsatz Walter Benjamins hin. »Beziehung auf die Unschuld kommt (...) im Schicksal nicht vor«, heißt es dort, und ebensowenig wie die Unschuld sei »das Glück (...) eine konstitutive Kategorie für das Schicksal (...) Das Glück ist es vielmehr, welches den Glücklichen aus der Verkettung der Schicksale und aus dem Netz des eigenen herauslöst. ›Schicksallos‹ nennt nicht umsonst die seligen Götter Hölderlin. Glück und Seligkeit führen also ebenso aus der Sphäre des Schicksals heraus wie die Unschuld.«[15] Diese Kategorien der Schicksallosigkeit – Glück, Seligkeit und Unschuld – hatte Max in einer heiteren Redesituation in poetischen Bildern vorgestellt: jetzt, im Zeichen der tragischen Notwendigkeit, die Wallenstein in den Bann schlägt, müssen auch Max und Thekla die Gewalt des Schicksals an sich erfahren. Ihr Verhältnis zueinander und ihr Verhältnis zu Wallenstein gerät in dieses von Bild und Gegenbild, von idyllischer Schicksallosigkeit und unglücklichem Schicksal durchzogene Spannungsfeld. Von der übertragischen Idyllenvision geht die dramatische Bewegung in das »Gestoßenwerden und Weitermüssen«[16], in die »Nacht der Katastrophe«. Erinnert sei an den heiteren Redewechsel zwischen Max und Thekla, der bezeichnenderweise durch Wallensteins Sternenglauben verklammert war und durch solche Verknüpfung die Verwandtschaft der drei Personen noch akzentuierte. Sie schlug darin sich nieder, daß die idyllische Zeit, die Max und Thekla auf ihrer Reise beschieden war, durch Wallensteins Tatkraft in naher Zukunft von neuem erstehen sollte; umgekehrt war Max für Wallenstein gegenwärtiges Symbol dieser neuen paradiesischen Zukunft, die irdische Entsprechung zu Venus, dem »Gestirn der Freude«. Der Verrat aber, den Wallenstein gegen seinen Willen ausüben muß, vergreift sich an der Idee einer neuen Idylle und trennt Wallenstein von Max und Thekla. Das szenische Spiel vergegenwärtigt die unaufhebbare Distanz zwischen den Figuren, so, wenn Wallenstein von Max verlassen wird, nachdem er diesen vergeblich von der furchtbaren Notwendigkeit des verräterischen Schritts zu überzeugen versuchte: »Max, der bisher in einem schmerzvollen Kampfe gestanden, geht schnell ab. Wallenstein sieht ihm verwundert und betroffen nach und steht in tiefe Gedanken verloren.« (Tod, II, 3) Verstummen und Abkehr antworten dem Verrat Wallensteins, der alle Hoffnung auf eine schöne Zukunft zerstört: »Das Los der Seligen wollt ich empfangen / Aus deiner väterlichen Hand. Du hasts / zerstört« (Tod, V. 2086 ff.). Wie Max erfährt Thekla die unvermeidbare Tat Wallensteins als »kalte Schreckenshand, / Die in mein fröhlich Hoffen schaudernd greift« (Tod, V. 1345 ff.). Einst hatte Wallensteins Sternenglaube Hoffnungen erweckt und eine heitere Redesituation ausgelöst; jetzt äußern sich Enttäuschung und Trostlosigkeit in Sprachnot und Flucht. Auf Wallensteins Bitte, ein Lied zu spielen, antwortet Thekla durch abgerissene Sätze (»O mein Gott – wie kann ich –«), denen die Anweisung folgt: »Hält das Instrument mit zitternder Hand, ihre Seele arbeitet im heftigsten Kampf, und im Augenblick, da sie anfangen soll zu singen, schaudert sie zusammen, wirft das Instrument weg und geht schnell ab« (Tod, 111, 4). Aus der Perspektive der hochgespannten, einem Paradies zutreibenden Erwartungen von einst gewinnt das eingetretene Verhängnis erst seine ganze Schärfe. Schiller vergegenwärtigt dieses Verhängnis vorzugsweise im szenischen Spiel. Im 23. Auftritt

---

15 Walter Benjamin: Schicksal und Charakter. In: W. B.: Illuminationen. Frankfurt 1955.
16 Kommerell, Schiller, S. 13.

des 3. Aufzugs tritt Wallenstein »zwischen Max und Thekla, welche sich (...) festumschlungen gehalten«, und sein Befehl: »Scheidet!« bezeichnet sinnbildlich das definitive Scheitern der paradiesischen Idee: Wallenstein »steht abgewendet und so, daß Max ihm nicht beikommen, noch sich dem Fräulein nähern kann«. An dieser doppelten Trennung – von Wallenstein und von Thekla – erfährt Max, daß an die Stelle der Idylle, des »schönen Tags«, der »Heimkehr ins Leben«, die destruktive Geschichte treten wird. Seine Verzweiflung: »in eine Wüste geh ich / Hinaus« (Tod, V. 2384 f.) hat die Richtung zum Tod: »Blast! Blast – O wären es die schwedschen Hörner, / Und gings von hier gerad ins Feld des Todes« (Tod, V. 2413 f.).

Max und Thekla als Symbole idyllischer Idealität

Noch im Untergang bewähren sich Max und Thekla als Symbole idyllischen Seins. Das außergewöhnliche Spannungsverhältnis der *Wallenstein*-Trilogie, das aus der schneidenden Konfrontation von tragischer Notwendigkeit und paradiesischer Symbolik lebt, ist abermals am Sprachverhalten Wallensteins, Max' und Theklas zu erläutern. Daß die idyllische Idealität der beiden Liebenden in der Einheit der »Sprache des Herzens« und der mündlichen Rede sich niederschlug, hatten wir zu zeigen versucht. Diese Idealität muß Wallenstein durch rhetorische Redegewalt in Frage stellen. Soll der unvermeidliche, noch gegen seinen Willen vollzogene Verrat zu seinen Gunsten ausschlagen, so muß Wallenstein bedenkenlos versuchen, auch Max zu diesem Verrat zu überreden. Der »Notzwang der Begebenheiten« erfordert von Wallenstein eine hinterlistige Taktik. Schon deshalb ist Oskar Seidlins Idealisierung dieses Notzwangs bedenklich: »in jenem vollen Exponiertsein vor dem Sinn-losen vollzieht sich die echte Selbst- und Seinsfindung des Menschen. Dies scheint mir die eigentliche Bedeutung der großen Entscheidungsszene Wallensteins, in der die Worte: ›Geschehe denn, was muß‹ am Schluß fallen werden.«[17] Noch im Vokabular schlägt sich nieder, was auch in Seidlins Berufung auf Käte Hamburgers Schillerdeutung »aus existentialistischer Sicht« hervortritt: der an eine noch aktuelle Philosophie anknüpfende Versuch, am Beispiel Wallensteins das »Sich-Aussetzen« ans »Sinn-lose« zu demonstrieren, einen Beitrag zur »Ontologie« und »existentiellen Wesensschau«[18] zu bieten, indem Wallensteins »So-Beschaffenheit« an einem »demütig-stolzen, amor fati«[19] Nietzschescher Prägung erläutert wird: »was dann wird in der großen Entscheidungsszene eigentlich entschieden! Doch eben nichts anderes, als daß Wallenstein sich zu sich selbst entscheidet, zu dem, der er ist, zu dem, der er, so erkennt er jetzt, immer war, zu der Übereinstimmung mit sich selbst (...) umgeben von Nichts den Kampf anzutreten – das ist die Leistung und der im Scheitern sich erfüllende Triumph des Menschen Wallenstein.«[20] Ganz im Gegensatz dazu ist es keinesfalls der Sinn des Schillerschen Helden, sich dem »Sinn-losen« »auszusetzen«, »umgeben von Nichts den Kampf anzutreten«, sondern die schlechte Geschichte, wie er sie vorfindet, in eine ideale zu verwandeln. An diesem Versuch muß er freilich scheitern und die Idee gegen seinen Willen durch eine unvermeidliche Tat kompromittieren – aber dieses Scheitern ist nicht zu einer anthropologischen Invariante zu hypostasieren und als »Triumph des Menschen Wallenstein« auszudeuten, sondern als dessen tragische Niederlage, her-

---

17 Seidlin, Wallenstein, S. 133.
18 Ebda.
19 Ebda, S. 134.
20 Ebda.

beigeführt durch die im Handeln verborgenen Tücken, aus denen die geschichtlich konservativen Gegenkräfte Nutzen ziehen. Wallenstein aber erfährt die Konsequenzen der unerwünschten Tat, des Verrats, indem er sich versieht und in eine Verblendung gerät, die in seinen rhetorisch-pathetischen Überredungsversuchen sich niederschlägt und von »echter Selbst- und Seinsfindung« gerade hinwegführt. Die täuschende und verfälschende Sprache, der sich Wallenstein im Gespräch mit den Pappenheimern oder mit Max bedient, läßt sich aber auch nicht, wie Heselhaus meint, als »Spieltrieb« gutschreiben, der einer »Spielerexistenz« »menschliche Substanz« [21] gibt, »die sich ihrer selbst nicht bewußt ist, die jenseits und außerhalb ihres Selbst nur im Ziel, im Glanz, im Schein mit sich selbst identisch ist« [22].

Weder kann »echte Selbst- und Seinsfindung« mit den Formen des Täuschens und Verkennens identisch sein, noch bekundet sich in diesen Formen, »im Schein mit sich selbst«, »menschliche Substanz«. Das zeigt sich, wenn Schiller den dramatischen Vorgang bis an den Punkt treibt, wo Wallenstein die Sprache des Herzens verwirrt und den jungen Piccolomini in eine gefährliche Enge treibt. Wallenstein, zum Verrat gezwungen, und damit gegen seinen Willen schuldig geworden, bedient sich der täuschenden Gewalt der Rede, um sich Max verfügbar zu machen. Der Handelnde setzt mit rhetorischem Geschick religiöses Vokabular ein, und die Rede von der »heilgen Fessel der Natur« (Tod V. 2169), die sie beide »aneinander kette« (Tod, V. 2170), stürzt Max in der Tat »in heftigen Kampf«: »O Gott! Wie kann ich anders? Muß ich nicht? / Mein Eid – die Pflicht –« (Tod, V. 2176 f.). In den abgerissenen Fragen schlägt sich der Beginn einer Verwirrung nieder, die Wallenstein durch pathetisch-rhetorische Fragen und durch wortmächtige Imperative für sich auszunützen versucht: »Pflicht, gegen wen? Wer bist du? (...) Auf m i c h bist du gepflanzt, ich bin dein Kaiser, / Mir angehören, mir gehorchen, d a s / Ist deine Ehre, dein Naturgesetz.« (Tod, V. 2176 ff.) Wallenstein, den die Idee einer idyllischen, neuen Zeit mit Max verband, verkennt diesen, wenn er ihn einer Tat verfügbar machen will, die eben diese Idee beschädigt. Willkürlich treibt er die Beziehung zu Max ins Religiöse und interpretiert sie als unaufhebbare Pflicht, indem er sie mit den inhaltsschweren Worten »Ehre« und »Naturgesetz« auflädt. Eine rhetorische Sprachhaltung setzt sich durch, deren Funktion nach Paul Böckmann darin gründet, daß sie »die Wirkungskraft des Wortes hervortreibt«, die »Sprache als Aktion zur Geltung bringt«, um »die aus dem sprachlichen Handeln erwachsende Dramatik vorzuführen« [23]. Die handelnde Kraft der rhetorischen Diktion schlägt sich in der tiefen Verwirrung Piccolominis nieder: »Das Herz in mir empört sich, es erheben / Zwei Stimmen streitend sich in meiner Brust, / In mir ist Nacht, ich weiß das Reiche nicht zu wählen (...) Ich stehe wankend, weiß nicht, was ich soll.« (Tod, V. 2279 ff.) Unmißverständlich erteilt diese Klage den geläufigen Interpretationen einen kritischen Bescheid. Der Konflikt zwischen Sinnenglück und Seelenfrieden, das abgegriffene Schema von Pflicht und Neigung lassen sich aus den Zweifeln des jungen Piccolomini nicht herauslesen [24]. Zwischen schuldigem und unschuldigem Handeln vermag dieser nicht mehr zu unterscheiden; allein um diese

21 Heselhaus, Welttheater, S. 64.

22 Ebda, S. 68.

23 Böckmann, Gedanke, Wort und Tat, S. 26.

24 Dieses Schemas bedient sich etwa Gerhard Storz, wenn er auf Max und Thekla zu sprechen kommt. »Über ihrem Wählen«, meint Storz, »steht als Verhängnis die Unvereinbarkeit von Glück und Gewissenspflicht. Deshalb ist ihre Wahl tragisch.« (Storz, Schiller, S. 290)

Unterscheidung geht es, nicht um die Entscheidung zwischen Pflicht und Neigung. Max ist in eine schon beinahe Kleistische Not des Erkennens geraten, in der sich die Wahrheit nicht mehr ermitteln läßt: »Wo ist eine Stimme / Der Wahrheit, der ich folgen darf? (...) Daß jetzt / Ein Engel mir vom Himmel niederstiege, / Das Rechte mir, das unverfälschte, schöpfte / Am reinen Lichtquell, mit der reinen Hand!« (Tod, V. 2295 ff.) Es geht Max darum, die wahre, in Wort und Tat sich bezeugende Sprache des Herzens, Formelement idyllischen Seins, zu bewahren. Daß Wallensteins rhetorische Macht ihn blendet, die paradiesische Sprache des Herzens zu überspielen droht, ist der Sinn seines Konflikts. Erst Theklas Hinweis auf die ursprüngliche Sprache des Herzens enthebt Max der Verwirrung. Das Rechte, das Piccolominis Herz »zuerst ergriffen und gefunden« (Tod, V. 2339), war seine Ablehnung des Verrats. An dieser ursprünglichen Reaktion orientiert er sich wieder. Er wird der Wahrheit des Handelns gewiß, das zugleich ein Handeln zum Tod sein wird. Im Rückgang auf die ursprüngliche Stimme des Innern behaupten sich Max und Thekla gegen Wallensteins Überredungsversuch und bewähren sich im reinen Untergang als Symbole eines paradiesischen Seins. Wie Wallensteins Sternensymbolik und Piccolominis Zukunftsbilder die positive Spiegelschrift des tragischen Vorgangs sind und eben dadurch dessen Negativität krasser hervortreten lassen, so verschärft die idyllische Idealität der beiden Liebenden abermals das dramatische Geschehen, wenn nirgends anders als in der Entscheidung zum Tod diese Idealität sich Ausdruck verschaffen kann.

2. »Die Jungfrau von Orleans«

Unserer Analyse des großen Monologs in der *Jungfrau von Orleans* sei ein knapper Vergleich mit Wallensteins Monolog vorausgeschickt. Wie Wallenstein demonstriert Johanna in ihrem Selbstgespräch die Paradoxie geschichtlichen Handelns. Enthüllt aber Wallenstein diese Paradoxie erst durch seine ausführliche Reflexion, in der sich Schillers Technik der »tragischen Analysis«, der fortschreitenden Entschleierung einer dramatischen Antinomie, vollendet, so exemplifiziert Johannas Monolog nur den in ihrer Erscheinungsweise und in ihrem Sprachverhalten von Anfang an gegenwärtigen, unversöhnlichen Widerspruch zwischen idyllischer Idee und kriegerisch-unmenschlicher Darstellung der Idee. Johannas Liebeserfahrung als Hauptthema ihres Monologs stellt diese Paradoxie in sinnfälliger Konzentration nochmals dar. Das zu zeigen vermag allerdings nur ein symbolisierendes Interpretationsverfahren. Johanna vollzieht die Schillersche Symbolik nicht selbst mit, sie erfährt einen objektiven vorausliegenden Tatbestand – die Verletzung der Idee – nur uneigentlich, im subjektiven Medium der Liebe. Darin unterscheidet sich Johanna von Wallenstein, dessen Bewußtseinslage keiner symbolisierenden Überhöhung seitens des Interpreten bedarf. Daß aber Johanna in der Liebeserfahrung einer wie immer gearteten Unvereinbarkeit sich bewußt wird, daß sie das unvermeidliche Scheitern eines unbedingten Auftrags am bedingten Menschsein reflektiert: das begründet ihre Verwandtschaft mit Wallenstein. Dieser erkennt wie sie in der Reflexion die Notwendigkeit von Scheitern und Schuld, und erst damit werden beide Figuren zu »tragischen«. Schiller dichtet eine Verschärfung dieser Tragik, indem er in ihren Bannkreis übertragisch-idyllische Symbole und Bilder zieht: Max und Thekla, die Symbolgestalten des Paradieses, verlängern und vertiefen durch ihren Untergang die Schatten des geschichtlichen Verhängnisses, und ebenso unerbittlich wirkt dieses Verhängnis in der *Jungfrau von Orleans,* wenn Johanna ihres schicksallosen arkadischen Glücks sich besinnt oder vom paradiesisch schönen Krönungsfest in Reims sich ausgestoßen sieht.

a) Der Symbolcharakter der Liebe

Interpretatorische Versehen

Erst durch die Lionel-Szene wird Johanna zur tragischen Figur: sie gewinnt darin das Bewußtsein ihrer Schuld, dem sie dann gleich darauf im Monolog Ausdruck gibt. Im subjektiven Medium der Liebe erfährt sie, was uns als objektiver Sachverhalt in der Montgomery-Szene entgegentrat und bereits in Johannas Auftrag angelegt war: die Unvereinbarkeit von idyllischer Idee und geschichtlicher Existenz. Dieses Verhältnis von subjektivem Medium und objektivem Sachverhalt wurde bisher von der wissenschaftlichen Literatur nicht erfaßt und das heißt: der Sinn von Johannas tragischer Situation blieb verborgen. Das gilt auch von den beiden jüngsten Interpretationen Heinz Ides und Gerhard Kaisers, auf die wir hingewiesen haben. Ides Deutung der tragischen Situation scheitert daran, daß sie nicht vom Wortlaut des Monologs ausgeht, sondern von einer vorgefaßten These: von den »Unauflöslichkeiten der Strukturiertheit« menschlicher Existenz, die Ide im Sinne moderner Existenzphilosophie bei Schiller sucht [25]. Dieser These zufolge beruht die Tragik Johannas in dem Widerstreit zweier sittlicher Gebote: in ihrer sittlichen Verantwortung erstens gegenüber Lionel (d. h. der »naturverhafteten Wirklichkeit«) und zweitens gegenüber dem »Reich der Geister« (d. h. Gott als Symbol eines hohen menschlichen Ideals) [26]. So sehr aber Johanna sich in einem ethischen Sinn verantwortlich fühlt gegenüber dem »Reich der Geister«, so wenig kann davon in bezug auf Lionel die Rede sein: »Der Blick auf Lionel«, meint Ide, »ist der Blick des sittlichen Menschen (...) In diesem Augenblick treten, und das macht ihre Lage so ausweglos tragisch, die an den sittlichen Menschen gerichteten Gebote der Mitmenschlichkeit in Kraft, und als sittlicher Mensch darf Johanna nicht töten.« [27] Demgegenüber betont Gerhard Kaiser zu Recht: »Sie schont Lionel nicht aus Mitleid, vielmehr aus Liebe zu diesem Manne« [28], und nichts anderes sagt der Monolog aus: »Dies Herz, von Himmels Glanz erfüllt, / Darf einer irdschen Liebe schlagen? (...) Dich trieb des Mitleids fromme Stimme nicht!« (V. 2544 f. und V. 2574.) Dagegen leidet Gerhard Kaisers vielversprechende Betrachtungsweise zuletzt unter der unvermittelten Anwendung des Kantschen dualistischen Begriffspaares Sinnlichkeit und Vernunft, Pflicht und Neigung. Die Formensprache, in der Schiller den von Kaiser skizzierten Dreischritt der Tragödie darbietet, gerät nicht ins Blickfeld; Johannas tragische Situation, die zwischen dem ersten und dritten Schritt liegt, erscheint nur als dichterische Übersetzung eines geläufigen philosophischen Schemas. Johannas Weg in die Vollendung, so führt Kaiser aus, führt von Arkadien nach Elysium: »Elysium ist (...) Geist, der Natur, und Natur, der Geist geworden ist. Arkadien aber, Johannas Ausgangspunkt in der bäuerlichen, schäfer-

---

25 Vgl. Ide, Jungfrau von Orleans, S. 84. Geleitet von Käte Hamburgers These, »auch der Idealismus (sei) eine Existenzphilosophie« (S. 59, Anm. 56), erklärt Ide: »Das Werk führt uns in ontologische und – in einem existentiellen Sinn – anthropologische Bereiche.« (S. 51.)

26 Ebda, S. 84.

27 Ebda, S. 83.

28 Kaiser, Johannas Sendung, S. 226.

lichen Welt von Domremy, wäre ursprüngliche, reine Natur, in der Sinnlichkeit und Vernunft noch ungeschieden eins sind. Doch zwischen ursprünglicher und wiederhergestellter Natur liegt als notwendiger Schritt der Abfall des Menschen von seiner ersten Übereinstimmung mit sich selbst, Trennung und Widerstreit von Sinnlichkeit und Vernunft, Pflicht und Neigung. Notwendig ist dieser Schritt in die Dissonanz, weil erst in der Unterscheidung Sittlichkeit und Vernunft zu sich selbst und der Mensch zum Bewußtsein seiner Autonomie kommt.«[29] So richtig die Rede von der Bewußtwerdung des Menschen ist, so wenig vollzieht sich diese durch den Widerstreit von »Pflicht und Neigung«. Die Anwendung theoretischer Kategorien muß jeweils vom dramatischen Formgesetz her überprüft werden, sonst ergibt sich eine schematisierende Betrachtungsweise, die an spezifischen dramatischen Grundfiguren vorbeisieht, etwa der der Paradoxie, des unversöhnten Widerspruchs zwischen übertragisch-paradiesischer und geschichtlich-unheimlicher Symbolik. Dem theoretischen Gegensatzpaar Kaisers haftet denn auch der Nachteil an, daß es Johannas Liebeserfahrung psychologisch als »weibliche Leidenschaft« erläutert. Mit Recht hat demgegenüber schon Wolfgang Liepe darauf hingewiesen, daß es sich nicht um »eine psychologisch zu wertende Liebesangelegenheit«[30] handle. Es sei der Versuch gewagt, das fragliche Problem mit Johannas Verletzung der Idee in einen symbolischen Zusammenhang zu bringen.

Die Liebeserfahrung und das Scheitern der idyllischen Idee

Gegen das vordergründig psychologische Verständnis der Liebe sind Johannas eigene Worte ins Feld zu führen. Viermal beruft sie sich in ihrem Monolog auf ihr »Herz« und zeigt damit an, daß sie die Liebe als Ausdruck des Menschseins schlechthin versteht. Als unvereinbar mit diesem Menschsein erweist sich der sogenannte »göttliche« Auftrag: »Mußtest du ihn auf mich laden / Diesen furchtbaren Beruf, / Konnt ich dieses Herz verhärten, / Das der Himmel fühlend schuf!« (V. 2594 ff.) Die Liebe wird von Johanna selbst als Zeichen menschlicher Bedingtheit begriffen, an der die Unbedingtheit des Auftrags scheitern muß. Versetzt man sich in Schillers symbolische Gesamtperspektive, so heißt das: Johannas Liebeserfahrung steht sinnbildlich für ihre Verletzung der schönen Idee ein, jene Verletzung, die wir von Anfang an, am eindringlichsten in der Montgomery-Szene, wahrgenommen haben. Im symbolischen Verweisungszusammenhang des Dramas erscheint Johannas Liebe nur als der subjektive Ausdruck eines vorausliegenden objektiven Tatbestands.

Auf diese symbolische Deutung lenkt indirekt Johannas eigene Aussage hin. An früherer Stelle schon hatte sie zu Burgund gesagt: »Lichtweiß wie diese Fahn ist unsre Sache, / Die reine Jungfrau ist ihr keusches Sinnbild.« (V. 1770 f.) Johanna setzt ihre politische »Sache«, ihre lichtweiße Fahne und die »reine Jungfrau« Maria in einen sinnbildlichen Zusammenhang. Um welche Sache handelt es sich? Doch offenbar um die Idee der höheren Idylle, des ästhetischen Staats. Das hat die große Prologrede gezeigt, in der Johanna das Bild eines paradiesisch idealen Königtums entworfen hatte. Sinnbild für die Reinheit dieser Sache, der idealpolitischen Idee, ist die »reine Jungfrau« Maria, abgebildet auf der lichtweißen Fahne, die Johanna vor sich herträgt. Gewährleistet ist die Reinheit der Sache, solange Johanna selbst,

---

29 Ebda, S. 211.
30 Wolfgang Liepe: Schiller und die Kulturphilosophie des 18. Jahrhunderts. In: W. L.: Beiträge zur Literatur- und Geistesgeschichte. Neumünster 1963. S. 102.

wie Maria, »keusche Magd« bleibt, d. h. solange sie auf Männerliebe verzichten kann: »›Eine reine Jungfrau / Vollbringt jedwedes Herrliche auf Erden, / Wenn sie der irdschen Liebe widersteht. / Sieh m i c h an! Eine keusche Magd wie du / Hab ich den Herrn, den göttlichen, geboren, / Und göttlich bin ich selbst!‹« (V. 1087 ff.) Die in der »keuschen Magd« und in Johannas Liebesverzicht versinnbildlichte Reinheit des göttlichen Auftrags meint demnach symbolisch die Reinheit der Idee. Handelnd hat Johanna diese Idee beschädigt, wie wir an der Montgomery-Szene beispielhaft aufwiesen: daher bricht mit notwendiger Konsequenz die Liebe über Johanna herein. Der Liebesverzicht, Symbol der idealen Idee, muß notwendig verletzt, aufgehoben werden, wenn die ideale Idee verletzt wurde. Die Liebe zu Lionel ist das dramatische Vehikel, an dem Johanna subjektiv erfährt, was objektiv als Tatbestand vorausliegt: das Scheitern der Idee. Das ist der verborgene Sinn der Lionel-Szene, die im Medium einer subjektiven Liebeserfahrung spiegelt, was dem Betrachter in der Montgomery-Szene als handelnde Befleckung der Idee offenbar wurde.

b) Bewußtsein und tragische Schuld

Man darf der Frage nicht ausweichen, warum Schiller einen objektiven Sachverhalt – die Verletzung der Idee – nochmals in der subjektiven Erfahrung einer Figur spiegelt. Die Antwort lautet: weil nur so diese Figur zu einer tragischen wird. Den objektiven Sachverhalt kann Johanna nicht durchschauen: sie versteht ihren Auftrag als göttlichen und muß daher auch die im Auftrag implizierte Unmenschlichkeit als »göttlich« sanktioniert verstehen. Sinnbildlich ist diese Unmenschlichkeit eingezeichnet im Motiv der Blindheit: »Ein blindes Werkzeug fodert Gott« (V. 2578), betont Johanna in ihrem großen Monolog. Am Beispiel der Montgomery-Szene ließ sich das Unmenschliche dieser Blindheit aufzeigen: sie bedeutet, kriegerisch unbarmherziges Werkzeug der unkriegerischen, menschlich schönen Idee zu sein. Der unbedingte Gehorsam gegenüber der Idee muß im geschichtlichen Handeln immer auch in die blinde Verletzung der Idee umschlagen. Da Johanna ihre handelnde Blindheit naiv als eine gottgewollte versteht, kann sie das faktische Mißverhältnis zwischen Idee und Handeln nicht durchschauen: das objektive Scheitern der Idee ist vom subjektiven, religiös strukturierten Verständnis her nicht erfahrbar. Dieses objektive Scheitern kann Johanna nur subjektiv vermittelt erfahren: im Medium des Scheiterns ihres Liebesverzichts. Um welche Form des Scheiterns es sich auch handelt – wichtig ist, daß es erfahren, reflektiert, ins Bewußtsein gehoben wird. Denn dieses Bewußtsein meint zugleich das Bewußtsein der Schuld, und ohne dieses Schuldbewußtsein sind Schillers Figuren keine tragischen. Daß die Durchbrechung des Liebesverbots im buchstäblich-vordergründigen Sinn des Begriffs Liebe keine Schuld ist, hebt die objektive Schuld nicht auf, die dieser Durchbrechung vorausliegt. Sie liegt darin, daß Menschsein sich als handelnder Dienst an der Idee versteht und in diesem Handeln zugleich die Idee beschädigen muß: Es ist eine ungewollte, absolut tragische Schuld, die Johanna im subjektiven Medium der Liebe erfährt. Indem Schiller also den objektiven Schuldzusammenhang in Johannas Liebeserfahrung subjektiviert und diese Liebeserfahrung als Erwachen zum Bewußtsein darstellt, verleiht er seiner Figur die Würde des Tragischen. Sie verschärft ihr Schuldbewußtsein durch das Gegenbild der schuldlosen, sehnsüchtig erinnerten Idylle: »Schuldlos trieb ich meine Lämmer / Auf des stillen Berges Höh. / Doch du rissest mich ins Leben, / In den stolzen Fürstensaal, / Mich der Schuld dahin zu geben, / Ach! es war nicht meine Wahl!« (V. 2608 ff.) Wie im *Wallenstein* akzentuiert Schiller durch den Ausblick auf das Glück und die Reinheit der vorgeschichtlichen Idylle das Verhängnis geschichtlichen Lebens.

Unterm Aspekt des beschriebenen Zusammenhangs zwischen Bewußtsein und Schuld sind die abwertenden Urteile zu kritisieren, die seit Goethe und Hebbel über Schillers »Konstruktion« des tragischen Vorgangs gefällt werden. Als folgenschwer erwies sich Goethes Argumentation: »Der Hauptfehler in dem Motiv der Jungfrau von Orleans, wo sie von Lionel ihr Herz getroffen fühlt, ist, daß sie sich dessen bewußt ist, und ihr Vergehen ihr nicht aus einem Mißlingen oder sonst entgegenkommt.« [31] Gerade die Bewußtheit, der Goethes Kritik gilt, ist die Bedingung des tragischen Vorgangs, und was als »Hauptfehler« erscheint, ist die notwendige Voraussetzung für Johannas »tragische Schuld«. Fehlte diese, so wäre das Drama die Tragödie nicht, die es ist [32]. Das wäre kritisch auch gegen Hebbel geltend zu machen, der, ähnlich wie Goethe, Johannas Reflexion und Selbstbetrachtung verurteilt und damit zugleich das Wesen der Tragödie verkennt: »Johanna durfte unter keiner Bedingung über sich selbst reflectiren, sie mußte, wie eine Nachtwandlerin, mit geschlossenen Augen (...) in den Abgrund stürzen, der sich zuletzt unter ihr öffnet. ... Seine (Schillers) Heldin schwebt denn nun durchaus in der Luft, ihr Thun und Gebahren setzt eine Naivität voraus, die ihr fehlt, und sie macht den Eindruck eines Apfelbaums, der mit Weintrauben behängt ist, aber auf dem keine Weintrauben wachsen.« [33] Die forcierte Pointe Hebbels versöhnt nicht mit der Naivität seines Urteils. Johanna muß gerade zur Selbsterkenntnis gelangen, d. h. zur Unversöhnlichkeit von unbedingtem Auftrag und bedingtem Menschsein, wenn die Rede vom Tragischen in der Tragödie noch einen Sinn haben soll. Diesen Sinn macht auch Gerhard Storz nicht ausfindig. Da er die Symbolik der Dichtung negiert [34], muß er »Johannas Skrupel über ihre Neigung zu Lionel recht gewichtlos, ja künstlich« finden im Vergleich zum »tragischen Konflikt« des realen »historischen Verlaufs« [35]. Unterschätzt wird die Lionel-Szene auch von E. L. Stahl, der Johannas Schuld darin erblickt, daß sie die Warnung des schwarzen Ritters in den Wind schlägt und dadurch »an act of *hubris* and presumption« [36] begeht: »Her love for Lionel is a consequence of her desire to transgress the limits of her mission: it is not her original guilt.« [37] Anstatt jedoch Johannas Bestürzung und Verwirrung angesichts des schwarzen Ritters als schuldhafte Hybris zu deuten, wäre es ratsamer, dessen unheimlich-phantastische Erscheinung als objektivierten Zweifel Johannas an ihrem Auftrag zu interpretieren. Vom Leiden an der Mission (Montgomery-Szene) über den Zweifel an ihr bis zur Einsicht in ihre Unmöglichkeit würde so Schillers dramatische Gestaltung konsequent, in Steigerungen, fortschreiten. Diese Konsequenz ist nicht stringent in einem psychologischen Sinn, wie

---

31 J. W. Goethe: Tagebücher. In: Gedenkausgabe der Werke, Briefe und Gespräche. Hrsg. von Ernst Beutler. Zürich und Stuttgart 1949. S. 276. Es handelt sich hier um eine Tagebuch-Notiz vom 27. Mai 1807.

32 Daß die »Frage der Schuld«, und zwar der ungewollten »tragischen Schuld« aus der Theorie der Tragödie nicht wegzudenken sei, betont Walter Müller-Seidel, indem er zugleich auf die Relevanz der Bewußtseinsverhältnisse im Falle Schillers hinweist. (Müller-Seidel, Versehen und Erkennen, vgl. S. 195 ff.)

33 Zitiert nach von Wiese, Schiller, S. 735 f.

34 Storz, Schiller, vgl. S. 363.

35 Ebda, S. 362.

36 Stahl, Schiller, S. 121.

37 Ebda, S. 122.

John R. Freys lesenswerte Ausführungen über »Schillers Schwarzen Ritter«[38] nahelegen möchten: »Wie aber konnte es geschehen, daß sie verhängnisvoll sehend wurde, wenn nicht durch die Erschütterung der Begegnung mit dem schwarzen Ritter.«[39] Aber Freys Hinweis auf Johannas »distanzschaffende Reflektion«[40] trifft gleichwohl einen wichtigen Sachverhalt. Der tragische Vorgang in Schillers Dramen ist nicht zu denken ohne die Bewußtheit, mit der die Personen ihre ungewollte Schuld einsehen.

c) Die Folgen der tragischen Schuld

Den tragischen Vorgang erfaßten wir, indem wir das Verhältnis zwischen einem objektiven Sachverhalt und Johannas subjektiv bewußter Erfahrung ermittelten: die Liebe, die über Johanna hereinbricht und den Reinheitsanspruch des göttlichen Auftrags verletzt, ist nur die dramaturgisch sinnfällige Explikation dafür, daß geschichtliches Handeln von Anfang an den Reinheitsanspruch der idealen Idee verletzt. Diese Explikation ist deshalb besonders sinnfällig, weil sich Johannas Liebe auf Lionel richtet; dieser zählt zum Feind der idealen Idee, zum »fremden König«, dem Gegensymbol des »ästhetischen Staats«: »Hinüber zu dem Feinde schweift der Blick, / Und aus der Freude Kreis muß ich mich stehlen, / Die schwere Schuld des Busen zu verhehlen.« (V. 2539 ff) Erkennend sondert sich Johanna von ihrem Volke ab, das sie in den ästhetischen Staat hätte hinüberführen sollen. Johannas Absonderung meint symbolisch die Abwendung von der Idee des ästhetischen Staats, der geschichtlich vollendeten Idylle. Dennoch fällt etwas vom Glanz dieser Idylle auf das Krönungsfest; es nimmt typische Züge des ästhetischen Staats vorweg: »Die Waffen ruhn, des Krieges Stürme schweigen, / Auf blutge Schlachten folgt Gesang und Tanz, / Durch alle Straßen tönt der muntre Reigen, / Altar und Kirche prangt in Festes Glanz« (V. 2518 ff.). Die Verse vermitteln eine erste Vorstellung vom Schillerschen Begriff der Idylle, die »den Menschen (...) in einem Zustand der Harmonie und des Friedens mit sich selbst und von außen« (NA, Bd. 20, S. 467) zeigt. Der betont musische Aspekt dieser schönen Friedensstunde, ihr auffallender Spielcharakter: »Gesang und Tanz«, »muntrer Reigen«, »Festes Glanz« scheint sie zu einer ästhetischen im Sinne von Schillers »ästhetischem Staat« zu machen. Auch die paradiesisch anmutende Unmittelbarkeit zwischen den Menschen scheint darauf hinzudeuten: »Und e i n e r Freude Hochgefühl entbrennet, / Und e i n Gedanke schlägt in jeder Brust, / Was sich noch jüngst in blutgem Haß getrennet, / Das teilt entzückt die allgemeine Lust« (V. 2526 ff.). Aber es ist doch nur scheinbar ein »ästhetischer« Zustand: die Versöhnung aller einzelnen ist nur partiell. Indem Johanna von ihr ausgesperrt ist, versinnbildlicht sie die Trennung des Allgemeinen vom Besonderen, die der ästhetische Staat gerade aufheben würde: »Doch mich, die all dies Herrliche vollendet, / Mich rührt es nicht das allgemeine Glück, / Mir ist das Herz verwandelt und gewendet, / Es flieht von dieser Festlichkeit zurück, / Ins britische Lager ist es hingewendet« (V. 2534 ff.). Johannas Absonderung spiegelt die unvermeidliche Preisgabe der Idee und so leuchtet der ästhetische Staat nur scheinhaft auf, aber noch dieser trügerische Glanz hebt das wirkliche Scheitern verschärft hervor.

---

38 John R. Frey: Schillers Schwarzer Ritter. In: The German Quarterly 32 (1959). H. 4. S. 302–315.

39 Ebda, S. 315.

40 Ebda.

Der vierte Akt entfaltet dieses Scheitern dramaturgisch in der wachsenden Entfremdung zwischen einzelnem und Ganzem. Ihren Höhepunkt findet die Entfremdung im 11. Auftritt. Auf des Vaters Frage: »Antworte mir im Namen des Dreieinen, / Gehörst du zu den Heiligen und Reinen?« (V. 2984 f.) ist eine Bejahung nicht möglich. Insofern Johanna handelnd sich in die unvermeidliche Schuld verstrickte und den Auftrag verletzte, gehört sie den »Heiligen und Reinen« nicht an. Aber ebensowenig gehört sie dem Teufel an, wie Thibaut ihr vorwirft. Daher kann sie auf dessen Vorwurf auch nicht mit einem klaren »Nein« antworten und sich gewissermaßen selbst des Pakts mit dem Teufel zeihen. Sie kann nur verstummen. Eben dieses Verstummen wird aber als eindeutige »teuflische« Schuld ausgelegt. Des Erzbischofs Frage: »Schweigst du / Aus dem Gefühl der Unschuld oder Schuld?« (V. 3026 f.) erlaubt abermals keine eindeutige Verneinung oder Bejahung. Schuldlos ist Johanna nicht, aber schuldig in dem vom Vater und ihrem Volk vermuteten Sinn, im Sinn eines Teufelspakts, ist sie ebensowenig. Sondern schuldig ist sie einzig in jenem tragisch-unvermeidlichen Sinn, der mit dem Menschsein, mit dem Handeln in der Geschichte, immer schon gesetzt ist. Weil aber dieser »tragische« Sinn vom Volk nicht durchschaut und in die Frage nach Unschuld oder Schuld nicht mit hineingenommen wird, ist Schweigen die einzig mögliche Antwort. Das Volk mißversteht es als Bestätigung der ungeheuerlichen Anklage des Vaters und wendet sich unter »heftigen Donnerschlägen« von Johanna ab. Im Verstummen Johannas und im Entsetzen des Volks spiegelt sich symbolisch aber nur das Scheitern jener höheren Idylle, in der einzelner und Gemeinschaft harmonisch versöhnt wären. Die Idee dieser Idylle hatte einst ihren reinsten Ausdruck in Johannas Dialog mit ihrem Volk gefunden. In ihrer Rede war einst jene Unschuld der Idee präsent, deren versöhnende Kraft eine schönere Zukunft zu garantieren schien. Das ließ sich aus der Versöhnungsszene mit Burgund ersehen. Im Spiegel der Friede stiftenden Sprache gewinnt das Entzweiung stiftende Verstummen an tragischer Gewalt und erinnert in verschärfter Weise an die Abwesenheit der paradiesischen Idee.

Wenn es sich aber so verhält, dann ist Vorsicht geboten gegen Gerhard Kaisers These, Johannas Sendung entlasse »jeweils neue und jeweils höhere Bedeutungsgehalte aus sich, so daß Johanna mit ihrem Leben und Leiden das Ideal entziffert« [41]. In den Vorgang dieser »Entzifferung« muß Kaiser auch das Tötungsgebot hineinstellen, dem er eine »letzte Rechtfertigung und Versöhnung mit Johanna als Person« [42] zukommen läßt. Er übersieht dabei die tragische Doppelgesichtigkeit dieses Gebots: die entstellte Geschichte, die im Medium des Kriegs erscheint, erfordert den handelnden Dienst für die Idee der höheren Idylle, aber dieser Dienst kann nur so sich darstellen, daß man dem Krieg durch den Krieg, dem Töten durch das Töten begegnet und damit die herzustellende Idee verletzt. Das Tötungsgebot hat jene Richtung zur Unmenschlichkeit, die das Ideal der herzustellenden Menschlichkeit des ästhetischen Staats beschädigt. So »entziffert« Johanna »mit ihrem Leben und Leiden« nicht zunächst das Ideal, sondern das Scheitern dieses Ideals, das im Raum der Tragödie stets ein definitives Scheitern bleibt. Das hindert nicht, daß eine versöhnende, das Scheitern transzendierende Schicht sich eröffnet: in ihr wird der Mensch von der tragischen Schuld erlöst, in die er mit diesem Scheitern und gegen seinen Willen geraten ist. Der Erlösung von dieser Schuld geht die Einsicht in die Schuld und die rückhaltlose Annahme der Schuld in der Form des Leidens und der

41 Kaiser, Johannas Sendung, S. 235 f.
42 Ebda, S. 232.

Buße voraus: dann kann sich diese Erlösung zu jener Apotheose gestalten, die den »Übertritt des Menschen in den Gott« bedeutet. Davon wird noch zu handeln sein.

3. »Wilhelm Tell«

Die eingehende Betrachtung des Tell-Monologs soll ständig im Blick auf den Monolog Wallensteins und Johannas erfolgen. Die Gemeinsamkeiten dieser großen Selbstgespräche erklären sich daher, daß Schillers Monolog eine Art zentrale Gelenkstelle in seinem Drama darstellt; die Unterschiede dagegen sind gattungsbedingt, Ausdruck der divergierenden Intention von Tragödie und Schauspiel. Aufschlußreich ist die »Intellektualität« des Schillerschen Monologs. Wallenstein gewinnt darin ein Bewußtsein seiner tragischen Situation und seiner unvermeidbaren Schuld, Johanna gewinnt dasselbe Bewußtsein im Medium ihrer Liebeserfahrung: Reflexion wird zur Voraussetzung von Tragik überhaupt. Für Tell aber wird die Reflexion zur Voraussetzung seiner »ästhetischen Totalität«: der naive, aller reflektierten Vermittlung abgeneigte Held gewinnt die sentimentalische Qualität des Bewußtseins hinzu. Ihrer bedarf Tell zur Legitimierung seines »Mords«, eine Legitimierung, die wiederum seinem klärenden Gespräch mit Parricida zugute kommen wird. Zugleich erweist sich Tells Mord als notwendiges Mittel zur Herstellung der neuen Idylle, in der er mit den Eidgenossen sich vereint. Das heißt aber: Tells monologische Einsamkeit fördert am Ende die ideale Sache der Gemeinschaft. Darin hebt sich Tells Isoliertheit von derjenigen Wallensteins und Johannas ab: Wallenstein wird von Max und Thekla verlassen, weil er die Idee der Idylle verletzen mußte, und Johanna wendet sich im Monolog von ihrem Volk ab – Zeichen dafür, daß sie die Idee des ästhetischen Staats, der höheren Idylle, beschädigen mußte.

a) Die Struktur der Paradoxie

Der unsere *Wilhelm-Tell*-Deutung bisher leitende Gesichtspunkt betraf das Spannungsverhältnis zwischen einzelnem und Gemeinschaft, zwischen Tat und Rede, verschwiegenem und öffentlichem Handeln. Unterm Aspekt dieses in eine höhere Idyllenharmonie mündenden Spannungsverhältnisses ist eingehend die aus der Apfelschuß-Szene hervorwachsende dramatische Bewegung zu betrachten. Es geht uns zunächst darum, in Anlehnung an die wissenschaftliche Literatur und zugleich in kritischer Distanz zu ihr, den Zusammenhang zwischen Apfelschuß-Szene und Monolog neu zu bestimmen; daraus wird später eine neue Deutung der Parricida-Szene abzuleiten sein. Denn so wenig wir etwa den Monolog nur für eine Auflösung einer tragischen »Verwicklung« halten [43], so wenig sehen wir in der Parricida-Szene nur eine Art Wiederholung des Monologs [44] oder nur die Gegenüberstellung zweier grundverschiedener Mörder [45]. Wenn nämlich der Befehl zum Apfelschuß Tell aus seiner naiv-idyllischen Existenzweise reißt und in die höchste geschichtliche Selbstentfremdung stürzt, so enthält diese Selbstent-

---

43 Storz, Schiller, vgl. S. 420.

44 Ebda, S. 421.

45 Die moralisch-politische Differenz betont v. Wiese (Schiller, S. 774 f.), die existientielle Differenz im Sinne qualitativ verschiedener Seinsweisen hebt dagegen Martini hervor (Wilhelm Tell, vgl. S. 112).

fremdung doch auch den Umschlag in die idealgeschichtliche Vollendung. Sie löst den in monologischer Reflexion vermittelten Mord an Gessler und den Befreiungskampf von Tells Landsleuten unmittelbar aus – und beides trägt zur Konstituierung der neuen Idylle bei. Tell geht in sie ein als der tatkräftige »Stifter« der Freiheit, der aber zuvor im Monolog auch als denkmächtiger, reflektiert Handelnder sich bewährt und in der Parricida-Szene ein neues, durch seine geschichtlichen Erfahrungen vermitteltes Sprachvertrauen beweist; und die Eidgenossen gehen mit dieser Idylle in neue höhere Formen des politischen Zusammenlebens ein. Die in der Apfelschuß-Szene enthaltene Paradoxie besteht demnach darin, daß aus ihrer Unmenschlichkeit schließlich eine höhere Menschlichkeit hervorgeht. Die tragische Selbstentfremdung des Menschen wird zu einer Bedingung des neuen Paradieses. Schillers Dramatik zieht ihre Spannung und ihre Gewalt aus solchen Paradoxien – im *Wallenstein* nicht weniger als in der *Jungfrau von Orleans*, wenn auch unter umgekehrten Vorzeichen. Denn dort führt gerade die Idee des neuen Paradieses den geschichtlich Handelnden in die tragische Schuld hinein; und der tragische Vorgang gewinnt eine verschärfte Gewalt dadurch, daß er sein Gegenbild, die übertragische Idylle, illusionär macht. Die Tragödie hat ihre Substanz nicht zuletzt darin, daß in ihr die Überwindung der Tragödie visionär vorweggenommen ist; aus dem Scheitern dieser Vision zieht sie ihre dramatische Schärfe. Das Schauspiel kehrt den Vorgang um und hat seine Substanz darin, daß es seine übertragische Harmonie den tragischen Dissonanzen abgewinnt; daß sein paradiesisches Ende die Negativität der Geschichte voraussetzt; daß die »neue bessre Freiheit« nur aus der tödlichen Gefährdung erwächst.

b) Apfelschuß-Szene

Tells Eintritt in diese populäre Szene steht im Zeichen dramatischer Ironie. Er befindet sich mit seinem Sohn auf dem Weg nach Altdorf und rühmt ihm die Freiheit und die ideale Menschlichkeit der Schweizer Heimat: »Ja, wohl ist's besser Kind, die Gletscherberge / Im Rücken haben als die bösen Menschen.« (V. 1813 f.) Aber eben in diesem Augenblick erfährt Tell auch schon die Bosheit der Menschen; er wird festgenommen, weil er dem Hut nicht Reverenz erweist, der, an einer Stange hängend, den Landvogt Geßler symbolisieren soll. Daß Tell – trotz eines entsprechenden Hinweises des Sohns – auf diesen Hut nicht achtete, bestätigt nur abermals sein naives Vertrauen in eine Welt, deren idyllisch-natürliche Ordnung er auf friedlichem Wege zu bewahren gedachte. Erst jetzt wird dieses Vertrauen durch Geßlers unmenschlichen Befehl zerstört: Tell, berühmt als meisterlicher Schütze, muß seinen »Frevel« dadurch sühnen, daß er aus einer Entfernung von hundert Schritten auf den Apfel zielen soll, der auf das Haupt seines Kindes gelegt wird. Verfehlt er das Ziel, so hat er sein Leben verwirkt; weigert er sich, mit Pfeil und Bogen auf den Apfel zu schießen, dann muß er zusammen mit seinem Sohn sterben. In jedem Fall muß er mit dem Schuß auf den Apfel das Leben seines Kindes gefährden. Damit sieht sich Tell in eine tragische Situation gedrängt. Vom »tragischen Element«[46] spricht denn auch Gerhard Storz und Fritz Martini erläutert dieses Element ausgezeichnet, wenn er ausführt: »Jedoch für Tell bleibt keine Wahl, keine Freiheit, weil er selbst um beider Leben willen diese Gewalttat an seinem eignen Kinde, an sich selbst vollziehen muß. Diese Tat (...) versklavt ihn, den Freiesten, in eine Verschuldung, deren drohende Folgen zwar durch den glücklichen

46 Storz, Schiller, S. 420.

Schuß vermieden werden, die gleichwohl aber schon in ihrer Möglichkeit allen Gesetzen der Natur widerspricht (...) Diese Tat büßt nichts dadurch von ihrem Ernst ein, daß Tell, subjektiv durchaus schuldlos, gezwungen wurde, sie zu vollziehen, um seines Kindes und sein eigenes Leben zu retten.« [47] Tells »unausweichliche tragische Situation« [48] ist konzentriert in Geßlers sarkastischem Imperativ festgelegt: »Freut's Euch, den Pfeil zu führen und den Bogen, / Wohl, so will i c h das Ziel Euch dazu geben.« (V. 1978 f.) Die in die eidgenössische Idylle einbrechende Geschichte verkehrt die wahre Bestimmung des Menschen, so daß etwa Tells Tatkraft, ursprünglich darauf gerichtet, jegliches Leben vor dem Tod zu retten, jetzt den Tod des eigenen Kindes herbeiführen könnte. Martini hatte diese Tatkraft als ein zentrales Element der in Tell versinnbildlichten »höheren Stufe des vollen, ganzen Menschseins in der Idealität der ästhetischen Totalität« [49] verstanden. Folgerichtig erläutert er von da aus Tells Situation: »er wird gezwungen, seine Freiheit, die das Totale seines Menschseins in allen seinen Entfaltungen ausmacht, durch die eigene Tat preiszugeben« [50]. Demgegenüber hatten wir statt einer »Idealität der ästhetischen Totalität« eine naiv idyllische Verhaltensweise zu ermitteln versucht, in der Tell noch ungeschichtlich, nur an Naturgesetzen orientiert, denkt. Wenn Tells Vertrauen in eine konfliktlose Bewahrung des Friedens eine schöne paradiesische Menschlichkeit verriet, so schien in ihm dennoch nicht die »höhere Stufe des vollen, ganzen Menschsein« repräsentiert. Seine ursprüngliche, naiv-idyllische Existenz ist seit Beginn des Dramas mit dem Einbruch der Geschichte konfrontiert, deren wahres Ausmaß Tell zwar zunächst nicht erkennt, die ihn aber an bestimmte Zwecke bindet und ihm Einschränkungen auferlegt: so, wenn er angesichts der Tyrannen zu »Geduld und Schweigen« rät, also zu einer sehr eingeschränkten Verhaltensweise, die das »Totale seines Menschtums in allen seinen Entfaltungen« gerade nicht ermöglicht. Einem »totalen Entfaltetsein« schien auch Tells Verhältnis zur abwägenden Reflexion und zum Wort nicht ganz zu entsprechen. War seine Tatkraft und sein spontanes Verhalten zum Nächsten von idyllischer Vorbildlichkeit geprägt, so war er doch zugleich skeptisch gegenüber einem »vermittelten« Handeln, das erst aus dem »Prüfen oder Wählen«, aus dem Bedenken und Bereden hervorgeht. Wir sehen demnach in der Apfelschuß-Szene nicht wie Martini eine »Vergewaltigung« [51] der »ästhetischen Totalität«, sondern die grundsätzliche Erschütterung einer naiv-idyllischen, das heißt idyllisch beschränkten Existenzweise. Und wenn Tell vermittels dieser Erschütterung über seine Skepsis hinausgelangt, so gestaltet Schiller mehr als nur die »Wiederherstellung« eines ursprünglichen Zustands, wie Martini [52] gleich Storz [53] und von Wiese [54] behauptet. Der erzwungene Übertritt aus der naiven Harmonie idyllischer Existenz in die entfremdende Geschichte entbindet zugleich die Gegenkräfte, welche diese Geschichte überwinden, und einen neuen vollkommenen Zustand herbeiführen.

---

47 Martini, Wilhelm Tell, S. 106.
48 von Wiese, Schiller, S. 722.
49 Martini, Wilhelm Tell, S. 104.
50 Ebda, S. 107.
51 Ebda, S. 107.
52 Ebda, vgl. S. 112.
53 Storz, Schiller, vgl. S. 419.
54 von Wiese, Schiller, vgl. S. 773.

c) *Tells Monolog*

Der einzelne und das Ganze

Die zuletzt formulierte These läßt sich zunächst an Tells großem Monolog verifizieren, der immer noch nicht genügend erhellt ist. Einen Teilaspekt macht Fritz Martini sichtbar, wenn er bemerkt: »indem Tell zu ihm fähig wurde, sich in seine entrückte Innenschau versenkte, hat er bereits seine kommende Tat überwunden, einen Abstand zu ihr gewonnen, der ihm seine Freiheit über die Tat, damit die Einheit seiner humanen Existenz sichert« [55]. So zutreffend Martini hier eine Funktion des Monologs als Versuch der Selbstvergewisserung bestimmt, so wenig erfaßt er freilich die spezifische Qualität von Tells »humaner Existenz«. Denn Martini zufolge kann Tell dank des Monologs »den Mord hinter sich lassen«, »unverstört in der Einheit seines Wesens«, und in die »schöne gelassene Ruhe des unverstörten ›Genius‹ zurückkehren« [56]. Damit werden Monolog und Mordtat zu folgenlosen Zwischenstadien innerhalb einer Kreisbewegung relativiert: aus der ursprünglichen Naivität, sagt Martini, werde Tell in den »Zustand des Sentimentalischen« versetzt und von da aus in »seine Grundverfassung des Naiven« [57] zurückgebracht. Zu einem folgenlosen Ereignis verflüchtigt sich auch in Benno von Wieses zusammenfassender Bemerkung Tells Eintritt in die Geschichte: »Tell ist der Redliche, der Bürger, der Hausvater, der ohne jedes Verschulden in eine tragische Brandung hineingerät und trotz aller Gefährdung am Ende unversehrt und gerechtfertigt aus ihr hervorgeht.« [58] Für folgenreicher hält Werner Kohlschmidt das große Selbstgespräch, worin sich »das Erringen eines tieferen Pflichtbewußtseins im Sinne des Kantischen Widerstreits von Pflicht und Neigung« [59] ereigne: die Pflicht zum »Ungeheuren«, zum Töten, führe Tell aus der »paradiesischen Eindeutigkeit seines früheren Zustands« [60], aus seiner »allzu großen instinktiven Sicherheit« [61] heraus und schenke ihm eine neue »sittliche Tiefe« [62]. Daran ist soviel wahr, daß der Monolog jene »unbedingte sittliche Verantwortung der Person« [63] spiegelt, die in einsamer Selbstbefragung am wirkungsvollsten zum Durchbruch kommt. Aber die »vielumstrittene Notwendigkeit des großen Tellmonologs« [64] ist damit noch nicht hinreichend erklärt. Eine überzeugende Widerlegung Ifflands, der die Breite des Monologs kritisiert hatte [65], steht eigentlich immer noch aus. Sowohl den modernen als auch Schillers eigenen Rechtfertigungsversuchen fehlt es an Beweiskraft [66]. Die

55 Martini, Wilhelm Tell, S. 112.
56 Ebda.
57 Ebda, Fußnote 40.
58 von Wiese, Schiller, S. 770.
59 Kohlschmidt, Tell, S. 95.
60 Ebda, S. 97.
61 Ebda, S. 95.
62 Ebda, S. 96.
63 Ebda, S. 97.
64 von Wiese, S. 771.
65 Vgl. Martini, Wilhelm Tell, S. 108.
66 Schiller äußerte sich wie folgt: »Gerade in dieser Situation, welche der Monolog ausspricht, liegt das Rührende des Stücks, und es wäre gar nicht gemacht worden, wenn nicht diese Situation und dieser Empfindungszustand, worin Tell sich in diesem Monolog befindet, dazu bewogen hätte.« Zitiert nach Martini, Wilhelm Tell, S. 109.

von uns versuchte Rechtfertigung orientiert sich an der Grundfigur des Dramas, wie wir sie verstehen: als jenes komplexe Spannungsverhältnis zwischen einzelnem und Gemeinschaft, Unabhängigkeit und Solidarität, heimlicher Tat und öffentlicher Rede, Schweigen und Dialog, das in eine höhere Ebene mündet, wo jeweils beide Handlungsträger einer neuen Qualität sich versichert haben.

Anzuknüpfen ist an die Monologe Wallensteins und Johannas. Wie derjenige Tells setzen sie die große Tradition der Selbstgespräche in Schillers Dramen fort, die Tradition jener zentralen Reflexionen, deren Thema die Dialektik des Handelns ist, des politischen Handelns für eine ideale Idee. In einer stets noch aktuellen Studie hat Max Kommerell diesen Sachverhalt in bestechenden Wendungen formuliert: »Als Darsteller des handelnden Menschen ist Schiller die Ausnahme der deutschen Poesie (...) wenn Schiller von Idee handelt, handelt er von Tat, wenn er von Tat handelt, wird er die Idee nicht los.« [67] »Daß aber der Handelnde bei ihm so gründlich mit sich zu Rate geht (...) dies wird die Innerlichkeit der Darstellung (...) Der Handelnde ist furchtbar mit sich allein. Das gibt eine neue Art von Monolog und eine neue Einsamkeit des Monologs: die Einsamkeit des Handelnden! Schiller ist der Klassiker dieser Einsamkeit.« [68] Unschwer lassen sich von solch einsichtsvollen Sätzen aus Berechtigung und Besonderheit des Tellschen Monologs aufhellen. Nicht nur der Entschluß zur Tat, der »Eidschwur, den nur Gott gehört« (V. 2586), ist Sache des Einsamen, auch die Tat selbst isoliert zunächst. »Ist es getan, wird's auch zur Rede kommen« (V. 2301), läßt sich Tell vor dem Monolog vernehmen, der dann den Zusammenhang von Tat und isolierender Selbstbehauptung scharf belichtet: »hier ist keine Heimat – Jeder treibt / Sich an dem andern rasch und fremd vorüber / Und fraget nicht nach seinem Schmerz.« (V. 2612 ff.) Aber Tells Einsamkeit ist doch von anderer Art als die Wallensteins oder Johannas. Wallenstein begreift seine Isolierung als eine, die aus der Idee des Neuen, der geschichtlichen Veränderung hervorgeht: »Denn aus Gemeinem ist der Mensch gemacht, / Und die Gewohnheit nennt er seine Amme. / Weh dem, der an den würdig alten Hausrat / Ihm rührt, das teure Erbstück seiner Ahnen!« Die von den Vertretern erstarrter Ordnungen organisierte Intrige zielt auf die isolierende Entmächtigung des revolutionär Gesinnten. Diesem bleibt nur die Möglichkeit der »Gewalttat«, der Gegenintrige als des Verrats an der idealen Idee des Neuen: Folge davon ist, daß Max und Thekla, Symbolgestalten des Paradieses, sich von Wallenstein absondern und, in ihren Hoffnungen auf eine neue Idylle enttäuscht, ihn verlassen. Johannas Einsamkeit im Monolog spiegelt ein der Gemeinschaft entgegengesetztes Interesse wider: »Doch mich, die all dies Herrliche vollendet, / Mich rührt es nicht, das allgemeine Glück (...) Hinüber zu dem Feinde schweift der Blick, / Und aus der Freude Kreis muß ich mich stehlen«. In der »Liebe« zum Feind, der doch zugleich Gegner des ästhetischen Staats ist, verrät Johanna diese Idee. Das »allgemeine Glück« enthüllt sich als scheinhaftes, insofern es nicht alle einzelnen einschließt, sondern gerade seinen Stifter, Johanna, ausschließt. Demgegenüber kommt Tells Einsamkeit und sein in der Einsamkeit überprüfter Entschluß dem Ganzen, der allgemein verbindlichen, idealen Idee zugute. Dessen versichert er sich durch die eindringlichste Reflexion. Viermal spricht er von dem »Mord«, den zu begehen er sich entschlossen hat. Die Wendungen vom »stillen« und »harmlosen« »Frieden«, von der »Milch der frommen Denkart«, der »Freude Spielen«,

---

67 Kommerell, Schiller, S. 7.
68 Ebda, S. 8 f.

dem »Freuen«, vom »Freudenschießen«: alle diese in den Monolog eingehenden Beschwörungen eines vergangenen idyllischen Glücks sollen das Unerhörte von Tells gegenwärtiger geschichtlicher Existenz bewußt machen. Im Spiegel der verlorenen Idylle sollen das »gärend Drachengift«, der »fürchterliche Ernst«, die »Mordgedanken« Tells verschärft hervortreten. Wallensteins monologischer Reflexion über die unaufschiebbare Gewalttat als eines Verrats an der Idee, Johannas monologischer Vergegenwärtigung der »sündigen« Liebe als einer Befleckung der Idee: diesen beiden Selbstbefragungen steht diejenige Tells an Ernst und Unerbittlichkeit nicht nach. Der wesentliche Unterschied besteht nur darin, daß Tell seiner Tat als einer schuldlosen inne wird. In mehrfacher Abwandlung versichert er sich der Idealität seines »Mords«. Er begreift ihn als das selbstlose Eintreten für die Idee der Unschuld, wie sie sich in seiner Familie verkörpert: erst der Tod Geßlers garantiert die Unantastbarkeit dieser Idee. Schiller führt wie in der *Jungfrau von Orleans* Gott als poetische Chiffre für das unbedingte Gebot der Idee ein: Der Kaiser sandte Geßler »in diese Lande, / Um Recht zu sprechen (...) Doch nicht, um mit der mörderischen Lust / Dich jedes Greuels straflos zu erfrechen: / Es lebt ein Gott, zu strafen und zu rächen« (V. 2593). Die Idee der gerechten menschlichen Ordnung und der Unschuld, des paradiesischen Friedens – diese in der Chiffre »Gott« eingezeichnete Idee gebietet selbst die Mordtat an Geßler. Indem Tell der Idee in selbstloser Idealität gehorcht, gewinnt sein scheinbar nur privat motiviertes Handeln eine stellvertretende und allgemeine erlösende Bedeutung. Tell geht in einen allgemeineren Bezug ein, den er in seinem Kommentar zu der begangenen Mordtat selbst formulieren wird: »Frei sind die Hütten, sicher ist die Unschuld / Vor dir, du wirst dem Lande nicht mehr schaden.« (V. 2794)

So lassen sich zwei Aspekte des Monologs formulieren, die den Rechtfertigungsversuchen der Forschung ergänzend zur Seite treten sollen. Indem Tell seinem individuellen Gesetz folgt und in der Einsamkeit der verschwiegenen Tat sich vergewissert, dient er der Gesellschaft. Gleichsam modellhaft verbindet er das Allgemeine mit seiner Individualität. Damit kündigt er den erst im Entstehen begriffenen »ästhetischen Staat« an, wo der einzelne nach Schillers Definition »auch bey der höchsten Universalisirung seines Betragens seine Eigenthümlichkeit retten« (NA, Bd. 20, S. 318) wird. Gerade dadurch relativiert dieser einzelne, Tell, auch den Ausschließlichkeitsanspruch des gemeinsamen Worts und der gemeinsam verabredeten Tat. Und zweitens relativiert Tell im selben Zuge seine ursprüngliche Verhaltensform und bestätigt eine Eigentümlichkeit des gemeinschaftlichen Verhaltens: das »Prüfen oder Wählen«, das »Bedenken«, das durch die Reflexion vorbereitete und abgesicherte Handeln. Davon soll abschließend die Rede sein.

Tells Reflexion

Den angedeuteten zweiten Aspekt erhellen wir einleitend von dem Dialog aus, den Schiller zwischen Monolog und Mordtat eingeschlossen hat: dem Dialog zwischen Tell und Stüssi. Rückhaltlos vergegenwärtigt Tell die Erschütterung durch die Geschichte. Das verhilft ihm zu neuen Erfahrungen. Noch im Gespräch mit Stauffacher hatte Tell die Geschichte mit einem »mächtigen Geist« verglichen, der »ohne Schaden, spurlos über die Erde« »geht« und sich der friedlichen Naturordnung wieder einfügt. Jetzt nimmt Tell die Geschichte als eine destruktive Naturwidrigkeit wahr: »Wanken auch / Die Berge selbst? Es steht nichts fest auf Erden.« (V. 2667) Hatte Tell einst sein friedlich-idyllisches Dasein aus einer beschützenden, vermeintlich unaufhebbaren Naturordnung hergeleitet (»Dem Friedlichen gewährt man gern den Frieden«), so erkennt er jetzt, daß eine geschichtliche Störung dieser Ordnung und dieses Daseins stets möglich ist: »Es kann der Frömmste nicht im Frieden bleiben, / Wenn es dem bösen Nachbarn nicht gefällt.« (V. 2683)

Solche Sätze präludieren die geschichtlich determinierte Reflexion Tells im Monolog. Sie hätte schon deshalb die erhöhte Aufmerksamkeit der wissenschaftlichen Literatur auf sich lenken müssen, weil ja Tells Tat von vornherein beschlossene Sache ist; der Entschluß zum Mord stand schon vor dem Monolog fest, wie aus Tells Worten im Monolog zu erfahren ist: »Als du mit grausam teufelischer Lust / Mich zwangst, aufs Haupt des Kindes anzulegen (...) Damals gelobt' ich mir in meinem Innern / Mit furchtbarm Eidschwur, den nur Gott gehört, / Daß meines nächsten Schusses erstes Ziel / Dein Herz sein sollte« (V. 2582 ff.). Befremden müßte doch, daß Tell einen längst gefaßten Entschluß nochmals überprüft und begründet, er, der im Dialog mit Stauffacher angab: »Ich kann nicht lange prüfen oder wählen«. Tell schien uns gekennzeichnet durch eine ideale Spontaneität des Handelns, die eine reflektierte Vermittlung ausschloß: »Wer allzu viel bedenkt, wird wenig leisten.« Jetzt aber überläßt sich Tell einer Reflexion, die im Spiegel der entschwundenen Idylle das »Ungeheure« des Mords rückhaltlos vergegenwärtigt und ihn doch als Dienst an der Gemeinschaft zu rechtfertigen weiß. Die Erfahrung der Geschichte erzeugt einen neuen Bewußtseinsgrad. Auf diese neue Qualität Tells macht W. F. Mainland aufmerksam: »There comes a moment when he has to face, alone, the unaccustomed rigour of personal reflection.« [69] Und der neue Bewußtseinsgrad schlägt sich in einer veränderten Redeweise nieder. Wir hatten Tells naiv-idyllisches Denken aus einer Vielzahl von Sentenzen erschlossen, deren Absolutsheitsanspruch relativiert wurde von der in die Geschichte eintretenden eidgenössischen Gemeinschaft. Vom konzisen, sentenziösen Sprechen als Form eines in sich ruhenden, an Naturgesetzen orientierten Daseins gelangt Tell im Monolog zu einem ausführlich begründenden, den Gedanken variationsreich abwägenden Sprechen als Form einer geschichtlich gebrochenen, reflektierten Existenz. In extensiver monologischer Reflexion hatte Wallenstein die Paradoxie geschichtlichen Handelns mit höchster Konzentration schlaglichtartig erfaßt, und Johanna war im Monolog aus ihrem naiven Zustand, ihrer reflexionslosen »Blindheit« erwacht und der Paradoxie des Handelns auf subjektiv sinnbildliche Weise – im Medium ihrer Liebeserfahrung – innegeworden. Unterm Aspekt solcher Bewußtwerdung rechtfertigen sich Breite und Ausführlichkeit des Tellschen Monologs. Mainlands einsichtsvolle Sätze formulieren den Sachverhalt folgendermaßen: »Tell's now famous soliloquy indicates the intensity of his new inner experience. We are made aware of it by a change in the form of his words. This man, who has accepted, without heeding its contraint, the common habit of thought and speech, breaks free on this one occasion from proverbial maxims and makes his own vigorous and personal response to the challenge of tyranny. That is, I believe, how we are to interprete the expansive diction of this scene, and not, as some commentators have thought, as eloquence inappropriate to Tell's character.« [70]

Das neue Wagnis der Reflexion, in das sich Tell einläßt, intensiviert und vertieft aber nur das von der eidgenössischen Gemeinschaft vollzogene »Prüfen oder Wählen«. Die umsichtige, vor dem Gewissen standhaltende Begründung der Aktion wider die Tyrannen wurde auf dem Rütli eigens gefordert: »Eidgenossen! / Sind

---

69 Mainland, Schiller, S. 120.
70 Ebda.

alle sanften Mittel auch versucht? (...) Schrecklich immer, / Auch in gerechter Sache ist Gewalt; / Gott hilft nur dann, wenn Menschen nicht mehr helfen.« (V. 1314 ff.) Und erst aus der weitläufigen Rechtfertigung des gewaltsamen Handelns als der einzig möglichen politischen Verhaltensweise kann der Rütli-Schwur hervorgehen. Die reflektierte Handlung der Eidgenossen, das Vermitteln der Tat durch das Bedenken, wird in vorbildlicher Weise durch Tell vorgeführt, mit dem Unterschied freilich, daß Tell nicht in gemeinsamer Rede, sondern in der Einsamkeit seine Tat denkend vermittelt. Denn das verschwiegene Handeln entspricht seinem besonders ausgeprägten Selbstgefühl, einem Willen zur Selbstbehauptung, der aus dem Bewußtsein besonderer Tatkraft lebt. Es ist dieses komplexe Verhältnis zwischen einzelnem und Gemeinschaft, zwischen Selbstbehauptung und Solidarität, zwischen verschwiegenem und beredetem Handeln, das H. G. Thalheim in seiner allzu theoretisch akzentuierten Tell-Interpretation negiert: »Seine (Tells) Tat könnte von jedem anderen auch ausgeführt werden und ist deshalb die Tat des ganzen Schweizer Volkes. Es gibt keinen prinzipiellen Unterschied zwischen Tell und seinen Landsleuten (...) Nur durch die problematische Isolation Tells vermochte Schiller im Sinne seiner moralistisch-republikanischen Revolutionsauffassung die Not jedes einzelnen, bedrohten Schweizers gleichsam an einem runden Beispiel zu gestalten (...) als einem beliebig auswechselbaren Beispiel für eine allgemein philosophische Überzeugung.« [71] Ein Urteil dieser Art verdeckt nicht nur das vielschichtige, durch Schweigen, Wort und Tat differenzierte Verhältnis zwischen Tell und der Gemeinschaft, sondern es verstellt auch den Blick für die Wandlungen, die an der Tell-Figur statthaben. Daß diese nicht psychologischer Art sind, sondern »fundamentale Seinsweisen« [72] im Sinne von Schillers dreifach gegliederter Kulturphilosophie bezeichnen, versteht sich von selbst. Der »ästhetische Staat« als die »politisch gewordene Idylle« vollendet den aus ungeschichtlicher Idylle und entfremdender Geschichte sich entfaltenden Dreischritt. Daß der in die zweite Idylle eingehende Tell nicht mit dem Tell der ersten Idylle identisch ist, soll eine neue Interpretation der Parricida-Szene bestätigen. Wie der Gemeinschaft insgesamt wächst auch Tell aus den geschichtlichen Erfahrungen eine neue Dimension zu. Von der Apfelschuß-Szene über den Monolog bis zum Dialog mit Parricida führt ein Weg, der an Tell eine »Universalisierung seines Betragens« und seine »Eigentümlichkeit« gleicherweise anzeigt und zugleich die Eidgenossen insgesamt in eine höhere, »Palast und Hütte« versöhnende Gemeinschaftsebene bringt.

IV. Das übertragische Ende unter dem Aspekt der Idyllenmotivik

Mit der Deutung der tragischen Situation auf den vorhergehenden Seiten ist der »Sinn« der Dramen noch keineswegs erschöpft. Das Tragische ist mit der Tragödie nicht identisch – in Untergang und Katastrophe sind übertragische Momente verborgen. Die »tragende, erhebende oder versöhnende Schicht« [1]

71 Hans Günther Thalheim: Notwendigkeit und Rechtlichkeit der Selbsthilfe in Schillers *Wilhelm Tell*. In: Goethe-Jahrbuch. Neue Folge 18 (1956). S. 240 f.

72 Diesen zutreffenden Ausdruck verwendet Martini (Wilhelm Tell), S. 112, Anm. 40.

1 Sengle, Tragödie, S. 269.

wurde von Friedrich Sengle als ein zentrales Bauelement der Tragödie charakterisiert: »Erst in der Katastrophe kommen die Bewegungen der Konfliktschicht zur Ruhe; der Tragiker muß durch sie h i n d u r c h, aber hinter der Katastrophe erhebt sich die Versöhnung.« [2] Der versöhnenden Schicht ist bezüglich der *Wallenstein*-Tragödie nur vereinzelt gedacht worden. Gegen Hegel, der jede Form einer Theodizee vermißt hatte [3], wendete sich zuletzt Benno von Wiese, der sie nachdrücklich für den *Wallenstein* in Anspruch nimmt. Aber die von ihm entfaltete Idee der Nemesis hat vorzüglich eine moralische und religiöse Substanz, wie wir zeigen werden [4]. Es fehlt der Nemesis jener Horizont, der zur versöhnenden Schicht im *Wallenstein* gehört: der Horizont einer geschichtlich ohnmächtigen, aber im Bewußtsein des Handelnden immer noch lebendigen Idee der Idylle. Die Relevanz der Idyllenmotivik für das *Wallenstein*-Drama läßt sich gerade daran ermessen, daß diese Motivik hier eine theodiezeehafte Funktion erhält: In seiner Todesklage läßt Wallenstein den früh gefallenen Freund Max in das schöne Sein der idyllischen Idee eingehen; und zugleich mit der Person des Max, Symbol der Idylle, denkt Wallenstein noch einmal die Idee der neuen idyllischen Zeit. In Wallensteins Bewußtsein wirkt die Idee, trotz ihres geschichtlichen Scheiterns, fort, und mit verschärfter Skepsis richtet Wallenstein selbst sein künftiges Handeln, das die geschichtliche Herstellung der Idee nicht mehr erwirken kann. Zur Katastrophe, in die auch Wallenstein hineingerissen wird, gesellt sich die Beschwörung des idealgeschichtlichen, idyllischen Aspekts. In der *Jungfrau von Orleans* intensiviert sich am Ende dieser Aspekt: Johanna erfährt wie Wallenstein das unzerstörbare Sein der Idee in ihrem Bewußtsein, zugleich aber vollzieht sie, wie Max, den Übertritt aus der geschichtlichen in die idealgeschichtliche Existenz – freilich um den Preis des Todes. Diese Dialektik ist noch immer nicht zur Genüge erhellt worden. Die Erhebung über die Geschichte setzt in der Tragödie den Tod in der Geschichte voraus: das ist der Sinn von Johannas versöhnender Apotheose, die Schillers Idyllentheorie in poetischer Sinnbildsprache realisiert. Am stärksten entfaltet sich der Vorgang der Versöhnung im *Wilhelm Tell*; er hat dort unvergleichlich größere Bedeutung als in den beiden Tragödien. Dieser Unterschied ist gattungsbedingt. Daß der »versöhnliche Ausgang, die glückliche Lösung (...) Ziel und Sinn des ernsten Schauspiels« [5] bilden, hat Theodor Lipps dargelegt, und dementsprechend ist beispielsweise von Kleists Schauspiel *Der Prinz von Homburg* gesagt worden, daß die Versöhnung »in dem inneren Vorgang des Dramas selbst verflochten« wird und sich mit ihm »entfaltet« [6]. Eine Verflechtung und Entfaltung dieser Art hat Schiller im *Wilhelm Tell* intendiert. Die antithetische Bewegung im *Wallenstein*, zur unversöhnbaren Paradoxie verschärft in der *Jungfrau von Orleans*, ist in Schillers Schauspiel zu einem Bezugssystem der Relativierungen und Ergänzungen umgebildet. Das fruchtbare Spannungsverhältnis zwischen einzelnem und Gemeinschaft, zwischen verschwiegener Tat und allgemeiner Rede, erweitert und löst sich harmonisch auf der Ebene der neuen höheren Idylle. Die zentrale, noch kaum ermittelte Bedeutung und Komplexität der Idyllenthematik für das Ende aller drei Dramen darzustellen, ist Ziel der folgenden Ausführungen.

---

2 Ebda, S. 272.
3 Vgl. unser Zitat S. 158, Anm. 15.
4 Vgl. unsere Ausführungen S. 157 f.
5 Zitiert nach Müller-Seidel, Versehen und Erkennen, S. 179.
6 Ebda.

1. »Wallenstein«

a) Wallensteins Todesklage

Wir hatten die Konsequenzen von Wallensteins tragischer Schuld bis zu dem Punkt verfolgt, wo Wallenstein Max zum Verrat überreden möchte. Indem er den jungen Piccolomini durch ein berechnendes Sprachverhalten verwirrte, wollte er ihn in die Schuld politischen Handelns hineinziehen. Angesichts des Todes seines jungen Freunds wird Wallenstein gewahr, daß Piccolomini sich vor jeder Schuld zu bewahren wußte. Bewundernd blickt er auf dessen Leben zurück und vergegenwärtigt sich sein ideales Bild in einer ausdrucksstarken elegischen Rede. In einem Drama, das wie wenige aus der Problematik der Redehaltungen lebt und diese noch zum Thema des Dialogs und des Monologs macht, erhält die wahrhaftige, zweckfreie Ausdruckssprache besonderes Gewicht. In ihr ruft Wallenstein eine Intention seines Handelns ins Bewußtsein zurück: die Idee einer paradiesischen Ordnung, wie sie in seinem Sternenglauben symbolisch sich verkörpert und in Max ihre irdische Entsprechung gefunden hatte:

> Doch fühl ichs wohl, was ich in ihm verlor.
> Die Blume ist hinweg aus meinem Leben,
> Und kalt und farblos seh ichs vor mir liegen.
> Denn er stand neben mir, wie meine Jugend,
> Er machte mir das Wirkliche zum Traum,
> Um die gemeine Deutlichkeit der Dinge
> Den goldnen Duft der Morgenröte webend –
> Im Feuer seines liebenden Gefühls
> Erhoben sich, mir selber zum Erstaunen,
> Des Lebens flach alltägliche Gestalten.
> – Was ich mir ferner auch erstreben mag,
> Das Schöne ist doch weg, das kommt nicht wieder,
> Denn über alles Glück geht doch der Freund,
> ders fühlend erst erschafft, ders teilend mehrt.
> (Tod, V. 3442 ff.)

Die Metapher vom »goldnen Duft der Morgenröte« könnte zunächst vermuten lassen, daß Max für Wallenstein nichts anderes gewesen sei als eine die Realität poetisierende Gestalt. Aber gerade in dieser Metapher walten dichte ideelle Bezüge. So ist das Adjektiv »golden« in diesem Drama stets mit dem Begriff eines paradiesischen Lebens verknüpft, etwa wenn Max an die »goldne Zeit der Reise« (Picc., V. 1476 f.) sich erinnert oder wenn Thekla dieselbe Reise als Beginn des »neuen goldnen Tags« (Tod, V. 1367) bezeichnet. Dazu stimmt das Bild der »Morgenröte«, die hinter der »gemeinen Deutlichkeit der Dinge«, hinter der bestehenden Geschichte sich abzeichnet als Symbol einer neuen schönen Zeit. Diese Zeit ist auch mitgemeint im Bild der »Blume«, das Max selbst einmal visionär entworfen hatte in seiner Rede vom »ersten Veilchen, das der März uns bringt, / Das duftige Pfand der neuverjüngten Erde« (Picc., V. 502 f.). »Morgenröte« und »neuverjüngte Erde« assoziieren miteinander: sie zeigen auf das schöne neue Leben der Zukunft hin. Dieser Doppelaspekt des Schönen und des Neuen beherrscht Wallensteins Todesklage und durchzieht leitmotivisch die Trilogie. Venus, »das Gestirn der Freude«, dargestellt als »schöne Frau«, symbolisierte Wallensteins Ideal einer in idyllische Schönheit umgewandelten Geschichte, ein Ideal, das sinnlich konkret in einer einzelnen Erscheinung zugegen war: in der Person des Max Piccolomini. Er, der einst »jedwedem schönen Trieb Genüge« tat (Tod, V. 721) und stets »Bringer irgend einer schönen Freude« war (Picc., V. 756), ist auch in Wallensteins und Theklas Erinnerung das »Schöne« schlechthin (Tod, V. 3180 und 3452). Bezeichnenderweise erscheint dieses Schöne in jugendlicher Gestalt (»Denn er stand neben mir wie meine Jugend«). So verknüpft Schiller die jugendliche Erscheinung des jungen Piccolomini mit den Motiven des »Schönen« (die »Blume«), der Unschuld (das »faltenlose«, »leuchtende« Leben), des Neuen (der »goldne Duft der Morgenröte«). Ähnlich hatte er schon in der Theorie die Kindheit und die Jugend eines Menschen oder eines Volks mit der Motivik des Schönen, Unschuldigen und Neuen verknüpft (vgl. seine Schrift *Über Naive und Sentimentalische Dichtung*). Stets bezieht Schiller diese Motivik auf die verlorene und wieder zu gewinnende Idyllenzeit der Kindheit und Jugend. Diese Idyllenzeit ist identisch mit der naiven Natur. Das Verhältnis des in der Kultur und in der Geschichte lebenden Menschen zur naiv idyllischen Natur ist vergleichbar dem Verhältnis Wallensteins zu Max Piccolomini. Beispielhaft läßt sich das durch ein Zitat aus der Schrift *Über Naive und Sentimentalische Dichtung* zeigen: »Trittst du heraus zu ihr aus deinem künstlichen Kreis, steht sie vor dir (...) in ihrer naiven Schönheit, in ihrer kindlichen Unschuld (...) dann verweile bey diesem Bild (...) nimm sie in dich auf und strebe, ihren unendlichen Vorzug mit deinem eigenen unendlichen Prärogativ zu vermählen, und aus beydem das Göttliche zu erzeugen. Sie umgebe dich wie eine liebliche Idylle, in der du dich selbst immer wiederfindest, aus den Verirrungen der Kunst, bey der du Muth und neues Vertrauen sammelst zum Laufe und die Flamme des Ideals, die in den Stürmen des Lebens so leicht erlischt, in deinem Herzen von neuem entzündest.« (NA, Bd. 20, S. 428 f.) Dieser Reflexion entsprechend war Max in der Dichtung als die »liebliche Idylle« zugegen. Ihr Untergang steht symbolisch ein für die Übermacht der »die Flammen des Ideals« auslöschenden »Stürme des Lebens«: die Intentionen des Handelnden werden überspielt von den »gewaltigen Stunden«, die ihn vom »Höchsten (...) entwöhnen« (Tod, V. 3439 f.). Weil das Besondere, das einzelne Schöne verschwunden ist, nicht wieder »kommt«, läßt sich auch das Allgemeine, eine Geschichte im Zeichen der Schönheit, nicht mehr herstellen. Diese Einsicht wirft Schatten auf Wallensteins Zukunft, die ihm »kalt und farblos« dünkt. Zwar verzichtet er nicht auf das Handeln, aber er bezieht ihm gegenüber eine verschärfte skeptische Distanz, erkennend, daß er einen Verrat hatte ausüben müssen, der die ideale Idee beschädigte und Max in den Tod trieb: »mir fiel / Der liebste Freund, und fiel durch meine Schuld. / So kann mich keines Glückes Gunst mehr freuen, / Als dieser Schlag mich hat geschmerzt« (Tod, V. 3589 ff.). Der ihm aufgezwungene »harte Schritt«, den von Anfang an sein »Bewußtsein tadelt« (Tod, V. 270), fällt durch den Tod des Freundes einem wachsenden düsteren Zweifel anheim, weil jener Untergang schlaglichtartig die Distanz zwischen Handeln und Idee in die Erinnerung zurückruft.

b) Die Idee der Nemesis und das Theodizeehafte

Was dergestalt Wallensteins trauerndes Bewußtsein bewegt, kehrt sich gegen von Wieses Satz, dieser scheine »zu einem völlig neuen Aufbruch bereit, nichts als Lebenskraft und Schaffensfreude (...) identisch mit sich selbst und seinem großen Schicksal« [7]. Gerade die behauptete Identität des Helden »mit seinem großen Schicksal« hebt dieser selbst auf, wenn nach seinen Worten alles, »was ich mir ferner auch erstreben mag«, vom Bewußtsein überschattet sein wird, daß der Unter-

7 von Wiese, Schiller, S. 673.

gang des individuellen Schönen (Max) zeichenhaft auf die Unrealisierbarkeit des allgemeinen Schönen in der Geschichte hinweist. Daraus resultiert keine durchgängige »Lebenskraft und Schaffensfreude«, sondern »in stiller Trauer um das Unwiederbringliche tritt«, wie Kurt May zutreffend ausführt, »das Vorgefühl des eigenen Endes ganz leise heran« [8]. Dergleichen Hinweise hätten von Wieses Bild vom lebensfreudigen Wallenstein differenzieren können, das ihm als wirksames Kontrastmittel zur Idee der Nemesis dient, die ihm zufolge als beherrschendes Formprinzip der Trilogie gelten kann. »Nemesis dient Schiller sozusagen als poetische Chiffre für eine rätselhafte, rational nicht mehr begreifbare, aber nichtsdestoweniger teleologisch in der Geschichte und über die Geschichte hinaus wirkende Macht.« [9] Diese aber sei zu verstehen als »eine umfassendere Ordnung der Dinge, die zwar unserem Zugriff entzogen ist, aber mit der ewigen Gerechtigkeit auf eine für uns unbegreifliche Weise im Bunde steht« [10]. Bedenkt man den übermächtigen Notzwang der Begebenheiten, der mit der Freiheit selbst gesetzt ist und den Handelnden gegen seinen Willen in die Schuld hineintreibt, so möchte man die Idee der »ewigen Gerechtigkeit« weniger hoch veranschlagen; sie kehrt nolens volens das Unrecht des Handelnden hervor und akzentuiert es moralisch in der Überantwortung an die Sühne: »die große Vergelterin« [11] nennt von Wiese denn auch an anderer Stelle die »Nemesis«. Wer aber wie Wallenstein die Problematik seines Handelns durchschaut und es selbst richtet, bedarf so dringend nicht des Gerichts, das angeblich die Nemesis über ihn abhält: »Am Ende des Vorgangs sollte für den Betrachter Wallenstein und sein Geschick mit der Idee der Nemesis zusammenfallen.« [12] Nicht nur erscheint Wallensteins Schuld unter diesem fragwürdigen Aspekt in einer sittlich-moralischen, sondern zugleich in einer religiösen Färbung. Darauf deutet schon der Begriff der »ewigen Gerechtigkeit« hin. Ihn erklärt von Wiese mit dem Satz, daß »diese Nemesis in dem Zwielicht zwischen dem vernünftig Verstehbaren und der nur scheu hinzunehmenden religiösen Transzendenz« [13] stehe. Auf die grundsätzliche Problematik einer solchen Verknüpfung von Schicksal und Religion macht Walter Benjamin aufmerksam. Er führt aus, daß der Schicksalsbegriff die Kategorie der Unschuld so wenig enthalte wie die des Glücks und daher mit dem Begriff des Religiösen sich schwerlich vereinbaren lasse: »Der Charakter (...) wird gewöhnlich in einen ethischen, wie das Schicksal in einen religiösen Zusammenhang eingestellt. Aus beiden Bezirken sind sie durch die Aufdeckung des Irrtums, der sie dorthin versetzen konnte, zu verbannen. Dieser Irrtum ist mit Beziehung auf den Begriff des Schicksals durch dessen Verbindung mit dem Begriff der Schuld veranlaßt. So wird, um den typischen Fall zu nennen, das schicksalhafte Unglück als die Antwort Gottes oder der Götter auf religiöse Verschuldung angesehen. Dabei aber sollte es nachdenklich machen, daß eine entsprechende Beziehung des Schicksalsbegriffes auf den Begriff, welcher mit dem Schuldbegriff durch die Moral mitgegeben ist, auf den Begriff der Unschuld nämlich, fehlt. In der griechischen klassischen Ausgestaltung des Schicksalsgedanken wird das Glück, das einem Menschen zuteil wird, ganz und gar nicht als die Bestätigung seines unschuldigen Lebenswandels aufgefaßt, sondern als die Versuchung

8 May, Schiller, S. 156.
9 von Wiese, Schiller, S. 676.
10 Ebda, S. 677.
11 Ebda, S. 660.
12 Ebda, S. 677.
13 Ebda.

zu schwerster Verschuldung, zur Hybris. Beziehung auf die Unschuld kommt also im Schicksal nicht vor. Und – diese Frage trifft noch tiefer – gibt es denn im Schicksal eine Beziehung auf das Glück? Ist das Glück, so wie ohne Zweifel das Unglück, eine konstitutive Kategorie für das Schicksal? Das Glück ist es vielmehr, welches den Glücklichen aus der Verkettung der Schicksale und aus dem Netz des eigenen herauslöst (...) Glück und Seligkeit führen also ebenso aus der Sphäre des Schicksals heraus wie die Unschuld. Eine Ordnung aber, deren einzig konstitutive Begriffe Unglück und Schuld sind und innerhalb deren es keine denkbare Straße der Befreiung gibt (denn soweit etwas Schicksal ist, ist es Unglück und Schuld) – eine solche Ordnung kann nicht religiös sein, so sehr auch der mißverstandene Schuldbegriff darauf zu verweisen scheint.«[14] Von solchen Erwägungen her ist Vorsicht geboten in der Verwendung des Begriffs des »Religiösen«, soweit er Wallensteins Schicksal und die darin vermeintlich sich offenbarende Idee der Nemesis betrifft. Nicht in dieser Idee ist das übertragische Moment der Tragödie enthalten, sondern in Wallensteins Klage über das Scheitern der in Max symbolisierten Idee des Neuen, Schönen und Paradiesischen. Die Deutung der Wallensteinschen Klage aus dieser Perspektive scheint Schiller theoretisch zu stützen in der Schrift *Über Naive und Sentimentalische Dichtung*, deren Beziehungsreichtum zur *Wallenstein*-Trilogie stets unterschätzt wurde: »Entweder ist die Natur und das Ideal ein Gegenstand der Trauer, wenn jene als verloren, diese als unerreicht dargestellt wird. Oder beyde sind ein Gegenstand der Freude, indem sie als wirklich vorgestellt werden. Das erste giebt die Elegie in engerer, das andere die Idylle in weitester Bedeutung.« (NA, Bd. 20, S. 448 f.) In Wallensteins Todesbetrachtung verbindet sich die Trauer über die verlorene »Natur«, über die »Blume« als Metapher für Max, mit der Trauer über das »unerreichte«, in Max symbolisch vorweggenommene Ideal, und damit löst Wallenstein die Forderung Schiller ein, wonach »der Inhalt der dichterischen Klage (...) niemals ein äußrer, jederzeit nur ein innerer idealischer Gegenstand seyn« kann (NA, Bd. 20, S. 450). Erst dieser Zusammenhang von Klage und »idealischem Gegenstand« erzeugt die versöhnende, die tragischen Konflikte transzendierende Schicht. Sie gewinnt ein eigenes Gewicht dadurch, daß sie sich in einer Sprache von fast »lyrischer« Reinheit, unvermischt von den Formen des Berechnenmüssens manifestiert, einer Sprache, die in poetischen Metaphern die Intensität bezeugt, mit der die Idee des Neuen und Idyllischen in Wallensteins Bewußtsein fortwirkt. Weil Wallenstein an dieser Idee kritisch sein Handeln mißt, wird auch Hegels berühmter Einwand hinfällig: »Wenn das Stück endigt, so ist alles aus, das Reich des Nichts, des Todes hat den Sieg behalten; es endigt nicht als eine Theodicee.« »Dies ist nicht tragisch, sondern entsetzlich! Dies zerreißt das Gemüt, daraus kann man nicht mit erleichterter Brust springen.«[15] Gerade jenes »Theodizeehafte«, das dem Rückblick Wallensteins auf die ideale Idee immanent ist und in der Sprache sich reflektiert, erzeugt eine das »Reich des Nichts« transzendierende Wirkung. In seiner Todesstunde vergegenwärtigt Wallenstein nochmals die unrealisierbaren Intentionen seines Handelns, die schon der zweite Teil des Monologs andeutete und die in Wallensteins Sternenglauben, im Vorausblick auf die Idee einer neuen paradiesischen Ordnung, im verzweifelten Zurückschrecken vor dem Verrat sich niederschlugen.

---

14 Benjamin, Schicksal, S. 49 f.

15 G. W. F. Hegel: Über *Wallenstein*. In: Meister der deutschen Kritik 1730–1830. München 1961. S. 303 und 305.

2. »Die Jungfrau von Orleans«

a) *Ein Vergleich mit »Wallenstein«*

Die den tragischen Vorgang transzendierende versöhnende Schicht entfaltet sich in der *Jungfrau von Orleans* in stärkerem Maße als im *Wallenstein*. Das hängt mit den besonderen Qualitäten der Hauptfiguren zusammen. Johanna ist Wallenstein insofern verwandt, als sie handelnd die Idee kompromittieren muß. Aber sie besitzt gegenüber Wallenstein insofern mehr Idealität, als sie schon vor dem Handeln Wallensteins bedenklicher Selbstbezogenheit enthoben ist. Diese Selbstbezogenheit ist bei Wallenstein freilich nicht moralisch und charakterologisch zu verstehen, wie man sie immer wieder verstanden hat. Sondern sie entspringt unvermeidlich der besonderen Dialektik des Handelns im *Wallenstein*. Handeln versteht sich als Dienst an der Idee und an der eigenen Macht. Beides ist unlösbar miteinander verknüpft: denn zur Herstellung der Idee bedarf es des mächtigen Subjekts. Beides, die Macht der Idee und die Macht des Subjekts miteinander zu versöhnen, versucht Wallenstein. Aber in der Freiheit des mächtigen Handelnden, die zur Realisierung der Idee erforderlich ist, lauern auch die Tücken, die diese Idee überspielen: aus der Freiheit entspringen mit Notwendigkeit die selbstbezogenen bedenklichen Gedankenspiele, die sich unvermeidlich ins Wort drängen und dem Gegner zum Entwurf einer Intrige dienen, die den Handelnden zur Gegenintrige, zu Verrat und Schuld zwingt. Im Gegensatz dazu ist Johannas Macht nicht der Freiheit anheimgestellt, sondern sie untersteht dem Gesetz der Notwendigkeit: Johanna versteht ihre Mission als ein unbedingtes Handelnmüssen; indem sie ihr Subjekt zum reinen Objekt des göttlichen Auftrags macht, ist sie von jener Selbstbezogenheit frei, wie sie aus der Freiheit hervorgeht. Das macht ihre höhere Idealität gegenüber Wallenstein aus. Wenn aber selbst diese Idealität das Scheitern der Idee nicht zu verhindern vermag, dann dichtet Schiller damit die höchstmögliche Verschärfung der Dialektik des Handelns, der Aporie von Idee und Geschichte: die entstellte Geschichte fordert ein Handeln, das auch die zu realisierende Idee entstellt, wie ideal die Antriebe des Handelns immer sein mögen. Dadurch gerät der Handelnde in eine Schuld, die deshalb so tragisch, aber auch so »verzeihlich« ist, weil er nichts sein wollte als reine Verkörperung der Idee. Und weil er das wollte, kann er auch nach Büßung seiner Schuld in das Sein dieser Idee eingehen.

In dieses Sein der Idee ist auch Max Piccolomini eingetreten, freilich nur in der Todesklage Wallensteins; dieser läßt in seinem trauernden Bewußtsein den toten Freund in ein geschichts- und zeitenthobenes paradiesisches Sein transzendieren. An diesem Sein hat Wallenstein kraft der Erinnerung an seinen jungen Freund geistigen Anteil: er holt die Idee der idealgeschichtlichen Idylle, als deren Symbol sich Max behauptete, in sein Bewußtsein zurück. Konzentriert Johanna bei ihrem Eintritt in die Geschichte die besonderen idealen Qualitäten Wallensteins und Piccolominis, so vereinigt sie gleichermaßen bei ihrem Austritt aus der Geschichte das, was an Wallenstein und Max am Ende sichtbar wird. Sie darf im Unterschied zu Max ihren »Übertritt in den Gott« wissend erfahren, im Bewußtsein reinster Freude, weil sie zuvor, im Unterschied zu Max, handelnd das leidende Bewußtsein tragischer Schuld gewonnen hatte; im Unterschied zu Wallenstein aber gewinnt sie nicht nur das Bewußtsein der Idee zurück, sondern wird mit dieser identisch, weil sie immer schon nichts als die Identität mit ihr angestrebt und auch partiell dargestellt hatte. Im tragischen wie im versöhnenden Vorgang konvergiert in Johannas Person, was in Max und Wallenstein auseinandergelegt ist. Diese Konzentration in einer Person bedingt eine gesteigerte Darbietung des Tragischen wie des Übertragischen.

b) Buße und Versöhnung

In den Vorgang der Versöhnung führt die Frage, warum Johanna der ungeheuerlichen Anklage des Vaters nicht entgegengetreten war, warum sie sich seiner Anschuldigung, Werkzeug des Teufels zu sein, nicht erwehrt hatte. Johanna gibt selbst die Antwort darauf: »Ich unterwarf mich schweigend dem Geschick, / Das Gott, mein Meister, über mich verhängte.« (V. 3147 f.) Johanna versteht den Vorwurf, dessen sie bezichtigt wurde, als Strafe Gottes für die Verletzung des Auftrags. Im schweigenden Ertragen des Vorwurfs, des ungeheuren Unrechts, das man ihr antut, leistet Johanna Buße für ihre tragische Schuld. Das bedeutet freilich nicht, daß der gescheiterte Auftrag erneut übernommen werden könnte. Wenn Johanna sich von den Engländern gefangen nehmen läßt, so ist sie damit nicht mehr Trägerin des gegen die Engländer durchzufechtenden göttlichen Auftrags. Symbolisch gesprochen: der Auftrag der Idee ist definitiv gescheitert und in der Geschichte nicht mehr durchzuführen. Das bezeichnete Scheitern und die damit gesetzte Schuld ist an die Gestalt Lionels gebunden: die von Johanna geleistete Buße ihrer Schuld muß demnach darin sich bezeugen, daß sie innere Distanz zu Lionel bewahren kann. Ein erneutes Aufflammen der Liebe zu ihm wäre sinnbildlicher Ausdruck einer noch nicht abgetragenen Schuld. Unter diesem Aspekt erklärt sich Johannas Angst vor der erneuten Begegnung mit dem Engländer. Die leidenschaftslose Fassung, in der sie ihm dann gegenübertreten kann, ist zeichenhafter Hinweis auf die Erlösung von aller Schuld. Erst jetzt ist bestätigt, was Johanna nach ihrem bußfertigen Umherirren in einer aus den Fugen geratenen Natur ausspricht: »Jetzt bin ich / Geheilt, und dieser Sturm in der Natur, / Der ihr das Ende drohte, war mein Freund, / Er hat die Welt gereinigt und auch mich.« (V. 3174 ff.) Der wiedergewonnenen Reinheit Johannas muß aber zugleich das französische Volk insgesamt sich bewußt werden. Die Alternative des Erzbischofs: »Wir haben uns mit höllschen Zauberwaffen / Verteidigt oder eine Heilige verbannt!« (V. 3285 f.) läßt sich nur »durch ein Wunder« lösen. Zwar ist die so gestellte Alternative insofern falsch, als Johanna weder als »Heilige« handelte noch mit »höllschen Zauberwaffen« sich verteidigte; vielmehr hat sie die Unschuld des Paradieses über den Weg durch die Geschichte, durch den tragischen Sündenfall des Menschseins, neu gewonnen. Sie ist in jene zweite Unschuld eingegangen, die ihrem Volk im Symbol eines Wunders vergegenwärtigt wird: Sie zerbricht ihre Ketten und entscheidet die fast schon verlorene Schlacht zugunsten Frankreichs.

Man darf diese Tat als »Triumph des Geistes über die Materie«[16] deuten, wie Heinz Ide es tut, nur muß man sich vergegenwärtigen, daß die Heldin dabei tödlich verwundet wird. Die Frage, warum »die Siegerin über das Stoffliche von der Materie die Todeswunde erhalten konnte«[17], ist so unangemessen nicht, wie Ide selbst meint. Vielmehr deutet dieser paradoxe Sachverhalt darauf hin, daß Johanna als Einzelperson im Bild des Wunders die neu gewonnene Unschuld darstellen kann, daß aber die Materie, d. h. das Feld der Geschichte, dieser zweiten Unschuld nicht teilhaftig ward und stets noch Instrument des Tötens ist: die höhere Idylle, der ästhetische Staat, läßt sich im Raum der Tragödie niemals herstellen. Gerhard

---

16 Ide, Jungfrau von Orleans, S. 88.
17 Ebda.

Kaiser berührt, von anderen Voraussetzungen ausgehend, diesen Sachverhalt mit den zutreffenden Worten: »Die Jungfrau als einzelne hat den Entwicklungsgang der Menschheit stellvertretend durchschritten; die Menschheit als Gattung bleibt unterwegs.« [18] Wenn aber die Idee im Raum der Tragödie auch nicht ins Irdische übersetzt werden kann, so läßt Schiller doch den durch eine tragische Schuld hindurchgegangenen und durch Buße geläuterten Menschen in das unbestimmbare Sein der Idee eingehen. Zweifellos darf Johannas Apotheose eine poetische Umsetzung der Idyllentheorie Schillers genannt werden: »Seht ihr den Regenbogen in der Luft? / Der Himmel öffnet seine goldnen Tore, / Im Chor der Engel steht sie glänzend da, / Sie hält den ewgen Sohn an ihrer Brust, / Die Arme streckt sie lächelnd mir entgegen. / Wie wird mir – Leichte Wolken heben mich – / Der schwere Panzer wird zum Flügelkleide. / Hinauf – Hinauf – Die Erde flieht zurück –/ Kurz ist der Schmerz und ewig ist die Freude!« (V. 3536 ff.) Auf den berühmten Brief Schillers an Humboldt (Jonas, Bd. 4, S. 338) anspielend, der eine kleine Poetik der Idylle enthält, bemerkt Horst Rüdiger: »›k e i n S c h a t t e n‹ trübt den ›Übertritt‹ ins Göttliche, ›k e i n e S c h r a n k e‹ hemmt die Entrückung in die ›Gefilde der Hinkunft‹« [19]. Johanna entschwebt in das Elysium, das Schiller auch in seinem Gedicht *»Das Ideal und das Leben«* beschwört – Herakles kehrt nach dem mühevollen Weg durch die Geschichte in die Vollendung ein: »Bis der Gott, des Irdischen entkleidet, / Flammend sich vom Menschen scheidet / Und des Äthers leichte Lüfte trinkt. / Froh des neuen ungewohnten Schwebens, / Fließt er aufwärts, und des Erdenlebens / Schweres Traumbild sinkt und sinkt und sinkt. / Des Olympus Harmonien empfangen / Den Verklärten in Kronions Saal, / Und die Göttin mit den Rosenwangen / Reicht ihm lächelnd den Pokal.« (SA, Bd. 1, S. 196 ff.)

Johannas Tragik wird transzendiert durch die Vision einer Harmonie, die ihre Wirkung auf die übrigen Dramenfiguren nicht verfehlt: »alle stehen lange in sprachloser Rührung« vermerkt Schiller, und Rührung will hier wie in diesem Drama überhaupt verstanden werden als Ergriffensein vom »göttlichen« Wunder, dem Sinnbild der Idee der übertragischen Idylle. Indem aber mit der Versöhnung zwischen Volk und Johanna zugleich der Blick auf das Elysium fällt, dichtet Schiller eine Harmonie, die auch der Zuschauer wahrnimmt. Die schöne Überhöhung des Tragischen am Ende des Dramas soll auch ihn erheben – das läßt die sehr kunstvolle poetische Einkleidung von Johannas Vision vermuten: die Reime verleihen ihr eine eindringliche Musikalität. Wir sehen uns hier vor eine Frage gestellt, die man bislang vernachlässigte und die wir im Falle Schillers für entscheidend halten: die Frage nach der Wirkung des Dramas auf das Publikum. Schiller hat sie in den Mittelpunkt seiner *Briefe über die Ästhetische Erziehung* gerückt und sie seitdem nicht wieder vergessen. Wer ihr nicht nachgeht, wird schwerlich seinem klassischen Drama gerecht. Sie bezieht sich zumal auf den Spieltrieb, der die erlösende Freiheit des Menschen intendiert. Wir wagen die These, daß durch die Wirkung des Dramas auf den Zuschauer gelingen soll, was im dramatischen Vorgang nicht gelingen kann: jene Freisetzung und wechselseitige Durchdringung unterdrückter und divergierender menschlicher Grundantriebe, kraft welcher die empirische Geschichte in eine »ästhetische« verwandelt werden könnte. Von diesem Zusammenhang zwischen Dramenwirkung und geschichtlicher Existenz soll im letzten Kapitel der Arbeit ausführlich die Rede sein.

---

18 Kaiser, Johannas Sendung, S. 234.
19 Rüdiger, Das Pastorale, S. 244.

3. »Wilhelm Tell«

Im Unterschied zu den Tragödien *Wallenstein* und *Jungfrau von Orleans* entfaltet sich die Versöhnung im *Wilhelm Tell* mit dem inneren Vorgang selber – gemäß der dem Schauspiel eigenen Intention, sämtliche dramatische Schritte in den Dienst des »guten Endes« zu stellen. Der bezeichnete Gattungsunterschied läßt sich an den verschiedenen Grundkonstellationen ablesen, in denen Schiller das Spannungsverhältnis zwischen Dramatik und Idyllik darbietet. In den Tragödien stehen die Idee der idealgeschichtlichen Idylle und ihre Symbole zur entfremdeten Geschichte in einem Spannungsverhältnis, das, im Falle des *Wallenstein*, in unversöhnlichen Antithesen, im Falle der *Jungfrau von Orleans*, im unaufhebbaren Paradox sich entfaltet. Beide Male ist die versöhnende Schicht nur um den Preis des Todes herstellbar. Im *Wilhelm Tell* erzeugt die unheilvolle Geschichte ein Spannungsverhältnis zwischen den beiden Repräsentanten der zerbrechenden naiven Idylle: zwischen einzelnem (Tell) und Gemeinschaft. Dieses Spannungsverhältnis ist aber weder unversöhnlich antithetisch noch unaufhebbar paradox strukturiert, sondern umgebildet zu einem Bezugssystem von Relativierungen und Ergänzungen, das sich zuletzt als eine höhere Harmonie darstellt. Der einzelne und die Gemeinschaft, Selbstbehauptung und Solidarität, Tat und Rede, verschwiegenes Handeln und öffentlicher Zusammenschluß, korrigieren einander und eignen sich, in der Auseinandersetzung mit der Geschichte, jeweils eine neue verbindende Dimension zu. Das bezeichnete Spannungsverhältnis ist von vornherein auf jene Versöhnung hin angelegt, die sich am Ende des Dramas als die zweite höhere Idylle präsentiert.

Die neue spezifische Qualität dieser Idylle und ihrer Handlungsträger zu ermitteln, wurde von der wissenschaftlichen Literatur bisher versäumt. Einer genaueren Analyse schienen vielfach verwendete Begriffe wie »Wiederherstellung« [20] oder »wiederherzustellende Ur-Ordnung« [21] im Wege zu stehen. Denn derartige Begriffe charakterisieren den inneren Vorgang als eine Art Kreisbewegung. Die bezeichneten Begriffe verschleiern leicht den progressiven kulturphilosophischen Dreischritt, den Schiller theoretisch entwarf und der auch im *Tell*-Schauspiel wirksam ist. Es ist ein Entwurf, der erste und dritte Stufe nicht als identisch begreift, sondern aus der These der ersten und der Antithese der zweiten Stufe ein Neues und Höheres hervorgehen läßt. In seiner Schrift *Über Naive und Sentimentalische Dichtung* läßt Schiller keinen Zweifel daran, »daß das Ziel, zu welchem der Mensch durch Kultur s t r e b t, demjenigen, welches er durch Natur e r r e i c h t, unendlich vorzuziehen ist. Der eine erhält also seinen Werth durch absolute Erreichung einer endlichen, der andre erlangt ihn durch Annäherung zu einer unendlichen Größe.« (NA, Bd. 20, S. 438) Ob in unserem Schauspiel diese »unendliche Größe« »erreicht« wird, bleibt unklar, wenn bloß gesagt wird, daß Tell »in eine tragische Brandung hineingerät und trotz aller Gefährdung am Ende unversehrt und gerechtfertigt aus ihr hervorgeht« [22]. Die an sich glückliche Formel von der »politisch gewordenen Idylle« [23] bedarf der Erläuterung. An einer Identität zwischen erster und dritter Daseinsstufe hält deutlich Fritz Martini fest, wenn er von einer allgemeinen Heimkehr in die Idylle spricht [24] und bezüglich des Helden vermerkt,

20 Vgl. Storz, Schiller, S. 419.
21 Ebda, S. 421.
22 von Wiese, Schiller, S. 770.
23 Ebda, S. 776.
24 Vgl. Martini, Wilhelm Tell, S. 117.

daß er aus dem »Zustand des ›Sentimentalischen‹ ... in seine Grundverfassung des ›Naiven‹ zurückzukehren vermag«[25]. Demgegenüber sei versucht, auf die neuen Dimensionen hinzuweisen, die der zweiten Idylle und ihren Stiftern aus ihren geschichtlichen Erfahrungen zuwachsen.

Die zweite Idylle bedarf zu ihrer Realisierung aber nicht nur der beiden Handlungsträger, des einzelnen und der Gemeinschaft, sondern sie bedarf dazu auch der Regie des Dichters. Dieser zweite Aspekt fordert zu einer eingehenden Beschreibung heraus, weil er bisher noch nicht beschrieben wurde. Es gilt, in der überlegenen Organisation der nur scheinbar unverbundenen Handlungsverläufe[26] jener Art von Theodizee ansichtig zu werden, die in jedem Schauspiel von Anfang an gegenwärtig ist. Diese Organisation wird vom Dichter geleistet. Im *Wilhelm Tell* verbirgt er sich in der Metapher »Gott«, den die Eidgenossen anzurufen pflegen: der Beistand Gottes meint jene Gunst des Schicksals, die allein der Dichter gewähren kann. Diese symbolische Interpretation ist zum Verständnis des Vorgangs der Versöhnung notwendig und läßt einen weiteren strukturellen Unterschied zur Tragödie hervortreten. Verweist nämlich die souveräne Regie des Dichters im *Wilhelm Tell* auf die für das Schauspiel charakteristische Rolle der überlegenen Figur, die alles vorläufige Unheil zum höheren Glück umfunktioniert, so fehlt der Tragödie diese positive Vermittler-Gestalt: die Personen handeln im Zeichen der tragischen Ironie, verstrickt in jene Dialektik, die allem Handeln vorausliegt und dem Helden erst im Monolog bewußt wird. Sein Scheitern versinnbildlicht die Unaufhebbarkeit dieser Dialektik im Raum der Tragödie: während das theodizeehafte Moment dort nur um den Preis des Todes sich einstellt, wirkt es im Raum des Schauspiels ins geschichtliche Leben zurück und verwandelt es in ein idealgeschichtliches – in die zweite höhere Idylle, den ästhetischen Staat.

a) Die Parricida-Szene. Die Relevanz des Worts

Daß Tell nicht bei seiner Tatkraft als solcher verharrt, sondern sie im Fortgang des Dramas durch Reflexion legitimieren lernt, hatten wir dargestellt. Darüber hinaus gewinnt aber der wortkarge Tell die Dimension der Rede hinzu, indem er das dialogisch gewendete Wort bewußt in seine Existenz einbezieht. Das sei an der Parricida-Szene aufgewiesen. Eine neue Deutung soll die vorliegenden sehr unterschiedlichen Bewertungen dieser Szene korrigieren und weiterführen. Gerhard Storz kritisiert sie als eine Wiederholungsszene: die erneute sittliche Rechtfertigung des Mords an Geßler sei überflüssig und vermindere ihren künstlerischen Wert[27]. Als eine Szene des moralischen Kontrasts deutet sie Benno von Wiese[28], während Fritz Martini den Gegensatz eher im Sinne qualitativ verschiedener Seinsweisen erblickt[29]. Zieht der Dialog zwischen Tell und Parricida seine Spannung gewiß

25 Ebda, S. 112, Anm. 40.

26 An früherer Stelle haben wir eingehend erläutert, daß die vorliegenden Deutungen des Dramas den Zusammenhang der verschiedenen Aktionsverläufe bisher entweder übersahen, bestritten oder sehr unbefriedigend erklärten. Das gilt auch für die Interpretation H. G. Thalheims, die in abwertendem Ton ein »Nebeneinander von privater und öffentlicher Handlung« statuiert. (Vgl. Thalheim, Wilhelm Tell, S. 240.)

27 Storz, Schiller, vgl. S. 420.

28 von Wiese, Schiller, vgl. S. 775.

29 »An dem Gegenbild dessen, der der heftigsten Passion erlag, erweist sich, daß Tell jene Unverstörtheit der inneren Harmonie und Freiheit bewahrt hat, die, wie wir sahen, dem ästhetischen Charakter zugehört.« (Martini, Wilhelm Tell, S. 117.)

auch aus solchen Antithesen, so benützt Schiller doch nicht nur den umherirrenden Parricida, um des Helden moralische oder »ästhetische« Unangefochtenheit zu akzentuieren. Und auf keinen Fall wird Parricida pharisäisch verurteilt, wie schon Eckermann tadelte[30]. Es sei versucht, das Urteil Dürrenmatts zu legitimieren: ihm zufolge ist es erst »dieser große Einfall der Begegnung zweier Mörder«, der »das Stück in die Geschichte Europas einordnet«[31].

Anzuknüpfen ist an Tells berühmte Sentenz: »Gerächt / Hab' ich die heilige Natur, die d u / Geschändet« (V. 3182 f.). Sie weist Parricidas Annäherungsversuch entschieden zurück: wer wie dieser aus ehrgeiziger Verblendung einen anderen aus der Welt schafft, muß jeden Vergleich mit Tells Tyrannenmord scheuen. Die distanzierende Unterscheidung, die Tell vornimmt, weist auf seinen Monolog zurück, wo er reflektierend der Idealität seiner Tat sich versichert hatte. Er, der des »Prüfens oder Wählens« sonst nicht bedurfte, prüfte dort Entstehung und Berechtigung seines unumstößlichen Entschlusses; die Spontaneität, mit der er den Entschluß zum Mord faßte, wurde in die eingehendste Reflexion hineingeführt und von ihr begründet und gestützt. Das darin gewonnene Verständnis seiner Tat als Herstellung einer idealen Naturordnung wirkt in den Parricida-Dialog hinein: es erlaubt Tell die souveräne Unterscheidung zwischen Mord und Mord. Einzig Gerhard Storz streift beiläufig diesen Sachverhalt: »Vor der Tat muß deshalb Tell fühlen, was er hernach zum Parricida sagt: ›Gerächt hab ich die heilige Natur, die du geschändet‹«[32]. Aber die Funktion von Tells unterscheidendem Urteil erhellt auch Storz nicht. Seinen konstruktiven Aspekt hat dieses Urteil darin, daß es Parricidas trübe Verwirrung auflöst und ihm zum ungetrübten Bewußtsein seiner Schuld verhilft. Und nur an dieses Bewußtsein darf sich die vage Hoffnung knüpfen, dereinst die schwere Schuld durch Buße abzutragen. Was sich hier ereignet, ereignet sich ausschließlich durch das Wort. Das Drama führt eine Situation herauf, in der keine »bestimmte Tat« etwas auszurichten vermöchte. Parricidas Verzweiflung, die zunächst in den Selbstmord zu münden droht (»so k a n n ich, und so w i l l ich nicht mehr leben!« V. 3190), bedarf des Worts – und nur des Worts. »Das schwere Herz wird nicht durch Worte leicht«, hatte Tell einst gegenüber Stauffacher bemerkt und nicht zu Unrecht hatte Fritz Martini auf Tells »Wortkargheit« hingewiesen. Aber vor Parricida greift Tell gerade auf das tröstende Wort zurück, auf jenes, das allein das »schwere Herz« aus niederdrückender Verzweiflung erheben kann: »›Doch stehet auf (...) Vom Tell soll keiner ungetröstet scheiden – / Was ich vermag, das will ich tun‹ – Parricida (aufspringend und seine Hand mit Heftigkeit ergreifend): ›O Tell! / Ihr rettet meine Seele von Verzweiflung.‹« (V. 3224 ff.) Von schroffer Abwehr führt die Begegnung zwischen Tell und Parricida zur Hilfe durch das Wort. Der Bußgang nach Rom, den Tell vorschlägt, könnte zuletzt in die Befreiung von der schweren Schuld münden: »Dort werft ihr euch dem Papst zu Füßen, beichtet / Ihm eure Schuld und löset Eure Seele.« (V. 3235 f.) Der in das Paradies einkehrende Tell versagt dem Schuldigsten die Hoffnung auf das Paradies nicht. An diese Hoffnung gemahnt zuletzt der biblische Terminus vom gelobten Land, in den Tells Rede mündet: »Und muntern Laufs führt Euch ein andrer Strom / Ins Land Italien hinab, Euch das gelobte« (V. 3270 ff.).

Es scheint uns, als würde diese Möglichkeit einer Befreiung Parricidas dem Geist

30 Vgl. Storz, Schiller, S. 421.
31 Dürrenmatt, Wilhelm Tell, vgl. S. 324.
32 Storz, Schiller, S. 420.

des Schauspiels durchaus gerecht. Insistiert man nur auf der »Begegnung der beiden Mörder« als einer des Kontrasts, die sie gewiß auch ist, dann bleibt der Eindruck ungelöster Dissonanzen zurück: die Idealität Tells hier und die unaufhebbare Negativität Parricidas dort. Die Idealität Tells bewährt sich zuletzt aber gerade darin, daß sie die Negativität Parricidas als aufhebbare zeichnet und die Möglichkeit einer Erlösung anzeigt. Das heißt: sie bewährt sich zuletzt durch das Wort. Es rät dazu, die Formel von Tell als dem »Mann der Tat« zu differenzieren, als den er sich zunächst selbst vorstellt. Seine ideale Unmittelbarkeit im Verhältnis zum Nächsten spiegelt sich zwar in der spontanen Tat und macht ihn zum Repräsentanten idyllischer Seinsweise. Aber zu deren Repräsentanten macht ihn auch, daß er sie durch »Geduld und Schweigen«, durch eine an friedlicher Naturordnung orientierte Verhaltensweise bewahren will, nicht durch konfliktreiche Gegenaktionen. So ist schon hier Tells Verhältnis zum Handeln komplex gewendet. Als er dann die wahre destruktive Naturwidrigkeit der Geschichte erfaßt, behauptet er sich als der zur Tat Berufene, aber auch zugleich als der, der die Tat in eingehender Reflexion prüft und bedenkt. In Tells Verhältnis zur Tat wird damit eine neue, an die Geschichte gebundene Dimension sichtbar. Die reflektierte Tat, welche die negative Geschichte überwindet, stellt die ideale Naturordnung her, und zugleich wirkt die im Monolog betriebene Reflexion klärend in den Dialog mit Parricida hinein: sie erzeugt schließlich das hilfreiche Wort, dem gegenüber Tell sich einst skeptisch verhielt. Es weist Parricida die Möglichkeit eines Paradieses, von dem dieser gerade ausgeschlossen schien, des Paradieses, in das Tell eingeht. Der Tatkräftige bewährt seine Idealität, indem er zuletzt das Wort in sein Verhältnis zum Nächsten einbezieht. Dazu stimmt ausgezeichnet die Parallelität der dankbaren Ausrufe Baumgartens und Parricidas. Baumgarten, der gleich zu Anfang des Dramas durch Tells spontane Tat vom Tod bewahrt wurde, bekannte: »Mein Retter seid ihr und mein Engel, Tell!« (V. 154) Und Parricida, der durch Tells Wort aus tödlicher Verzweiflung Gerettete, bekennt: »O Tell! / Ihr rettet meine Seele von Verzweiflung.« (3227 f.) Das Wort nicht weniger als die Tat hat erlösende Kraft und Tell erfährt im dramatischen Prozeß die Berechtigung des einen wie des anderen.

b) Die Ergänzung des Worts durch die Tat

Demonstriert so Schiller an der Gestalt Tells ein sehr komplexes Handeln, das in der spontanen und in der durchdachten Tat, im Schweigen und im Wort sich bezeugt, so führt er auch das Handeln der Eidgenossen aus jeder abstrakten Eindeutigkeit heraus. Wenn Tell sich gegenüber der Gemeinschaft durch die einsam vollzogene Tat auszeichnet, dann versagt er doch zuletzt der Rede ihr Recht nicht; und wenn die Gemeinschaft sich vor allem auf die Rede beruft, dann muß sie doch auch die bedenkliche Distanz zwischen gemeinsamer Rede und Tat einsehen. Wir wiesen bereits darauf hin, daß die »frische Tat« die Apfelschuß-Szene hätte verhindern und der tragischen Situation hätte zuvorkommen können, in die Tell gerät. Schon Melchthal hatte sich angesichts der Apfelschuß-Szene gegen den auf dem Rütli gemeinsam gefaßten Beschluß gewendet: »O hätten wir's mit frischer Tat vollendet, / Verzeih's Gott denen, die zum Aufschub rieten!« (V. 1970 f.) Und Rudenz' Kritik an der im gemeinsamen Wort verabredeten Verschiebung der Tat auf das Christfest zeigt die Grenzen an, die dem allgemeinen Gespräch gesetzt sind: »Doch übel tatet ihr, es zu verschieben; / Die Stunde dringt, und rascher Tat bedarf's – / Der Tell ward schon ein Opfer eures Säumens« (V. 2511 ff.). Ist die gemeinsame

Rede für den Zusammenschluß der vielen unerläßlich, so verbürgt sie doch nicht von vornherein das richtige Verhältnis zur Tat. Sondern ihre Bedenklichkeit zeigt sich zugleich darin, daß sie die Tatkraft dort stillegt, wo diese wirksam werden müßte. Die im Dialog getroffene Übereinkunft ist insofern nicht von eindeutiger Positivität, als sie den richtigen Zeitpunkt des Handelns auf folgenschwere Weise verfehlen kann. Der nicht vorausberechenbare Gang der Geschichte kann die tragische Ohnmacht des im Wort Verabredeten aufdecken. Angesichts eines konkreten geschichtlichen Augenblicks kann die vor der Tat noch zurückschreckende Rede eine Richtung zur Selbstgenügsamkeit haben: »Doch wozu reden, da das Vaterland / Ein Raub noch ist der fremden Tyrannei?« (V. 2497 f.) Und weil es sich so verhält, darf sich Rudenz über Stauffachers Einwand (»Das Christfest abzuwarten, schwuren wir«, V. 2514) hinwegsetzen. Das in gemeinsamer Rede Festgesetzte bedarf einer Korrektur, die einen neuen Beschluß zu erwirken vermag. Melchthal greift Rudenz' Vorschlag zu raschem Handeln auf und macht ihn zur Sache aller: »Frei war der Tell, als wir im Rütli schwuren, / Das Ungeheure war noch nicht geschehen. / Es bringt die Zeit ein anderes Gesetz – / Wer ist so feig, der jetzt noch könnte zagen!« (V. 2550 ff.) Gewiß ist das öffentliche Wort insofern unabdingbare Voraussetzung allen Handelns in der Geschichte, als es überhaupt erst den zum Gelingen notwendigen Zusammenschluß der Schweizer »Landleute« stiften kann. Daran will später Melchthals froher Ausruf erinnern: »So stehen wir nun fröhlich auf den Trümmern / Der Tyrannei, und herrlich ist's erfüllt, / Was wir im Rütli schwuren, Eidgenossen.« (V. 2924 ff.) Aber das Bindende und Verbindende des gemeinsamen Worts darf dennoch nicht überanstrengt werden auf Kosten des einzelnen. Das betrifft nicht nur den Zeitpunkt des Handelns, sondern auch das strenge Verbot einer Selbsthilfe, auf der Stauffacher so nachdrücklich insistierte (»Denn Raub begeht am allgemeinen Gut, / Wer selbst sich hilft in seiner eigenen Sache.« V. 1464 f.). Am Beispiel Tells läßt sich lernen, daß glückliches Gelingen immer auch des auf sich selbst gestellten einzelnen bedarf, der seiner Spontaneität und seiner Individualität gehorcht: er kann so dem konkreten geschichtlichen Augenblick gerechter werden als das überindividuelle und abstrakte Planen, das die individuelle Entschlußkraft vorzeitig bindet. Seiner Spontaneität gehorchte Tell, indem er seinen spontan gefaßten Entschluß – den Mord an Geßler – nicht rückgängig macht; seiner Individualität gehorchte er, indem er diesen Entschluß nicht beredet, sondern in der Verschwiegenheit, in der Einsamkeit der Reflexion begründen und verantworten lernt. Solche Verhaltensweisen des einzelnen muß zuletzt Stauffacher selbst bestätigen, wenn er den heimlich und versteckt handelnden Tell als »unsrer Freiheit Stifter« (vgl. V. 3084) erkennt. Und es ist gleichermaßen das kritische Wort eines einzelnen, erst spät zur Gemeinschaft Hinzutretenden, es ist das kritische Wort des Rudenz, das zum rechtzeitigen Handeln anleitet und die Solidarität zwischen Adel und »Landleuten« neu stiftet. So wird die gemeinsame Rede dort, wo sie einen Ausschließlichkeitsanspruch erhebt, relativiert und ergänzt durch das Verhalten des einzelnen. Und umgekehrt wird – wie wir es ausführlich erläuterten – jeder Anspruch des einzelnen auf unbedingte Geltung gewisser Verhaltensweisen (»Ein jeder zählt nur sicher auf sich selbst« oder: »Das schwere Herz wird nicht durch Worte leicht«) vom Verhalten der Gemeinschaft und zuletzt von ihm selbst relativiert und ergänzt. Daß aus solchen Relativierungen und Ergänzungen das Spannungsgefüge der Dichtung lebt, hatten wir darzulegen, und daß aus diesem Spannungsgefüge die Harmonie der höheren Idylle erwächst, ist nach der Betrachtung der Tell-Gestalt an der Gemeinschaft selbst aufzuzeigen.

c) Die Versöhnung von Palast und Hütte

Die neue Qualität der Gemeinschaft läßt sich ausgezeichnet von der Vision des sterbenden Attinghausen her erfassen, die man nur selten interpretiert[33]. Sie zeigt einen bemerkenswerten Wandel seines geschichtlichen Bewußtseins an. Attinghausen, der dem eidgenössischen Volk treu verbundene Adlige, war zunächst vor den Landvögten, den Repräsentanten einer neuen Zeit, resigniert in die Erinnerung an die alte, zu Ende gehende Idylle zurückgewichen: »Das Neue dringt herein mit Macht, das Alte, / Das Würd'ge scheidet, andre Zeiten kommen (...) Unter der Erde schon liegt m e i n e Zeit; / Wohl dem, der mit der n e u e n nicht mehr braucht zu leben!« (V. 952 ff.) Aber kurz vor seinem Tode gewinnt der Freiherr einen veränderten Begriff des Neuen. Als er vom Rütlischwur erfährt, versteht er das in der Tyrannei der Landvögte verkörperte »Neue« als ein Überholbares und Überwindbares: es wird zuletzt dialektisch in eine höhere Idylle umschlagen. Attinghausens Erstaunen, daß der Landmann »aus eignem Mittel, ohne Hilf' der Edlen« (V. 1418) zum revolutionären Handeln gegen die Tyrannis sich verschworen hat, ist das Erstaunen über die Emanzipation der Unselbständigen. Diese Emanzipation, das durch Reflexion und Rede vermittelte politische Handeln, nimmt Attinghausen als Versprechen einer neuen, das Paradies von einst übertreffenden Zeit. Visionär entwirft er eine Zukunft der »neuen bessren Freiheit«, die aus der vollkommenen Gleichberechtigung aller sich konstituiert: »Aus diesem Haupte, wo der Apfel lag, / Wird Euch die neue beßre Freiheit grünen; / Das Alte stürzt, es ändert sich die Zeit, / Und neues Leben blüht aus den Ruinen ... Der Adel steigt von seinen alten Burgen / Und schwört den Städten seinen Bürgereid (...) Es hebt die Freiheit siegend ihre Fahne.« (V. 2424 ff.) Etwas von dieser vollkommenen Freiheit realisiert der dramatische Vorgang durch den aus der Rede hervorwachsenden Zusammenschluß der Unterdrückten mit dem Adel.

Daß dieser Zusammenschluß das gemeinsame Wort auf dem Rütli ebenso voraussetzt wie das kritische Wort des hinzutretenden einzelnen, des Rudenz, war zu erläutern. Rudenz, der den Eidgenossen sich zuwendende Vertreter des Adels, macht sich um diese dadurch verdient, daß er sie zur rascheren Tat überredet. Aber des ihnen angebotenen Beistands bedarf er zunächst selber: »O meine Freunde! Euch versprach ich Hilfe, / Und ich zuerst muß sie von euch erflehn.« (V. 2530 f.) Das rechtzeitige gemeinsame Handeln setzt Rudenz' Überredungskraft voraus wie umgekehrt die Rettung seiner Geliebten Berta auf die Tatkraft der Eidgenossen angewiesen ist. Durch die neue Übereinkunft derer, die zuvor in Distanz sich hielten, gelingt das Wagnis: »Wär' er n u r unser Edelmann gewesen, / Wir hätten unser Leben wohl geliebt, / Doch er war unser Eidgenoß, und Berta / Ehrte das Volk – So setzten wir getrost / Das Leben dran und stürzten in das Feuer.« (V. 2889 ff.) Die verabredete schrankenlose Solidarität schlägt sich aber nicht nur im lebensgefährlichen Rettungsakt nieder. Sie bringt überdies die neue vollkommene Gesellschaftsform nach der überstandenen Gefahr hervor. Der vorbehaltlose Beistand der politisch weniger Mächtigen und der Unfreien schlägt am Ende zu ihrem höheren Glück aus – ihrer vollkommenen Gleichberechtigung: »Berta: ›Landleute! Eidgenos-

33 Eine Ausnahme machen die *Tell*-Interpretationen H. G. Thalheims und Edith Braemers. So bedeuten die letzten Worte Attinghausens (IV, 2) Edith Braemer zufolge die »Anerkennung einer historischen Notwendigkeit, die sich nicht auf revolutionärem Wege, sondern nach Schillers Auffassung durch freiwillige Einsicht durchsetzen soll« (Braemer, Wilhelm Tell, S. 314).

sen! Nehmt mich auf / In euren Bund (...) In eure tapfre Hand leg' ich mein Recht – / Wollt ihr als eure Bürgerin mich schützen?‹ Landleute: › Das wollen wir mit Gut und Blut.‹ (...) Rudenz: ›Und frei erklär ich alle meine Knechte‹« (V. 3283 ff.)

Daß in diesem auf ein glückliches Ende hinführenden Vorgang der Begriff des Vaterlandes symbolische Bedeutung hat, ist gegenüber den eindeutigen und vordergründigen Auffassungen dieses Begriffs zu betonen. Eine »idéologie nationale«, wie Robert Leroux sie ansetzt [34] und wie sie auch Edith Braemer vorzufinden glaubt [35], würde Schillers dichterischer Verfahrensweise widersprechen, die er bezüglich seines Schauspiels eigens hervorgehoben hat. Es ging ihm darum, »ein ganzes, local-bedingtes, Volk, ein ganzes und entferntes Zeitalter und, was die Hauptsache ist, ein ganz örtliches ja beinah individuelles und einziges Phänomen, mit dem Charakter der höchsten Nothwendigkeit und Wahrheit (...) zur Anschauung« zu bringen (Jonas, Bd. 6, S. 415). Schiller bezeichnet dieses Verfahren als eine »poetische Operation«, kraft der die »Staatsaction« aus dem »Historischen« heraus ins »Poetische« eingetreten ist. Das »Poetische« meint jene Kunst der Symbolisierung, die geschichtlichen und individuellen Phänomenen eine überindividuelle und übergeschichtlich-allgemeine Relevanz verleiht. Daß der Begriff Vaterland in diesen symbolischen Verweisungszusammenhang zu überführen ist, geht aus einer anderen Briefstelle Schillers ebenso deutlich hervor [36] wie aus einem neueren Hinweis Max Rouchés [37]. Gerade vom Ende her läßt sich der angedeutete symbolische Verweisungszusammenhang umreißen: denn die kraft gemeinsamer Rede solidarisch handelnden Eidgenossen überwinden in dieser Solidarität die Spaltung von »Palast und Hütte«. Auf die Relevanz dieses Motivs, von Hermann Meyer als ein zentraler Topos der Idyllendichtung ausgewiesen [38], haben wir aufmerksam gemacht. Rudenz, Vertreter des eidgenössischen Adels, hatte den Einbruch der Geschichte als verderblichen Einbruch des österreichischen Hofs, der blendenden Welt der »Schlösser«, erfahren. Abgewendet dem »allgemeinen Schmerz« (vgl. V. 790) war er im Begriff, seine Integrität zu verlieren und sein Volk einer Welt glanzvollen Scheins aufzuopfern: »Leider ist die Heimat / Zur Fremde dir geworden! – Uli! Uli! / Ich kenne dich nicht mehr. In Seide prangst du, / Die Pfauenfeder trägst du stolz zur Schau / Und schlägt den Purpurmantel um die Schultern, / Den Landmann blickst du mit Verachtung an / Und schämst dich seiner traulichen Begrüßung.« (V. 777 ff.) Die Entfremdung des Rudenz von der Heimat spiegelte sich in der

---

34 Robert Leroux: L'idéologie politique dans *Guillaume Tell.* In: Etudes Germaniques 10 (1955). S. 128–144.

35 Braemer (Wilhelm Tell, S. 315 u. 316) deutet die »mit hohem echtem Pathos verkündete Überzeugung von den Grenzen der Tyrannenmacht« als »Durchbruch zu einem Nationalbewußtsein« und spricht vom *Wilhelm Tell* als einer »Dichtung, in der alles auf Formierung zur modernen bürgerlichen Nation angelegt ist«.

36 »Es ist ein armseliges, kleinliches Ideal, für e i n e Nation zu schreiben; einem philosophischen Geist ist diese Grenze durchaus unerträglich. Dieser kann bei einer so wandelbaren zufälligen und willkürlichen Form der Menschheit (und was ist die wichtigste Nation anders?) nicht stillestehen« (zitiert nach Kohlschmidt, Tell, S. 98).

37 »Le patriotisme dans *Guillaume Tell* est défini uniquement en termes de moraliste, de vertu rousseauiste: l'étranger n'est haïssable que dans la mesure ou il représente la civilisation corruptrice.« (M. R.: Nature de la liberté, légitimité de l'insurrection dans *Les Brigands* et *Guillaume Tell.* In: Etudes Germaniques 14 [1959]. S. 407.)

38 Meyer, Hütte und Palast.

Verachtung der ihm zum Schutz anvertrauten »Hütten« und wurde von Attinghausen als beginnende Entfremdung seines Neffen von sich selbst ausgelegt: »Dort an dem stolzen Kaiserhof bleibst du / Dir ewig fremd mit deinem treuen Herzen!« (V. 850 f.) Aber im dramatischen Vorgang ereignet sich kraft des Worts der Gemeinschaft (Rütli) und kraft des kritisch helfenden Worts eines einzelnen (Rudenz) jene Versöhnung von »Palast und Hütte«, die das Getrennte auf neuer gemeinschaftlicher Ebene aufhebt und die zum höheren Glück Rudenz' – des einstigen Repräsentanten des Palasts – wie der eidgenössischen Landleute – als Repräsentanten der Hütte – ausschlägt. Die neue Idylle aber entsteht dadurch, daß der versöhnende Vorgang, der Palast und Hütte zu einer neuen Gemeinschaft zusammenschließt, in eine glückliche Verbindung tritt mit dem Handeln des auf sich selbst gestellten einzelnen (Tell).

Damit läßt sich die Wendung von der »politisch gewordenen Idylle« genauer bestimmen als die vollendete Geschichte, worin einmal dem Zuwachs an gemeinschaftlichem Bewußtsein ein Zuwachs an individueller Freiheit und individuellem Glück entspricht und worin zum anderen das in gemeinschaftlichem Bewußtsein Erreichte nicht weniger gerechtfertigt erscheint als das in einsamer Selbstbehauptung Vollbrachte. Dabei bezieht der zur spontanen Tat und zum Schweigen hinneigende Tell zuletzt doch auch die vermittelnde Reflexion in sein Handeln und das Wort in sein dialogisches Verhältnis ein, während die im gemeinsamen Wort Verbundenen und durch das gemeinsame Wort bedenklich Gebundenen schließlich doch auch zur erlösenden Tat hinfinden. Beides – die verschwiegene Tat und das gemeinsam beredete Handeln – läßt der dramatische Vorgang glücklich ineinandergreifen, wobei die verschwiegene einzelne Tat ebenso als Dienst am Allgemeinen erscheint wie das allgemeine Handeln schließlich jedem einzelnen (Berta, Rudenz, allen Unfreien) zugute kommt.

d) Der zeitgeschichtliche Gehalt des »ästhetischen Staats«

Aus dem Gesagten erhellt, daß in den *Wilhelm Tell* etwas von Schillers übergreifenderen Gedankenbewegungen eingegangen ist. Sein in vielfachen Abwandlungen und Bildern vergegenwärtigter Begriff einer »ästhetischen Welt« wirkt in die dichterische Gestaltung nicht weniger hinein als in seine geschichtsphilosophischen und allgemein künstlerischen Reflexionen. »Alles in einer Landschaft«, heißt es in den »Kallias«-Briefen, »soll auf das Ganze bezogen seyn, und alles einzelne soll doch nur unter seiner eigenen Regel zu stehen, seinem eigenen Willen zu folgen scheinen.« (Jonas, Bd. 3, S. 282) Und mit charakteristischer Wendung auf das Geschichtlich-Politische hin wird dort von der »ästhetischen Welt« gesagt, in ihr sei »jedes Naturwesen ein freier Bürger, der mit dem Edelsten gleiche Rechte hat, und nicht einmal um des Ganzen willen darf gezwungen werden, sondern zu allem schlechterdings consentiren muß« (Jonas, Bd. 3, S. 280).

Unterm Aspekt dieser idealen Verschränkung von »einzelnem und Ganzem«, von Individuum und Staat, hat Schiller in seinen *Briefen über die Ästhetische Erziehung* den historischen Prozeß interpretiert, der zur Französischen Revolution führte und zugleich, aus Schillers Perspektive, ihr Scheitern bedingte. Dem Volk, das diese Revolution organisierte, gebrach es Schiller zufolge an der »Totalität des Charakters«; sowohl in den Individuen wie in ihrem Verhältnis zum Ganzen schien eine Anarchie vorzuwalten, welche sich in der revolutionären Bewegung selber geltend machte; verfehlt wurde eines jener revolutionären Ziele, das Schiller mit dem Begriff des »ästhetischen Staats« bezeichnet hat, des Staats, der »nicht blos den objektiven und generischen«, sondern auch den »subjektiven und specifischen Charakter in den Individuen ehren und indem er das unsichtbare Reich der Sitten ausbreitet, das Reich der Erscheinungen nicht entvölkern« soll (NA, Bd. 20, S. 317). Daß diese Konzeption einer idealen Versöhnung von einzelnem und Ganzem, Subjekt und Objekt, die noch in das *Tell*-Drama hineinwirkt, in der Zeit selbst lebendig war, bezeugt die Philosophie des deutschen Idealismus. Sie ist dabei Schiller dankbar verpflichtet, wie aus Hegels »Ästhetik« zu ersehen ist: »Diese Einheit nun des Allgemeinen und Besonderen (...) welche Schiller als Prinzip und Wesen der Kunst wissenschaftlich erfaßte, und durch Kunst und ästhetische Bildung ins wirkliche Leben zu rufen unablässig bemüht war, ist sodann als Idee selbst zum Princip der Erkenntnis und des Daseyns gemacht worden.«[39] Der geschichtliche Gehalt dieses idealen Entwurfs liegt in der Französischen Revolution, die diesen Entwurf hätte verwirklichen sollen. Es spricht für die Zeitverflochtenheit des dichterischen wie des philosophischen Geists, wenn die bezeichnete Konzeption der Versöhnung in voneinander so unabhängige Gebilde wie Schillers Schauspiel oder Hegels *Ästhetik* hineinreicht: »Die wahre (...) Selbständigkeit (...) besteht allein in der Einheit und Durchdringung der Individualität und Allgemeinheit, indem das Allgemeine durch die Einzelheit sich ebenso sehr ein konkretes Dasein gewinnt, als die Subjektivität des einzelnen und Besonderen im Allgemeinen erst die unerschütterliche Basis und den echten Gehalt für seine Wirklichkeit findet.«[40]

e) Die Chiffre »Gott« und die Regie des Dichters

Die im Drama sich konstituierende neue Idylle hängt nun aber nicht allein von der verschwiegenen Tat des einzelnen und dem verabredeten Handeln der Gemeinschaft ab. Sondern diese Idylle bedarf zu ihrer Realisierung eines dritten Moments, das sowohl das Tun des einzelnen und das Tun aller hilfreich trägt wie auch beides glücklich ineinanderfügt. Dieses dritte Moment erscheint im Begriff »Gott«, der leitmotivisch durch das ganze Drama sich zieht. Wenn die Dramenfiguren diesen Begriff unmittelbar religiös auffassen, so verpflichtet das allerdings den Interpreten noch nicht zu derselben Auffassung. Der Trost, den etwa Tell Parricida mit auf den Weg gibt, wird von Tell nicht als subjektive Leistung, sondern als Eingebung Gottes verstanden: »Hört, was mir Gott ins Herz gibt« (V. 3233). Aber Tells tröstende Worte sind darum vom Leser nicht naiv als Wort Gottes hinzunehmen, sondern Tells Berufung auf Gott meint die Vertilgung jeder subjektiven Willkür und symbolisiert eine Objektivität der Rede, die seiner Gestalt Idealität verleiht. Der von der europäischen Aufklärung heftig vorwärtsgetriebene Prozeß der Säkularisierung teilt seine Impulse auch Schiller mit: dessen vorrevolutionäre Konzeption der Geschichte als eine teleologische, in sich selbst vollendbare, stufenweise auf ihre eigene Erfüllung sich hinbewegende, ist dafür ein erstes Zeugnis; das andere Zeugnis ist sein durch den enttäuschenden Verlauf der Französischen Revolution hervorgerufener Versuch, das in der Geschichte nun doch nicht realisierbare Heil durch die »ästhetische Erziehung des Menschen« zu realisieren. Hat aber die Kunst die Aufgabe, den mit ihr spielenden Menschen in den Stand der »Vollendung« (vgl. NA, Bd. 20, S. 352 ff.) zu setzen, dann ist jedes naive Verständnis des Begriffes »Gott« ausgeschlossen: denn dieser impliziert eine außergeschichtliche,

---

39 G. W. F. Hegel: Sämtliche Werke. Jubiläumsausgabe in 20 Bden. Hrsg von Hermann Glockner. Bd. 12. Stuttgart 1953. S. 98.
40 G. W. F. Hegel, Ästhetik, S. 86.

nicht aber eine innerweltliche Vollendung des Menschen. Ein Drama, das mit diesem Begriff arbeitet, verlangt daher vom Leser eine über das religiöse Verständnis der Figuren hinausgehende Deutung; sonst widerriefe Schiller seine eigene Kunsttheorie zugunsten einer Rückwendung zur Theologie – und dafür gibt es weder in seinen Briefen noch in seinen theoretischen Abhandlungen den geringsten Anhaltspunkt. Ihn liefern auch seine Dramen nicht: am Beispiel der *Jungfrau von Orleans* versuchten wir die Fragwürdigkeit eines Interpretationsverfahrens aufzuzeigen, das im religiösen Bewußtseinshorizont der Figuren verbleibt. Vielmehr empfiehlt es sich, »Gott« als eine Chiffre zu verstehen, die als organisierendes Telos im Schauspiel von Anfang an gegenwärtig ist und aus der Gefahr das Glück, aus der Negativität die Positivität, aus tragischen Momenten das übertragische Bild einer schönen Welt hervorgehen läßt. Der Theodizeegedanke Leibniz', wonach jedes irdische Verhängnis einen höheren Sinn insofern hat, als es in Gottes Gerechtigkeit und Weisheit gründet[41], wird hier in säkularisierter Gestalt dem Formgesetz des Schauspiels verfügbar gemacht. Denn dieses zielt je und je auf eine im dramatischen Vorgang angelegte Versöhnung. Unter deren Aspekt erscheint jedes Mißgeschick nur als der Umschlagplatz zu einer höheren Harmonie – nicht unähnlich Goethes *Wilhelm Meister*, wo alle Irrtümer und Verfehlungen schließlich zum höheren Glück des Helden ausschlagen und als Stufen zu einer höheren Bewußtheit sich enthüllen. Und wie im *Wilhelm Meister* jeder Teilaspekt und jeder Widerspruch nur Glied eines vom Dichter souverän organisierten Ganzen ist, das der Dichter von Anfang an im Blick hat, so setzt der Dichter des *Wilhelm Tell* Gott von Anfang an als eine Chiffre, die für ein »glückliches Ende« bürgt. »Gott« ist der symbolische Ausdruck für ein vom Dichter gesetztes, immer schon gegenwärtiges übertragisches Telos. »Die Unschuld hat im Himmel einen Freund!« (V. 324) versichert Gertrud, um Stauffacher anzudeuten, daß jede Aktion gegen die Tyrannen von einer höheren Gunst getragen werde, und Tell kommentiert die Entstehung der Zwingburg: »Was Hände bauten, können Hände stürzen. / Das Haus der Freiheit hat uns Gott gegründet.« (V. 387 f.) Freiheit erscheint als ein nur vorübergehend aufhebbares Gesetz der richtigen Lebensordnung; jeder Angriff auf sie bedeutet eine zeitlich beschränkte Störung, der eine letztlich positive Funktion im dramatischen Prozeß zufällt.

Diese Funktion übernimmt etwa in Kleists Schauspiel *Der Prinz von Homburg* eine überlegene Figur, der Kurfürst, von dem gesagt wurde: »Von rückwärts betrachtet, sind alle Mittel des Kurfürsten, von der Gefangennahme über das offene Grab bis zu diesem Brief, geeignet, die Erkennung herbeizuführen, auf die hin das Drama komponiert ist.«[42] Im *Wilhelm Tell* ist es der Dichter selbst, der von An-

41 »Der Begriff ›Theodizee‹ stammt von Leibniz und meint die Frage nach der Vereinbarkeit des im gegenwärtigen Weltzustands begegnenden Übels in metaphysischer, physischer und moralischer Hinsicht (...) mit der Gerechtigkeit und Vollkommenheit Gottes.« »Leibniz (...) vertritt in seinen *Essais de Théodicée sur la bonté de Dieu la liberté de l'homme et l'origine du mal* (1970) gegen P. Bayles Bestreitung einer Übereinstimmung den Satz, daß diese Welt die beste der möglichen Welten sei. Das Übel ist zwar nicht nach dem Prinzip der unbedingten Notwendigkeit, aber dem der Angemessenheit zugelassen. Dieser Optimismus ist für Aufklärung und Idealismus exemplarisch geworden und spiegelt sich in der Flut der philosophischen und dichterischen Theodizee-Schriften wider.« (H.-H. Schrey: Theodizee. In: Die Religion in Geschichte und Gegenwart. Bd. VI. Tübingen 1962. Sp. 740 u. 742.)

42 Müller-Seidel, Versehen und Erkennen, S. 186.

fang an auf das übertragische Verhältnis hinlenkt, das der dramatischen Bewegung zugedacht ist. An seine souveräne gottähnliche Lenkung erinnert zumal das glückliche Ineinanderspielen von verschwiegener Einzeltat und gemeinsamem Handeln. Zur Konstituierung der neuen Idylle bedarf es nämlich auch der Gunst des Schicksals, die durch den Willen des Dichters gewährt wird. Dieser Wille blickt unverkennbar aus der dramatischen Konstellation der Handlungsstränge hervor. Der Begriff »Gott« als Garant für das Gelingen der von den Eidgenossen inszenierten Gegenaktion enthüllt sich zuletzt als Chiffre für die glückverheißende Organisation des dramatischen Geschehens durch den frei verfügenden Dichter. Diese Organisation bewährt sich eben im Ineinandergreifen von einander unabhängigen Aktionen. Die Apfelschuß-Szene ermächtigt Tell zum tödlichen Angriff gegen Geßler und führt gleichzeitig die Eidgenossen zu rascherer Befreiungstat, ohne daß die beiden Aktionsträger von ihrem Unternehmen wissen. Dieses Wissen hat nur der Dichter, der für die Gleichzeitigkeit der Unternehmungen sorgt und ihnen damit die entscheidende Wirkung verleiht. Indem die dramatischen Figurenkonstellationen unterm Zeichen der Gleichzeitigkeit stehen, kann sich die neue höhere Idylle konstituieren. Es ist der Dichter, der das verschwiegene und das beredete Handeln, das Verhalten des einzelnen und das der Gemeinschaft in Kongruenz bringt durch die Gunst der Stunde. Sie bezeugt sich zuletzt darin, daß die Befreiung von den Tyrannen zusammenfällt mit dem Verwandtenmord an einem ungerechten Kaiser, der den Eidgenossen mißgünstig gesinnt war. »Das sind des Himmels furchtbare Gerichte« (V. 2939), lautet der eidgenössische Kommentar zu dieser Tat, die der Dichter eben zu diesem Zeitpunkt der eidgenössischen Befreiungstat hat eintreten lassen. Während Parricida durch seinen Verwandtenmord in die fast tödliche Verzweiflung gerissen wird, »brechen« die Eidgenossen »mit der reinen Hand / Des blut'gen Frevels segenvolle Frucht« (V. 3016 f.). Die »segenvolle Frucht« – der ästhetische Staat – ist eine vom souverän die Ereignisse miteinander verknüpfenden Dichter geschenkte Frucht, wie die »reine Hand« der Eidgenossen auf eine vom Dichter gesetzte Integrität des Handelns zurückweist, die innerhalb der Geschichte nicht existiert.

Das souveräne Herstellen und Organisieren des Dichters ist der Überschau jener »überlegenen Figur« vergleichbar, wie sie andere Schauspiele vorführen. Es ist eine Überschau, »der die handelnden Figuren ermangeln«, wie gesagt wurde, und die es in dieser Weise in der Tragödie nicht geben kann, weil »eine solche Überlegenheit (...) gerade der notwendigen Ausweglosigkeit zuwiderlaufen«[43] würde. Wenn der die Erkennung im *Prinzen von Homburg* herbeiführende Kurfürst mit dem »Gott im Faust-Prolog« verglichen und Kleists Schauspiel als eine Art »Welttheater« bezeichnet wurde, »in dem der Herr völlig über der Welt seiner Figuren agiert«[44], so möchte man das »glückliche Ende«, den ästhetischen Staat, im *Wilhelm Tell* auf ähnliche Weise mit einer überlegenen Figur, eben mit dem Dichter, verbinden. Denn der ästhetische Staat, die politisch gewordene Idylle, bedarf nicht nur des guten Willens der Handelnden, sondern auch des guten Willens des Dichters, der sich hinter der Chiffre Gott verbirgt; und weil diese Handelnden zugleich idealgeschichtliche, von der Phantasie des Dichters gesetzte sind, erscheint der ästhetische Staat in doppelter Weise als freie dichterische Schöpfung. Als solche erkennt sie Friedrich Dürrenmatt, wenn er von der Welt des *Tell*-Schauspiels sagt, daß sie »keine andere

43 Ebda, S. 182.
44 Ebda, S. 186.

Realität besitzt als die Idee hinter der Geschichte« und daß Schiller demnach »die Geschichte eines Volkes gibt, aber eben auch nur so, wie Schiller das Volk sieht: als Idee, während der einzelne, der dieses Volk verkörpert, dieser idealisierte, sentenzenredende Bauer, verglichen etwa mit dem geringsten Trunkenbold Shakespeares, keine Realität mehr hat« [45]. Dennoch hat diese Freiheit von der Realität auf paradoxe Weise mit der Realität zu tun. Denn Schiller setzt sich nicht rücksichtslos über die geschichtliche Wirklichkeit hinweg, sondern bleibt antithetisch auf sie bezogen. Seine souveränen Setzungen wollen bewußt nicht als Spiegelungen tatsächlicher Verhältnisse begriffen werden, sondern als deren schönes Gegenbild. Dieses soll eine erhebende, versöhnende Wirkung auf den mit sich selbst entzweiten, von der Geschichte ständig desillusionierten Zuschauer hervorbringen. Die so verstandene Intention der Dichtung soll von deren Formgesetzen her im letzten Kapitel der Arbeit über die Wirkung des Dramas näher erläutert werden.

---

45 Dürrenmatt, Wilhelm Tell, S. 325.

4. Kapitel

Schillers Idyllik und seine dramatischen Wirkungsabsichten

I. Einführung in den Problemkreis

Es sei versucht, die Fragestellung der Arbeit auch auf Schillers klassische Theorie der ästhetischen Wirkung zu beziehen und diese Theorie an der Kunstgestalt der Dramen zu verifizieren. Die Idyllenthematik, ein zentraler Bestandteil der klassischen Dramen Schillers, ist auch relevant geworden für Theorie und Praxis der theatralischen Wirkung.

Schillers Interesse an einer idealidyllischen Wirkung der Kunst auf den Zuschauer hat einen geschichtlichen und einen poetologischen Grund. Aus naturwissenschaftlichen und gesellschaftlich-politischen Erfahrungen zog er den Schluß, daß die Menschen seiner Zeit der Totalität entbehrten und zusehends sich selber und dem abstrakten Staatsganzen entfremdeten. Ihre Entfremdung aufzuheben und ihnen Totalität zu vermitteln, begriff er als Aufgabe der Kunst. Das höchste Kunstideal erblickte er in der Idylle, die zu ihrem Hauptthema die paradiesische Totalität der Menschen erheben sollte. Sie sollte, als poetisches Abbild des »ästhetischen Staats«, eine »Ruhe der Vollendung« vergegenwärtigen, die »aus dem Gleichgewicht nicht aus dem Stillstand der Kräfte, die aus der Fülle nicht aus der Leerheit fließt, und von dem Gefühle eines unendlichen Vermögens begleitet wird« (NA, Bd. 20, S. 473). Von dieser Idee fasziniert, formuliert Schiller im berühmten Brief an Humboldt seine höchste Kunstabsicht wie folgt: »Ich nehme dann meine ganze Kraft und den ganzen ätherischen Theil meiner Natur noch auf einmal zusammen, wenn er auch bey dieser Gelegenheit rein sollte aufgebraucht werden« (Jonas, Bd. 4, S. 338 f.). Die theoretische Konzeption der Idylle hat Schiller dennoch nie in eine eigenständige Dichtung verwandelt. Illusionen darüber, daß die Theorie sich hier rasch und umstandslos in die Praxis umsetzen lasse, wurden von Schiller früh abgewehrt. Seine Charakteristik dieser Dichtungsart – »völlig aufgelöster Kampf«, »Ruhe der Vollendung«, »Gleichgewicht« (NA, Bd. 20, S. 472 f.) – hatte ihn in der Schrift *Über Naive und Sentimentalische Dichtung* schließlich zu der Einsicht geführt: »Aber eben darum, weil aller Widerstand wegfällt, so wird es hier ungleich schwüriger, als in den zwey vorigen Dichtungsarten (Satire, Elegie), die Bewegung hervorzubringen, ohne welche doch überall keine poetische Wirkung sich denken läßt.« (NA, Bd. 20, S. 473) Damit war ein künstlerisches Grundproblem der Idyllendichtung berührt: »die Gefahr der Ermüdung aus Mangel an Bewegung« [1], wie Renate Böschenstein es formuliert. Denn die Idylle ist »der einzige Entwurf einer rein statischen Dichtung. Der dahinter sich verbergende Versuch, die Zeit aus der menschlichen Existenz auszuschließen, ist wohl der interessanteste Gesichtspunkt,

---

1 Böschenstein, Idylle, S. 9.

unter dem die Idylle betrachtet werden kann.«[2] Aufgrund dieses statischen Charakters ließ sich die Idylle in den dynamischen Handlungsverlauf eines dramatischen Werks nicht integrieren. Sie ließ sich allenfalls symbolisch als ein Nicht-Mehr im Horizont der Vergangenheit oder als Noch-Nicht im Horizont der Zukunft spiegeln. So vergegenwärtigen die Anfangsszenen in der *Jungfrau von Orleans* oder im *Wilhelm Tell* die entschwindende Idylle bruchstückhaft in den Hauptgestalten, und im *Wallenstein* betrauern Max und Thekla die der Vergangenheit angehörende »goldne Zeit der Reise«. In den Visionen des jungen Piccolomini wird diese Zeit in symbolischen Bildern als zukünftige beschworen und in der Sternenwelt Wallensteins ist sie als Idee sinnbildlich ebenso eingezeichnet wie in Johannas Vision vom idealen König der Zukunft. Treten zuletzt Johanna und Maria Stuart in ein paradiesisches Sein hinüber, so erfolgt dieser Übertritt unterm Zeichen des Todes, und die schließlich politisch realisierte Idylle im *Wilhelm Tell* war nur als ein momentanes Aufleuchten zu versinnlichen, das zugleich den Schluß des Schauspiels markieren mußte. Denn die Idylle als eine versöhnte Welt versteht sich als Aufhebung des Dramas, das stets in einen tragischen Vorgang hineinführt oder aus Konflikten in irgendeiner Form lebt. Das Ideal ließ sich zwar als Idee symbolisch vorzeichnen, aber seine selbstgenügsame Darstellung hätte dem Begriff der dramatischen Kunst selbst widersprochen. Dennoch konnte Schiller dem Postulat nicht absagen, das er in der Schrift *Über Naive und Sentimentalische Dichtung* ebenso eindringlich beschworen hatte wie in den *Briefen über die Ästhetische Erziehung:* dem Postulat, daß die Kunst »der Menschheit ihren möglichst vollständigen Ausdruck zu geben« hätte (NA, Bd. 20, S. 437). Kann das Ideal seinem Gehalt nach nicht dargestellt werden, so muß es in die Darstellungsweise selber hineinwandern. Die Forderung nach der Darstellung des Ideals, die Schiller zunächst erhebt, wird zur Forderung nach der idealen Darstellungsweise.

Diesen Übergang vollzieht Schiller noch in der Schrift *Über Naive und Sentimentalische Dichtung*. Die Idylle als das höchste Ideal meint jene Vereinigung von Empfinden und Denken, die Schiller nun in den Darstellungsformen bezeugen will. Was die Idylle zu ihrem Hauptthema erheben würde – den Menschen im »Gleichgewicht der Kräfte«, die höhere Harmonie von »Geist« und »Herz« (vgl. NA, Bd. 20, S. 472 f.) –, dieses Inhaltsprinzip der Idylle soll zum Formprinzip der Dichtkunst werden. An Rousseau kritisiert Schiller, daß er reflektierende »Selbstthätigkeit« und »Empfinden«, daß er »Denken« und »Empfänglichkeit« nicht zu verknüpfen wisse; aber gerade die »innige Wechselwirkung und Vereinigung« dieser »beyden Eigenschaften« sei es, die »den Poeten eigentlich ausmacht« (NA, Bd. 20, S. 451). Die erst in der idealgeschichtlichen Idylle mögliche Versöhnung der polaren Kräfte soll das Kunstschöne durch seine Darbietungsform jetzt schon vorwegnehmen. In diesem Sinne fordert Schiller die »vereinigte Beziehung eines Produktes auf das Gefühlvermögen und auf das Ideenvermögen« (NA, Bd. 20, S. 461). Er will damit sagen, daß die sinnlich-reflexive Sageweise der Dichtung zugleich die sinnlich-reflexive Doppelnatur im Menschen anspreche und aktiviere: »Die Schönheit ist das Produkt der Zusammenstimmung zwischen dem Geist und den Sinnen, es spricht zu allen Vermögen des Menschen zugleich, und kann daher nur unter der Voraussetzung eines vollständigen und freyen Gebrauchs aller seiner Kräfte empfunden und gewürdiget werden.« (NA, Bd. 20, S. 487) Darin spricht sich Schillers Verantwortung seiner Zeit gegenüber aus: die Kunst soll die getrennten und verarmten

2 Ebda.

Fähigkeiten des modernen Menschen entfalten und versöhnen durch eine dem Reflexions- und Empfindungsvermögen gleichermaßen verpflichtete Darstellungsform. Auf die erst im Paradies mögliche Versöhnung soll die Kunst durch ihre Sageweise und ihre Wirkung vorausgreifen.

Damit nimmt Schiller die Theorie der *Briefe über die Ästhetische Erziehung* wieder auf. Ihr zufolge hat das Kunstschöne »zur Absicht das Ganze unserer sinnlichen und geistigen Kräfte in möglichster Harmonie auszubilden« (NA, Bd. 20, S. 376, Anm.). Diese ideale Beziehung zwischen Kunst und Kunstbetrachter hält Schiller im Begriff des »Spieltriebs« fest. Er bezeichnet die Entfaltung und das harmonische Wechselverhältnis aller Kräfte des Menschen, jene Totalität also, wie sie nur in einer zweiten höheren Idylle sich dauerhaft realisieren könnte. Die im Spieltrieb realisierte Intention der Kunst, den entfremdeten Menschen der Zeit in einen idealen Zustand zu versetzen, ist von Schiller nicht wieder vergessen worden. Er hält an dieser Intention im Briefwechsel mit Goethe fest und entfaltet sie nachdrücklich in der Vorrede zur *Braut von Messina:* »Alle Kunst ist der Freude gewidmet, und es gibt keine höhere und keine ernsthaftere Aufgabe, als die Menschen zu beglükken. Die rechte Kunst ist nur diese, welche den höchsten Genuß verschafft. Der höchste Genuß aber ist die Freiheit des Gemüts in dem lebendigen Spiel aller seiner Kräfte.« (SA, Bd. 16, S. 119)

Der folgende Versuch läßt sich von der These leiten, daß Schillers Theorie nicht selbstgenügsamen Charakter hat, sondern, wie vermittelt auch immer, in seine dramatische Praxis hineinreicht. Die Idee eines paradiesischen Zustands, in den der Spieltrieb den Menschen versetzen soll, ist nicht nur zentral in Schillers Ästhetik. Sie ist es nicht weniger in seinen künstlerischen Wirkungsabsichten. Ästhetik und künstlerisches Schaffen, Denken und Dichten, Kunst und Reflexion über die Kunst sind am wenigsten im Falle Schillers geschiedene Bereiche. Daß sie sich zumindest wechselseitig bedingen und erhellen können, haben wir in Rechnung zu stellen. Damit sei keineswegs die Theorie überbewertet; vielmehr sei sie in der Funktion begriffen, die ihr bei Schiller zukommt: als Vermittlerin zwischen Schillers geschichtlichen Erfahrungen und seiner Kunst. Dieser Zusammenhang ist aber nicht nur in bezug auf Schiller immer wieder vergessen worden: Die Beziehung zwischen Kunst, Zuschauer und dessen geschichtlicher Situation wird von der Literaturwissenschaft auch sonst wenig beachtet. Daher ist zunächst der geschichtliche Anlaß von Schillers Wirkungspoetik im Blick auf seine Analyse der Französischen Revolution zu bestimmen. Was diese auf politischem Wege nicht zu leisten vermochte, geht als Idee in seine Theorie ein: jene ästhetische Versöhnung des Zuschauers, die der zweiten höheren Idylle strukturverwandt ist. Den zeittypischen Charakter dieser Poetik einer ästhetischen Versöhnung bestätigen die Bildungsabsichten der Goetheschen Kunst; ihr problematischer Charakter ist aus der Dialektik zwischen den allgemeinen, dominierenden Tendenzen in Europa und den besonderen kleinstaatlichen Verhältnissen in Deutschland zu erläutern. Auf dieses theoretische Kapitel unseres Versuchs folgt ein interpretatorisches, das die künstlerisch-produktive Relevanz der Schillerschen Wirkungspoetik an vier klassischen Dramen, dem *Wallenstein,* der *Maria Stuart,* der *Jungfrau von Orleans* und dem *Wilhelm Tell* erläutern soll.

II. Idyllik und Wirkungstheorie

1. Die Dringlichkeit der Fragestellung

a) Das gesellschaftliche Moment

Der skizzierte Fragenkreis ist gesellschaftlich und poetologisch relevant. Der Zusammenhang zwischen Wesen und Wirkung der Kunst verweist auf die »Untrennbarkeit von Geist und Politik« [3], um eine Formulierung Thomas Manns aufzugreifen. Dürrenmatt betont, indem er mehrfach Seitenblicke auf Schiller wirft, den Öffentlichkeitscharakter vor allem der dramatischen Kunst: »Wir müssen uns nämlich, reden wir von den Regeln der dramatischen Kunst, vergegenwärtigen, daß wir mit diesen Regeln nicht nur ein in sich geformtes Kunstwerk, sondern auch, soll die Bühne einen Sinn haben, eine Unmittelbarkeit der theatralischen Wirkung zu erzielen suchen.« [4] Ein Theaterstück ist nicht bloß von gesellschaftlichen Sachverhalten der Zeit bestimmt, es will auch auf diese Zeit unmittelbar einwirken. Sowohl seine Abhängigkeit von der historischen Situation wie seine historisch gebundenen Wirkungsabsichten spiegeln sich in seiner Struktur wider. Wenn die Literaturwissenschaft diese Dialektik der Kunst bisher nicht zum Gegenstand ihrer Untersuchungen gemacht hat, so vernachlässigt sie damit eine fundamentale Fragestellung sowohl der Künstler wie der Ästhetiker. In neuerer Zeit haben beispielsweise Dürrenmatt, Brecht, Gadamer diese Fragestellung von verschiedenen Voraussetzungen her entfaltet. Gadamers großangelegter Entwurf eines hermeneutischen Verstehens bestimmt das »Offensein zum Zuschauer« [5] als Grundzug des Kunstwerks. Es ist »kein Gegenstand, der dem für sich seienden Subjekt gegenübersteht. Das Kunstwerk hat vielmehr sein eigentliches Sein darin, daß es zur Erfahrung wird, die den Erfahrenden verwandelt.« [6] Die so intensiv betriebenen Reflexionen über Wesen und Wirkung der Kunst von der Interpretation fernzuhalten, ist nicht länger angängig. Die »Erreichung einer höheren Reflexionsstufe der Fragestellung« [7] setzt voraus, daß man die Vorstellungen der Dichter und Ästhetiker über den Öffentlichkeitscharakter, die gesellschaftliche Funktion der Kunst zur Kenntnis nimmt.

b) Das poetologische Problem

Speziell Schiller scheint dieser Fragestellung einige Schwierigkeiten zu bereiten. Die von ihm intendierte Wirkung auf das Publikum läßt sich durch Begriffe wie »ästhetische Versöhnung«, »paradiesischer Zustand«, »Freiheit des Gemüts in dem lebendigen Spiel aller seiner Kräfte« (SA, Bd. 16, S. 119) bezeichnen – Begriffe, die zweifellos nicht genuin dramatisch sind. Ermittelt man ihren zentralen Stellenwert für die klassische Theorie und das klassische Drama, so setzt man sich dem Verdacht aus, das spezifisch Dramatische bei Schiller zu verleugnen. In Wahrheit geht es jedoch darum, die Relation zwischen den dominierenden dramatischen Stilzügen und Stilzügen mit idyllischem Wirkungspotential auszumessen. Häufig genug

---

3 Thomas Mann: Leiden und Größe Richard Wagners. In: Th. M.: Gesammelte Werke. Bd. IX. Reden und Aufsätze. Frankfurt/M. S. 419.

4 Dürrenmatt, Schiller, S. 221.

5 Gadamer, Wahrheit, S. 104.

6 Ebda, S. 98.

7 Ebda, S. 331.

wird ja das Spannungsverhältnis zwischen verschiedenen Gattungsstilen in einem Kunstwerk voreilig harmonisiert, werden die Grenzen der Gattung verwischt, auf die sich ein Kunstwerk immer wieder hinbewegt. Zu Recht bemerkt Fritz Martini: »Falsch ist die These, ein künstlerisches Werk stehe um so höher, je vollkommener sich in ihm die Gattungsform auspräge.« [8] Eher das Umgekehrte ist der Fall, eher ist die Überschreitung enggezogener Gattungsgrenzen ein Zeugnis für künstlerische Qualität. Daher sei das relativ unbekannte Formprinzip ermittelt, das bei Schiller dramatische mit überdramatischen Wirkungsabsichten versöhnt.

Daß die moderne Schillerforschung diesen Gesichtspunkt nicht entfaltet hat, mag an der Autorität des Dramatikers liegen, der wie kein anderer mit der Poetik der Wirkung sich befaßt und deren geschichtliches Wesen aufgedeckt hat. Bertolt Brecht hat die Kategorie der Wirkung als strukturbildend bei der Entstehung eines Werks ausgewiesen. Die »Gewichtsverschiebungen vom dramatischen zum epischen Theater« [9], die Brecht erkundet, betreffen zumal den zu verändernden Zuschauer. Er wird nicht mehr in eine Aktion »verwickelt« und »in eine Handlung hinein versetzt«, sondern »ihr gegenübergesetzt«. Er wird zum »Betrachter« von Zuständen, deren Darstellung auf politisch-sozialen Analysen basiert: »statt in den Helden sich einzufühlen, soll das Publikum«, nach den Worten Benjamins, »vielmehr das Staunen über die Verhältnisse lernen, in denen es sich bewegt« [10]. Das epische Theater fordert einen reflektierten und distanzierten Partner – einen Partner also, den das aristotelische Theater Brecht zufolge ausschließt. Brecht, der freilich Schillers klassisches Drama nicht einfach mit der aristotelischen Dramatik identifiziert, sagt von dieser, sie beanspruche das Einfühlungsvermögen des Zuschauers (er »wird in eine Handlung hineinversetzt«), erzeuge Affekte (»ermöglicht ihm Gefühle«, »die Empfindungen werden konserviert«) und raube ihm die Freiheit reflektierter Distanz (»es wird mit Suggestion gearbeitet«) [11]. Peter Szondi, der das »Phänomen des klassischen Dramas« [12] untersucht, operiert dann uneingeschränkt mit diesen Begriffen. Der Zuschauer wohnt der »dramatischen Aussprache«, so wird gesagt, »schweigend« bei, »mit zurückgebundenen Händen, gelähmt vom Eindruck einer zweiten Welt. Seine totale Passivität hat aber (darauf beruht das dramatische Erlebnis) in eine irrationale Aktivität umzuschlagen: der Zuschauer war, wird in das dramatische Spiel gerissen.« [13]

Selbst wenn man die Rechnung stellt, daß solche und ähnliche Bestimmungen idealtypischer Art sind und in keinem einzelnen klassischen Drama je rein verwirklicht werden, so fällt doch auf, wie sehr Schiller in Theorie und Praxis sie relativiert und der Kritik unterwirft. Ihn leitet der Gesichtspunkt, daß die Wirkung der Kunst zu verstehen sei als »die Freiheit des Gemütes in dem lebendigen Spiel aller seiner Kräfte« (SA, Bd. 16, S. 119). Der Spieltrieb meint die Entfaltung und das

---

8 Fritz Martini: Poetik. In: Deutsche Philologie im Aufriß. 2. Auflage. Bd. II. Berlin 1957. Sp. 254.

9 Bertolt Brecht: Anmerkungen zur Oper *Aufstieg und Fall der Stadt Mahagonny.* In: B. B.: Schriften zum Theater 2. Frankfurt/M. 1963.

10 Walter Benjamin: Was ist das epische Theater? In: W. B.: Angelus Novus. Ausgewählte Schriften 2. Frankfurt/M. 1966. S. 347.

11 Brecht, Anmerkungen, S. 116 f.

12 Peter Szondi: Theorie des modernen Dramas. (edition suhrkamp) Frankfurt/M. 1964. S. 20.

13 Ebda, S. 15 f.

Zusammenwirken der sinnlichen und geistigen Kräfte des Menschen; harmonische Totalität überwindet jede Einseitigkeit und hebt die einschränkende Gewalt einzelner dominierender Kräfte auf: so ist harmonische Totalität zugleich höchste paradiesähnliche Freiheit. Ihrer würde der von einzelnen Affekten einseitig beherrschte Zuschauer verlustig gehen. Das führt Schiller zu der Forderung: »Das Gemüth des Zuschauers und Zuhörers muß völlig frey und unverletzt bleiben, es muß aus dem Zauberkreise des Künstlers rein und vollkommen, wie aus den Händen des Schöpfers gehn.« (NA, Bd. 20, S. 382) Damit schließt Schiller den Affekt von der Wirkung nicht aus. Vielmehr ist die spezifisch dramatische Wirkungskategorie des Affekts der Grund, der erst die entgegengesetzte Wirkungskategorie – die idyllenhafte »Freiheit des Gemüts« – erforderlich und wirklich erfahrbar macht. Schiller bemerkt, daß gerade »Künste des Affekts, dergleichen die Tragödie ist (...) um so vollkommener sind, je mehr sie auch im höchsten Sturme des Affekts die Gemüthsfreyheit schonen (...) denn der unausbleibliche Effekt des Schönen ist Freyheit von Leidenschaften« (NA, Bd. 20, S. 382). Daß die künstlerische Form es dem Zuschauer ermögliche, mitten im Affekt Distanz zum Affekt zu halten, ihn bewußt zu meistern, in Grenzen zu halten und der Totalität der Kräfte überlegen unterzuordnen: dies ist die neue, die eigentlich unerhörte Wendung, die Schiller der aristotelischen Theorie der Affekte gibt. Mit unvergleichlicher Schärfe hat Schiller diese Wendung in der Vorrede zur *Braut von Messina* formuliert: »Denn das Gemüt des Zuschauers soll auch in der heftigsten Passion seine Freiheit behalten; es soll kein Raub der Eindrücke sein, sondern sich immer klar und heiter von den Rührungen scheiden, die es erleidet. Was das gemeine Urteil an dem Chor zu tadeln pflegt, daß er die Täuschung aufhebe, daß er die Gewalt der Affekte breche, das gereicht ihm zu seiner höchsten Empfehlung; denn eben diese blinde Gewalt der Affekte ist es, die der wahre Künstler vermeidet, diese Täuschung ist es, die er zu erregen verschmäht.« (SA, Bd. 16, S. 126 f.)

Schillers Skepsis gegen die »Täuschung« durch die »blinde Gewalt der Affekte« erteilt den summarischen Kennzeichnungen Szondis kritischen Bescheid. Die Vorrede zur *Braut von Messina* stellt ebenso wie der 22. der *Briefe über die Ästhetische Erziehung* entschieden die These in Frage, daß in bezug auf das klassische Drama pauschal von »Suggestion« in Form überwältigender »Gefühle« und »Empfindungen« die Rede sein darf, von »totaler Passivität« durch den »lähmenden Eindruck einer zweiten Welt«. Bedenkt man, daß immerhin 8 Jahre zwischen jenen *Briefen* und der genannten Vorrede liegen, so wird man von daher auf die Kontinuität schließen dürfen, die Schillers Wirkungstheorie zukommt. Zu diesem Schluß ermächtigt uns auch Schillers Dramenpraxis selber. Sie legt Zeugnis von seiner Intention ab, den Affekt zu bemeistern, einzugrenzen und in die Entfaltung aller Kräfte überlegen einzuordnen. Typisch dramatische Vorgänge werden in Formen vergegenwärtigt, die dem Zuschauer zugleich einen metadramatischen Zustand ermöglichen sollen, so wenn Schiller im *Wallenstein* die überstürzt vorwärtsdrängende Handlung durch Stilzüge distanziert, die er »episch« nennt im Anschluß an die Gespräche mit Goethe über epische und dramatische Dichtung: episch wohl nicht ganz im Sinne Brechts, sondern im Sinne umfassender »Gemüthsfreyheit«, die aber Formen der Distanz und des Bewußtseins nicht ausschließt. So lenkt auch das klassische Drama den Blick auf gegensätzliche Gattungstendenzen, die einer genauen Bestimmung bedürfen.

Das von Szondi getroffene Urteil ist auch in die Darstellung Emil Staigers eingegangen, die Schillers Wirkungsabsichten in Theorie und Praxis zu ihrem zentralen

Gegenstand hat. Staiger erklärt Schillers Wirkungsabsichten in erster Linie aus den Schriften, die Schiller unter dem Einfluß Kants verfaßt hat. Sie begründen Staiger zufolge die »Theorie der klassischen Tragödie« [14]: eine Theorie, die den Antagonismus zwischen sinnlichem Leiden und Aufschwung in die erhabene Freiheit der Vernunft entfalte und auf den Zuschauer übertrage [15]. In Staigers einzelnen Interpretationen wird diese antagonistisch strukturierte Wirkung meist in ein Nacheinander von distanzaufhebender Gewalt der Affekte und abschließendem Sieg der erhabenen Vernunft zerlegt. Dieses Nacheinander – die Hervorbringung übermächtiger Affekte und ihre Aufhebung am Schluß des Dramas durch den übersinnlich-erhabenen Aufschwung des Helden – hält Staiger zuletzt für den einzigen Sinn von Schillers Dramen. Denn im Unterschied zu den um einen Sinngehalt besorgten Dramen Kleists und Hebbels sei bei Schiller »die Frage der Bühnenwirksamkeit primär (...) Wenn nur die Zuhörerschaft durch eine wohlerwogene Folge von Entzückungen und Erschütterungen, durch Furcht und Mitleid überwältigt und schließlich in der durch die Katharsis erzielten Ruhe, dem freiesten und erhabensten Sein, entlassen wird, dann hat der dramatische Dichter vollkommen geleistet, was ihm zu leisten obliegt; um alles andere braucht er sich nur an zweiter und dritter Stelle zu kümmern.« [16] Indem Staiger Fragen des Sinngefüges, der Einheit und der Integration als sekundär zurücktreten läßt, drängt er Schiller unversehens aus einer Tradition, die noch bis an die Schwelle der Gegenwart als dominierend galt. Th. W. Adorno, der die »Idee des integralen, in sich lückenlos geschlossenen und bloß seiner immanenten Logik verpflichteten Kunstwerks in die Gesamttendenzen der abendländischen Künste« [17] einbezieht, beruft sich, um nur dies eine repräsentative Beispiel anzuführen, auf Valéry, demzufolge das Formgesetz des Kunstwerks hervorgeht »aus der Übereinstimmung einander zugewandter Beobachtungen und Verrichtungen (...) die in die Form des Ganzen eine ständig sich mehrende Vielfalt von Bezogenheiten der einzelnen Teile speichern« [18].

Hebt Staiger Schillers angeblich dominierende Absicht, zu erschüttern, hervor, um sie gegen Fragen des Sinns und des Zusammenhangs der Teile auszuspielen, so entleert er zugleich den Begriff der Erschütterung selbst. Affekte, die nicht an einen zu erkennenden Sinn und eine innere Folgerichtigkeit des dramatischen Prozesses gebunden sind, dürfen wir als blinde Affekte bezeichnen. »Nicht darauf kommt es an, daß wir ein sittliches Urereignis auf der Bühne sehen und verstehen«, meint Staiger, »sondern daß uns der Ausgang erschüttert« [19]. Aber eine Erschütterung, die vom Verstehen vorweg dispensiert und der Einsicht in Sinnzusammenhänge sich entschlägt, verflacht sich zu einer bloßen Reaktion der Nerven. Dieser Verflachung und Nivellierung des Affekts entspricht bei Staiger eine Verflachung und Entleerung des Vernunftbegriffs. Wohl »verkünden« Schillers Ideen »das Herrschaftsrecht und die Herrscherpflicht der Vernunft«, aber diese Vernunft verliert ihre Substanz, wenn die Ideen »grundsätzlich vertauschbar« und ihrer »Eigenart« entkleidet werden, wie Staiger zugleich behauptet [20]. »Es kommt nicht auf die

14 Staiger, Schiller, vgl. S. 280–290.
15 Ebda, S. 289.
16 Ebda, S. 405.
17 Theodor W. Adorno: Valérys Abweichungen. In: Th. W. A.: Noten zur Literatur II. Frankfurt/M. 1961. S. 56.
18 Zitiert nach Adorno, Valéry, S. 91.
19 Staiger, Schiller, S. 408.
20 Ebda, S. 169.

Idee, es kommt auf den Beweis der Geisteskraft, der Überlegenheit der Vernunft über alles Irdische an, der durch den Einsatz von Ideen erbracht wird.«[21] Wird aber der Gehalt der Idee gleichgültig, so ist der »Beweis der Geisteskraft« ein nunmehr formaler Akt, und die »durch Ideen gestiftete Ordnung«[22] der Vernunft wird unverbindlich.

Damit wird aber auch der Staigersche Begriff des Aufschwungs unverbindlich, den der Zuschauer von Zeit zu Zeit und jeweils am Ende der Tragödie vollzieht; es wäre der Aufschwung über entleerte, allen Sinngehalts und aller Erkenntnis beraubte Affekte in eine ebenso entleerte und substanzlose »Burg der Vernunft«: die Fähigkeit des Zuschauers zur Reflexion würde vermindert, sein Bewußtseinshorizont verengt. Staiger dispensiert den Zuschauer vom Denken, wenn er eine Austauschbarkeit der Ideen und eine Unverbindlichkeit der Sinnbezüge statuiert, die Organisation der Teile und die innere Logik des dramatischen Ablaufs für nebensächlich hält. Nicht zuletzt gegen solche Verflachungen des Sinngefüges und des Wirkungsgehalts, die auf einer Überschätzung der distanzaufhebenden, bewußtseinsfeindlichen Affekte beruhen, richten sich die folgenden Überlegungen.

2. Geschichtsverständnis und Wirkungsabsichten

In Schillers Theorie der Wirkung überschneiden sich zwei Konzeptionen. Zunächst dominiert die aristotelische Kategorie des Mitleids, der Schiller freilich eine eigene Wendung gibt: er versteht darunter die Fähigkeit des Zuschauers, die innere sittliche Freiheit des Helden mitzuvollziehen, d. h. jene Freiheit des Erhabenen, die Schiller unter dem Einfluß Kants theoretisch zu begründen suchte. Dann, während seiner Analyse der Französischen Revolution, bindet Schiller seine Wirkungsabsichten an einen umfassenderen Freiheitsbegriff, der den Begriff der erhabenen Freiheit als ein potentielles Moment in sich einbezieht: wir meinen die anfangs von uns skizzierte paradiesische »Freiheit des Gemüts in dem lebendigen Spiel aller seiner Kräfte«. Die Idee dieser Freiheit hat jene Totalität zum Inhalt, die strukturverwandt ist mit der Totalität des ästhetischen Staats, der zweiten höheren Idylle. Diese Überschneidung verschiedener Wirkungstheorien zeigt einen geschichtsphilosophischen Perspektivenwechsel an. Das sei in der gebotenen Kürze erläutert.

a) Die Poetik des Mitleids und der Freiheit des »Erhabenen«

Schillers Poetik des Mitleids, gegründet auf die Freiheit des »Erhabenen«, fällt in die Zeit des Kantstudiums und greift den Dualismus der Kantschen Moralphilosophie auf: den Dualismus zwischen dem mundus sensibilis und dem mundus intelligibilis. Die »moralische Selbstbewährung« vollzieht sich im Kampf mit den Naturkräften und den sinnlichen Trieben. Die Schriften *Über den Grund des Vergnügens an tragischen Gegenständen, Über die tragische Kunst, Über das Pathetische, Über das Erhabene* und *Vom Erhabenen* fassen die Grundstruktur der Tragödie im Begriff des »Pathetischerhabenen« (vgl. NA, Bd. 20, S. 192) zusammen. Schiller versteht darunter den Antagonismus zwischen den »Naturkräften« (d. h.: »Empfindungen, Triebe, Affekte, Leidenschaften«, die »physische Nothwendigkeit und das Schicksal«, vgl. NA, Bd. 20, S. 139) und dem »Sittengesetz«. Der siegreiche Kampf, den der tragische Held als Vernunftwesen gegen sich als leiden-

---

21 Ebda, S. 410.

22 Ebda, S. 169.

des Sinnenwesen ausficht, gewährt dem Zuschauer das »Vergnügen des Mitleids«, das hervorzubringen die »tragische Kunst« sich »zum Zweck setzt« (NA, Bd. 20, S. 153). Zum Mitleid gehört demnach der erhebende Ausblick auf die Freiheit der moralischen Vernunft. Das pathetische Ringen des tragischen Helden mit unheilvollen äußeren Gewalten erweckt im Zuschauer zugleich den Wunsch, in die innere »Freyheit des Gemüths« zu flüchten (NA, Bd. 20, vgl. S. 209). Und der im Untergang siegreiche, dem sittlichen Gesetz gehorchende Held soll erst recht diesen Rückzug in die erhabene Innerlichkeit legitimieren.

Diese Konzeption des Pathetisch-Erhabenen beruht auf einem irrationalen Geschichtsverständnis. Die Geschichte erscheint als eine unerklärbare, gesetzlose Macht, die »auf ihrem eigenwilligen freyen Gang die Schöpfungen der Weisheit und des Zufalls mit gleicher Achtlosigkeit in den Staub tritt«, die »ihre mühsamsten Erwerbungen oft in einer leichtsinnigen Stunde verschwendet, und an einem Werk der Thorheit oft Jahrhunderte lang baut« (NA, Bd. 21, S. 50). Der Geschichte haftet demnach etwas Undurchschaubares, Mythisches an; sie entzieht sich jedem rationalen Begründungsversuch und treibt in dem sinnlosen Kreislauf der »alles zerstörenden und wieder erschaffenden, und wieder zerstörenden Veränderung« (NA, Bd. 21, S. 52). Daher versteht Schiller die Geschichte auch als »die Tücke der Verhängnisse« (NA, Bd. 21, S. 51): was undurchschaubar und unerklärbar ist, spottet zugleich dem Veränderungswillen des Menschen. Diesem bleibt nur eine Möglichkeit: er soll »ergriffen von dieser ewigen Untreue alles Sinnlichen nach dem Beharrlichen in seinem Busen« greifen (NA, Bd. 21, S. 52). Schiller meint damit nichts anderes als den erhabenen Aufschwung des Geistes über die schicksalhaften, unerklärbaren und unveränderbaren Gewalten des Irdischen. Der Mensch ist Schiller zufolge einem richtungslosen Weltverlauf ausgesetzt; es begegnen ihm »Fälle (...) wo das Schicksal alle Aussenwerke ersteigt, auf die er seine Sicherheit gründete, und ihm nichts weiter übrig bleibt, als sich in die heilige Freyheit der Geister zu flüchten« (NA, Bd. 21, S. 51). Die von Schiller während des Kant-Studiums entwickelte Freiheit des Erhabenen ist demnach die Reaktion auf eine irrationale Ansicht der Geschichte; die als mythisch und als unveränderbar erfahrenen Gewalten der Außenwelt legen den Rückzug in eine unanfechtbare, moralisch erhabene Innerlichkeit nahe. Die häufige Wiederholung dieses Vorgangs stärkt das Vermögen zum erhabenen Aufschwung. Seiner soll sich der Zuschauer dann auch im wirklichen Leben bedienen, »wenn aus dem eingebildeten und künstlichen Unglück« der Tragödie »ein ernsthaftes« wird: die durch die Kunst erworbene geistige Widerstandskraft, die moralische Autonomie, sichert dem Menschen eine erhabene Freiheit über das »unvermeidliche Schicksal« (NA, Bd. 21, vgl. S. 51).

Diese Betrachtung der Geschichte als irrationale, unkontrollierbare Abfolge von Geschehnissen dominiert jedoch nur in den Schriften, die sich von einem Dualismus Kantscher Prägung leiten lassen. Die *Briefe über die Ästhetische Erziehung*, deren geschichtlicher Anlaß die Französische Revolution ist, bezeugen schon eine sehr rationale Auffassung der Geschichte.

b) Die Idyllenstruktur der ästhetischen Versöhnung

Die Erfahrung der Französischen Revolution

Der enttäuschende Verlauf der Revolution zwang Schiller dazu, die Ursachen dieses Verlaufs aufzudecken und die Gründe für das Scheitern einer idealen politischen Idee zu erkennen. Ist aber der Geschichtsprozeß erfaßbar und begründbar, so kann man verändernd auf ihn einwirken. Die als undurchschaubares, »böses

Verhängnis« begriffene Geschichte erlaubte nur eine Flucht in die erhabene Innerlichkeit: Geschichte und Individuum standen in starrer Antithese einander gegenüber. Der auf seine Ursachen hin erhellte Geschichtsverlauf aber erlaubt eine Gegenwirkung, einen entsprechenden Eingriff des Menschen; was rational durchschaut ist, gibt die Möglichkeit eines entsprechenden tätigen Verhaltens: jetzt stehen Geschichte und Mensch in aktiver Wechselbeziehung zueinander. Das irrationale Geschichtsverständnis weicht einem rationalen: das Scheitern der Französischen Revolution wird erklärt und begründet; die gesellschaftlichen Bedingungen des Scheiterns werden erhellt. Die auf den geschichtlichen Menschen wirkende Kunst soll dann die Bedingung herstellen, die den Menschen nicht mehr zum Scheitern in der Geschichte verurteilt, sondern zum Gelingen führt. Diese Bedingung heißt: ideale Totalität. Die Kunst soll dem Menschen jene ästhetische Totalität für Augenblicke vermitteln, die in der zweiten höheren Idylle von Dauer wäre. Diese dialektische Bewegung begründen und entfalten die *Briefe über die Ästhetische Erziehung*. Das sei an dieser Stelle dargelegt.

Die Idee der Totalität erweist sich als Schillers Gegenentwurf zur Selbstentfremdung seiner Zeitgenossen, jener Selbstentfremdung, die schließlich die ideale Zielsetzung der Revolution durchkreuzte: den »Bau einer wahren politischen Freyheit« (NA, Bd. 20, S. 311), das heißt jene Verwirklichung eines politisch-gesellschaftlichen Vernunftideals, das im Zeitalter der Aufklärung die besten Geister bewegt hatte und Voltaires *Essai sur l'Histoire générale ...* nicht weniger leitet als Lessings Fragment über *Die Erziehung des Menschengeschlechts*. Anstelle einer progressiven Realisierung der idealen Idee der Freiheit und der menschlichen Selbstverwirklichung erblickt Schiller eine höchstmögliche Entfernung von diesem »vollkommensten aller Kunstwerke« (NA, Bd. 20, S. 311). »Das jetzige Zeitalter, weit entfernt uns diejenige Form der Menschheit aufzuweisen, welche als nothwendige Bedingung einer moralischen Staatsverbesserung erkannt worden ist, zeigt uns vielmehr das direkte Gegentheil davon.« (NA, Bd. 20, S. 328) Schiller erkennt eine verhängnisvolle »Trennung in dem innern Menschen« seiner Zeit (NA, Bd. 20, S. 329). Die »schärfere Scheidung der Wissenschaften« und das immer »verwickeltere Uhrwerk der Staaten« haben zu einer »strengeren Absonderung der Stände und Geschäfte« geführt (NA, Bd. 20, S. 322 f.). Schon in seiner Bürger-Rezension hatte Schiller auf das »traurigste« »Schicksal« angespielt, das, um ein Beispiel zu geben, »dem philosophierenden Verstande widerfahren kann« (NA, Bd. 22, S. 245). In den *Briefen* analysiert er dieses Schicksal. Er führt aus, daß die einseitige Aktivität des Verstands Nachteile für das »Wissen und Hervorbringen« hat: »Indem der spekulative Geist im Ideenreich nach unverlierbaren Besitzungen strebte, mußte er ein Fremdling in der Sinnenwelt werden« (NA, Bd. 20, S. 325). Parallel zu diesem »Übergewicht des analytischen Vermögens«, das gravierend »Empfinden und Handeln« (NA, Bd. 20, S. 325) beschneidet, konstatiert Schiller das Übergewicht einzelner, isolierter Kräfte im Bereich der Verwaltung und des Wirtschaftslebens, weil der Staat, von der Spezialisierung der Berufe profitierend, »an dem Einen seiner Bürger nur die Memorie, an einem Andern den tabellarischen Verstand, an einem Dritten nur die mechanische Fertigkeit ehrt« (NA, Bd. 20, S. 324). Das bedingt eine Reduktion der Menschen auf ihre engsten praktischen Interessen, eine Blindheit gegenüber dem Allgemeinen: so hat etwa der »Geschäftsmann (...) gar oft ein e n g e s Herz, weil seine Einbildungskraft, in den einförmigen Kreis seines Berufs eingeschlossen, sich zu fremder Vorstellungsart nicht erweitern kann« (NA, Bd. 20, S. 326).

Indem Schiller den Menschen seiner Zeit als einen bloßen »Abdruck seines Geschäfts, seiner Wissenschaft« (NA, Bd. 20, S. 323) durchschaut, erhärtet er die in der Bürger-Rezension anfangs ausgesprochene These. Sie hatte die »getrennten Kräfte« des Menschen auf die »Vereinzelung und getrennte Wirksamkeit unsrer Geisteskräfte« zurückgeführt, »die der erweiterte Kreis des Wissens und die Absonderung der Berufsgeschäfte notwendig macht« (NA, Bd. 22, S. 245). Eben an diesem Sachverhalt scheiterte nach Schillers These die Französische Revolution. Daß »nicht bloß einzelne Subjekte sondern ganze Klassen von Menschen nur einen Theil ihrer Anlagen entfalten« (NA, Bd. 20, S. 322), daß jeder Bürger nur »ein Bruchstück« (NA, Bd. 20, S. 323) ist, erwies sich als Verhängnis für den politischen Umsturzversuch. Zum Träger einer Revolution eignet sich der »spekulative Geist« nicht, der »ein Fremdling in der Sinnenwelt« ist und »über der Form die Materie« (NA, Bd. 20, S. 325) vergißt. Zum Träger der Revolution eignet sich aber auch der »Geschäftsgeist« nicht, der »in einen einförmigen Kreis von Objekten eingeschlossen« ist und daher »das freye Ganze sich aus den Augen gerückt« (NA, Bd. 20, S. 325) sah. Die Berufswelt des einen wie des andern hatte »Wissen« und »Empfinden« verengt und zugleich die Fähigkeit zum »Hervorbringen« und »Handeln« beschädigt. Das «k a l t e Herz« und die »leere Subtilität« (NA, Bd. 20, S. 325) des abstrahierenden Denkers ist revolutionärem Handeln nicht weniger abträglich als das »enge Herz« und die »pedantische Beschränktheit« (NA, Bd. 20, S. 325) des Geschäftsmanns. Schiller forciert seine Kritik noch, wenn er von einer »Depravation des Charakters« in den »civilisirten Klassen« spricht (NA, Bd. 20, S. 320). Er beobachtet nicht nur eine Verarmung der Sensibilität, die vom »Übergewicht des analytischen Vermögens« oder der »eingeschränkteren Sphäre« des Berufs herrührt; er konstatiert im »philosophierenden Zeitalter« vielerorts eine »völlige Abschwörung der Empfindsamkeit«, eine Mißachtung des »edelsten Gefühls« bei den sogenannten »verfeinerten Ständen« (NA, Bd. 20, S. 320). Mit Recht führt Schiller dieses Phänomen auf das wachsende Erwerbsstreben zurück, zu dem der Staat seine Bürger anleitet: »Jetzt aber herrscht das Bedürfniß, und beugt die gesunkene Menschheit unter sein tyrannisches Joch. Der N u t z e n ist das große Idol der Zeit, dem alle Kräfte frohnen und alle Talente huldigen sollen.« (NA, Bd. 20, S. 311) Schiller erkennt die wachsende Macht des »Egoismus«, der jeden nur auf »sein elendes Eigenthum« blicken läßt und zuletzt den »feurigen Trieb nach Verbesserung erstickt« (NA, Bd. 20, S. 320).

Franz Schnabel hat diese Einsicht Schillers bestätigt: »Der Staat setzte alle Mittel ein, um Gewerbe und Handel zu heben (...) So wuchs der neue bürgerliche Geist unter dem schützenden Mantel des absolutistischen Staates langsam heran, langsam zerbröckelte die Berufsethik der mittelalterlichen Welt, die das Streben nach Erwerb durch die Solidarität der Genossenschaft gezügelt (...) hatte.« »Die Arbeit um ihrer selbst willen und das schrankenlose Streben nach Erwerb, um mit dem Erworbenen weiter zu arbeiten – diese letzten und tiefsten Antriebe des kapitalistischen Willens – haben die Bahn gebrochen für gewaltige Taten; aber sie bedeuteten zugleich die Loslösung auch des ökonomischen Menschen von allgemeinen und jenseitigen Zwecken und seine Unterstellung unter das moderne Idol der Zahl.« [23] Der moderne Geschichtsschreiber erkennt, durchaus im Sinne Schillers, die verhängnisvolle Bindung des »ökonomischen Menschen« an das wuchernde Erwerbsstreben, das von jenen »allgemeinen Zwecken« ablenkt, an denen sich

23 Schnabel, Geschichte, 1. Bd., S. 54.

ursprünglich die Revolution orientieren sollte. Die herrschende »materialistische Sittenlehre« (NA, Bd. 20, S. 320) durchkreuzt schließlich die in der Revolution zunächst wirksamen idealen Zielsetzungen. Zum Scheitern dieser Zielsetzungen tragen Schiller zufolge auch die revolutionär bewegten Massen bei. Zwangsläufig wurden die »niedern Klassen«, denen Bildung und Wohlstand vorenthalten blieb, Opfer ihrer »rohen gesetzlosen Triebe« (NA, Bd. 20, S. 319). Diese Triebe mußten »nach aufgelöstem Band der bürgerlichen Ordnung« notwendig »mit unlenksamer Wuth zu ihrer thierischen Befriedigung eilen« (NA, Bd. 20, S. 319). Der von keiner Bildung »veredelte« und ins Elend geworfene vierte Stand mußte weitsichtiges politisches Handeln den dringendsten materiellen Bedürfnissen opfern.

So versucht Schiller eine umfassende Analyse der Gründe, die aus seiner Optik den Verlauf der Französischen Revolution erklären. Sie scheitert an den Besitzenden und angeblich Gebildeten wie an den Besitzlosen, an den »Civilisirten« wie an den »niedern« Klassen, an der »Verkehrtheit« dort und der »Rohigkeit« hier: an den »zwey Aeussersten des menschlichen Verfalls« (NA, Bd. 20, S. 319). Es obliegt nun der Kunst, kraft ihrer ästhetischen Wirkung diesem Verfall entgegenzuarbeiten und den Menschen zur harmonischen Ganzheit, zur Überwindung seiner verhängnisvollen Partikularität und Vereinzelung zu erziehen.

Zeitsituation und paradiesische Totalität

Die Französische Revolution hatte die Vernunftidee der Aufklärung, die Idee eines geschichtlichen Idealzustandes, nicht realisiert. Für Schiller bleibt dieser Idealzustand gleichwohl eine Fluchtlinie seiner Reflexionen; er vermeidet es, hinter das philosophierende Zeitalter zurückzufallen, das dieses Ideal ins Zentrum geschichtlich-politischen Denkens erhoben hatte, und hält daran fest, daß die menschliche »Natur vollständig genug entwickelt« werden müsse, »um selbst die Künstlerinn zu seyn, und der politischen Schöpfung der Vernunft ihre Realität zu verbürgen« (NA, Bd. 20, S. 329). Nachdem das politisch-gesellschaftliche Gemeinwesen diese Aufgabe nicht zu leisten vermocht hat, überträgt Schiller sie der Kunst. Die Menschen, die der Selbstentfremdung anheimgefallen sind und nur noch als isolierte, fragmentarische Wesen existieren aufgrund der immer komplizierteren Organisation des Staats, der Spezialisierung der Berufe und der Intensivierung privaten Erwerbsstrebens – sie sollen durch die Kunst aus ihrem regressiven Dasein heraustreten und harmonische Totalität gewinnen. Es geht darum, durch die ästhetische Erziehung ein Individuum hervorzubringen, das zugleich Gattung ist, das also die höchste Fülle der Individualität mit »objektiven und generischen« Gesetzen verbindet (NA, Bd. 20, S. 317). Erst die vollständig entwickelten und allseitig gebildeten Individuen können zu einer idealen politischen Gesellschaft zusammentreten. Jeder hat daher seine Kräfte so weit zu entfalten und zu läutern, daß sich wie von selbst diese Gesellschaft ergibt.

Das Schlüsselwort für eine derartige Erziehung ist Totalität. Sie entfaltet sich in der Begegnung mit der Kunst – im Zeichen des Spieltriebs. Der Spieltrieb vermag jene Ganzheit im Menschen herzustellen, die Voraussetzung idealpolitischen Handelns ist. Das ideale Kunstwerk aktiviert die »Einbildungskraft«, die sonst vorzüglich dem »schönen Gedicht« verdankt wird; die »Empfindung«, die sonst durch die »schöne Musik« angeregt wird; den »Verstand«, den sonst ein »schönes Bildwerk und Gebäude« beschäftigt (NA, Bd. 20, S. 381). Daß Schiller an dieser Idee der Totalität als Wirkungsprinzip seiner Kunst von da an festhalten wird, bezeugt die Vorrede zur *Braut von Messina.* Sie traut dem Chor zu, ästhetische

Totalität im Zuschauer hervorzubringen. Schiller läßt den Chor – er ist ein Erzeugnis seiner Einbildungskraft – eine Vielfalt von Gedanken und Weisheiten verkünden, die des Zuschauers Reflexionskraft aktivieren sollen; zugleich versinnlicht der Chor diesen abstrakten Gehalt in der Weise, daß er durch rhythmisches Sprechen, durch Bewegungen und durch Musik zu den Sinnen des Zuschauers spricht. Die poetische Einbildungskraft vermittelt so eine harmonische Wechselbeziehung zwischen sinnlichen und geistigen Kräften: »Der Chor ist selbst kein Individuum, sondern ein allgemeiner Begriff; aber dieser Begriff repräsentiert sich durch eine sinnlich mächtige Masse, welche durch ihre ausfüllende Gegenwart den Sinnen imponiert. Der Chor verläßt den engen Kreis der Handlung, um sich über Vergangenes und Künftiges, über ferne Zeiten und Völker, über das Menschliche überhaupt zu verbreiten, um die großen Resultate des Lebens zu ziehen und die Lehren der Weisheit auszusprechen. Aber er tut dieses mit der vollen Macht der Phantasie, mit einer kühnen lyrischen Freiheit, welche auf den hohen Gipfeln der menschlichen Dinge wie mit Schritten der Götter einhergeht – und er tut es, von der ganzen sinnlichen Macht des Rhythmus und der Musik in Tönen und Bewegungen begleitet.« (SA, Bd. 16, S. 125 f.)

Schiller charakterisiert die von solcher Kunst hervorgebrachte Wirkung als »Freiheit des Gemüts in dem lebendigen Spiel aller seiner Kräfte«. Totalität wird dem Zuschauer insofern vermittelt, als sich die Kunst auf »das Ganze unsrer sinnlichen und geistigen Kräfte« (NA, Bd. 20, S. 376, Anm.) bezieht; Freiheit besitzt er, insofern die Kunst diese Kräfte »in möglichster Harmonie« (NA, Bd. 20, S. 376, Anm.) ausbildet, d. h. ohne die einschränkende Vorherrschaft vereinzelter Kräfte; daher kann Schiller sagen, daß »das Gemüt im ästhetischen Zustand (...) im höchsten Grade frei von allem Zwang« handelt. Unüberhörbar ist der hymnische Klang, der in Schillers Beschreibung der künstlerischen Wirkung auf den Kunstbetrachter eindringt. Er will das »Vermögen, welches ihm in der ästhetischen Stimmung zurückgegeben wird, als die höchste aller Schenkungen, als die Schenkung der Menschheit« (NA, Bd. 20, S. 378) betrachten. Es ist ein Vermögen, das sich als Unverstörtheit und Vollkommenheit ausweist: »Hier allein fühlen wir uns wie aus der Zeit gerissen; und unsre Menschheit äußert sich mit einer Reinheit und *Integrität*, als hätte sie von der Einwirkung äußrer Kräfte noch keinen Abbruch erfahren.« (NA, Bd. 20, S. 379)

Das Schillersche Begriffsfeld, das die ästhetische Wirkungsmöglichkeit der Kunst zum Inhalt hat, läßt sich unter einem Oberbegriff subsumieren. Das »Ganze«, »Harmonie«, »höchste aller Schenkungen«, »wie aus der Zeit gerissen«, »Reinheit und Integrität«: wir gehen nicht fehl, wenn wir die intendierte künstlerische Wirkung als eine paradiesische bezeichnen. Zweifellos befinden wir uns im Umkreis der Schillerschen Idylle, wenn wir uns den ästhetischen Zustand des Spieltriebs vergegenwärtigen. Daß die Struktur der Schillerschen Idylle sich mit der Struktur der intendierten künstlerischen Wirkung deckt, zeigt auch ein Kommentar Benno von Wieses an: »In der Zeitlosigkeit dieses geschlossenen Zauberkreises bedeutet die ästhetische Freiheit geradezu eine Rückkehr zum Paradiesischen, ohne daß dieses direkt von Schiller ausgesprochen wird.« (NA, Bd. 21, S. 265) Daß Schiller die künstlerische »Wirkung auf das Gemüth« (NA, Bd. 20, S. 381) nicht direkt durch den Begriff der Idylle oder des Paradieses bezeichnet hat, besagt wenig. Wichtig ist, daß die Begriffe, die den ästhetischen Zustand umschreiben, mit denen sich decken, die der Idylle gelten. Das »Gemüth« befinde sich »bey Anschauung des Schönen in einer glücklichen Mitte zwischen dem Gesetz und dem Bedürfniß«, es verknüpfe »Naturgesetze« und »Sittengesetze« in »dem innigsten Bund«, lesen wir im 15. der *Briefe* (NA, Bd. 20, S. 357 ff.). Ähnlich heißt es in der Studie *Über Naive und Sentimentalische Dichtung* von der Idylle, sie sei eine »freye Vereinigung der Neigungen mit dem Gesetze, eine zur höchsten sittlichen Würde hinaufgeläuterte Natur« (NA, Bd. 20, S. 472). Die *Briefe über die Ästhetische Erziehung* bezeichnen den durch die Kunst im Zuschauer hervorgebrachten Zustand als »höchste Ruhe und höchste Bewegung« (NA, Bd. 20, S. 360), als eine »erfüllte Unendlichkeit« (NA, Bd. 20, S. 377), die als »übereinstimmende Energie seiner sinnlichen und geistigen Kräfte« sich zu erkennen gebe (NA, Bd. 20, S. 363) und als »die höchste aller Schenkungen« gelten dürfe (NA, Bd. 20, S. 378). Genau dieselben Qualitäten zeichnen die Idylle aus, wenn Schiller sie bestimmt als Ausdruck erfüllter Ruhe: »Ruhe der Vollendung, nicht der Trägheit; eine Ruhe, die aus dem Gleichgewicht nicht aus dem Stillstand der Kräfte, die aus der Fülle nicht aus der Leerheit fließt und von dem Gefühle eines unendlichen Vermögens begleitet wird.« (NA, Bd. 20, S. 473)

So entfaltet Schillers klassische Theorie einen Wirkungsbegriff, der sich als Aufhebung allen Zwangs und aller Beschränkung, als höhere idyllische Totalität versteht. Vorgebildet ist dieser anspruchsvolle Wirkungsbegriff in Schillers Rezension der Gedichte Bürgers: »Bei der Vereinzelung und getrennten Wirksamkeit unsrer Geisteskräfte, die der erweiterte Kreis des Wissens und die Absonderung der Berufsgeschäfte notwendig macht, ist es die Dichtkunst beinahe allein, welche die getrennten Kräfte der Seele wieder in Vereinigung bringt, welche Kopf und Herz, Scharfsinn und Witz, Vernunft und Einbildungskraft in harmonischem Bunde beschäftigt, welche gleichsam den g a n z e n M e n s c h e n in uns wieder herstellt.« (NA, Bd. 22, S. 245) Im Hinblick auf eine derartige idealistische Auffassung der dichterischen Wirkung ist gesagt worden, daß Schiller »einem neuen Paradiese«[24] zustrebt. Es ist ein Paradies, das als Antithese zu der historischen Situation sich versteht, die Schiller vorfindet. Der idyllische Zustand einer höheren versöhnenden Harmonie, in den die Dichtung das Publikum zu versetzen hätte, ist das Postulat, das aus dem geschichtlichen Augenblick zwingend sich ergibt. Denn dieser Augenblick stellt sich als Disharmonie der einzelnen Kräfte des Individuums und der verschiedenen Klassen der Nation dar. Dieser paradoxe Zusammenhang zwischen der Zeitsituation und der beabsichtigten paradiesischen Wirkung der Kunst läßt sich von den *Briefen über die Ästhetische Erziehung* bis zur Vorrede zur *Braut von Messina* verfolgen. Zugleich aber ist die Zeitsituation der Grund dafür, daß Schiller auch der Erziehung zur Freiheit des Erhabenen ihr bedingtes Recht zukommen lassen kann – als eine Möglichkeit nämlich, die erst in der Erziehung zur ästhetischen Freiheit geschaffen wird. Die Totalität der ästhetischen Erziehung will sich zuletzt darin bezeugen, daß sie das Erhabene als potentielles Moment in sich aufnimmt und seine Aktivierung ermöglicht, wann immer eine realgeschichtliche Situation es erfordert.

c) Ästhetisch-idyllische und »erhabene« Wirkung

Das Verhältnis der beiden Freiheitsbegriffe zueinander, des ästhetisch-idyllischen und des erhabenen, ist von der Forschung noch nicht hinreichend erklärt. Walter Rehm, Gerhard Storz, Gerhard Fricke und Emil Staiger etwa versagen es sich, die scheinbar divergierenden Begriffe zueinander in Beziehung zu setzen und insistie-

24 Müller-Seidel, Schillers Kontroverse, S. 304.

ren vor allem auf der Freiheit des Erhabenen. Diese Perspektive scheint den Jugenddramen angemessen; sie basieren, wie die Dissertation von Walter Müller-Seidel zeigt [25], auf dem Spannungsverhältnis zwischen dem Pathetischen und dem Erhabenen. Bezüglich der klassischen Dramen aber halten wir nicht nur das Pathetisch-Erhabene für relevant, so wenig es ganz in Abrede zu stellen ist. Verläßt man sich jedoch bedingungslos auf dieses Begriffspaar, so wird das Sinngefüge der klassischen Dramen eigentümlich verkürzt und die Wirkung auf den Zuschauer wird als Weg in die Innerlichkeit gedeutet. Diese interpretatorische Gefahr vergegenwärtige ein kurzer Blick auf die wissenschaftliche Literatur. Durch die kritische Distanz zu ihr soll die Legitimität unserer eigenen Fragestellung deutlicher hervortreten.

Die wissenschaftliche Literatur

Walther Rehm stellt einen »im Erhabenheitsbegriff gegründeten Zusammenhang zwischen Schiller und der Barockepoche« her [26]. Das »Erlebnis des ›Erhabenen‹« [27] wird als das bestimmende in Schillers Welterfahrung verstanden. Die an Kant orientierten Schriften enthalten Rehm zufolge eine Art Weltanschauung, insofern »das Leben für Schiller« »nur als Mittel zur Sittlichkeit wichtig« war, »als Mittel des Transzendierens, als Grund, von dem allein aus man sich über das sinnliche Leben zur Vollkommenheit erheben, sich von ihm durch den Untergang lösen konnte« [28]. Diese Schiller zugemessene Weltflüchtigkeit sei, wie Rehm ausführt, das Darstellungsprinzip seiner klassischen Tragödien und begründe die »innere strukturelle Verwandtschaft mit dem Barockdrama« [29]. Zu welchen pauschalen und negativen Urteilen über Sinngefüge und Wirkung der Schillerschen Dramen eine derartige Betrachtungsweise führen kann, läßt sich bei Gerhard Storz zeigen. Er gibt als Sinn der *Wallenstein*-Trilogie jenen Dualismus aus, dem die Freiheit des Erhabenen entspringt: »Schillers tief eingewurzelte Überzeugung von der Unvereinbarkeit der Pole ›Genuß‹ und ›Glauben‹, ›Sinnenglück‹ und ›Seelenfrieden‹« [30]. Abermals erscheint die Tragödie als Ausdruck weltanschaulicher, auf ein philosophisches Begriffspaar reduzierbarer »Überzeugung«. Entsprechend problematisch muß dann die Wirkung anmuten, die von dieser Überzeugung ausgeht. Schiller »weist«, so meint Storz, »den Weg nach innen und verkündet unüberhörbar das stoische ›rede ad se ipsum‹ (...) für die Erziehung zur Politik ist diese Wegweisung bedenklich« [31]. Von ähnlichen Prämissen gehen Gerhard Fricke und Emil Staiger aus, nur daß sie ihre Schlußfolgerung mit einem positiven Vorzeichen versehen. Beide bestimmen den Dualismus zwischen Sinnlichkeit und Vernunft als das grundlegende Prinzip in Schillers Denken und Dichten. Dieses Prinzip organisiert, so erklärt Fricke, dann auch Schillers Wirkungsabsichten. »Gestärkt durch die strenge und erhabene Freiheit, wie sie sich in der Tragödie enthüllt«, gewinnt der Betrachter die Kraft, »aus der Identität mit seinem ewigen Selbst der Qual des Irdischen standzuhalten. Und so trägt ihn in diesen letztlich entscheidenden Momenten die in der Tragödie tragisch siegende Freiheit über den Abgrund.« [32] Die

---

25 Vgl. S. 103, Anm. 12.

26 Walther Rehm: Schiller und das Barockdrama. In: W. R.: Götterstille und Göttertrauer. Aufsätze zur deutsch-antiken Begegnung. München 1951. S. 97.

27 Ebda, S. 86.

28 Ebda, S. 84.

29 Ebda, S. 83.

30 Storz, Schiller, S. 299.

31 Ebda, S. 5.

32 Gerhard Fricke: Nachwort. In: Friedrich Schiller. Werke in 3 Bden. Unter Mitwirkung von Gerhard Fricke hrsg. von Herbert G. Göpfert. Bd. III. München 1966. S. 772.

so verstandene Wirkung der Kunst bereitet den Weg in die Innerlichkeit vor, den Emil Staigers Interpretation insgesamt weist. »Mit der inneren Freiheit der absoluten Vernunft, die sich um den Erfolg auf Erden, um die Weltgeschichte nicht kümmert, sondern unanfechtbar-souverän in ihrer Würde verharrt, gewinnt der Dichter wieder einen Sinn, den einer Zuhörerschaft gewaltig einzuprägen sich lohnt.« [33] In diesen Sätzen wirkt eine folgenschwere Tradition der deutschen Literaturwissenschaft weiter, jene Tradition, die Staiger dazu veranlaßt, Schiller ausdrücklich als Repräsentant der »Innerlichkeit« zu rühmen. Auch Karl Viëtor hatte diese Perspektive überbewertet. In einer vergleichenden Betrachtung versuchte er darzulegen, daß Schiller der Freiheit des Erhabenen den entschiedenen Vorrang vor dem Schönen als dem Ausdruck der versöhnten Doppelnatur des Menschen gegeben habe: »Offenbar ist für den großen Dramatiker das Erhabene, wenn nicht wichtiger im Gebäude seiner Lehre, so doch für seine Ansicht vom Menschen und seiner Bestimmung bedeutungsvoller als das Schöne.« [34] Demgegenüber hat Benno von Wiese der ästhetischen Freiheit in einer vorzüglichen Darstellung jene erhöhte Aufmerksamkeit geschenkt, die ihr gebührt [35]. Der Differenzierung bedarf aber die summarische Relation, die er zwischen ihr und der erhabenen Freiheit herstellt: Schillers »zusammenfassende Formulierung (NA, Bd. 20, 388,5 f.): ›der Mensch muß lernen edler begehren, damit er nicht nöthig habe, erhaben zu wollen‹ gibt der ästhetischen Bildung erneut den Vorrang vor der Erziehung zum moralischen Handeln.« [36]

Die Versöhnung der ästhetisch-idyllischen und der erhabenen Freiheit

Unsere These, daß Schiller seine beiden Freiheitsbegriffe miteinander versöhne, scheint fürs erste recht gewagt. Wir erinnern daran, daß die ästhetisch-idyllische Freiheit nach Schiller eine »erfüllte Unendlichkeit« (NA, Bd. 20, S. 377) ist, die sich durch »Abwesenheit aller Schranken« (NA, Bd. 20, S. 379) auszeichnet; »frey und unverletzt«, »rein und vollkommen« ist das im Spieltrieb aktivierte »Gemüth« (NA, Bd. 20, S. 382); der Mensch entfaltet, »frey von allem Zwang« (NA, Bd. 20, S. 376), die »übereinstimmende Energie seiner sinnlichen und geistigen Kräfte« (NA, Bd. 20, S. 363), eine »hohe Gleichmüthigkeit und Freyheit des Geistes« (NA, Bd. 20, S. 380). Die Freiheit des Erhabenen hingegen entsteht unterm Zeichen des Zwangs und der Disharmonie: die sinnlichen Triebkräfte sind hier der Widerpart der moralischen; die »Gesetze der Vernunft« »nöthigen« den sinnlichen Teil des Gemüts (NA, Bd. 20, S. 354); Schiller spricht daher vom »geistigen Zwang der Sittengesetze« (NA, Bd. 20, S. 359). Die Freiheit des Erhabenen, die in der Unterdrückung der sinnlichen Natur des Menschen gründet, scheint demnach unvereinbar mit der Freiheit der ästhetisch-idyllischen Totalität, die die sinnliche Natur des Menschen mit seiner geistigen versöhnt, d. h. »in der Zusammenwirkung seiner beyden Naturen« (NA, Bd. 20, S. 365) besteht.

Aber unvereinbar scheinen die beiden Freiheitsbegriffe nur auf den ersten Blick.

---

33 Staiger, Schiller, S. 279.

34 Karl Viëtor: Die Idee des Erhabenen in der deutschen Literatur. In: K. V.: Geist und Form. Aufsätze zur deutschen Literaturgeschichte. Bern 1952. S. 261.

35 Vgl. das Kapitel »Politik und Ästhetik in Schillers Denken«, in: von Wiese, Schiller, S. 446–506 und seinen Kommentar zu den *Briefen über die Ästhetische Erziehung* in NA, Bd. 21, S. 232–277.

36 So von Wieses Kommentar in NA, Bd. 21. S. 272.

Schiller konzipiert nämlich die ästhetisch-idyllische Freiheit als eine ganzheitliche Verfassung, die zugleich die unabdingbare Voraussetzung für das Erhabene ist. Diesen Zusammenhang deckt der 23. Brief auf [37]. Das Erhabene ist Ausdruck des moralischen Willens und der moralischen Entschlußkraft; Wille und Entschlußkraft werden tätig, sobald das Denken das moralische Gesetz begriffen und akzeptiert hat. Beides aber, Denkkraft und Entschlußkraft, ist nach Schillers Auskunft im Dasein der einzelnen Menschen schwach entfaltet und das bedeutet: die Fähigkeit zum erhabenen Handeln ist kaum je vorhanden. Denn der Mensch ist zunächst ein »sinnliches Wesen«, und die fortschreitende Arbeitsteilung hindert die meisten daran, ihre Denkkraft zu aktivieren – das war Schillers Analyse der spezialisierten Berufssphären seiner Zeitgenossen zu entnehmen. Damit rückt die Möglichkeit fern, Pflicht und Wahrheit überhaupt zu erkennen, qua Reflexion zu akzeptieren und zu wollen. Zurückerstattet wird dem Menschen diese Möglichkeit erst wieder im ästhetischen Zustand. Denn darin werden Sinnlichkeit und Denkkraft, das Vermögen zu empfinden und das Vermögen, Gesetze zu erkennen und moralisch zu akzeptieren, in gleicher Weise aktiviert. Nur der kann demnach zur erhabenen Freiheit, zur »reinen Form« des moralischen Gesetzes handelnd sich erheben, dem die Voraussetzung dazu, die Fähigkeit zu erkennen und zu wollen, im ästhetischen Zustand vermittelt wurde: »daß es überhaupt nur eine reine Form für den sinnlichen Menschen gebe (...) muß durch die ästhetische Stimmung des Gemüths erst möglich gemacht werden. (...) Der sinnliche Mensch ist schon (physisch) bestimmt, und hat folglich keine freye Bestimmbarkeit mehr (...) diese verlorne Bestimmbarkeit muß er nothwendig erst zurück erhalten, eh' er die leidende Bestimmung mit einer thätigen vertauschen kann (...) Durch die ästhetische Gemüthsstimmung wird also die Selbstthätigkeit der Vernunft schon auf dem Felde der Sinnlichkeit eröffnet, die Macht der Empfindung schon innerhalb ihrer eigenen Grenzen gebrochen, und der physische Mensch so weit veredelt, daß nunmehr der geistige sich nach Gesetzen der Freyheit aus demselben bloß zu entwickeln braucht.« (NA, Bd. 20, S. 384 f.) Die Erkenntnis der Pflicht, des moralischen Gesetzes, und die erhaben-sittliche Entscheidung setzen den ästhetischen Zustand voraus, weil dieser erst dem sinnlich-physisch bestimmten Menschen die Möglichkeit erstattet zu erkennen, zu wollen und zu entscheiden.

Dieser Schritt vom ästhetischen zum erhabenen Zustand kann notwendig werden in einer Konfliktsituation des realen Lebens. Für den Handelnden ist das kein schwieriger Schritt mehr, weil die Möglichkeit dazu bereits durch die ästhetische Stimmung verfügbar wurde. Der zum sittlichen Handeln aufgeforderte Mensch muß dann nur noch von dieser Möglichkeit Gebrauch machen und sie aktiv umsetzen: Er »braucht« »bloß zu nehmen (...) bloß seine Natur zu vereinzeln«; es bedarf »oft nichts, als die Aufforderung einer erhabenen Situation (die am unmittelbarsten auf das Willensvermögen wirkt) um ihn zum Held und zum Weisen zu machen ...« (NA, Bd. 20, S. 385). Daß solche »erhabenen Situationen«, wo etwa Pflicht und Neigung miteinander streiten, unvermeidbar sind, stellt Schiller in Rechnung. Seine Analyse der Französischen Revolution ergab, daß sich die Menschen im Zustand der Selbstentfremdung befinden; als Menschen, die mit sich selbst im Konflikt leben, werden sie sich auch gegenseitig in Konflikte stürzen. Dieser Zustand kann durch die Erfahrung der ästhetischen Totalität nicht schlagartig aufge-

37 Vgl. NA, Bd. 20, S. 383–388. Zu den weniger bekannten unter den *Briefen über die Ästhetische Erziehung* gehört gerade auch der 23.

hoben werden; er kann aber, Schiller zufolge, progressiv bewältigt werden. Die Erfahrung der Totalität soll nämlich so intensiviert und solange wiederholt werden, »bis die Trennung in dem innern Menschen wieder aufgehoben, und seine Natur vollständig genug entwickelt ist, um selbst die Künstlerinn zu seyn, und der politischen Schöpfung der Vernunft ihre Realität zu verbürgen« (NA, Bd. 20, S. 329). Schiller hofft demnach, daß die Erfahrung der paradiesischen Ganzheit im realen Dasein als eine Art Lebensanweisung weiterwirken wird, daß sie das Individuum zu einem stets humaneren Verhalten gegenüber sich selbst und den anderen bewege: zu einem Verhalten, das allmählich den erhabenen Aufschwung zum moralischen Gesetz auf Kosten des sinnlichen Glücks überflüssig machen würde. In diesem Sinn ist Schillers Maxime zu verstehen: »er (der Mensch) muß lernen edler begehren, damit er nicht nöthig habe, erhaben zu wollen« (NA, Bd. 20, S. 388).

So erweist sich die Wirkungskategorie der ästhetischen Freiheit als eine Totalität, die potentiell auch das Erhabene mit zu umfassen vermag und, so will es Schillers emphatisch idealistische Absicht, auf die Dauer überflüssig machen soll. Einer Forschung gegenüber, die Schiller gern auf den erhabenen Weg in die »Innerlichkeit«, auf die starre, in sich verschlossene Antithese zum realen Geschichtsverlauf festlegt, wäre die zweifache Zeitbezogenheit seiner Konzeption einer idealidyllischen Wirkung entgegenzuhalten: die intendierte Wirkung der Harmonie und Totalität versteht sich erstens als Gegenentwurf zur Disharmonie und Verarmung der Zeitgenossen und zweitens als Mittel zur »Erziehung« dieser Zeitgenossen, zur Veränderung ihres individuellen und gesellschaftlichen Seins. Daß Schiller damit einen zentralen Beitrag zur Bildungsidee der deutschen Klassik leistet und entsprechende Vorstellungen Goethes vorwegnimmt und ergänzt, ist mit knappen Strichen zu umreißen.

3. Die Bildungsidee der deutschen Klassik. Die Beziehung zu Goethe

Wie sehr Schillers Konzeption einer idealidyllischen Wirkung mit seinem Bildungswillen verwandt ist, zeigt schon die Wendung von der »Ästhetischen Erziehung des Menschen« an. Es ist eine Erziehung zur idealen Totalität durch jenen Spieltrieb, den Schiller bezeichnenderweise auch »Bildungstrieb« nennt (NA, Bd. 20, S. 400). Den Bildungstrieb zu wecken ist denn auch Schillers Intention in seiner Zeitschrift »Die Horen«, die einer »veredelten Menschheit« (NA, Bd. 20, S. 106) und einer »wahren Humanität« (NA, Bd. 20, S. 107) dienen soll. Solche Begriffe bekunden die Verwandtschaft von Schillers Bildungsabsichten mit denjenigen Goethes – eine sehr enge Verwandtschaft, die eine ausführliche Darstellung lohnen würde.

In einem materialreichen und sehr instruktiven Aufsatz interpretiert Matthijs Jolles Belege für Goethes Auffassung über die Wirkung der Kunst [38]. Daß wir uns dem Schönen hingeben, »um uns selbst von ihm, erhöht und verbessert, wieder zu erhalten« [39] – dieses Motiv der Sublimierung erinnert an Intentionen Schillers, durch die Kunst dem Menschen »Reinheit« und »Integrität« zu vermitteln (NA, Bd. 20, S. 379). Goethe spricht von der »höheren Existenz« [40], in die das Kunst-

38 Matthijs Jolles: Goethes Anschauung des Schönen. In: Deutsche Beiträge zur geistigen Überlieferung III (1957). S. 89–117.

39 Goethe: Einleitung in die Propyläen. Hamburger Ausgabe. Bd. 12. S. 48.

40 Goethe: Über Wahrheit und Wahrscheinlichkeit der Kunstwerke. Hamburger Ausgabe. Bd. 12. S. 72.

werk versetzt, und versteht darunter »das gesetzmäßig Lebendige in seiner größten Tätigkeit und Vollkommenheit«[41], erzeugt durch eine ideale Schönheit, die das »Muster sei von Symmetrie und Mannigfaltigkeit, von Ruhe und Bewegung, von Gegensätzen und Stufengängen«[42]. Das Sein, in das demnach der Mensch durch das Kunstwerk gelangt, ist, einer Formulierung Jolles' zufolge, »ein lebendig gesetzliches Leben, in dem alles Extreme gebändigt ist, ein fruchtbares, zugleich ernstes und heiteres Leben in höchster, das heißt ruhiger Tätigkeit«[43]. Die Wendung vom »lebendig gesetzlichen Leben« erinnert an die Zuordnung entsprechender antithetischer Begriffe bei Schiller: der Stofftrieb, d. h. die »Fülle des Daseyns« (NA, Bd. 20, S. 349), soll sich mit dem Formtrieb, der »Wahrheit«, dem »Recht«, den »Gesetzen« (NA, Bd. 20, S. 346) verbinden. Wie Schiller intendiert Goethe mittels des Kunstwerks »die friedliche Vereinigung und Durchdringung unversöhnlicher, polarer Gegensätze«, eine Synthese, die zugleich »Steigerung«[44] bedeutet. Zumal der Vergleich mit der Schillerschen Idylle drängt sich hier auf, die als »freye Vereinigung der Neigungen mit dem Gesetze« (NA, Bd. 20, S. 472) konzipiert ist. Die von Goethe intendierte Wirkung des Kunstwerks hat paradiesische Strukturen, die mit Schillers idealidyllischen Kunstvorstellungen koinzidieren. Goethe erwartet vom idealen Kunstwerk, daß es den Menschen in ein »fruchtbares (...) Leben in höchster, das heißt ruhiger Tätigkeit« versetze. Ähnlich entwirft Schiller in seinen *Briefen über die Ästhetische Erziehung* einen »Zustand der höchsten Ruhe und der höchsten Bewegung«. In der Schrift *Über Naive und Sentimentalische Dichtung* stellt er diesen Zustand als idyllischen vor: nämlich als »Ruhe der Vollendung (...) die aus dem Gleichgewicht nicht aus dem Stillstand der Kräfte, die aus der Fülle nicht aus der Leerheit fließt« (NA, Bd. 20, S. 472 f.). Begriffe wie »Vollendung«, »Gleichgewicht der Kräfte«, »Fülle« beziehen sich auf eine paradiesische Totalität, die im Spieltrieb realisiert werden soll. Ähnlich erwartet Goethe von der Kunst, daß sie beim Menschen eine »Einwirkung auf sein inneres Ganzes«[45] leiste und ihm eine »höhere Existenz« vermittle. Wenn nach Schiller die Absicht des Kunstwerks darin liegt, »das Ganze unsrer sinnlichen und geistigen Kräfte in möglichster Harmonie auszubilden« (NA, Bd. 20, S. 376), so deckt sich das mit Goethes künstlerischer Wirkungsabsicht, die auf »ein Ganzes, eine Einheit vielfacher, innig verbundener Kräfte« zielt: »der Mensch ist nicht bloß ein denkendes, er ist ein empfindendes Wesen. Er ist ein Ganzes, eine Einheit vielfacher, innig verbundener Kräfte, und zu diesem Ganzen des Menschen muß das Kunstwerk reden, es muß dieser reichen Einheit, dieser einigen Mannigfaltigkeit in ihm entsprechen.«[46] Die Deutung, die Matthijs Jolles solchen Äußerungen Goethes gibt, darf als verbindlich auch für Schiller gelten: »Das schöne Kunstwerk ist also ein Gipfel aller lebendigen Bildung. Zugleich aber wirkt es befruchtend auf den noch ungebildeten, das heißt willkürlichen, maßlosen und einseitigen Menschen. Es ist ein Produkt der Totalität aller menschlichen Kräfte und kann den Menschen zu einer Totalität machen. Das schöne Kunstwerk in seiner ›reichen Einheit‹ und ›einigen Mannigfaltigkeit‹ hat eine bildende Wirkung, indem es dem Menschen dazu verhilft, das

---

41 Goethe: Campagne in Frankreich. Hamburger Ausgabe. Bd. 10. S. 338.
42 Goethe: Über Laokoon. Hamburger Ausgabe. Bd. 12. S. 58.
43 Jolles, Goethe, S. 113.
44 Ebda, S. 107.
45 Goethe: Alemannische Gedichte. Hamburger Ausgabe. Bd. 12. S. 264.
46 Goethe: Der Sammler und die Seinigen. Sechster Brief. Hamburger Ausgabe. Bd. 12. S. 81.

zu sein, was er seiner Veranlagung und Bestimmung nach sein kann, nämlich ein denkendes u n d empfindendes Wesen.«[47]

Im Hinblick darauf, daß Goethes und Schillers künstlerische Wirkungsabsichten vielfach miteinander konvergieren, darf man von einer Bildungsidee der deutschen Klassik sprechen. In seinem Kapitel über die »Weimar theories of culture«, das die von Herder, Goethe, Fichte und Schiller repräsentierten Kultur- und Erziehungstheorien skizziert, hat Walter H. Bruford den zentralen Stellenwert dieser Idee für die klassische Epoche ermittelt[48]. Zwar sollen auch hier die Unterschiede zwischen den Klassikern nicht geleugnet werden: so geht z. B. bei Schiller die Geschichte unmittelbarer in die ästhetische Theorie ein als bei Goethe, dessen Bildungsabsichten in ungleich stärkerem Maß durch sein naturwissenschaftliches Denken vermittelt sind. Aber Goethes Begriff der »höheren Existenz«, in die das Kunstwerk den Zuschauern erheben soll, hat strukturelle Verwandtschaft mit dem des Spieltriebs, der sich in der Begegnung mit der Kunst entfaltet. Hier wie dort ist eine Totalität gemeint, die paradiesischen Charakter hat. Daher heißt es bei Goethe, daß die Kunst den Menschen »für die Gegenwart« »vergöttert«[49], bei Schiller, daß sie ihn der »Vollendung seines Daseyns« annähert (NA, Bd. 20, S. 352).

4. Das Urteil Hegels

Den tiefen geschichtlichen Gehalt, der in Schillers Wirkungstheorie verborgen ist, bestätigt Hegels *Ästhetik*. Sie geht von jenen Einsichten in die aktuelle Geschichte aus, die Schiller bei seiner Analyse der Französischen Revolution gewonnen hatte. Die »moderne Bildung«, so führt Hegel aus, zwinge den Menschen in einen Gegensatz hinein, der ihn seiner selbst entfremde. »Denn einerseits sehen wir den Menschen in der gemeinen Wirklichkeit und irdischen Zeitlichkeit befangen, von dem Bedürfnis und der Not bedrückt, von der Natur bedrängt, in die Materie, sinnlichen Zwecke und deren Genuß verstrickt, von Naturtrieben und Leidenschaften beherrscht und fortgerissen; andererseits erhebt er sich zu ewigen Ideen, zu einem Reiche des Gedankens und der Freiheit, gibt sich als Wille allgemeine Gesetze und Bestimmungen, entkleidet die Welt von ihrer belebten, blühenden Wirklichkeit und löst sie in Abstraktionen auf, – indem der Geist sein Recht und seine Würde nun allein in der Rechtlosigkeit und Mißhandlung der Natur behauptet«[50]. Diese Definition erinnert genau an Schillers Charakteristik seiner Zeitgenossen; und wie Schiller und Goethe hält es Hegel für die Sache der Kunst, »diese Zwiespältigkeit des Lebens und Bewußtseins«[51] aufzuheben. Das »Kunstschöne« wird als »eine der Mitten« erkannt, welche jenen »Gegensatz und Widerspruch des in sich abstrakt beruhenden Geistes und der Natur (...) auflösen und zur Einheit zurückführen«[52]. Hegel hält Schillers Einsichten für so zentral, daß er sie über die künstlerischen Wirkungsabsichten hinaus einer gesellschaftsbezogenen Phi-

47 Jolles, Goethe, S. 111.
48 Walter H. Bruford: Culture and Society in Classical Weimar 1775–1806. Cambridge 1962. S. 184–292.
49 Goethe: Winckelmann. Schönheit. Hamburger Ausgabe. Bd. 12. S. 103.
50 Hegel, Ästhetik, S. 95.
51 Ebda.
52 Ebda, S. 97.

losophie verfügbar macht: »Diese Einheit nun des Allgemeinen und Besonderen, der Freiheit und Notwendigkeit, der Geistigkeit und des Natürlichen, welche Schiller als Prinzip und Wesen der Kunst wissenschaftlich erfaßte und durch Kunst und ästhetische Bildung ins wirkliche Leben zu rufen unablässig bemüht war, ist sodann als Idee selbst zum Prinzip der Erkenntnis und des Daseins gemacht (...) worden.« [53]

Hegel entdeckt an Schiller ein geschichtlich fundiertes und dialektisch bewegtes Denken. Formgesetz und Wirkung der Kunst unterliegen geschichtlichen Wandlungen. Die jeweilige Zeitlage wirkt auf die Struktur des Werks ebenso bestimmend ein wie die Idee einer Veränderung dieser Lage die Struktur mitbestimmt. Nicht als unmittelbar politische intendiert das Schillersche Kunstwerk die verändernde Wirkung, sondern als ästhetische und individualethische; aus den ästhetisch verwandelten Individuen soll sich das gesellschaftliche Reich der Freiheit wie von selbst konstituieren; die durch die Kunst vollzogene Transformation aller einzelnen soll die notwendige Bedingung für die Transformation wirtschaftlicher und politischer Verhältnisse sein.

5. Schillers idealidyllische Wirkungsabsicht und die Verhältnisse in Deutschland

a) Zur Auffassung Herbert Marcuses

Die zuletzt formulierte These versteht sich als Korrektur an der Deutung Herbert Marcuses. Sein *»philosophischer Beitrag zu Sigmund Freud«* [54] enthält Hinweise zu Schillers utopischem Konzept; sie sind ein Versuch, »den vollen Gehalt der Auffassung Schillers vor der wohlwollenden ästhetischen Behandlung zu retten, die die traditionsgemäße Deutung ihr zuteil werden ließ« [55]. Marcuse zufolge hat Schiller den »vollen Gehalt« seiner Idee ausschließlich in die Zukunft projiziert. »In Schillers Gedanken eines ›ästhetischen Staates‹ ist die Vision einer unterdrükkungsfreien Kultur auf der Ebene einer reifen Zivilisation konkretisiert.« [56] Reife Zivilisation als Voraussetzung des ästhetischen Staats ist erreicht, »wenn alle Grundbedürfnisse mit einem Minimum an körperlicher und geistiger Energie, in einem Minimum an Zeit befriedigt werden können, eine nicht-repressive Ordnung möglich wird« [57]. Einzig auf der Basis dieses Überflusses an Gütern und ihrer vernünftigen Verteilung hat Schiller aus der Sicht Marcuses den Spieltrieb angesiedelt. »Spiel und Selbstentfaltung als Prinzipien der Zivilisation bedeuten nicht eine Umformung der (mühsamen) Arbeit, sondern deren vollständige Unterordnung unter die frei sich entfaltenden Möglichkeiten des Menschen und der Natur.« [58] Marcuses Begriff einer reifen Zivilisation ist dem gegenwärtigen Stand der Produktivkräfte abgewonnen: ihre Fortgeschrittenheit ermöglicht heute einen potentiellen Reichtum, der aufgrund fortdauernder »Herrschaft der repressiven Vernunft« [59] weder ganz realisiert noch vernünftig verteilt wird. Auch Schiller redet in den letzten beiden

---

53 Ebda, S. 102.
54 So lautet der Untertitel seines bereits zitierten Buches »Triebstruktur und Gesellschaft«.
55 Ebda, S. 185.
56 Ebda, S. 195.
57 Ebda, S. 193.
58 Ebda, S. 194.
59 Ebda, S. 158.

Briefen über die Ästhetische Erziehung vom »überflüssigen Leben« und von »verschwenderischer Fülle«, welche über die »Fessel jedes Zwecks« erheben würden (NA, Bd. 20, S. 406). Doch bindet er einmal diese Begriffe bereits an Begleiterscheinungen vergangenen Lebens, an Schmuck, Tanz und Gesang des »alten Germanier«, lauter Zeichen eines »freyeren Spieltriebs« (NA, Bd. 20, S. 408); zum anderen eröffnet Schiller diesen Begriffen eine Zukunft, deren Signum notwendigerweise die Unbestimmtheit und Unbestimmbarkeit ist. Notwendigerweise – denn Schiller hat sein utopisches Konzept angesichts zurückgebliebener Produktivkräfte skizziert, noch vor der industriellen Revolution, an welche Marcuse seine eigene Utopie erst knüpft. Der gegenwärtige Zeitpunkt, wo Marcuse zufolge »die materiellen und intellektuellen Errungenschaften der Menschheit die Schaffung einer wirklich freien Welt zu erlauben scheinen« [60], zeichnete sich für Schiller nicht einmal ansatzweise ab. Das bedingt die schwebende Vieldeutigkeit seiner Vision, die ökonomischer Kategorien entraten muß. Sie kann daher nicht umstandslos für den Entwurf einer Utopie heute herangezogen werden. »Da wo ein leichter Aether die Sinne jeder leisen Berührung eröffnet, und den üppigen Stoff eine energische Wärme beseelt – wo das Reich der blinden Masse schon in der leblosen Schöpfung gestürzt ist, und die siegende Form auch die niedrigsten Naturen veredelt – dort in den fröhlichen Verhältnissen, und in der gesegneten Zone, wo nur die Thätigkeit zum Genusse und nur der Genuß zur Thätigkeit führt, wo aus dem Leben selbst die heilige Ordnung quillt, und aus dem Gesetz der Ordnung sich nur Leben entwickelt – wo die Einbildungskraft der Wirklichkeit ewig entflieht, und dennoch von der Einfalt der Natur nie verirret – hier allein werden sich Sinne und Geist, empfangende und bildende Kraft in dem glücklichen Gleichmaaß entwickeln, welches die Seele der Schönheit, und die Bedingung der Menschheit ist.« (NA, Bd. 20, S. 398 f.)

Nicht irgendeine Idee des Paradieses, sondern speziell diese Ahnung einer auf materiellen Fülle beruhenden Totalität stellt für Marcuse »eine der fortschrittlichsten Denkpositionen« [61] dar. Sein Urteil ist z. B. dem Georg Lukács' unversöhnlich entgegengesetzt [62]. »Die Umformung von Arbeit (Mühe) in Spiel«, so resümiert Marcuse seine Deutung der Utopie Schillers, »und von repressiver Produktivität in ›Schein‹ – eine Umformung, der die Überwindung des Mangels (der Lebensnot) als determinierender Faktor der Kultur und Zivilisation vorangehen müßte« [63].

Demnach würde in Schillers Geschichtsphilosophie eine unvermittelte Antithese von Gegenwart und Zukunft eingehen: die Erfahrung entfremdender Arbeit jetzt und die Erwartung besseren Lebens in ungewisser Zeit – Erwartung der »Überwindung des Mangels«. Aufs Ganze gesehen zieht aber Schiller dieser Erwartung die Entschlußkraft der Gegenwart vor, und zwar in Gestalt seines ästhetischen Bildungswillens. Setzt die Überwindung des Mangels im Sinne Marcuses einen politischen Akt voraus, der vorhandenen gesellschaftlichen Reichtum menschenwürdig verteilt, so schickt Schiller ausdrücklich jedem politischen Akt die »ästhetische Erziehung« voraus. »Alle Verbesserung im politischen soll von Veredlung des Charakters ausgehen – aber wie kann sich unter den Einflüssen einer barbarischen

---

60 Ebda, S. 10.
61 Ebda, S. 186.
62 Lukács hält den ästhetischen Staat für eine »Flucht in utopisch erträumte Zirkel der intellektuellen und moralischen Elite« (Lukács, Schiller, S. 109).
63 Marcuse, Triebstruktur, S. 191.

Staatsverfassung der Charakter veredeln? Man müßte also zu diesem Zwecke ein Werkzeug aufsuchen, welches der Staat nicht hergiebt, und Quellen dazu eröffnen, die sich bey aller politischen Verderbniß rein und lauter erhalten (...) Dieses Werkzeug ist die schöne Kunst, diese Quellen öffnen sich in ihren unsterblichen Mustern.« (NA, Bd. 20, S. 332 f.) Diese idealistische, nicht-politische Konsequenz zieht Schiller aus einer durchaus nicht-idealistischen, dialektischen Auffassung des bisherigen Geschichtsverlaufs; es ist seine eigentlich fortschrittliche Auffassung. Sie erst läßt den »vollen Gehalt« seiner Ästhetik erkennen. Daher ist sie mit wenigen Strichen zu umreißen, zugleich sei die Inkongruenz von dialektischer Analyse und idealistischer Folgerung zeitgeschichtlich erläutert.

b) Dialektische Analyse und idealistische Folgerung

Seine dialektische Auffassung der Geschichte charakterisiert Schiller durch den Begriff des »Antagonism«. Er besagt, daß dem Leiden der Individuen der Fortschritt des Ganzen korrespondiert, daß Arbeitsteilung dem Individuum zum Verhängnis wird, das Wachstum des Ganzen aber befördert: »Die mannichfaltigen Anlagen im Menschen zu entwickeln, war kein anderes Mittel, als sie einander entgegen zu setzen. Dieser Antagonism der Kräfte ist das große Instrument der Kultur, aber auch nur das Instrument; denn solange derselbe dauert, ist man erst auf dem Wege zu dieser.« (NA, Bd. 20, 326) Die Isolierung und Überforderung einzelner Kräfte und Anlagen setzt das Individuum zum beschränkten, seiner potentiellen Fülle beraubten Objekt eines abstrakten Kulturfortschritts herab: Wenn das »gemeine Wesen« (die Gesellschaft) »diese einzelnen Fertigkeiten zu einer eben so großen Intensität will getrieben wissen, als es dem Subjekt an Extensität erläßt – darf es uns da wundern, daß die übrigen Anlagen des Gemüths vernachlässigt werden« (NA, Bd. 20, S. 324). »Wieviel also auch für das Ganze der Welt durch diese getrennte Ausbildung der menschlichen Kräfte gewonnen werden mag, so ist nicht zu läugnen, daß die Individuen, welche sie trifft, unter dem Fluch dieses Weltzweckes leiden.« (NA, Bd. 20, S. 327)

Es macht den Rang der Schillerschen Zeitanalyse aus, daß sie den Widerspruchscharakter der Kultur entdeckt: nur die gesellschaftliche Herrschaft über die Natur befreit den Menschen von der Versklavung durch die Natur, aber diese gesellschaftliche Herrschaft beruht auf individuellen Dienstleistungen und Verrichtungen, die den Zwängen fortschreitender Arbeitsteilung unterliegen und dem Individuum eine freie Entwicklung seiner gesamten Kräfte versagen. Die Auffassung der Geschichte als naturgesetzlicher Fortschritt, welche Schiller im Anschluß an die aufklärerische Philosophie skizziert hatte, wird durchkreuzt von der Erfahrung fortschreitenden Widerspruchs. Ihrer gedenkt Marcuse im Rahmen seiner Freud-Interpretation nicht, obgleich sie Momente Freudscher Kulturanalyse enthält. Die Lösung des Widerspruchs fordert Schiller unterm Aspekt des Selbstzwecks, den Kant so nachdrücklich ins Bewußtsein gerufen hatte. »Kann aber wohl der Mensch dazu bestimmt seyn, über irgend einem Zwecke sich selbst zu versäumen?« (NA, Bd. 20, S. 328.) Der seit Jahrhunderten geübten Herrschaft über die Natur widersetzt sich Schiller, weil diese Herrschaft ihrerseits ein blindes naturwüchsiges Element enthält: das der Versklavung der Individuen an isolierte Arbeitszwecke. Nicht willens, diese Herrschaftsform zu einer notwendigen, legitimen zu mythisieren, rückt er die mechanische geschichtsphilosophische Antithetik von gegenwärtiger Entfremdung und idealem Telos in ein kritisches Licht. »Und in welchem Verhältniß stünden wir also zu dem vergangenen und kommenden Weltalter, wenn die Ausbildung der menschlichen Natur ein solches Opfer nothwendig machte? Wir wären die Knechte der Menschheit gewesen, wir hätten einige Jahrtausende lang die Sklavenarbeit für sie getrieben, und unsrer verstümmelten Natur die beschämenden Spuren dieser Dienstbarkeit eingedrückt – damit das spätere Geschlecht in einem seligen Müßiggange seiner moralischen Gesundheit warten, und den freyen Wuchs seiner Menschheit entwickeln könnte! (...) Es muß also falsch seyn, daß die Ausbildung der einzelnen Kräfte das Opfer ihrer Totalität nothwendig macht; oder wenn auch das Gesetz der Natur noch so sehr dahin strebte, so muß es bey uns stehen, diese Totalität (...) durch eine höhere Kunst wieder herzustellen.« (NA, Bd. 20, S. 328)

Das fortschrittliche Moment in Schillers Geschichtserfahrung meldet sich darin an, daß er die widerspruchsvolle Gegenwart nicht resigniert in Kauf nimmt und aus ihr einen Mythos spinnt, sondern in der Gegenwart selbst eine Utopie zu entwickeln versucht. Sein idealistisches Mißverständnis drückt sich darin aus, daß er der Kunst allein eine utopische Verwandlungsenergie zuschreibt. Dem liegt eine mangelnde Vermittlung zwischen den in Europa dominierenden Tendenzen der Zeit und der besonderen Situation Deutschlands zugrunde. Die dialektische Auffassung der Geschichte entwickelt Schiller am Beispiel der Französischen Revolution, welche aus den fortschrittlichen allgemeineren Zeittendenzen hervorgeht. Wachsende Prädominanz von Naturwissenschaften und Technik, Spezialisierung der Berufsbereiche und Arbeitsteilung, fortschreitende Autonomie einer anonymen Staatsgewalt, politische Revolution: diese durchaus europäischen Erfahrungen Schillers hatten wir dargestellt. Sie wurden von ihm begriffen als Fortschritt des Ganzen und als Entfremdungsprozeß der Individuen. Aber auf sein unmittelbares Lebensinteresse vermochte er sie nicht adäquat zu beziehen: das Interesse an einer absoluten Rechtfertigung der Kunst. Diesem Interesse kam die Situation Deutschlands entgegen, die fundamental verschieden war von der anderer europäischer Staaten. Die in Deutschland herrschende Kleinstaaterei hatte sowohl eine wirtschaftliche wie eine gesellschaftliche Entwicklung verhindert; die zahllosen, blind auf ihre Unabhängigkeit fixierten Territorialstaaten widersetzten sich der Zusammenfassung ihrer Gebiete zu größeren Wirtschaftseinheiten; damit entfiel die Notwendigkeit, weite Verkehrswege zu entwickeln, um eines produktiven raschen Güteraustausches willen neue Methoden zu finden und zu wachsender Arbeitsteilung fortzuschreiten. »Deutschland hatte auf dem Gebiete des Verkehrs, der Technik, der Arbeitsteilung, ja sogar des Welthandels so vielfach glänzende Anfänge, aber weder seine Reichs- und Hansestädte, noch seine meisten Territorialstaaten waren fähig, sie zu entwickeln. Und noch weniger verstand es die Reichsgewalt, die im sechzehnten Jahrhundert ausschließlich beschäftigt war, den kirchlichen Frieden zu erhalten, im siebzehnten nur noch der österreichisch-katholischen Hauspolitik diente, für die großen Aufgaben einer wirtschaftlichen Zusammenfassung des Reichs handelnd einzutreten (...) Überall, nur in Deutschland nicht, reckten sich landschaftliche Wirtschaftskörper zu staatlichen aus, entstanden staatliche Wirtschafts- und Finanzsysteme, welche den neuen Bedürfnissen gerecht zu werden verstanden. Nur in unserem Vaterlande versteinerten sich die alten Wirtschaftseinrichtungen bis zur vollständigen Leblosigkeit; nur in Deutschland ging, was es noch bis 1620 an Welthandel, an Technik, an Kapitalsreichtum, an guten wirtschaftlichen Gewohnheiten, Verbindungen und Traditionen besessen, mehr und mehr verloren. Und doch nicht dieser äußere Verlust an Menschen und Kapital war es, was Deutschland um ein bis zwei Jahrhunderte gegenüber den Westmächten zurückbrachte; auch nicht die Verlegung der Welthandelsstraße vom Mittelmeer nach dem Ozean war das Wichtigste, sondern die mangelnde volkswirtschaftlich-staatliche Organisation, die mangelnde Zusammenfassung der Kräfte.« [64]

Die unzähligen Schutzzölle, die Beharrlichkeit des Zunftwesens, die niedere Bevölkerungszahl dürfen als sinnfälliger Ausdruck dieser wirtschaftlichen Stagnation gelten; bedingt war sie durch eine politische Ordnung, auf welche sie selbst stabilisierend zurückwirkte. »Zu Beginn des achtzehnten Jahrhunderts waren also mittelalterliche Stände, Adel, Bürger, Bauern, noch scharf voneinander geschieden. Obwohl, oder vielleicht gerade weil die Gründe für eine solche Unterscheidung immer fadenscheiniger wurden, hatten sich doch in Deutschland diese Stände in ein sehr starres kastenartiges System kristallisiert.« [65] Noch Madame de Staël ist betroffen von solcher Starre. »Ihr schien es, daß in Frankreich, selbst am Ende des ancien régime nicht in solchem Maße Stand von Stand geschieden war, obwohl damals der Unterschied der Stände stärker betont wurde als jemals zuvor.« [66] Goethes Verzweiflung als Staatsmann in Weimar war, vor seiner Italienischen Reise, der Unbeweglichkeit kleinstaatlicher Verhältnisse geschuldet; am repräsentativen Beispiel Weimars hat Bruford die Unergiebigkeit wirtschaftlicher Korrekturen, die Passivität politischer Institutionen und die Statik gesellschaftlicher Beziehungen im Deutschland jener Zeit skizziert [67]. Mit besonderer Beziehung auf den Protestantismus hat Franz Schnabel beredt der bürgerlichen Haltung Ausdruck verliehen, die aus der Rückständigkeit des öffentlichen Wesens sich entwickelte. Seine Charakteristik lohnt ein längeres Zitat: »Das protestantische Bürgertum war durch die Berufsethik Luthers und das harte Erziehungswerk des norddeutschen Fürstentums geschult und gefestigt worden. Der alte Geist einfacher Gläubigkeit und Zucht, der in den höheren Gesellschaftskreisen einer auflösenden Genußsucht und Freigeisterei gewichen war, hatte sich hier behauptet und mit nüchternem Weltverstand verbunden. In strengem Herkommen und abgezirkelter Satzung verlief das Leben in Haus und Gemeinde, und manche aufrechte, feste und wahrhafte Persönlichkeit mochte aus diesem geschlossenem und umhegten Leben erwachsen. Aber das Dasein des Bürgertums war doch auch eng und kleinlich geworden in einer Privilegienordnung, deren tiefer Sinn durch den Gang der Entwicklung verschwunden war. So sehr auch in diesen Kleinstaaten das Merkantilsystem Gewerbe und Handel förderte, so waren doch Serenissimi Gnaden allzu nahe und griffen in jedem Augenblick ein, so daß Unsicherheit und Rechtlosigkeit herrschten, die jede Arbeit auf weite Sicht unmöglich machten. So war der Sinn der mittelalterlichen korporativen Ordnung beseitigt, ihre Formen bestanden weiter, erstarrt und ohne innern Gehalt. In bequemem erblichen Stande lebend, war der Bürger klug genug, sich zu ducken vor allen Hochgeborenen, aber ebenso streng und vornehm schied er sich nun auch von dem gemeinen Manne, der nicht Haus und Geschäft besaß oder über keine lateinische Bildung verfügte (...) Bei dieser scharfen Trennung der Lebenskreise war das Bürgertum trotz Bildung und wachsendem Wohlstand einsam geworden, und so sind ihm aus jenen Jahrhunderten der Enge dauernde Züge eingeprägt geblieben. Hierher gehört der Mangel an moralischem Mut bei aller äußerlich betonten Männ-

---

64 Zitiert nach Walter H. Bruford: Die gesellschaftlichen Grundlagen der Goethezeit. Weimar 1936. S. 152.

65 Ebda, S. 46.

66 Ebda, S. 47.

67 Ebda, vgl. S. 30–43.

lichkeit und allem geschäftlichen Eifer, die Unterwürfigkeit und das Mißtrauen gegenüber den Trägern von Amt und Titel, verbunden mit der strengen Abschließung nach unten. Dieses Bürgertum zog sich völlig auf sich selbst zurück, lebte behäbig oder zerdrückt dahin und flüchtete alle Hingabe und allen Drang der Bestätigung in das Kontor, in die Studierstube und in eine abgeschlossene Häuslichkeit, die uns aus dem Elternhause Goethes lieb und vertraut ist. Es war der einzige Weg, der den Menschen in dieser geschichtlichen Lage möglich war.« [68]

Der einzig mögliche Weg in dieser geschichtlichen Lage, den Schnabel andeutet, der Weg ins Private, führte das Bürgertum zu Literatur und Philosophie. Die trostlose Enge des gesellschaftlichen Wesens erzeugte ein weitausgreifendes Interesse an ästhetischer Bildung. Der Versteinerung des praktischen Lebens wurde theoretischer und spekulativer Eifer kontrapunktisch zugeordnet, mit wachsender Intensität in der zweiten Hälfte des 18. Jahrhunderts. Ein Grund dafür war das Erstarken des Berufsbeamtentums. Seiner bedurften die Kleinstaaten als eines Stabilisierungsfaktors der bestehenden gesellschaftlichen Ordnung und als eines Gegenbildes zur realen politischen Ohnmacht. Der administrative Apparat gewann an Umfang, als man allenthalben Preußen nachzuahmen versuchte, den militärisch machtvollsten Staat, der allein in wirtschaftlichen Reformen sich ernsthaft versucht [69] und systematisch, sowohl zur Stärkung des Militärs wie zur Differenzierung wirtschaftlicher Belange, seine Beamtenschaft erweitert und aufgegliedert hatte [70]. Gegen Ende des 18. Jahrhunderts hatte sich in Deutschland ein Heer von Behörden herausgebildet [71]; die Beamten hatten sich eine gewisse soziale Geltung erworben, wirtschaftlich sich etwas konsolidiert, an Selbstbewußtsein gewonnen durch ihre Zusammenarbeit mit den herrschenden Schichten, Möglichkeiten »ästhetischer Bildung und Freude an feinerer Geselligkeit« [72] gefunden. Literarische Zeitschriften wurden gegründet, Lesezirkel und Leihbüchereien blühten auf, auch niedere Stände entwickelten literarische Neigungen. Zwischen 1740 und 1800 konstatiert man eine sprunghafte Intensivierung intellektueller Neigungen auf breiter Basis [73]. Schillers Versuch einer absoluten Rechtfertigung der Kunst schien durch kleinstaatliche Verhältnisse gefördert und legitimiert. Die Statik des öffentlichen und praktischen Lebens veranlaßte die Hinwendung zur Kunst und die Überschätzung ihrer Funktion: ihrer Funktion als Erzieherin des Menschen, als gesellschaftlich-politische Macht. Aus europäischer Sicht war diese Funktion der wirtschaftlichen Dynamik des Bürgertums zugefallen, das sich in den Nationalstaaten vom Adel zu emanzipieren begann, anders als das deutsche Bürgertum der Zeit. So versteht sich, »daß in der Goethezeit die besten Köpfe der Nation dichterischen und philosophischen Gedanken folgten und ein neues Gedicht ein Ereignis war, das

---

68 Schnabel, Geschichte, 1. Bd., S. 103 ff.

69 Vgl. ebda, 2. Bd., S. 254.

70 Vgl. ebda, 1. Bd., S. 96 ff.

71 Bruford, Grundlagen, vgl. S. 264. Gegen Ende des 18. Jahrhunderts soll es »im Verhältnis zur Einwohnerzahl doppelt so viel Beamte gegeben haben als 100 Jahre später, wo man doch auch gewiß nicht über einen Mangel klagen konnte«.

72 Ebda, S. 270.

73 Bruford (Grundlagen) zitiert in diesem Zusammenhang einen Provinzjournalisten: »Früher war das Lesen die Beschäftigung der Gelehrten und der wirklich Gebildeten. Jetzt ist es allgemeine Sitte, selbst der niederen Stände; nicht nur der Bewohner der Städte, sondern auch der des Landes.« (S. 286)

in langen Briefen und Kritiken bewundert und erklärt werden mußte, während im neunzehnten und zwanzigsten Jahrhundert sich die Wirksamkeit mehr nach außen und auf den Erwerb materieller Güter richtete. In dieser Pendelbewegung zum Materialismus hin folgte Deutschland seinen westlichen Nachbarn, wie sie durch die Bedürfnisse einer sich schnell vermehrenden Bevölkerung und der entsprechenden technischen und organisatorischen Entwicklung dazu genötigt.« [74]

c) Das Besondere und das Allgemeine

Die objektiven geschichtlichen Dominanten seiner Zeit wurden von Schiller wahrgenommen und in ihrem antagonistischen Charakter registriert; aber die Lösung des Widerspruchs erhoffte er sich von einer Kraft, der nur in partiell verengten Verhältnissen eine absolute Bedeutung zugemessen werden konnte: der Kunst. Obgleich er die Spuren der Entfremdung, welche die moderne Arbeitswelt beim Individuum hinterläßt, scharfsichtig wahrnahm, hat er idealistisch, aus der emphatischen Kunstperspektive seiner besonderen deutschen Situation, die Macht dieser Arbeitswelt der des paradiesisch-versöhnenden Spieltriebs untergeordnet. Am Beispiel Schillers läßt sich demnach modellhaft die Polarität vergegenwärtigen, von welcher die Geschichte der deutschen Literatur lange Zeit durchdrungen wird: die Polarität zwischen allgemeinen europäischen und speziellen deutschen Verhältnissen. »Die grosse französische Revolution, die napoleonische Periode, die Restauration, die Julirevolution sind Ereignisse, die die deutsche Kulturentwicklung fast ebenso tief beeinflußt haben, wie die innere gesellschaftliche Struktur Deutschlands. Jeder bedeutende deutsche Schriftsteller steht nicht nur auf dem Boden der eigenen heimatlichen Entwicklung, sondern ist zugleich der verständnisvolle Zeitgenosse, das geistige Spiegelbild, Verarbeiter und Weiterentwickler dieser Weltereignisse.« [75] Dieser programmatischen These zufolge ist jeweils die geschichtliche Faktizität beider Pole zu erforschen. Georg Lukács, Verfechter der These, hat sich selber mit allgemeinen Hinweisen begnügt, zumal in bezug auf die deutschen Verhältnisse. Den Vorteil, den er in der besonderen Situation der deutschen Schriftsteller erblickt, formuliert er wie folgt: »Eben dadurch, daß hier die gesellschaftlichen Grundlagen und Folgen gewisser theoretischer oder dichterischer Fragen nicht sofort im praktischen Leben offenkundig werden, entsteht für den Geist, für die Konzeption, für die Darstellung ein beträchtlicher, relativ grenzenlos scheinender Spielraum, wie ihn die Zeitgenossen der wesentlich entwickelteren Gesellschaften nicht kannten.« [76] Was hier als Vorteil gilt, erweist sich bei genauer Prüfung als ambivalent. Zwar ermöglichte der relativ grenzenlos scheinende Spielraum Schiller eine Distanz zur Französischen Revolution, welche den Versuch einer Vermittlung geschichtlicher Widersprüche förderte. Dieser Versuch, den Hegel an Schiller rühmte und der als einer der fortgeschrittensten »Gestalten des Bewußtseins« im bürgerlichen Humanismus gelten darf, ist konzentriert im Begriff der »ästhetischen Erziehung« enthalten. Ist aber die ästhetische Erziehung auch als konkrete Antwort auf die Zeitereignisse konzipiert, so ist sie doch als Mittel zu ihrer Bewältigung abstrakt. Schiller hat einmal scharfsichtig die Voraussetzung bestimmt, der die ästhetische Erziehung bedarf: »Die Schönheit ist das Produkt der Zusammenstimmung zwischen dem Geist und den Sinnen, es spricht zu allen Vermögen des Men-

74 Ebda, S. 332.
75 Lukács, Goethezeit, S. 11.
76 Ebda, S. 12.

schen zugleich, und kann daher nur unter der Voraussetzung eines vollständigen und freyen Gebrauchs aller seiner Kräfte empfunden und gewürdiget werden.« (NA, Bd. 20, S. 487) Eben dieser Voraussetzung eines vollständigen und freien Gebrauchs aller Kräfte wurde, europäisch gesehen, der Boden zu der Zeit entzogen, da Schiller sie formulierte. Die permanente Notwendigkeit, sich unter reglementierten Arbeitsbedingungen am Leben zu erhalten, übergreift zusehends die momentane Möglichkeit, im Medium der Kunst eines besseren Lebens inne zu werden: die Arbeitsbedingungen unterliegen einer fortschreitenden Spezialisierung, durch welche der Gegensatz zur ästhetischen Totalität immer weiter aufgerissen wird; im Zuge der Arbeitsteilung, die das emanzipierte Bürgertum vorantreibt, werden breite Volksschichten zu einer Arbeitermasse, die ihre Freizeit zur Reproduktion ihrer Arbeitsenergie aufbraucht und, isoliert von Kunst und Bildung, gegen das Bildungsbürgertum sich organisiert – die von Schiller erhoffte Versöhnung schichtspezifischer Gegensätze im Volk durch die Kunst rückt in abstrakte Ferne. Die abstrakte Ferne entsteht gerade dadurch, daß »Folgen gewisser theoretischer oder dichterischer Fragen nicht sofort im praktischen Leben offenkundig werden« und ein »relativ grenzenlos scheinender Spielraum« zur Verfügung steht. Zur Bestimmung des unterschiedlichen Gewichts von ästhetischer Erfahrung und modernem Erwerbsleben wurde Schiller nicht herausgefordert: die öffentlichen Verhältnisse in Deutschland, unproduktiv in sich selber kreisend, boten keine Widerstandsfülle, an der die ästhetische Konzeption sich hätte erproben, kein dynamisches Material, an der sie sich prüfend und korrigierend hätte abarbeiten können.

Die Theorie ist nunmehr auf ihre Relevanz für die Gestalt des Dramas zu prüfen. Schillers Wirkungskategorie der idealidyllischen Freiheit ist aus dem Formgesetz des *Wallenstein*, der *Maria Stuart*, der *Jungfrau von Orleans* und des *Wilhelm Tell* zu erläutern. Die Intention einer harmonischen Beziehung zwischen »Sinnen und Vernunft, empfangendem und selbstthätigem Vermögen« (NA, Bd. 20, S. 436) tritt hervor in dem durch die Einbildungskraft vermittelten Zusammenklang von Gefühl und Reflexion, Anschauung und Gedanke, malerisch-musikalischen und ideellen Zügen, also im Bezugssystem von Bild, Klang und Sinngefüge.

III. Idyllik und praktische Wirkungsabsichten

1. Wesen und Wirkung der Kunst im »Wallenstein«

Während der Arbeit am *Wallenstein* hat Schiller unablässig, vor allem im Briefwechsel mit Goethe, seine Wirkungsabsichten formuliert. Ziel unseres Kommentars kann nicht der Nachweis sein, daß das fertige Drama in der Tat eine Art paradiesischer »Gemütsfreiheit« im Zuschauer hervorbringen könnte. Uns interessiert vielmehr, in welcher Weise Schillers idealtypische Wirkungskategorie seine dichterische Verfahrensweise verwandelte. Schillers Idee eines ästhetischen Zustands idyllischer Prägung, in den er den Zuschauer zu versetzen gedenkt, schlägt sich nämlich unmittelbar in seiner dramatischen Gestaltung nieder. Eine in der Praxis verifizierbare Wirkungspoetik liegt vor, die typisch dramatische Wirkungskategorien – Spannung, Affekt, Abstandslosigkeit – mit überdramatischen idyllischen versöhnt. Den Zusammenhang zwischen Theorie und Praxis beleuchtet schlaglichtartig der Wandel, den der Gebrauch des Begriffes »poetisch« in Schillers Briefen erfährt.

Dieser Wandel läßt sich als der vom »Dramatischen« zum »Epischen« skizzieren, von der Aufhebung »heiterer« Gemütsfreiheit zu ihrer Wiederherstellung.

a) Das »Dramatische« und das »Epische«

Das »Poetische« erkennt Schiller zunächst in der »kunstreichen Führung der *Handlung«* (Jonas, Bd. 5, S. 122). Nur eine derartige Führung vermag den »unpoetischen Stoff« (Jonas, Bd. 5, S. 119) in eine »schöne *Tragödie«* (Jonas, Bd. 5, S. 122) zu verwandeln. Unter »unpoetischem Stoff« versteht Schiller die historische »Staatsaction«, ein »unsichtbares abstractes Objekt«, das in »k l e i n e und v i e l e Mittel« und in »zerstreute Handlungen« zerfällt (Jonas, Bd. 5, S. 121). Die stilisierende Verwandlung dieses historischen Stoffs in eine straffe dramatische Handlung ist vorerst für Schiller der eigentliche Qualitätsausweis der Tragödie: »der ganze *Cardo rei«* liegt »in der Kunst, eine *poetische* Fabel zu erfinden« (Jonas, Bd. 5, S. 167), die sich durch »innere Wahrheit, Nothwendigkeit, Stätigkeit und Bestimmtheit« charakterisiert (Jonas, Bd. 5, S. 122). Das »Poetische« bezeugt sich in einer tragischen Handlung, die einzelne Aktionen in atemloser Folge miteinander verknüpft und diese Verknüpfung als zwingend erscheinen läßt: »das Ganze ist poetisch organisiert und ich darf wohl sagen, der Stoff ist in eine reine tragische Fabel verwandelt. Der *Moment* der Handlung ist so prägnant, daß alles was zur Vollständigkeit derselben gehört, natürlich, ja in gewißem Sinn nothwendig darinn liegt, daraus hervorgeht (...) Zugleich gelang es mir, die Handlung gleich vom Anfang in eine solche *Praecipitation* und Neigung zu bringen, daß sie in stetiger und beschleunigter Bewegung zu ihrem Ende eilt.« (Jonas, Bd. 5, S. 270)

Aber gerade an diesem Punkt der Arbeit sieht sich Schiller auch zur Selbstkritik veranlaßt. Er entdeckt, daß die Faktizität des Geschehens in dem atemlosen, mit zwingender Notwendigkeit forteilenden Handlungsablauf fast nackt hervortritt: »Indem ich die fertig gemachten Scenen wieder ansehe (...) glaube ich einige Trokkenheit darinn zu finden (...) Sie entstand aus einer gewißen Furcht, in meine ehemalige rhetorische Manier zu fallen, und aus einem zu ängstlichen Bestreben, dem Objekte recht nahe zu bleiben.« (Jonas, ebda.) Das gemeinte Objekt ist die »Staatsaction«, die Schiller »schon an sich selbst etwas trocken« (Jonas, ebda.) dünkt und deren Trockenheit durch die rasche und strenge Verfugung der einzelnen Begebenheiten nur um so auffallender sich bemerkbar macht. Daher bedarf das dramatische Objekt jetzt der »poetischen Liberalität« (Jonas, ebda.). Hier erstmals verwendet Schiller das Wort »poetisch« nicht mehr mit Beziehung auf die Dramatik der Handlung, sondern mit Beziehung auf ein »überdramatisches« Moment. Die dramatische Handlung wird geradezu in die Nähe des »Prosaischen« gebracht, das zugunsten einer »recht reinen p o e t i s c h e n Stimmung« (Jonas, ebda.) überspielt werden soll. Die Hervorbringung dieser »poetischen Stimmung« betrachtet Schiller als eine noch »ungeheure Arbeit« (Jonas, ebda.).

Der damit einsetzende Umschwung in Schillers Verfahrensweise hat einen genau fixierbaren theoretischen Aspekt: die Gespräche Schillers und Goethes über epische und dramatische Kunst. Sie haben, wie Schiller sich ausdrückt, »auch für meinen Wallenstein große Folgen« (Jonas, Bd. 5, S. 171) und bezeugen beispielhaft die Verbindlichkeit der klassischen Theorie für die Praxis.

b) Die idyllische Struktur der »Gemütsfreiheit«

Im Verlauf des poetologischen Dialogs mit Goethe wird für Schiller das »Epische« zusehends zum Ausdruck des »Poetischen« schlechthin. Und zwar interessiert ihn das Epische in seiner Wirkungsmöglichkeit, die sich antithetisch zur dramatischen verhält. Ins Zentrum seiner Argumentation rückt Schiller den Begriff der »Gemütsfreiheit«, der in den *Briefen über die Ästhetische Erziehung* mit dem Spieltrieb identisch ist, d. h. einen Zustand paradiesischer Vollendung bezeichnet. Die dramatische Handlung bringt Schiller zufolge »Erwartung, Ungeduld, pathologisches Interesse« hervor (Jonas, Bd. 5, S. 396). Der Dramatiker, der nur eine spannende, dynamisch fortschreitende Handlung erzeugt, in der jede Einzelaktion nur im Blick auf die folgende interessiert, »setzt« »uns in Nachtheil«, »raubt« »uns (...) unsre Gemüthsfreiheit« (Jonas, Bd. 5, S. 180). Im Gegensatz dazu befreit das epische Verfahren vom Zwang der Ungeduld und der Neugier, der Spannung, der Furcht und anderen Affekten; weil das epische Verfahren in der »Selbständigkeit der Theile« gründet, weil es »seinen Zweck (...) schon in jedem Punkt seiner Bewegung« hat, erlaubt es ein »Verweilen« »bei jedem Schritte« (Jonas, ebda.), versetzt es in »Freiheit, Klarheit, Gleichgültigkeit« (Jonas, Bd. 5, S. 395 f.). Der Epiker »erhält uns die höchste Freiheit des Gemüths, und da er u n s in einen so großen Vortheil setzt, so macht er dadurch sich selbst das Geschäft desto schwerer, denn wir machen nun alle Anfoderungen an ihn, die in der *Integrität* und in der allseitigen vereinigten Thätigkeit unserer Kräfte gegründet sind« (Jonas, Bd. 5, S. 180).

Die Wendung von der »Integrität« und »allseitigen vereinigten Thätigkeit unserer Kräfte« erinnert an Begriffe, mit denen Schiller in den *Briefen über die Ästhetische Erziehung* den paradiesähnlichen Zustand charakterisiert, in den die ideale Kunst den Betrachter versetzt: den Zustand der »Reinheit und Integrität«, wo wir »unsrer leidenden und thätigen Kräfte in gleichem Grad Meister« sind (NA, Bd. 20, S. 380). Kraft der sinnlichen Vergegenwärtigung des Geschehens wirkt der Epiker auf das Empfindungsvermögen, indem er gleichzeitig zur Freiheit der Reflexion und zur souveränen Überschau einlädt. Diese ideale Wirkungsmöglichkeit des epischen Verfahrens mit dem »Gesetz« der dramatischen Handlung, des »intensiven und rastlosen Fortschreitens und Bewegens«, (Jonas, Bd. 5, S. 309) zu verbinden, ist die Aufgabe, die Schiller sich im Laufe der Arbeit am *Wallenstein* stellt. Den »Nachtheil« der dramatischen Handlung für den Zuschauer will Schiller herabmindern, indem er den »Vortheil« epischer Behandlung geltend zu machen versucht. Das ist der Sinn des berühmten programmatischen Satzes: »Die Tragödie in ihrem höchsten Begriffe wird also immer zu dem epischen Charakter h i n a u f - streben und wird nur dadurch zur Dichtung.« (Jonas, Bd. 5, S. 310) Das heißt im Blick auf den *Wallenstein*, daß der in der Handlung präsente tragische Gehalt in seiner ganzen Unerbittlichkeit zu vergegenwärtigen ist, daß aber die Formen dieser Vergegenwärtigung den Spielcharakter der Kunst bezeugen müssen und daß der Betrachter im Bewußtsein solchen Spiels den Ernst des Tragischen zugleich distanzieren und die Freiheit ihm gegenüber herstellen kann. Der Dramatiker wird, wie Schiller gelegentlich seiner poetologischen Überlegungen mit Goethe vermerkt, »die individuell auf uns eindringende Wirklichkeit von uns entfernt (...) halten und dem Gemüth eine poetische Freiheit gegen den Stoff (...) verschaffen« (Jonas, ebda.). Der tragische Gehalt des Stoffes entledigt dadurch sich seiner versklavenden Wirkung auf das Gemüt, daß er in künstlerischen Formen präsentiert wird, die auf die souveräne Setzung durch den Künstler zurückweisen, auf seinen Spieltrieb, der den des Betrachters aktivieren soll.

Was mit dem distanzierenden Spiel der Form im einzelnen gemeint ist, soll der Brief an Goethe vom 24. November 1797 erläutern.

c) Epischer Geist, Rhythmus und Symbolik

Goethe hatte gelegentlich seiner Arbeit am *Faust* wahrgenommen, daß »die Ausführung einiger tragischer Szenen in Prosa so gewaltsam angreifend ausgefallen« sei (vgl. Jonas, Bd. 5, S. 379). Schiller nennt in verwandter Weise die Prosafassung des Tragischen den »puren Realism«; dieser wirke »in einer pathetischen Situation so heftig« und bringe »einen nicht poetischen Ernst« hervor (vgl. Jonas, Bd. 5, S. 379). Die Prosa evoziert durch ihren Wirklichkeitscharakter bedrängend die kontingente, sinnverlassene und desillusionierende Realität. Damit wirkt der »Ernst« der Kunst nicht mehr »poetisch«, und poetisch soll er doch gerade wirken, denn, so argumentiert Schiller, »nach meinen Begriffen gehört es zum Wesen der Poesie, daß in ihr Ernst und Spiel immer verbunden seyen« (Jonas, ebda.). Spiel, Entfernung von wirklichkeitsbeladener Prosa, müßte sich in der Verssprache, d. h. im Rhythmus, bekunden. Der Rhythmus aber hat eine entschiedene Richtung zum Epischen, das sich dem Dramatischen zugesellen soll um der theoretisch begründeten »Gemütsfreiheit« willen. Den epischen Charakter des Rhythmus analysiert der hochbedeutende Brief vom 24. November 1797, der ein entscheidendes Stadium der Arbeit Schillers am *Wallenstein* festhält: die Verwandlung der »p r o s a i s c h e n Sprache in eine poetisch-rhythmische«. Der Rhythmus, so ist in diesem Brief zu lesen, leistet »bei einer dramatischen *Production* noch dieses große und bedeutende, daß er, indem er alle *Charaktere* und alle *Situationen* nach einem Gesetz behandelt, und sie, trotz ihres innern Unterschiedes, in Einer Form ausführt, er dadurch den Dichter und seine Leser nöthiget, von allem noch so *charakteristisch* verschiedenem etwas Allgemeines, rein menschliches zu verlangen. Alles soll sich in dem Geschlechtsbegriff des *Poetischen* vereinigen und diesem Gesetz dient der *Rhythmus* sowohl zum *Repraesentanten* als zum Werkzeug, da er alles unter Seinem Gesetze begreift.« (Jonas, Bd. 5, S. 290)

Die schwierigen Formulierungen wollen besagen, daß ein rhythmisches Formgesetz, wie es der Jambus darstellt, zwangsläufig auch die verschiedenen Situationen und Charaktere unter eine bestimmte Gesetzmäßigkeit bringt. Blieben die einzelnen Szenen und Personen rein individuelle, untypische Phänomene, so wäre ihre rhythmische Identität eine bloß äußerliche, formale. Rechtfertigen läßt sich die rhythmische Identität nur durch eine inhaltliche Entsprechung: Situationen und Figuren sollen jeweils eine repräsentative, symbolische Aussagekraft gewinnen, d. h. auf allgemein menschliche Sachverhalte und Ideen hinlenken. Erst dadurch erhält der »unpoetische Inhalt«, die prosaische »Staatsaction«, einen »belebten und reichen Ausdruck«, der ihm »poetische Dignität« verleiht (Jonas, ebda.). Schiller verwendet hier das Adjektiv »reich« als Synonym für den »Schmuck, den Aristoteles fordert« (Jonas, ebda.), und das heißt in diesem Zusammenhang: als Synonym für die epische Qualität des Rhythmus. Schiller analysiert diese Qualität sofort im nächsten Brief an Goethe: »Es ist mir fast zu arg, wie der Wallenstein mir anschwillt (...) da die *Jamben*, obgleich sie den Ausdruck verkürzen, eine poetische Gemüthlichkeit unterhalten, die einen ins Breite treibt (...) Es kommt mir vor, als ob mich ein gewißer epischer Geist angewandelt habe, der aus der Macht Ihrer unmittelbaren Einwirkungen zu erklären seyn mag, doch glaube ich nicht, daß er dem *Dramatischen* schadet, weil er vielleicht das einzige Mittel war, diesem *prosaischen* Stoff eine *poetische* Natur zu geben.« (Jonas, Bd. 5, S. 292 f.) Nicht nur ist dieser Passus ein beredtes Zeugnis für Goethes unmittelbaren Einfluß auf Schiller und die praktische Relevanz ihrer poetologischen Gedankengänge, sondern auch für die eigentümliche Sinnverwandlung des Begriffes »poetisch«. Bezeichnete er zunächst Prägnanz, Direktheit und beschleunigtes Fortschreiten der dramatischen Handlung, so meint er jetzt »epischen Geist«, »Breite« und »Gemüthlichkeit«. Das Epische, auf das der Rhythmus hinführt, soll mit dem Dramatischen verknüpft werden zugunsten einer Sublimierung des Wesens der Tragödie und ihrer Wirkung. Eben dazu eignet sich die rhythmisch bedingte, ganz unrealistische Ausführlichkeit der Dialoge und Monologe: »Ich lasse meine Person viel sprechen, sich mit einer gewissen Breite herauslassen« (Jonas, Bd. 5, S. 418). Schiller erinnert sich zur Rechtfertigung dieser Verhaltensweise an das »Beispiel der Alten« und sieht darin ein »höheres poetisches Gesetz«. Es besteht darin, daß die Personen des Dramas nicht die Wirklichkeit reproduzieren sollen, daß sie demnach nicht »wortkarg« zu sein brauchen, wie es der »Natur handelnder Charaktere« entspricht. Vielmehr agieren sie als »symbolische Wesen«, als »poetische Gestalten«, die »immer das allgemeine der Menschheit darzustellen« haben (Jonas, ebda.). Die Wortkargheit, die der vordergründigen Realität handelnder Charaktere angemessen ist, bringt diese Realität zu drastisch in Erinnerung und läßt das Pathos der Handlung zu unvermittelt hervortreten, versklavt aber damit den Zuschauer an die Gewalt der Affekte. Diese Gefahr vermeidet Schiller zufolge die epische Verfahrensweise: »eine kürzere und lakonischere Behandlungsweise« würde »nicht nur viel zu arm und trocken ausfallen, sie würde auch viel zu sehr realistisch, hart und in heftigen Situationen unausstehlich werden, dahingegen eine breitere und vollere Behandlungsweise immer eine gewiße Ruhe und Gemüthlichkeit, auch in den gewaltsamsten Zuständen die man schildert, hervorbringt« (Jonas, ebda.).

Die »Ruhe und Gemüthlichkeit«, die dem epischen Verfahren verdankt wird, soll der »Gemütsfreiheit« des Zuschauers zugute kommen. Die Relevanz dieses Begriffes für die Arbeit am *Wallenstein* hatten wir an Schillers programmatischer These demonstriert, wonach die Tragödie zum Epischen hinaufstreben müsse, zum Epischen, das allein die »Integrität und allseitige vereinigte Thätigkeit unserer Kräfte« gewähren kann, also einen idealidyllischen Zustand. Die »Verwandlung der prosaischen Sprache in die poetisch-rhythmische« führte den geforderten epischen Geist und seine paradiesische Wirkungsmöglichkeit in die dramatische Handlung ein: so entstanden Breite und Ausführlichkeit der Rede, jene den bloßen Geschehensablauf transzendierende Dialogsituation, in der repräsentative Ideen und allgemein menschliche Sachverhalte zur Geltung kommen. Sie erlauben jene gelassene Überschau und jene Distanz zum faktischen Geschehensablauf, auf die es Schiller ankommt. Der Rhythmus als die vom Dichter souverän gesetzte Form bezeugt den Spielcharakter der Kunst, der sich als »Freiheit des Gemüts« gegenüber dem Stoff, gegenüber dramatischen Schicksalsschlägen, bekundet. Der Ernst des Inhalts und das Spiel der Form sollen sich auf ideale Weise durchdringen: mitten im Affekt, in den das Pathos der Handlung den Zuschauer versetzt, soll er Meister des Affekts bleiben. Diese Gemütsfreiheit intendiert zugleich die harmonische Aktivität seines dualistischen, sinnlich-geistigen Wesens: die sinnliche Macht des Rhythmus wirkt auf sein Empfindungsvermögen, und die rhythmisch bedingte, epische »Behandlungsweise« verhilft zur Überschau und gewährt dem Reflexionsvermögen Spielraum. So soll das Spiel der Form, die Einführung des Rhythmus, die in den »Ästhetischen Briefen« erhobene Forderung einlösen, wonach die Tragödie mitten im Sturm der Affekte für paradiesähnliche Gemütsfreiheit sorgen müsse.

d) Wirkungsabsicht und idyllischer Themenkreis

Die Exposition

Schillers idealidyllische Wirkungsabsicht ließ sich im rhythmischen Formgesetz fassen. Der Rhythmus erzeugte einen epischen Kunstgeist, dessen Eindringen in die tragische Fabel als einziger Gerhard Storz wahrgenommen hat, freilich nur im letzten Teil der *Wallenstein*-Trilogie [1]. Uns scheint, daß der epische, zum Kunstheiteren hinneigende Geist sich schon früher und intensiver bemerkbar macht, und zwar vor allem im Umkreis des idyllischen Themenkreises selber. Einen ersten Hinweis darauf gibt Schillers sich wandelnder Begriff von der Exposition. Schiller betrachtet sie anfangs ausschließlich unterm Aspekt des Dramatischen, »wo die *Exposition* gleich auch Fortschritt der Handlung ist«. Weil der dramatische Dichter »seinen Zweck in die Folge und an das Ende setzt, so darf man ihm erlauben, den Anfang mehr als Mittel zu behandeln« (Jonas, Bd. 5, S. 183). Aber im Verlauf der Gespräche über dramatische und epische Kunst und ihre Wirkungsmöglichkeiten macht sich Schiller für seinen Dramenbeginn die epische Auffassungsweise zu eigen. Angeregt von der Idee einer gewissen epischen Selbständigkeit aller Teile möchte er auch seinem Dramenbeginn »Dignität und Bedeutung« verleihen (Jonas, ebda.). Im Brief an Goethe, worin er vom Einbruch des »epischen Geists« (Jonas, Bd. 5, S. 293) spricht, läßt er sich über die *»Extensität«* seiner Exposition aus: »Da mein erster Act mehr statistisch oder statisch ist, den Zustand welcher ist darstellt, aber ihn noch nicht eigentlich verändert, so habe ich diesen ruhigen Anfang dazu benutzt, die Welt und das Allgemeine, worauf sich die Handlung bezieht, zu meinem eigentlichen Gegenstand zu machen. So erweitert sich der Geist und das Gemüth des Zuhörers« (Jonas, ebda.).

Indem die Exposition »die Welt und das Allgemeine, worauf sich die Handlung bezieht«, vorführt, ist die Handlung von vornherein in einen umfassenden ideellen Zusammenhang gerückt. Die übergreifenden Perspektiven, unter denen die Handlung zu sehen ist, werden aufgerichtet: sie betreffen den Gegensatz zwischen alter und neuer Ordnung, der im ersten Dialog zwischen Sohn und Vater Piccolomini hervortritt, und sie betreffen die Idee des Paradieses, das Max als verlorenes erinnert und als zukünftiges antizipiert: »O schöner Tag! wenn endlich der Soldat / Ins Leben heimkehrt, in die Menschlichkeit« (Picc., V. 534 f.). Die Idee der alten Ordnung und des neuen, in die Idylle mündenden Lebens wird zum Gegenstand des ersten Akts, und es versteht sich, daß die Beziehung auf diese Idee den »Geist und das Gemüth des Zuhörers« »erweitert«. Über die Faktizität der dramatischen Gegenwart richtet sich der Blick des Zuschauers auf die Vergangenheit und die Zukunft. Das sind epische Zeitbegriffe; sie fesseln den Zuhörer nicht »an die sinnliche Gegenwart« (vgl. Jonas, Bd. 5, S. 309), sondern ermöglichen ihm überschauende Reflexion, aktivieren das Ideenvermögen und das freie Spiel der Phantasie: »der Schwung, in den man dadurch gleich anfangs versetzt wird, soll wie ich hoffe die ganze Handlung in der Höhe erhalten« (Jonas, Bd. 5, S. 293). Ver-

---

1 Storz führt aus, daß »durch schöne Rundung dramatische Wucht gemildert, tragischer Ernst gedämpft werden sollen (...) daß der Dichter zwischen die Tragödie und den Zuschauer entfernende, verhüllende Wirkung eingefügt wissen will« (Storz, Schiller, S. 311). Die Verbindlichkeit dieser These geht aus folgenden Beispielen hervor: »Nicht nur Wallensteins Rede entfernt sich dergestalt aus dem Drang der Situation: auf verweilende Betrachtung, auf gerundete Breite der Äußerung trifft man gleichermaßen im Part des kargen, düsteren Butler und in dem des schwachmütigen Gordon.« (S. 305)

schärft sich im Spiegel der Idylle der tragische Vorgang, wie wir darzustellen versuchten, so intendiert Schiller doch zugleich auch die Erhebung über diesen Vorgang kraft der visionär versinnbildlichten Idyllenwelt.

Die Liebeshandlung

Bezüglich des 3. Aufzugs, den wir ausführlich interpretierten, schreibt Schiller: »Ich bin seit gestern endlich an den poetisch-wichtigsten, bis jetzt immer aufgesparten Theil des Wallenstein gegangen, der der Liebe gewidmet ist, und sich seiner frey menschlichen Natur nach von dem geschäftigen Wesen der übrigen Staatsaction völlig trennt, ja demselben, dem Geist nach, entgegengesetzt.« (Jonas, Bd. 5, S. 459) Das zentrale Thema der Liebe, das Schiller szenisch vergegenwärtigen will, ist die verlorene und wiederzugewinnende Idylle. Indem sich die Liebenden auf ein Nicht-Mehr und ein Noch-Nicht beziehen, entfernen sie den Zuschauer von der auf ihn eindringenden dramatischen Gegenwart. Durch die Vorstellung des Paradieses soll er Freiheit zum dramatischen Geschehensablauf gewinnen. Die Poetisierung der Motive, die aus dem poetischen Geist des Rhythmus zwangsläufig sich ergibt (vgl. Jonas, Bd. 5, S. 289), bekundet sich in den von Max entworfenen Idyllensituationen. Im Anschluß an Theklas Beschreibung der Wallensteinschen Sterne feiert Max diese Sterne als symbolischen Ausdruck der idealen, raum- und zeitlosen Liebe. Deren Sphäre ist das »Märchen«, die »heitre Welt der Wunder«, der »Feen«, »Talismanen«, »Fabelwesen« und »Götter«. Die Liebe wird in der Phantasie zum Sinnbild paradiesischen Seins erhöht, das von Wallenstein in der Geschichte hergestellt werden soll. In hymnischer Vision vergegenwärtigt Max zuletzt dieses Paradies, in dem Wallensteins »prächtig schaffender« »Trieb«, sein durch nichts beschränktes unendliches Vermögen, wirkt. Zugleich spricht sich in der Idee des Paradieses jenes »Allgemeine«, »rein menschliche« aus, das in den episch breiten Reden des jungen Piccolomini angemessenen Ausdruck findet.

In der Anschauung der idyllischen Welt soll der Zuschauer selbst zu einer ästhetischen Erhebung gelangen. Nicht erst in der versöhnenden Schicht der Tragödie wird demnach der Zuschauer vom bedrängenden und bedrückenden Affekt der Katastrophe befreit, sondern Befreiung will Schiller ihm immer schon über den idyllischen Motivbereich vermitteln. In den visionär bildhaften, von ansteigender Rhythmik getragenen Reden des jungen Piccolomini hat er die sinnliche Anschauung einer idealen Idee, erfährt er demnach jene paradiesische Wirkung auf seine sinnlich-geistige Natur, die zugleich Distanz verbürgt zur Faktizität der dramatischen Gegenwart.

e) Das Motiv des »Heiteren« im Prolog

Der dargestellte Zusammenhang zwischen Wesen und Wirkung der Kunst ermöglicht schließlich ein Verständnis des *Wallenstein*-Prologs. Schillers Wirkungsabsichten, deren idealtypische paradiesische Struktur wir nachweisen wollten, lassen sich nämlich bereits in diesem Prolog ausfindig machen. Darin ist er den Goetheschen Theaterprologen verwandt, die zu einem ihrer zentralen Themen die ideale Bildung des Zuschauers erheben. Als Ausgangspunkt diene das Motiv des »Heiteren«, das im Prolog denselben bedeutenden Stellenwert gewinnt wie in der Trilogie selbst. Dort erschien es uns als Schlüsselwort für eine paradiesische Erfahrung, die Max und Thekla auf ihrer Friedensreise gemacht hatten. Das »Heitere« bezeichnet den idyllischen Zustand des Glücks und der Seligkeit, wie er sonst nur Märchenwesen und Göttern beschieden ist: »Die heitre Welt der Wunder ists allein, / Die dem entzückten Herzen Antwort gibt, / Die ihre ewgen Räume mir eröffnet, / Mir tausend Zweige reich entgegenstreckt, / Worauf der trunkne Geist sich selig wiegt.« (Picc., V. 1627) Daß dieses paradiesische Sein, worin Friede und Glück regieren, in der Zukunft wiederkehren werde, hoffen Max und Thekla. Symbol ihrer Hoffnung sind die astrologischen Figuren Wallensteins: Jupiter, als »heitrer Mann« dargestellt, und Venus, »das Gestirn der Freude«, Repräsentantin des Schönen. So sind Wallenstein, Max und Thekla gemeinsam auf das »Heitere« bezogen, das sie herbeisehnen in Gestalt einer neuen idyllischen Zeit.

Aber im Raum der Tragödie kann diese Sehnsucht nicht erfüllt werden: Wallensteins idealidyllische Idee ist zum Scheitern verurteilt, und die Liebenden müssen in der geschichtlichen Welt untergehen. Nicht als erfülltes Ziel, als realisierte Welt läßt sich das »Heitere« darstellen, wohl aber als Formprinzip. In der künstlerischen Darstellungsweise selber kann sich die Idee des »Heiteren« manifestieren, durch diese Darstellungsweise aber auch auf den Betrachter wirken und ihn in einen »heiteren«, d. h. paradiesähnlichen Zustand versetzen. Diese Paradoxie von tragischem Gehalt und übertragischer, harmonisch wirkender Darstellungsform streift einmal beiläufig Max Kommerell: »Ein anderes ist die Wirkung der Kunst auf den Menschen, ein anderes die Lebensdeutung, die sie gibt. In dieser ist Schiller, der dort die Aussöhnung des Menschen mit sich selber lehrt, tragisch-unversöhnlich.« [2] Das tragische Geschehen, das »düstre Bild der Wahrheit« (vgl. Prolog, V. 133 f.) wird in »das heitre Reich der Kunst« (Prolog, V. 134) hinübergespielt. Konstituiert wird dieses heitre Reich durch den Theatersaal, über dessen Bühne die Trilogie geht, durch Rhythmus und Reim.

Über den Theatersaal z. B. heißt es im Prolog: »ihn hat / Die Kunst zum heitern Tempel ausgeschmückt, / Und ein harmonisch hoher Geist spricht uns / Aus dieser edeln Säulenordnung an, / Und regt den Sinn zu festlichen Gefühlen.« (V. 5 ff.) Die bildende Kunst – Plastik und Architektur – hat dank Schmuck und »edler Säulenordnung« dem Saal den Ausdruck höherer Harmonie verliehen. In bildnerischen Formen bezeugt sich jener versöhnte Geist, den nach Auskunft der *Briefe über die Ästhetische Erziehung* die ideale Kunst ausstrahlen soll. Darauf verweist die Wendung vom »heitern Tempel«. Der religiöse Terminus hebt die Heilsfunktion des Kunstgebildes hervor, jene paradiesisch versöhnende Wirkung auf den Zuschauer, die durch das Attribut »heiter« eigens betont wird. Die bildende Kunst soll durch ihre harmonischen Formen den Zuschauer auf den ästhetischen Zustand vorbereiten, den der Dichter mit seiner Trilogie insgesamt herstellen will (»Euch in die heitern Höhen seiner Kunst / Durch seinen Schöpfergenius entzükkend« – Prolog, V. 16 f.). Zu diesem Zweck rekurriert er vor allem auf »des Reimes Spiel« und des »Tanzes freie Göttin«, auf die poetische »Muse« in Gestalt von Vers und Rhythmus (vgl. Prolog, V. 129 ff.). Damit erweist sich der Prolog als ein Resultat des Briefwechsels zwischen Schiller und Goethe. Dort hatte Schiller die formverändernde Kraft des Rhythmus entdeckt, seine Tendenz zur Poetisierung, zur Episierung und zur Symbolisierung. Der Rhythmus gab sich zu erkennen als Stifter jener »Gemütsfreiheit«, die Schiller im Zuschauer zu erzeugen gedenkt. Es ist eine Gemütsfreiheit paradiesischer Art, vorgestellt als idealidyllische »Integrität und allseitige vereinigte Thätigkeit unserer Kräfte« (Jonas, Bd. 5, S. 180). Ihr ist der Spieltrieb verwandt, jener idealidyllische Zustand des Menschen, den Max als »Heiterkeit« erfahren hatte und den er in visionären Reden wieder herbeisehnt.

2 Kommerell, Schiller, S. 30.

Schillers Intention ist es, dem Zuschauer einen Zustand zu vermitteln, der ihm in der entfremdeten Empirie versagt ist. Die paradiesische Befreiung des Menschen von der »gemeinen engen Wirklichkeit«, die »sonst nur als ein roher Stoff auf uns lastet, als eine blinde Macht auf uns drückt« (SA, Bd. 16, S. 120), ist als idealistisches Programm in die abschließende Prologformel (V. 138) eingegangen: »Ernst ist das Leben, heiter ist die Kunst.«

2. Das Schöne und die Idyllenmotivik in der »Maria Stuart«

Der an der *Wallenstein*-Trilogie erläuterte Zusammenhang von Wesen und Wirkung der Kunst behält für Schillers klassisches Dramenschaffen eine bisher stets unterschätzte Relevanz. Die idealen Wirkungsmöglichkeiten des Schönen, die Schiller ins Zentrum der *Briefe über die Ästhetische Erziehung* richtete, werden zum Thema seines nächsten Dramas, der *Maria Stuart*. Indem wir dieses Thema verfolgen, seien zugleich neue Wege zum Verständnis dieser Tragödie erkundet. Die Begegnung des Menschen mit der Kunst und dem Schönen ist dort zum Gegenstand der Kunst selbst erhoben, und zwar in der Weise, daß Motive des Idyllischen und Paradiesischen entscheidendes Gewicht erhalten. Die Wirkungskategorie der Gemütsfreiheit, die Schiller während der Arbeit am *Wallenstein* so deutlich hervorgehoben hatte, wird in ihrer spezifischen Inhaltlichkeit erläutert: in ihrer Beziehung auf die sinnlich-geistige Natur des Menschen. Die paradiesische Wirkung der Kunst auf Mortimer besteht darin, daß sie ihn aus der abstrakten Geisteshaltung der Puritaner befreit und Vernunft und Sinne miteinander versöhnt. Das Idealschöne, das sich in der Kunst entfaltet, glaubt Mortimer im geschichtlichen Leben, in der Person Maria Stuarts, wiederzufinden. Aber hierin täuscht er sich: Marias Schönheit ist ambivalent und übt dementsprechend eine verhängnisvolle Wirkung auf den jungen Engländer aus. Das Schöne ist nur in der Kunst, nicht aber im Feld geschichtlichen Lebens präsent. Erst im Angesicht des Todes wird Maria zu einer schönen Seele: zur äußeren tritt die innere Schönheit; eine ideale Koinzidenz von Wesen und Erscheinung stellt sich ein, die Schiller zufolge auch in der zweiten höheren Idylle präsent wäre. Der Tod ist in der Tragödie der Preis, der für diese idealidyllische Koinzidenz zu bezahlen ist. Schiller spiegelt sie auch szenisch: durch Gestik, Mimik und das Gewand Marias sowie durch die Gestaltung des Raums. Ein geistig-seelischer Vorgang, Marias ideale Verwandlung, wird durch sinnliche Details konkretisiert: die neue Idealität im Bewußtsein und in der Seele Marias wird durch äußere Prachtentfaltung versinnlicht. Das Theater wird zum »heitern Tempel«, worin der Betrachter selber einen idealen Mitvollzug des Geschehens, einen geistig-erkennenden und zugleich sinnlichen Mitvollzug, leistet.

a) Die Wirkung des Kunstschönen auf Mortimer

Mortimer kennzeichnet seine Erfahrung des Kunstschönen durch einen Begriff, dem schon die *Wallenstein*-Dichtung und der *Wallenstein*-Prolog höchste Bedeutung zugemessen hatten: durch den Begriff des »Heiteren«. Er ist enthalten in Mortimers Hymnus auf das Italienerlebnis, auf der »Künste Macht« (V. 430) [3] im Be-

---

3 *Maria Stuart* wird zitiert nach: Schillers Werke. Nationalausgabe. 9. Bd. (enthaltend *Maria Stuart* und *Die Jungfrau von Orleans*) Hrsg. von Benno von Wiese und Lieselotte Blumenthal. Weimar 1948.

reich der katholischen Kirche. Mortimer wirft die lebensferne puritanische Erziehung in dem Augenblick von sich ab, da »ein hoher Bildnergeist / In seine heitre Wunderwelt mich schloß! (...) und die Musik der Himmel / Herunterstieg (...) Das Herrlichste und Höchste, gegenwärtig, / Vor den entzückten Sinnen sich bewegte« (V. 428 ff.). Bis in den Wortlaut hinein erinnert die Stelle an die hymnische Rede des Max Piccolomini im 4. Auftritt des 3. Akts: »Die heitre Welt der Wunder ists allein, / Die dem entzückten Herzen Antwort gibt« (Picc., V. 1628 f.). Das für die *Wallenstein*-Dichtung so bedeutsame Attribut »heiter« bezeichnet jenes Freisein vom Diktat der Zeit und der Geschichte, jene paradiesische Erhebung des Menschen, die Max in einem hymnischen Redewechsel visionär entwirft. In Zukunftsbildern, die ihm, Thekla und Wallenstein gelten, versinnlicht er die Idealität einer höheren Idylle. An diese idyllische Idealität gemahnen Mortimers Worte von der »heitren Wunderwelt«, die »vor den entzückten Sinnen sich bewegte«. Die Erfahrung der Kunst führt Mortimer über den isolierten Bereich des »körperlosen Worts« hinaus, wie er in »der Puritaner dumpfen Predigtstuben« (V. 414) herrscht. Aber Mortimers neue Erfahrung stellt nicht bloß eine Antithese zum »körperlosen Wort« (V. 433), zu nüchterner Abstraktheit dar. Die »entzückten Sinne« sind es nicht allein, die durch die Kunst in ihm lebendig werden, sondern im Medium der Sinne ergreift er zugleich die »hohen Glaubenslehren« (V. 475), den »Geist der Wahrheit« (V. 481). Beides, die Sinne und der Geist, müssen sich wechselseitig erhellen und durchdringen, wenn anders der Geist nicht in »grübelnde Vernunft« (V. 477), in »Wahnbegriffe« (V. 483) und »Irrtum« (V. 487) abgleiten soll. Was Schiller gelegentlich der Französischen Revolution als Signum seines Zeitalters erfaßte: das Auseinanderweisen von »spekulativem Geist« und »Sinnenwelt«, von »analytischem Vermögen« und »Phantasie« (NA, Bd. 20, S. 325), sieht Mortimer versöhnt in der »heitren Wunderwelt« religiöser Kunst. Damit führt Schiller keine Apologie der katholischen Religion vor, sondern er verwandelt diese zum Symbol für die versöhnende Wirkung des Idealschönen. Diese Wirkung erfährt Mortimer als »des Lebens schöner Tag« (V. 456), der unversehens sich vor ihm öffnet. Die Kunst schafft ein verändertes Verhältnis zum Leben, sie macht Mortimer empfänglich für dessen bislang verborgene Schönheit.

b) Die Wirkung der ambivalenten Schönheit Marias

Indem jedoch Mortimer das Kunstschöne unmittelbar im geschichtlichen Leben aufzufinden und zu erobern gewillt ist, legt er den Grund für sein verhängnisvolles Schicksal. Er vermengt zwei Bereiche, deren strenge Geschiedenheit der *Wallenstein*-Prolog betont: »Ernst ist das Leben, heiter ist die Kunst.« Mortimer wähnt das Schöne der Kunst im Leben selbst anzutreffen, in der Gestalt Maria Stuarts. Deren »rührend wundersamen Reiz« (V. 504), ihren »Schönheitsglanz«, (V. 567) identifiziert er mit dem Kunstschönen: »Und doch umfließt Euch ewig Licht und Leben« (V. 569) – und was als Schönheit der Gestalt erscheint, sieht Mortimer zugleich als ideale schöne Menschlichkeit: »Wär er, wie ich, ein Zeuge Eurer Leiden, / Der Sanftmut Zeuge und der edlen Fassung, / Womit Ihr das Unwürdige erduldet. / Denn geht Ihr nicht aus allen Leidensproben / Als eine Königin hervor?« (V. 562 f.) Aber eben hierin versieht sich Mortimer. Denn entgegen seiner Illusion ist Marias Schönheit nur eine Schönheit der Gestalt und nicht von vornherein auch eine der Menschlichkeit. Es ist vorläufig eine nur partielle Schönheit, weil es die ganze, vollkommene Schönheit nur im Zeichen des Tods oder in der Kunst geben kann, nicht in der Welt selbst. Das schien Mortimer ehedem selbst zu wissen, wenn er hinsichtlich des Schönen in Kunst und Religion sagte: »Denn nicht von dieser Welt sind diese Formen« (V. 450). Aber im Hinblick auf Maria ist er sich dieser Wahrheit nicht mehr bewußt. Ihre bis kurz vor dem Tod nur partielle, ambivalente Schönheit wird Mortimer zum Verhängnis. An seinem Schicksal spiegelt Schiller symbolisch die Doppelgesichtigkeit von Marias Schönheit. Das scheint auch Gerhard Storz' These zu bestätigen, wonach Mortimers »eigentliche Funktion« darin bestehe, »das Verhängnis von Marias Schönheit sichtbar zu machen« [4]. Aber Storz befreit die Heldin von jeder Verantwortung für die verhängnisvolle Wirkung ihrer Schönheit. Er konstruiert eine »paradoxe Verfugung« zwischen »schuldloser (. . .) Frauenschönheit« und »dämonischer« Wirkung [5], zwischen der »so königlich-gemessenen Gegenwart einer in sich ruhenden Frau« und Mortimers »hitziger Heftigkeit« [6]. Gerade »Schuldlosigkeit« wird man Maria angesichts ihrer schuldbefleckten Vergangenheit nicht konzedieren dürfen, und die vermeintliche »königlich-gemessene Gegenwart einer in sich ruhenden Frau« ist eingeschränkt durch einen zweideutigen Lebensdrang und durch unzweideutige Rachegefühle. Diese Verschränkung von vollkommener schöner Erscheinung und einer noch unvollkommenen Menschlichkeit findet ihren sinnbildlichen Ausdruck in Mortimers Schicksal, wo sich faszinierte Hingabe an das Schöne und bedenkenlos gewaltsamer Lebenstrieb vermischen.

Beispielhaft hat Schiller Marias Ambivalenz in die Begegnung der beiden Königinnen eingestaltet. Verräterisch ist schon Marias psychische Verfassung kurz vor dieser Konfrontation: »Nichts lebt in mir in diesem Augenblick, / Als meiner Leiden brennendes Gefühl. / In blutgen Haß gewendet wider sie / Ist mir das Herz, es fliehen alle guten / Gedanken, und die Schlangenhaare schüttelnd / Umstehen mich die finstern Höllengeister.« (V. 2182 ff.) Diese seelische Situation ist geradezu antithetisch zum idealidyllischen Dasein der schönen Seele, die »das sittliche Gefühl aller Empfindungen des Menschen endlich bis zu dem Grad versichert hat, daß es dem Affekt die Leitung des Willens ohne Scheu überlassen darf« (NA, Bd. 20, S. 287). Und wenn die in der »schönen Seele« gegenwärtige Harmonie zwischen »Pflicht und Neigung« sich einen entsprechenden »Ausdruck in der Erscheinung« schafft: »Alle Bewegungen, die von ihr ausgehen, werden leicht, sanft und dennoch belebt seyn (. . .) Keine Spannung wird in den Minen, kein Zwang in den willkürlichen Bewegungen zu bemerken seyn« (NA, B. 20, S. 288) – dann zeigt Schiller Marias Mangel an schöner Menschlichkeit in den antithetischen Bewegungen des Zwangs und der ungelösten Spannung: »Maria rafft sich zusammen und will auf die Elisabeth zugehen, steht aber auf halbem Weg schaudernd still, ihre Gebärden drücken den heftigsten Kampf aus« (S. 86). Zwar ist Marias Versuch einer Selbstüberwindung und Versöhnung menschlich hoch einzuschätzen; allzu menschlich aber ist ihr plötzlich hervorbrechender Aggressionstrieb, der dialektisch jahrelanger Frustration entspringt: »Nach Jahren der Erniedrigung, der Leiden, / Ein Augenblick der Rache, des Triumphs!« (V. 2456 f.) Ungeläuterte Affekte schießen jäh zusammen, unbewältigte Triebvarianten nehmen inhumane Züge an: »tritt hervor / Aus deiner Höhle, langverhaltner Groll – / Und d u, der dem gereizten Basilisk / Den Mordblick gab, leg auf die Zunge mir / Den giftgen Pfeil« (V. 2439 ff.). Von Marias christlichem Selbstverständnis her, das ihr freilich erst

4 Storz, Schiller, S. 334.
5 Ebda, S. 33.
6 Ebda, S. 334.

kurz vor ihrem Tod rein und vollkommen zuwächst, erscheint diese Haltung retrospektiv als »Sünde«, als Ausdruck menschlicher Schwäche und Gebrochenheit: »Von neidschem Hasse war mein Herz erfüllt, / Und Rachgedanken tobten in dem Busen. / Vergebung hofft ich Sünderin von Gott, / Und konnte nicht der Gegnerin vergeben.« (V. 3676 ff.) Solche Verse der Selbstanklage und Selbstverurteilung sind kritisch der These von Wieses entgegenzuhalten, daß im Verlauf der Königinnenszene »eine absolute Größe des Erhabenen« in Maria »zum Durchbruch gelangt« [7]. Von Wiese interpretiert die Szene im Sinne Mortimers, den er hier für das »Sprachrohr« Schillers hält [8]: »Du hast gesiegt! Du tratst sie in den Staub, / Du warst die Königin, s i e der Verbrecher. / Ich bin entzückt von deinem Mut, ich bete / Dich an, wie eine Göttin groß und herrlich / Erschienst du mir in diesem Augenblick.« (V. 2469 ff.) Marias Selbstkritik kurz vor ihrem Tod straft diese Verse Lügen. Wäre Maria hier wirklich »wie eine Göttin groß und herrlich«, wäre sie die Verkörperung idealer Schönheit, dann würde sie eine sublimierende, veredelnde Wirkung auf Mortimer haben. An der Idealgestalt der Juno Ludovisi erläutert Schiller einmal die Wirkung, die von der idealen Schönheit ausgeht. Die Juno Ludovisi vereinigt in Freiheit Anmut und Würde; sie hat ihre polaren Kräfte versöhnt und wirkt selber versöhnend: »Indem der weibliche Gott unsre Anbetung heischt, entzündet das gottgleiche Weib unsre Liebe (...) Durch jenes unwiderstehlich ergriffen und angezogen, durch dieses in der Ferne gehalten, befinden wir uns zugleich in dem Zustand der höchsten Ruhe und der höchsten Bewegung.« (NA, Bd. 20, S. 360)

Im Gegensatz dazu befindet sich Mortimer im extremen Zustand einer übersteigerten Bewegung, eines ungezügelten Lebenstriebs: »Ich rette dich, ich will es, doch so wahr / Gott lebt! Ich schwörs, ich will dich auch besitzen.« (V. 2547 f.) Mortimers lebenstolle Raserei: »Erzittern sollst du auch vor mir!« (V. 2591), vor der Maria zurückschreckt (»O Hanna! Rette mich aus seinen Händen!« – V. 2594), nährt sich an Marias eigener seelischer Verfassung. Denn ihre ungeläuterten Affekte sind mit ungeläuterten Lebenserwartungen verschränkt, die sich in der Liebe zu Leicester manifestierten: »Vor Leicesters Augen hab ich sie erniedrigt! / Er sah es, er bezeugte meinen Sieg! / Wie ich sie niederschlug von ihrer Höhe, / Er stand dabei, mich stärkte seine Nähe!« (V. 2464 ff.) Menschliche Bedenklichkeiten vermischen sich mit einem in der Liebe symbolisierten Lebensdrang, der seinerseits – aus Marias christlicher Perspektive in der Schlußszene – als bedenklich kritisiert wird: »Ach, nicht durch H a ß allein, durch sündge L i e b e / Noch mehr hab ich das höchste Gut beleidigt. / Das eitle Herz ward zu dem Mann gezogen, / Der treulos mich verlassen und betrogen!« (V. 3684 ff.) Die Negativität dieser Liebe formuliert Melvil unbestechlich im Wortspiel von »Abgott« und »Gott«: »Bereuest du die Schuld, und hat dein Herz / Vom eitlen Abgott sich zu Gott gewendet?« (V. 3688 f.).

c) Die paradiesische Koinzidenz von äußerer und innerer Schönheit

An Mortimers Verhaltensweise spiegelt Schiller symbolisch Marias Doppelsichtigkeit, ihre äußere Schönheit und ihre innere Unvollkommenheit. Dem Schönen in der Erscheinung antwortet noch nicht die Schönheit der Seele. Dieser Diskrepanz entledigt sich Maria erst unterm Aspekt des Todes. Der Tod ist in der Tragödie die

---

7 von Wiese, Schiller, S. 715.
8 Ebda.

Bedingung für die idyllische Idealität, die Identität von Gestaltschönheit und menschlicher Schönheit. Daß Maria nur um den Preis des Todes zu einer »schönen Seele« werden kann, macht ihre Tragik aus. Aber die schließlich erreichte Schönheit des Menschlichen begründet zugleich die das Tragische transzendierende Schicht: »schnell augenblicklich muß / Der Tausch geschehen zwischen Zeitlichem / Und Ewigem, und Gott gewährte meiner Lady / In diesem Augenblick, der Erde Hoffnung / Zurück zu stoßen mit entschloßner Seele, / Und glaubenvoll den Himmel zu ergreifen.« (V. 3403 ff.) Daß dieser »Tausch« Maria zu einer »schönen Seele« macht, wo »Pflicht und Neigung harmonieren« (NA, Bd. 20, S. 288), bezeugt ihr Verhalten jenen Personen gegenüber, die zuletzt ihre ungeläuterten Affekte herausgefordert hatten. Freiwillig, aus innerem Antrieb, hebt sie jetzt ihre Rachegefühle in einem Versöhnungsgruß auf: »Der Königin von England / Bringt meinen schwesterlichen Gruß – Sagt ihr, / Daß ich ihr meinen Tod von ganzem Herzen / Vergebe, meine Heftigkeit von gestern / Ihr reuevoll abbitte« (V. 3781 ff.) Hier ist das »sittliche Gefühl« in der Tat zur zweiten Natur geworden, wie Schiller dies von einer »schönen Seele« erwartet, und parallel dazu bezeugt sich auch Marias Verzicht auf die »sündge Liebe« zu Leicester als ideale Entsagung, die sie in Freiheit und mit Selbstverständlichkeit übt: »Jetzt, da ich auf dem Weg bin, von der Welt / Zu scheiden, und ein selger Geist zu werden, / Den keine irdsche Neigung mehr versucht, / Jetzt, Leicester, darf ich ohne Schamerröten / Euch die besiegte Schwachheit eingestehn – / Lebt wohl, und wenn Ihr könnt, so lebt beglückt!« (V. 3827)

Wenn nach Schiller die Schönheit des Menschlichen darin besteht, daß man dem Gesetz der »Vernunft mit Freuden gehorcht« (NA, Bd. 20, S. 283), so wird Maria angesichts des Todes dieser menschlichen Schönheit teilhaftig. Daher gewahrt ihre Umgebung an ihr auch »kein Merkmal bleicher Furcht, kein Wort der Klage« (V. 3409), sondern den Ausdruck »ruhiger Hoheit« (S. 142) als Ausdruck einer »frohen Seele«, die »sich auf Engelsflügeln schwingt zur ewgen Freiheit« (vgl. V. 3483 f.). Die »ewge Freiheit« liegt jenseits der Geschichte; der »Übertritt des Menschen in den Gott«, den Schiller zum Thema seiner Idylle erheben wollte, kann in der Tragödie nicht geschichtsmächtig werden. Das Paradies, wo Maria, »ein schön verklärter Engel«, sich »auf ewig mit dem Göttlichen vereinen« wird (vgl. V. 3756 f.), setzt den Tod in der Geschichte voraus. Aber schon auf dem Theater wird dieses Paradies für Augenblicke anschaubar: die Versöhnung von übersinnlichem Gesetz und natürlichem Affekt in Marias Sterbestunde legt Zeugnis davon ab. Außerdem stellt Schiller das Schöne auch szenisch dar. Bediente treten auf, »welche goldne und silberne Gefäße, Spiegel, Gemälde und andere Kostbarkeiten tragen« (S. 135), Dinge, deren Anblick Maria bisher verwehrt war: »Sie wenden nur das Herz dem Eitlen zu, / Das in sich gehen und bereuen soll. / Ein üppig lastervolles Leben büßt sich / In Mangel und Erniedrigung allein.« (V. 55 ff.) Mochten diese Dinge in der Tat früher auf Fehlhaltungen Marias verweisen, so werden sie jetzt Zeichen für eine ideale Schönheit der Seele. Schiller setzt diese Schönheit auch in Marias äußere Erscheinung um: »Sie ist weiß und festlich gekleidet, am Halse trägt sie an einer Kette von kleinen Kugeln ein Agnus Dei, ein Rosenkranz hängt am Gürtel herab, sie hat ein Kruzifix in der Hand, und ein Diadem in den Haaren« (S. 141). Der äußere Schmuck repräsentiert die innere Vollkommenheit; die religiösen Ornamente symbolisieren den göttlichen Zustand einer schönen Seele. Die Schönheit des Menschlichen soll zur Anschauung kommen durch die Symbolkraft religiöser Gegenstände und Vorgänge. Dazu bedient sich

Schiller zumal katholischer Riten: Melvil nimmt eine Beichte ab und zelebriert die heilige Kommunion, so daß die »Hostie in einer goldenen Schale« (S. 147), das »Zeichen des Kreuzes« (S. 148), der »Segen« (S. 150), Geben und Empfangen des Kelches mitsamt den erwähnten Kostbarkeiten den szenischen Raum ausfüllen. Benno von Wiese, der gelegentlich seiner Interpretation der *Maria Stuart* wichtige Hinweise zum Thema »Theater und Religion« gibt, bemerkt hierzu: »Nicht der christliche Glaube wird durch das Theater profaniert, sondern das für Schiller bereits Profane dieses Glaubens durch das Theater erneut geheiligt.« [9] Aber es ist daran zu zweifeln, ob das Theater sich hier in den Dienst der Religion stellt. Eher das Umgekehrte ist der Fall, eher wird das Religiöse in den Dienst des Ästhetischen gestellt. Darauf weist bereits Schiller rein ästhetische Auffassung des Christentums hin (vgl. Jonas, Bd. 4, S. 235 f.). Seine »Ästhetisierung des Religiösen« [10], um eine Wendung von Gerhard Storz anzuführen, kommt dem »dichterischen Ertrag« [11] zugute. Nur ist dieser Ertrag nicht bloß als »großer, reicher Stil« [12] zu interpretieren, wie Gerhard Storz vorschlägt, sondern gleichzeitig auf die Sinnstruktur des Werks zu beziehen: die von Melvil zelebrierte christliche Lossprechung meint symbolisch die Herstellung des Idealschönen. Und dieses Idealschöne, das szenisch in Marias äußerer Erscheinung, in Kostbarkeiten und religiösen Gegenständen präsent wird, verleiht der Kunst einen erhöhten und festlichen Glanz.

d) Die paradiesische Wirkung des Kunstschönen auf den Zuschauer

Indem wir das Thema der Schönheit und ihrer Wirkung verfolgten, trat die geheime dialektische Bewegung des Dramas hervor. Mortimer, vom Schönen der Kunst beseligt, erfuhr die verhängnisvolle Wirkung der ambivalenten Schönheit des Lebens (Maria). Nur um den Preis des Todes wird dem Leben für Augenblicke die ideale Schönheit zuteil. Das wurde an der Existenz Marias beispielhaft klar. Schiller läßt es aber bei dieser Einsicht nicht bewenden. Entspricht es seiner politischen, durch die Französische Revolution fundierten Erfahrung, daß dem geschichtlichen Leben der Übertritt ins Paradies aus eigener Anstrengung nicht möglich sei, so ist er von Resignation doch weit entfernt. Die Kunst soll vollbringen, was die Politik aus sich selbst heraus nicht vermag: die Verwandlung des Zuschauers durch das Schöne. Dieser Intention ordnet Schiller Marias Todesstunde unter. Durch die Vollkommenheit der Heldin wie durch die Symbolik kostbarer und religiöser Gegenstände erzeugt die Kunst das Bild einer schönen, versöhnten Welt, die, jenseits des geschichtlichen Lebens Marias angesiedelt, doch insgeheim auf das geschichtliche Leben des Zuschauers zurückwirken soll.

So erscheint die Schlußszene dieser Tragödie in der Tat als der »heitre Tempel«, von dem Schiller im Prolog zur *Wallenstein*-Dichtung spricht. Der religiöse Terminus verweist auf die Heilsfunktion der Kunst, die in ihrer erhebenden und versöhnenden Wirkung auf den Zuschauer liegt. Der Kunst ist aufgetragen, diejenige Wirkung auf den Betrachter auszuüben, die sie auf Mortimer ausübte: in ihrer »heitren Wunderwelt« den »Geist der Wahrheit« vor den »entzückten Sinnen« zu bewegen. Wenn Mortimer durch die Kunst von der bedenklichen Alleinherrschaft des »körperlosen Worts« im Puritanismus erlöst und von seiner »grübelnden Ver-

---

9 Ebda, S. 722.
10 Storz, Schiller, S. 344.
11 Ebda.
12 Ebda, S. 345.

nunft« befreit wird, wenn ihm aufgeht, daß die »hohen Glaubenslehren« nur im Medium eines »hohen Bildnergeists« und »der Musik der Himmel« zu erfassen sind, dann spricht sich darin eine Erkenntnis aus, die Schiller für den Zuschauer selbst fruchtbar zu machen sucht. Er soll durch die Kunst in einen idyllischen Zustand des Freiseins und des Glücks geführt werden, wo seine »sinnlich-vernünftige Natur« harmonisch tätig ist und er durch Anschauung und durch Empfindung den »Geist der Wahrheit« zu ergreifen lernt. Das kann nur dadurch geschehen, daß Schiller Mortimers Erkenntnisprozeß durch die hymnische Musikalität und plastische Gegenständlichkeit seiner Reden versinnlicht. Mortimers Romerzählung handelt nicht nur vom Schönen und von der durch das Schöne freigesetzten Erkenntnis, sondern sie ist in ihrer poetischen Bilderfülle und ihrem musikalischen Bewegungsablauf selbst etwas Schönes. Sie soll nach Gerhard Storz »Stimmung erwekken und Farbe geben. Pracht liegt nicht nur im Gegenstand, dem sie gilt, sondern ebensosehr in ihrer dichterischen Form: die Musikalität jener Verse ist unüberhörbar. Dies und die isolierte Stellung der Partie innerhalb der Szene erinnern an die Arie der Oper.« [13] Der Rhythmus, den Schiller während der Arbeit am *Wallenstein* als Qualitätsausweis des ästhetischen Scheins entdeckte, gewinnt in dieser musikalischen Formgebung eigenes Gewicht. Er weist auf den Spieltrieb des Dichters zurück, auf sein Vermögen zu souveränen ästhetischen Setzungen. Diese können zwar im Raum der Tragödie nicht geschichtsbildend werden: das Idealschöne stellt sich nur momentan, um den Preis des Todes, ein. Wohl aber soll das Idealschöne im geschichtlichen Leben dadurch zur Entfaltung kommen, daß die Kunst es dem Betrachter im Spieltrieb vermittelt und dadurch in ihm versöhnt, was Schillers zeitkritischer Analyse zufolge entfremdet ist: »Ideenreich« und »Sinnenwelt«, »analytisches Vermögen« und »Phantasie« (NA, Bd. 20, S. 325). Denn »durch die Schönheit wird der sinnliche Mensch zur Form und zum Denken geführt; durch die Schönheit wird der geistige Mensch zur Materie zurückgeführt, und der Sinnenwelt wiedergegeben« (NA, Bd. 20, 2. 365).

Über die *Wallenstein*-Trilogie hinaus läßt sich so an der *Maria Stuart* zeigen, wie folgenreich Schillers *Briefe über die Ästhetische Erziehung* für sein dramatisches Schaffen werden. Sein Denken über das Schöne und dessen Wirkungen macht sich in seinem Dichten geltend und wird dort thematisch. Idyllische Vorstellungen, die im Raum der Tragödie weder in Gestalt des »ästhetischen Staats« noch in Gestalt der »schönen Seele« geschichtsmächtige Dauer erlangen, gehen in das Idealschöne der Kunst und in die künstlerischen Wirkungsabsichten ein.

3. Sinn, Klang und Bild in der »Jungfrau von Orleans«

In den Zusammenhang zwischen dramatischem Formgesetz und seiner paradiesischen Wirkungsmöglichkeit führte der Prolog zum *Wallenstein* und der Briefwechsel zwischen Schiller und Goethe während der Entstehung der Trilogie. Das »Heitere« der Kunst als ein zentrales Idyllenmotiv Schillers auszuweisen, war Aufgabe unserer interpretatorischen Hinweise zur *Maria Stuart*. Die Wirkung des Schönen wurde darin zu einem Thema der Dichtung selbst erhoben. Auf eine Intensivierung dieser Wirkung hat Schiller offenbar die *Jungfrau von Orleans* angelegt.

Schiller steigert sein symbolisches Verfahren in dieser »romantischen Tragödie«

13 Ebda, S. 342.

aufs äußerste; das hat zur Folge, daß der Zuschauer über den Bewußtseinshorizont der Figuren ständig hinausgehen muß; sämtliche Einzelzüge sind nicht naiv aufzufassen, sondern aus einem umfassenderen symbolischen Verweisungszusammenhang zu begreifen. Der Zuschauer selbst wird zu einer höchstmöglichen Anstrengung des Denkens, einem Abstraktionsverfahren, verpflichtet. Dabei soll er es aber keineswegs bewenden lassen. Denn Schiller hat diesem Drama eine erstaunliche Vielzahl akustischer und malerischer Elemente eingebildet, die auf die Empfindungskraft des Zuschauers wirken. Auf diese Elemente hat zuerst Gerhard Storz den Blick gelenkt, dessen Hinweise Emil Staiger aufgriff und systematisierte. Die aufschlußreiche Sehweise und die Schlußfolgerungen beider Forscher bedürfen freilich einer Korrektur. Storz verweist auf die »Fülle von stimmungskräftigen Einzelzügen« [14], die im »Bereich des Malerischen und des Musikalischen« [15] liegen. Bewußt verwendet Storz in diesem Zusammenhang den Begriff der »Stimmung«: er möchte durch ihn auf eine gewisse Nähe Schillers zu den Romantikern aufmerksam machen und zeigen, »wie Schiller dem romantisch gestimmten Zeitgeist in seinem Drama entspricht« [16]. Dagegen sind ebenso Bedenken zu formulieren wie gegen die Verselbständigung und Isolierung der »stimmungskräftigen Einzelzüge«, die Storz zu betreiben scheint. Er spricht im Blick auf die »neue große Bedeutung« [17] der Bühnenanweisungen und der Musikalität von der »großzügigen Unbedenklichkeit in der Verwendung des Theaterapparates« [18]. Diese Unbedenklichkeit geht Storz zufolge auf Kosten des Sinngefüges der Dichtung: »Eher auf den Zusammenklang des Spiels mit Symbolen, Formen und Klängen ist sie zu befragen als auf ihre sachlich-gedankliche Schlüssigkeit oder nach ihrem tragischen Sinn.« [19] Auch Staiger scheint seine Hinweise zu den typisch theatralischen Formzügen in dieser Tragödie mit der Ansicht zu verbinden, daß sie um den Preis eines »tragischen« Sinngefüges präsentiert würden. »Konstruktion, Erfindung aus der blauen Luft ist alles Gerede von einer ›tragischen Kollision‹«, lesen wir, und in ironischer Distanzierung von den »unverbesserlichen gelehrten Köpfen«, die »ein Trauerspiel als folgerichtige allegorische oder symbolische Darstellung einer Idee betrachten«, stellt er fest: »Bei Schiller dagegen ist die Frage der Bühnenwirksamkeit primär.« [20] Daß es aber Schiller immer zugleich um Fragen des Sinns geht, ist gegen Storz und Staiger geltend zu machen. Die Tragödie der Jungfrau von Orleans verstanden wir durchaus als »symbolische Darstellung einer Idee«: als Darstellung der tragischen Dialektik der Idee, die der Mensch in der Geschichte zu realisieren unternimmt. Sieht man daran vorbei, verzichtet man auf die Erhellung eines in schwieriger Symbolik verborgenen Sinngefüges, dann wird man Schillers künstlerischen Wirkungsabsichten nicht gerecht. Denn sie zielen nicht nur auf eine »wohlerwogene Folge von Entwürfen und Erschütterungen«, »Furcht und Mitleid«, »Katharsis« und »Ruhe« [21], sondern zugleich auf das Erkenntnisvermögen des Zuschauers.

Was Schiller im 6. seiner *Briefe über die Ästhetische Erziehung* als »Trennung in dem innern Menschen« (NA, Bd. 20, S. 329) beschreibt, blieb für ihn eine funda-

---

14 Ebda, S. 353.
15 Ebda, S. 348.
16 Ebda.
17 Ebda, S. 357.
18 Ebda, S. 358.
19 Ebda, S. 365.
20 Staiger, Schiller, S. 404.
21 Ebda, S. 405.

mentale Erfahrung. Die Disharmonie zwischen »Sinnen und Geist«, zwischen »Einbildungskraft« und »Verstand«, zwischen »analytischem Vermögen« und »Phantasie« aufzuheben, erschien ihm als die vordringliche Aufgabe der Kunst. Das bezeugt noch die Vorrede zur *Braut von Messina*, die er kurze Zeit nach der *Jungfrau von Orleans* verfaßt hat. Im Blick auf den Zuschauer kommt es der Dichtung zu, die »Freiheit des Gemüts in dem lebendigen Spiel aller seiner Kräfte« hervorzubringen, d. h. einen höheren idyllenartigen Zustand zu erzeugen. Ideenvermögen und Empfindungsvermögen des Zuschauers sollen gleichermaßen aktiviert werden, die »Reflexion« »mit poetischer Kraft«, d. h. mit der »ganzen sinnlichen Macht des Rhythmus und der Musik in Tönen und Bewegungen begleitet« werden (SA, Bd. 16, S. 126). Schiller zielt demnach auf eine »Erhebung des Tons, die das Ohr ausfüllt, die den Geist anspannt, die das ganze Gemüt erweitert« (SA, Bd. 16, S 126). Von den *Briefen über die Ästhetische Erziehung des Menschen* bis zur Vorrede zur *Braut von Messina* läßt sich eine Kontinuität der Schillerschen Wirkungspoetik nachzeichnen, die der Entfremdung des Menschen in Schillers Zeit Rechnung tragen soll.

a) Die Symbolik der Fahne

Auf die erhöhte Relevanz, die der theatralischen Aktion, dem akustisch-visuellen Theaterapparat in der *Jungfrau von Orleans* zukommt, macht Staiger aufmerksam: »Schäferidyll und höfischer Prunk, Schlachtenlärm und Krönungszug, ein wilder Wald mit Donner und Blitz, der König, umgeben von fliegenden Fahnen: die Augen sind unablässig beschäftigt.«[22] So richtig es ist, daß »die Augen unablässig beschäftigt sind«, mehr jedenfalls als in Schillers früheren Dramen, so wenig darf man sich mit dieser Feststellung begnügen. Die Anschauung hat nämlich zugleich eine geistige Dimension. Jeder sinnliche Einzelzug in dieser Tragödie symbolisiert ein ideelles Motiv, das es zu erkennen gilt. Diese These sei erläutert an Johannas Fahne, die sie für ihr kriegerisches Handeln fordert: »Und eine weiße Fahne laß mich tragen, / Mit einem Saum von Purpur eingefaßt. / Auf dieser Fahne sei die Himmelskönigin / Zu sehen mit dem schönen Jesusknaben, / Die über einer Erdenkugel schwebt, / Denn also zeigte mirs die heilge Mutter.« (V. 1157 ff.)

Die auf der Fahne eingezeichnete Himmelskönigin hat doppelten Symbolwert. Maria, an anderer Stelle als »reine Jungfrau« und »keusche Magd« bezeichnet, ist für Johanna Symbol der Reinheit; diese Reinheit hat sich als Verzicht Marias auf die »irdsche Liebe« ausgewiesen. Indem Johanna die Jungfrau Maria zur Schirmherrin ihres geschichtlichen Auftrags macht, deutet sie auf die Reinheit ihres Auftrags, der gleichfalls den Verzicht auf die »irdsche Liebe« impliziert. Diesen Sachverhalt bringt die Fahne durch die weiße Farbe und durch das Bild Marias zur Anschauung. Die Fahne erhält einen Symbolwert, den Johanna selbst zu formulieren vermag im Dialog mit Burgund: »Lichtweiß wie diese Fahn ist unsre Sache, / Die reine Jungfrau ist ihr keusches Sinnbild.« (V. 1770 f.) Das ist der eine Aspekt, den die Symbolik der Fahne bietet. Der zweite Aspekt ist: Johannas »Sache«, ihr Auftrag, enthält die Idee des ästhetischen Staats, der zweiten höheren Idylle. Die Reinheit des göttlichen Auftrags meint also stets die Reinheit dieser Idee. Die religiöse Idee der Reinheit wird zur Reinheit der Idee umfunktioniert. Wenn Johanna die Fahne im Kampf vor sich herträgt, wird sich der Zuschauer bewußt, daß ihr

22 Ebda, S. 332.

aufgetragen ist, handelnd die Idee einer idealgeschichtlichen Idylle zu bewahren. So vermag Schiller einen unsinnlichen Sachverhalt zu versinnlichen. Ein Abstraktum – die geforderte Reinheit der Idee einer höheren Idylle – wird im konkreten Bild, in einer Fahne, vergegenwärtigt. Sinnliches und geistiges Vermögen des Zuschauers, Anschauen und erkennendes Durchdringen des Angeschauten, werden gleichermaßen beschäftigt und treten damit aus ihrer bedenklichen Isoliertheit heraus. Sie treten in ein Wechselverhältnis, das Schiller durch den Begriff Spieltrieb charakterisiert hat: das Gemüt »fühlt sich durch Abstraktion nicht mehr angespannt, sobald die unmittelbare Anschauung sie begleiten kann« (NA, Bd. 20, S. 357). Indem der Zuschauer in der sinnenhaften Wahrnehmung der Fahne einen unsinnlichen Erkenntnisprozeß vollzieht, löst dieses theatralische Element Schillers theoretisches Postulat ein, wonach die Schönheit »die zwey entgegengesetzten Zustände des Empfindens und des Denkens« verknüpfen soll (NA, Bd. 20, S. 366).

Wenn Johanna dann handelnd die Reinheit der Idee trübt, so versinnbildlicht Schiller das konsequenterweise in ihrer – vergeblichen – Weigerung, die Fahne beim Krönungszug zu tragen. Mit der Durchbrechung des Liebesverbots, d. h. mit der Verletzung der Idee, hat Johanna das Recht verwirkt, die Fahne als Symbol des unbefleckten idealgeschichtlichen Auftrags zu tragen. Das drücken die Bühnenanweisungen aus: »La Hire will ihr die Fahne überreichen, sie bebt schaudernd davor zurück (...) Sie dringen ihr die Fahne auf, sie ergreift sie mit heftigem Widerstreben und geht ab, die andern folgen« (S. 275 und 276). In Johannas Gebärdensprache vor der Fahne erkennt der Zuschauer den tragischen Vorgang als ein Scheitern der Idee. Die damit gesetzte tragische Schuld Johannas veranschaulicht die Bühnenanweisung, die wenig später Johanna ausdrücklich als ihrer Fahne beraubt vorstellt: »Johanna stürzt aus der Kirche heraus, ohne ihre Fahne« (S. 281). Dementsprechend prägt Johanna an dieser Stelle die Wendung vom Verlust »meiner Kindheit, meiner Unschuld Glück!« (V. 2865) Erst durch Buße erreicht sie das Glück der »Unschuld« wieder, und wenn sie in ihrer Todesstunde ihre Fahne wieder verlangt und »ganz frei aufgerichtet« steht, die »Fahne in der Hand« (S. 315), so spricht sich darin aus, daß sie in das ideale Sein der Idee eingehen wird. Die Idee selbst bleibt geschichtlich unrealisierbar, wie die letzte Bühnenanweisung zu verstehen gibt: die Fahne – Sinnbild der Idee – entfällt ihrem Träger, der Jungfrau von Orleans , die sterbend die Fahne unter sich begräbt (»sie sinkt tot darauf nieder«). An der Fahne und ihrem Schicksal bringt Schiller demnach die Idee und ihr Schicksal unmittelbar zur Anschauung. Beispielhaft spiegelt das theatralische Element hier Schillers künstlerische Verfahrensweise, die im Zuschauer »Sinne und Geist«, Abstraktionsvermögen und Anschauung wieder zu versöhnen trachtet. Das Opernhafte, »der Aufwand der sinnlichen Außenseite« [23], den Hegel an der *Jungfrau von Orleans* kritisierte, hat also einen zentralen, ins Sinngefüge der Dichtung hineinreichenden Stellenwert. Die »sachlich-gedankliche Schlüssigkeit« und der »tragische Sinn« [24], die Gerhard Storz zufolge hinter der »großzügigen Unbedenklichkeit des Theaterapparats« verschwinden, lassen sich auf eben diesen Theaterapparat stringent beziehen.

b) Die Wirkungsmöglichkeit des Monologs

Daß diese Beziehung zugleich als ideale Wirkungsabsicht zu verstehen ist, mag nach dem Bereich des Malerischen der Bereich des Musikalischen erläutern. Zu

23 Zitiert nach Herbert Singer: Dem Fürsten Piccolomini. In: Euphorion 53 (1959). S. 289.
24 Storz, Schiller, S. 366.

Recht betonen Gerhard Storz und Emil Staiger dessen ungewöhnliches Gewicht. Zumal in Johannas Monolog ist das lyrisch musikalische Moment ausgeprägt. Aber Staiger mißt ihm nur »romantischen Zauber«[25] zu, ohne seinen Sinngehalt zu erhellen, und geht damit nicht über Storz hinaus, der jede Beziehung zwischen der »süßen Innigkeit romantischer Marienlyrik« und der tragischen Situation in Abrede stellt[26]. Diese Situation hatten wir interpretierend zu ermitteln versucht: das Liebesverbot symbolisiert die Reinheit der Idee; handelnd hat Johanna diese Reinheit preisgegeben, wie die Montgomery-Szene zeigt, und nun bricht – eine notwendige Konsequenz – die Liebe über Johanna herein. Die Durchbrechung des Liebesverbots versinnbildlicht nichts anderes als die Preisgabe der Reinheit der Idee. Diese Preisgabe ist unvermeidbar; gerade die entstellte Geschichte, in der die Idee realisiert werden soll, entstellt die Idee. Da aber der Mensch als handelnder Träger der Idee definiert ist, ist Scheitern im Menschsein angelegt. Johanna erfährt dieses Scheitern in Form des fühlenden und liebenden Herzens, das zu verleugnen der »göttliche« Auftrag verlangt hatte. Schiller beschäftigt das geistige Vermögen des Zuschauers dadurch, daß dieser in Johannas Sprache des Herzens das tragische Schicksal der Idee erkennen soll. Johannas Liebe zu Lionel und ihr Leiden an dieser Liebe ist in einem Erkenntnisprozeß zu erfassen als Symbol für das Scheitern der Idee.

Zugleich aktiviert Schiller aber das »Gefühlsvermögen« des Zuschauers – und zwar ganz im Sinne seiner ästhetischen Theorie: weniger Johannas Empfindungsstrom als solcher soll den Zuschauer überwältigen, vielmehr soll er die Darbietungsformen auf sich wirken lassen, in die Schiller Johannas Affekte übersetzt. Gelegentlich seiner Arbeit an der *Jungfrau von Orleans* spricht sich Schiller für die »Hauptpersonen« aus, die »das Herz nicht anziehen«. Er hält es dem Zuschauer zugute, wenn dieser vor einem Kunstwerk »Neigung und Abneigung« aus dem Spiel läßt und sein »Subjekt mehr verläugnen« könnte. Dazu bedarf es allerdings einer Tragödie, welche »die Gelegenheit vermiede, eine stoffartige Wirkung zu thun« (Jonas, Bd. 6, S. 171 f.). Weil nun die Jungfrau von Orleans schon durch ihr hochdramatisches historisches Schicksal ein stoffartiges »Interesse« erregen könnte, stellt Schiller an sich selbst die Forderung, »durch die Behandlung«, d. h. durch die Formgebung, dieses Interesse herabzumindern. Schiller knüpft hier an seinen in den *Briefen über die Ästhetische Erziehung* dargelegten Gedanken an, den Stoff durch die Form zu vertilgen (NA, Bd. 20, vgl. S. 382). Der Stoff im Monolog Johannas wäre der Affekt, der sie beherrscht, ihre Neigung zu Lionel und ihr Leiden daran. Diesen Affekt in Distanz zu halten ist Schillers Intention, wie Staiger zutreffend deutet[27], und diese Distanz wird einzig durch das Spiel der Form verbürgt. Wie wichtig Schiller dieser Punkt ist, geht aus einem Brief an Charlotte von Stein hervor, der Schiller bescheinigt, daß »sie ihren Gefühlen so viel poetisches Leben einhauchen, so viel Gestalt geben könnte« (Jonas, Bd. 5, S. 140). Das spezifisch Poetische zeige sich darin, daß man »sein eignes Empfinden zum Gegenstand eines heitern und ruhigen Spiels« mache. Die Formgebung entzieht den Affekten ihre unmittelbare Gewalt und erlaubt einen »heiteren« Abstand zu ihnen. Schiller zielt auf jene »Gemütsfreiheit«, die sich »auch im höchsten Sturm der Affekte« (vgl. NA, Bd. 20, S. 382) dank des Spiels der Form bewährt.

---

25 Staiger, Schiller, S. 368.
26 Storz, Schiller, S. 365.
27 Staiger, Schiller, vgl. S. 294.

Eben diesen Spielcharakter bezeugt Johannas Monolog kraft seines ausgesprochen musikalischen, auf die souveräne Setzung des Künstlers zurückweisenden Variationsreichtums. Gerhard Storz erläutert ihn ausgezeichnet: »Mit dem überaus reichen Wechsel der Rhythmen und der kunstvollen Strophenformen, in denen Johanna den Zwiespalt in ihrer Seele offenbart, verbindet sich die Instrumentalmusik, und ihren wechselnden Charkater gibt der Dichter in seinen Weisungen bestimmt genug an: Nunmehr ist wahrhaftig aus dem Monolog ein musikalisches Gebilde geworden, mehr Kantate als nur Arie. Denn rezitative Partien stehen zwischen den kantabilen Strophen.« [28] Die Verwendung der Instrumentalmusik und die an sich schon »kantabilen Strophen« verraten die Nähe des Monologs zur Oper, wie schon Storz und Staiger andeuten. Diese Nähe hat einen auf den Zuschauer bezogenen Sinn, der Schillers Briefwechsel zu entnehmen ist. Darin heißt es einmal: »Die Oper stimmt durch die Macht der Musik und durch eine freiere harmonische Reizung der Sinnlichkeit das Gemüth zu einer schönern Empfängniß; hier ist wirklich auch im Pathos selbst ein freieres Spiel, weil die Musik es begleitet.« (Jonas, Bd. 5, S. 313) Johannas Pathos, ihr Leiden an der Liebe, wird demgemäß überformt vom lösenden und befreienden Charakter der Musik. Diesen Kunstcharakter betont Schiller durch den reichen Wechsel der Rhythmen, der kunstvollen Strophenformen und den wechselnden Charakter der Instrumentalmusik. Hier läßt sich in der Tat einsehen, daß Schiller »der Materie Form ertheilt« (vgl. NA, Bd. 20, S. 343), daß er die Affekte durch die Kunst bemeistert. Die Affekte zählt er unter die »Naturkräfte«, er sieht in ihnen eine fremde »Macht«, die den Menschen versklavt (vgl. NA, Bd. 20, S. 395). Die »Kunst des Scheins« aber, die »von dem Menschen« als »vorstellendem Subjekte sich herschreibt«, bestätigt seine »ungebundne Freiheit«, seine Fähigkeit zum Spiel (NA, Bd. 20, S. 401). Derart will Johannas Monolog dem Zuhörer die »Freiheit des Gemüts« sichern – »die Freiheit des Gemüts in dem lebendigen Spiel aller seiner Kräfte«, jene vollkommene Freiheit also, die in der zweiten höheren Idylle ständig gegenwärtig wäre. Das tragische Pathos Johannas erkennt der Zuschauer als tragische Dialektik der Idee, und diese Erkenntnis vollzieht er zugleich im Medium der Sinne mit, sei es durch die Anschauung der Fahne, sei es durch den empfindenden Nachvollzug des musikalischen Variationsreichtums. Hier wirken Schillers Intentionen aus den *Briefen über die Ästhetische Erziehung* fort. Ihnen zufolge soll die Schönheit »die zwey entgegengesetzten Zustände des Empfindens und Denkens« verknüpfen (NA, Bd. 20, S. 366); »wir treten mit ihr in die Welt der Ideen (...) ohne darum die sinnliche Welt zu verlassen (...) und die Reflexion zerfließt hier (...) vollkommen mit dem Gefühle« (NA, Bd. 20, S. 396). Die »Kunst des Scheins« gewährleistet dem Gemüt die Bemeisterung der Affekte, indem sie zugleich die doppelte, sinnlich-reflexive Natur des Menschen versöhnt, die in Schillers Analyse seiner Zeit als verhängnisvoll entzweit sich darstellte.

c) Die Schlußszene

Daß Schillers Darbietungsformen auf eine paradiesische Gemütsfreiheit zielen, bestätigt die letzte, die versöhnende Schicht der Tragödie. Sie hat ihren Höhepunkt in Johannas Schlußversen: »Seht ihr den Regenbogen in der Luft? / Der Himmel öffnet seine goldnen Tore, / Im Chor der Engel steht sie glänzend da, / Sie hält den ewgen Sohn an ihrer Brust, / Die Arme streckt sie lächelnd mir entgegen. /

---

28 Storz, Schiller, S. 358.

Wie wird mir – Leichte Wolken heben mich – / Der schwere Panzer wird zum Flügelkleide. / Hinauf – Hinauf – Die Erde flieht zurück – / Kurz ist der Schmerz und ewig ist die Freude!« (V. 3536 ff.) Das Tragische, Johannas Tod, wird übergriffen von ihrem Eintritt in das ideelle Sein der Idylle. Gerhard Storz bemerkt zutreffend: »Der Glanz und die milde Glorie der überirdischen Welt, die sich mit soviel Wohlklang in Johannas Worten auftut – eine raffaelische Himmelsszene wird sichtbar, scheinen dem Sterben nicht nur die Bitternis, sondern sogar die Wirklichkeit zu nehmen.« [29] Dem wäre hinzuzufügen, daß der »Wohlklang« von Johannas Worten die »raffaelische Himmelsszenerie« als eine Kunstwelt bewußt macht: die musikalisch-lyrische Versgestalt von Johannas Vision weist diese Vision als dichterische, vom Künstler gesetzte aus. Der Tod Johannas als ein durch die unversöhnte Geschichte bedingter, unausweichlicher Tod bezeugt die Übermacht der Geschichte über den Handelnden; aber diese Übermacht wird überformt von der souveränen Setzung des Dichters, der in Rhythmus und Reim seine Freiheit zum Spiel bezeugt. Die abstrakte Idee der Idylle leuchtet im Medium des sinnlichen Bereichs auf. In Bildern, Rhythmen und Reimen als den sinnlichen Zeichen der abstrakten Idee der Idylle vereinigt Schiller Sinnlichkeit und Reflexion des Zuschauers. Unter diesem Aspekt wäre auch Herbert Singers wichtiger Hinweis weiterzuführen, der »eine kunstreiche Verbindung theatralischer Mittel« festhält: »ein monumentales Schlußbild, Rüstungen und Fahnen, Gruppen und Gesten. Auch hier (...) will Schiller (...) eine wirklichkeitsenthobene Apotheose repräsentieren durch ein Verfahren, das er symbolisch zu nennen vielleicht sich hätte entschließen können.« [30] Gerade die kunstreiche Verbindung theatralischer Mittel verweist auf die souveräne Setzung des Dichters, auf seine Fähigkeit zum Spiel, zur Kunst des Scheins. Theater wird als Theater bewußt gemacht: im Theater selbst wird das Vermögen des Dichters zum Spiel thematisch, an welchem Vermögen auch der Zuschauer partizipiert.

Damit läßt sich der verborgene geschichtliche Sinn von Johannas geschichtsenthobener Apothese aussprechen. Das ideale Sein der Idee, in das Johanna sterbend übertritt, läßt sich in der Geschichte selber nicht herstellen. Die Wirkung der Tragödie soll vollbringen, was dem politischen Handeln im Raum der Tragödie verwehrt ist: die Herbeiführung eines paradiesischen Zustands, der sich als Versöhnung der entzweiten Gemütskräfte des Menschen ausweist. Daß die Realisierung der Idee einer höheren Idylle im Raum der Tragödie scheitern muß, sagt die Kunst, aber sie sagt es in Formen und Darbietungsweisen, die ihrerseits diese Realisierung zu leisten beanspruchen für den entfremdeten Zuschauer in Schillers Zeit.

4. Die Präfiguration des ästhetischen Staats durch den »Wilhelm Tell«

Der am *Wallenstein*, an *Maria Stuart* und an der *Jungfrau von Orleans* aufgewiesene Zusammenhang zwischen Kunst und Wirkungsmöglichkeit der Kunst sei zuletzt am *Wilhelm Tell* nachvollzogen. Der alle Dramen verbindende Aspekt ließe sich als die »Heiterkeit« der Kunst bezeichnen, in die auch der Zuschauer erhoben werden soll. Das Paradiesische dieser »Heiterkeit« ist am bündigsten ausgesprochen in der Wendung von der »Freiheit des Gemüts in dem lebendigen Spiel aller seiner Kräfte«. Dabei ist von Drama zu Drama die veränderte künstlerische Ver-

29 Ebda, S. 353.
30 Singer, Piccolomini, S. 291.

fahrensweise in Rechnung zu stellen, die »Heiterkeit« in diesem paradiesischen Sinn hervorbringen soll. Im *Wallenstein* schien das »Heitere« der Kunst gebunden an eine vom Rhythmus ausgehende Episierung der Sprachform, die dem Zuschauer zur »Gemütsfreiheit« mitten im dramatischen Geschehen verhelfen konnte. Die *Maria Stuart* bezeugte Schillers ungebrochenes Interesse an der Wirkung des Schönen, insofern diese Wirkung dort zum Gegenstand der Dichtung wird. Marias schöne Gestalt zog Mortimer an; aber Marias weniger schöne Menschlichkeit entband in ihm auch einen unheilvollen und unbedenklichen Lebensdrang. Erst im Tod wächst Maria jene paradiesisch schöne Haltung zu, die Schiller in Wort, Mimik, Gewandung, Raumgestaltung und szenischer Bewegung spiegelt. Die Kunst wird zum »heitern Tempel«. Sie beredet nicht nur das Schöne, sondern ist es selbst durch Bild und Szenerie. Ähnliches ließ sich von Mortimers Romerzählung sagen: die Rede über das Schöne war selbst schön durch ihre ausgesprochen musikalische Darbietungsform. Beides, das plastisch-anschauliche und das musikalisch-gefühlsbezogene Moment, bezieht sich auf das sinnliche Vermögen des Zuschauers, der die Erkenntnis geistiger Vorgänge im Medium der Sinne vollziehen soll: Mortimers paradiesische Erfahrung der Kunst in der Versöhnung von Geist und Sinnen soll auch im abgeschiedenen Bereich des Theaters möglich werden. In der *Jungfrau von Orleans* ist die bezeichnete Versöhnung womöglich noch anspruchsvoller: der Zuschauer hat eine über den Bewußtseinshorizont der Figuren hinausgehende symbolisierende Reflexion zu leisten; aber diese Reflexion geschieht im Medium der musikalischen und malerischen Formelemente, die sich gegenüber der *Maria Stuart* potenziert und verdichtet haben. Sie lenken damit den Blick des Zuschauers auf den Kunstcharakter des Dramas, auf die »Kunst des Scheins«, auf das Spielvermögen des Dichters, an dem er teilhat. Im Bewußtsein des Spielcharakters der Dichtung gewinnt er jene »Gemütsfreiheit« gegenüber dem unmittelbar dramatischen, durch stoffliche Affekte bewegten Geschehen, die der Dichter des *Wallenstein* ihm durch die episch breite Reflexion der Figuren zu vermitteln versuchte. Beides, die episch wirkende Redeweise wie die opernhaften Züge des Musikalischen und des unmittelbar Anschaulichen, ist auch in der *Tell*-Dichtung gegenwärtig. Aber dabei werden wir wesentlicher Unterschiede gewahr: Die Reden der Figuren zeichnen sich durch eine neue Simplizität aus und die musikalischen und malerischen Formkräfte ordnen sich nicht dem Geist der Tragödie, sondern dem des Schauspiels unter.

a) Die Rütli-Szene

Der von uns beschriebene harmonisch-versöhnende Grundzug in Schillers Wirkungspoetik tritt noch in seiner Vorrede zur *Braut von Messina* hervor, wie aus folgender Definition des »Poetischen« zu entnehmen ist: »Alles, was der Verstand sich im allgemeinen ausspricht, ist ebenso wie das, was bloß die Sinne reizt, nur Stoff und rohes Element in einem Dichterwerk und wird da, wo es vorherrscht, unausbleiblich das Poetische zerstören; denn dieses liegt gerade in dem Indifferenzpunkt des Ideellen und Sinnlichen.« (SA, Bd. 16, S. 125) Das »Poetische« als Ineinander von Abstraktion und »sinnlichem Leben« soll die intellektuelle Tätigkeit des Zuschauers mit seinem Anschauungs- und Empfindungsvermögen versöhnen. Dieses von den *Briefen über die Ästhetische Erziehung* bis in die Vorrede zur Braut von *Messina* immer von neuem variierte Programm Schillers wirkt nachhaltig in die Gestaltung der Rütli-Szene hinein. Sie kann ausgezeichnet Schillers These erläutern, wonach der *Wilhelm Tell* »Herz und Sinn« des Publikums (Jonas, Bd. 7, S. 57), Empfindung und Geist zugleich aktivieren werde.

Wenn zu Beginn der Rütli-Versammlung »ein Regenbogen mitten in der Nacht« (SA, Bd. 7, V. 975) das Erstaunen erregt: »ein seltsam wunderbares Zeichen! / Es leben viele, die das nicht gesehn« (V. 977 f.), so versinnlicht dieses Zeichen das Ungewöhnliche und Denkwürdige der Versammlung. Die Nacht, die sonst »ihren schwarzen Mantel / Nur dem Verbrechen und der sonnenscheuen / Verschwörung leihet« (V. 1101 ff.), erhält durch dieses Naturphänomen eine verwandelte ideale Bedeutung. Der Dialog der Versammelten steht von Anfang an unter einer Idealität, die sich am Schluß abermals im Bilde der Natur bezeugt. Der Morgen kündigt sich an: »Alle«, vermerkt die Bühnenanweisung, »haben unwillkürlich die Hüte abgenommen und betrachten mit stiller Sammlung die Morgenröte.« (S. 191) Die ideale Idee der Freiheit entäußert sich der Abstraktheit und gewinnt für den Zuschauer Überzeugungskraft, weil sie zugleich in einem Naturphänomen zur Anschauung kommt. »Die reine, ewige Natur (...) entfaltet ihren geheimnisvollen Zauber wieder und verbündet sich in ihrer freien Gesetzlichkeit mit dem Volk, das lieber sterben als seine Freiheit und sein Recht preisgeben will.« [31] Daß dieser Zusammenhang zwischen politischer Absicht und Naturvorgang rituellen Charakter hat, zeigen die Eidgenossen durch das Abnehmen der Hüte ebenso wie durch ihre »stille Sammlung«. Zutreffend bemerkt Staiger: »Sie ehren die Natur wie ein allgegenwärtiges Heiligtum. Im stillen Schauen dieses Heiligtums amtet der Priester. Rösselmann (...) spricht die Worte des Eides vor, des unbegreiflich schlichten und doch die gewaltige Kraft der Landsgemeinde dreimal zusammenraffenden Eides«.[32] Der in drei Teilen vorgesprochene und im Chor jeweils wiederholte Eid erinnert an ausgesprochen kirchliche Übungen. Dieser Sachverhalt rechtfertigt die These Thomas Manns: »Die Rütliszene ist eine ›Handlung‹ ja nur im Sinne von Zeremonie.« [33] Zur Zeremonie aber gehört sinnlicher Aufwand, die Pracht von Bild und Klang, die Schiller zuletzt inszeniert: »Indem sie zu drei verschiedenen Seiten in größter Ruhe abgehen, fällt das Orchester mit einem prachtvollen Schwung ein, die leere Szene bleibt noch eine Zeitlang offen und zeigt das Schauspiel der aufgehenden Sonne über den Eisgebirgen.« (S. 191)

Wie gegen Ende der *Maria Stuart* verwandelt sich die Kunst hier in den »heitern Tempel«, von dem im *Wallenstein*-Prolog die Rede ist. Das »Schauspiel der aufgehenden Sonne«, der »prachtvolle Schwung des Orchesters«, Ritus in Gebärde und Wortführung treten zusammen, um die Theaterbühne zu einer idealen Stätte umzuschaffen. Sie präfiguriert den ästhetischen Staat, die zweite höhere Idylle, die Zielpunkt des Schauspiels ist. Die Gemeinsamkeit der Menschen, manifest in der gemeinsamen Rede, ist eingebunden in die Harmonie mit der Natur; das Tun der Menschen fühlt sich bestätigt durch die übergreifende Welt der Natur, die in Gestalt eines Mondregenbogens und der Morgenröte den Beginn und das Ende ihrer Versammlung feierlich akzentuiert. Diese ideale Verbundenheit zwischen menschlichem Tun und Naturordnung erhält nach dem Ende der Versammlung eine sinnliche Bekräftigung durch den Glanz des Sonnenaufgangs und die Macht der Musik. Die erhebende Idealität des inneren Vorgangs, der alle einzelnen in Harmonie zueinander und zur Natur setzt, gewinnt malerischen und musikalischen Ausdruck. Die wie eine religiöse Gemeinde zusammengeschlossenen und im Einklang mit der Natur sich wissenden Schweizer agieren auf einer höheren Ebene, in die auch der

31 Staiger, Schiller, S. 395.
32 Ebda, S. 395.
33 Mann, Theater, S. 47.

Zuschauer entrückt werden soll. Es ist eine Entrückung im Schillerschen Sinn: kein »leeres Spiel«, wo man sich »nur an Träumen weidet« (SA, Bd. 16, S. 120), sondern eines, das die »Freiheit des Gemüts in dem lebendigen Spiel aller seiner Kräfte« verbürgen soll. Der in Rede und Gegenrede sich entfaltende geistige Vorgang, der zur Begründung und Rechtfertigung der Verschwörung führt, fordert die Reflexion des Zuschauers heraus; indem sich dieser geistige Vorgang aber an sinnliche Phänomene, an den Mondregenbogen, an die Formierung eines Rings, an die Handerhebung und an die Morgenröte bindet, gesellt sich zur Reflexion die Anschauung: Geist und Sinne lösen sich aus ihrer einschränkenden Isoliertheit und entfalten sich, wie die *Briefe über die Ästhetische Erziehung* es intendieren, in einem harmonischen Wechselverhältnis. Auf dieses hat es Schiller offenbar abgesehen, was vom Ende der Rütli-Versammlung her abschließend darzulegen ist. Wir beziehen uns dabei im besonderen auf das Spannungsverhältnis von Sprache und Sprachlosigkeit, Rede und Musik, das bezeichnenderweise auch im Prolog zum *Faust* gegenwärtig ist.

Konstituiert wird die Rütli-Versammlung durch die bindende Macht der Rede. Ihr fällt hier ein besonderes Gewicht zu. Man darf im Blick auf den Gesamtvorgang des Dramas sogar von einem Eigengewicht der Rede sprechen. Denn der Zweck der Versammlung sollte sein, eine Aktion gegen die Tyrannen einzuleiten, und über diesen Zweck schießt die epische Breite vieler Reden weit hinaus. Wir hatten das in unserer Interpretation des Dramas darzulegen versucht. Die Rede trägt der Selbstbesinnung der Eidgenossen Rechnung, die sich als eine Besinnung auf allgemeinere Ideen und Sachverhalte legitimiert. So gewinnt die breite Dialogführung einen unverkennbar gedanklichen Charakter. Zugleich erhält die Rede gesteigerte dramatische Kraft durch den in drei Teilen vorgesprochenen und im Chor wiederholten Eid. Das Wort entfaltet eine Gewalt, die eines Gegengewichts bedarf. Denn die Sprache als die »Exposition des inneren Geistes der Handlung« [34] soll keine einseitige, weder gedankliche noch dramatische Macht über den Zuschauer gewinnen. Und daher läßt Schiller auch die Rütli-Szene im Sprachlosen ausklingen: der »prachtvolle Schwung« des Orchesters und das »Schauspiel der aufgehenden Sonne über dem Eisgebirge« sind die sinnlichen Entsprechungen zur Macht der Idee, wie sie im Rütli-Schwur vorgetragen wird. Daß zur Sprache das Sprachlose, zur Rede die Musik kommt, ist kein Zufall. Vielmehr stehen Bild und Klang symbolisch für eine versöhnende Erhebung ein, wie sie auch der Prolog und das Ende des *Faust*-Dramas leisten. Die Musik übergreift dort die Einheit der Gegensätze und erscheint als sinnlicher Ausdruck des Metatragischen. Auch im *Wilhelm Tell* läßt Schiller zu Anfang eine Musik ertönen, die als symbolischer Ausdruck übertragischen Daseins zu verstehen ist: die »Melodie des Kuhreihens« und das »harmonische Geläut der Herdenglocken« (S. 125) stehen in engstem Zusammenhang mit dem Glück der Idylle, das die erste Szene vergegenwärtigt. Daß in der Schlußszene abermals Musik erklingt, ist gleichfalls Zeichen einer harmonischen Versöhntheit, die sich in den Umarmungen der Eidgenossen und in ihrer neuen Gesellschaft der Freien und Gleichberechtigten ausdrückt. Diese paradiesische Versöhntheit ist im Schauspiel als zentrales Formelement gegenwärtig; sie entfaltet sich mit dem dramatischen Vorgang selbst. Das sollte der Verweis auf die Rütli-Szene zeigen, die noch vor der dramatischen Tat eine paradiesische, sinnlich-geistige Idealität herstellt. Die Anschauung der Idee in Bild und Klang soll das harmonische Wechsel-

---

34 Diese Formulierung Hegels ist zitiert nach Singer, Piccolomini, S. 282.

verhältnis jener Kräfte erzeugen, deren verhängnisvolle Entzweiung und Entfremdung Schiller in seiner Zeit wahrnahm.

b) Der utopische Charakter der Volkstümlichkeit

Die Bürger-Rezension in ihrer Beziehung zum Wilhelm Tell

Die im *Wilhelm Tell* intendierte Versöhnung gründet sich auf eine künstlerische Verfahrensweise, die dem Wort das Bild und den Klang zugesellt und insofern verwandt ist mit der Verfahrensweise in der *Jungfrau von Orleans*. Aber der Unterschied zu dieser Tragödie wie auch zum *Wallenstein* ist gleichfalls zu bedenken. Er liegt in der volkstümlichen Simplizität der Sprachgestalt und der Gebärdensprache. Hat man auf diese Simplizität auch gelegentlich aufmerksam gemacht, so wurden doch ihr Stellenwert im Dramenganzen und ihr wirkungspoetologischer Aspekt bislang nicht aufgewiesen. Möglich wird ein solcher Aufweis nur, wenn man die Querverbindungen zwischen Schillers Schauspiel und seinen dichtungstheoretischen Schriften nachzeichnet, zumal seiner Bürger-Rezension. Deren Beziehung zur Lyrik des ausgehenden 18. Jahrhunderts ist bereits erfaßt worden [35]. Wir wollen versuchen, diese Beziehung auf den *Wilhelm Tell* zu erweitern. Zwar handelt Schillers Bürger-Rezension nur über die Lyrik, aber sein wichtigster Begriff, der Begriff der Popularität, spielt auch in den Briefen über den *Wilhelm Tell* eine beherrschende Rolle. Als »ein Volksstück«, das »Herz und Sinn interessiren« soll (Jonas, Bd. 7, S. 57), charakterisiert Schiller darin sein Schauspiel, und er verspricht, daß es »ein rechtes Stück für das g a n z e P u b l i k u m« werde (Jonas, Bd. 7, S. 93). An die »Volksmäßigkeit« seines Schauspiels, von der ein weiterer Brief handelt (Jonas, Bd. 7, S. 65), bindet Schiller denn auch seine Hoffnung auf breite Theaterwirksamkeit. Der Gedanke an den Volksdichter, den Schiller in der Bürger-Rezension umkreist, drängt sich auf, wenn es bezüglich des Schauspiels heißt: »Wenn mir die Götter günstig sind, das auszuführen was ich im Kopf habe, so soll es ein mächtiges Ding werden, und die Bühnen von Deutschland erschüttern.« (Jonas, Bd. 7, S. 74) Der Volksdichter soll die Kluft überbrücken, die nach Auskunft der Bürger-Rezension Gebildete und Ungebildete in der modernen Geschichte trennt: »Unsre Welt ist die homerische nicht mehr, wo alle Glieder der Gesellschaft im Empfinden und Meinen ungefähr d i e s e l b e Stufe einnahmen, sich also leicht in derselben Schilderung erkennen, in denselben Gefühlen begegnen konnten. Jetzt ist zwischen der A u s w a h l einer Nation und der M a s s e derselben ein sehr großer Abstand sichtbar (...) Ein Volksdichter für unsre Zeiten hätte also bloß zwischen dem A l l e r l e i c h t e s t e n und dem A l l e r s c h w e r s t e n die Wahl: entweder sich ausschließlich der Fassungskraft des großen Haufens zu bequemen und auf den Beifall der gebildeten Klassen Verzicht zu tun – oder den ungeheuren Abstand, der zwischen beiden sich befindet, durch die Größe seiner Kunst aufzuheben und beide Zwecke vereinigt zu verfolgen.« (NA, Bd. 22, S. 247 f.) Der ideale Volksdichter müßte das »Einfache mit dem Erhabenen«, das »Volksgemäße mit dem Bewußten« [36] verbinden. Will die Kunst der »Auswahl« und zugleich der »Masse« der Nation etwas bedeuten, so hat sie die »ganze Weisheit ihrer Zeit« (NA, Bd. 22, S. 246) zu berücksichtigen, auf die der Gebildete Anspruch erhebt; und sie hat zugleich diese »Weisheit«, die »Vorzüge und Erwerbungen« (NA, Bd. 22, S. 246) des philosophierenden Zeitalters, in leicht faßlicher Gestalt darzu-

---

35 Müller-Seidel, Schillers Kontroverse, vgl. besonders S. 311 ff.
36 Ebda, S. 394.

bieten, in Formen, die sich »an den Kinderverstand des Volks anschmiegen« (NA, Bd. 22, vgl. S. 248). Die anspruchvollsten Ideen, die zum geschichtlichen Sinn des Gebildeten sprechen, wären in Darbietungsformen einzubringen, die der einfachen Vorstellungsart der Ungebildeten Rechnung trügen.

Die »Simplizität« der Darbietungsformen

Der Schlüsselbegriff für Schillers Behandlungsweise komplexer Bewußtseinsinhalte lautet »Simplizität« (NA, Bd. 22, S. 248). Und an dieser Simplizität hat sein Schauspiel in einem Grad teil, der es von den vorausgehenden Tragödien deutlich unterscheidet. Zu Recht vermerkt Staiger die »Volkstümlichkeit nicht aller, aber vieler Reden und Dialoge im *Wilhelm Tell,* zumal der Sentenzen« [37], und Gerhard Storz führt aus, daß »durch die einfach-kräftige Sprache wenn nicht Mundart, so doch Volksrede« hindurchklingt. »Mehr noch: das Wort Tells und der Eidgenossen faßt nicht nur fester, knapper zu als die Sprache der vorausgehenden Versdramen – aus ihm dringt zugleich Wärme, ja Herzlichkeit.« [38] Daß demgegenüber die vor dem *Tell* liegenden Dramen durch konzentrierte Stilisierung und anspruchsvolle Syntax die Rezeption erschweren, leidet keinen Zweifel. Schwerlich läßt sich in den Tragödien ein Dialog ausfindig machen, der an Einfachheit des Ausdrucks und Dichte des Gehalts, an Tiefsinn und Faßlichkeit der Sentenz dem Dialog zwischen Tell und Stauffacher vergleichbar wäre. Der bestechend einfache, mühelos nachvollziehbare Gang von Rede und Widerrede enthält fast schon die das Drama strukturierende Thematik: die Gegenüberstellung von Wort und Schweigen, Rat und Tat, Reflexion und Praxis, einzelnem und Ganzem weist auf das Spannungsverhältnis voraus, aus dem der dramatische Vorgang lebt. Dabei greift Tell in seiner Argumentation auf Vorgänge in der Natur zurück, die unmittelbar einleuchten und zugleich seine noch naiv-idyllische, an der Naturordnung orientierte Denkart bezeugen.

Simplizität zeichnet indes nicht nur die Sprachgestalt des Dramas aus. Sie erfaßt auch die szenischen Vergegenwärtigungen anspruchsvoller Sachverhalte und Ideen. Wenn etwa die auf dem Rütli Versammelten sich zu einem Ring formieren, in dessen Mitte der jeweils Redende tritt, und durch »Handerheben über folgenschwere Beschlüsse« abstimmen, so werden diese einfachen Bilder und Gesten mit schlagender Eindringlichkeit zum »Gleichnis der gesetzlichen Selbstbestimmung, der wahren Autonomie« [39]. Eine ähnlich unmittelbare Verbindung zwischen Idee und sinnlichem Ausdruck stellt Schiller dadurch her, daß er die gemeinsame Verbundenheit der Redenden im Zeichen der Freiheitsidee ins Bild des Händereichens und der Umarmung übersetzt oder daß er, wie in der Schlußszene, die vielfältigen Umarmungen zur bildhaften Entsprechung der höheren Idylle erhebt, des ästhetischen Staats, der Stände und Klassen aufhebt zugunsten einer Gemeinschaft der Freien und Gleichberechtigten. Ring, Handerhebung und Umarmung verwirklichen hier etwas vom idealen Volksdichter, der in unkomplizierter Bildregie kompliziertere Vorstellungen versinnlicht: »Selbst die erhabenste Philosophie des Lebens würde ein solcher Dichter in die einfachen Gefühle der Natur auflösen, die Resultate des mühsamsten Forschens der Einbildungskraft überliefern und die Geheimnisse des Denkers in leicht zu entziffernder Bilderschrift dem Kindersinn zu erraten geben.« (NA, Bd. 22, S. 249)

37 Staiger, Schiller, S. 395.
38 Storz, Schiller, S. 423.
39 Staiger, Schiller, S. 392.

Diese Idee einer anspruchsvollen Simplizität ist aber von entscheidender Bedeutung nicht nur für die »Masse«, sondern auch für die »Auswahl« der Nation. Denn Schiller entdeckt im Fortgang seiner Zeit- und Gesellschaftsanalyse, daß die »Auswahl der Nation« weitgehend eine Fiktion ist. Erscheint in der Bürger-Rezension der Stand der Gebildeten als eine soziologische Realität von hohem Rang, so ändert Schiller seine Ansicht im Verlauf der Französischen Revolution. Er führt das politische Versagen dieses Stands auf die Selbstentfremdung der Gebildeten zurück, die diesen Namen eigentlich nicht mehr zu Recht führen. Im fünften der *Briefe über die Ästhetische Erziehung* kritisiert er die »civilisirten Klassen« und die »verfeinerten Stände«, die den »Anblick der Schlaffheit und einer Depravation des Charakters« geben (NA, Bd. 20, S. 320). Diese Depravation beruht darin, daß die »Aufklärung des Verstandes« zur »völligen Abschwörung der Empfindsamkeit« mißbraucht wird; Schillers Tadel gilt dem Aufgeklärten, der das »edelste Gefühl« lästert (NA, Bd. 20, S. 320). Dieser Tadel trifft insbesondere einen typischen Vertreter der »civilisirten Klassen« und »verfeinerten Stände«: den Gelehrten. »Indem der spekulative Geist im Ideenreich nach unverlierbaren Besitzungen strebte, mußte er ein Fremdling in der Sinnenwelt werden« (NA, Bd. 20, S. 325). Schiller kritisiert am »abstrakten Denker« das »kalte Herz« und die kraftlose »Phantasie«; beides führt er auf das »Übergewicht des analytischen Vermögens« zurück (NA, Bd. 20, S. 325). Den Gebildeten ist demnach die Aufklärung des Verstands zu ihrem Nachteil angeschlagen: die sinnlichen Kräfte verarmen; der bloße Verstand erlangt eine verhängnisvolle Übermacht. Daher kommt jetzt der Dichtung erhöhte Relevanz für den »gebildeten« Stand insgesamt zu: sie allein ist es, »welche die getrennten Kräfte der Seele wieder in Vereinigung bringt, welche Kopf und Herz (...) Vernunft und Einbildungskraft in harmonischem Bunde beschäftigt, welche die getrennten Kräfte der Seele wieder in Vereinigung bringt, welche gleichsam den g a n z e n M e n s c h e n in uns wieder herstellt« (NA, Bd. 22, S. 245). Der Dichtung gelingt diese »Herstellung« dadurch, daß sie dem »analytischen Vermögen« des Aufgeklärten die Anschauung zugesellt und das »Ideenreich« durch die »Sinnenwelt« vermittelt. Die Simplizität und Anschaulichkeit des Worts, der Bild-, Gefühls- und Gebärdensprache im *Wilhelm Tell* kommen der einfachen Vorstellungsart der »Masse« entgegen und vergeistigen diese zugleich durch die anspruchsvollen Bewußtseinsinhalte – wie umgekehrt solche Bewußtseinsinhalte dem aufgeklärten Verstand entsprechen, aber durch die anschauliche Einfachheit der sprachlichen, szenischen, gestischen und musikalischen Darbietungsweise zugleich die sinnlichen Kräfte aktivieren. Dem Zuwachs an Geistigkeit und Bewußtsein der kaum Aufgeklärten korrespondiert ein Zuwachs an sinnlicher Energie, Phantasie und Empfindungsvermögen auf seiten der bloß Aufgeklärten. So wird die anschauliche Simplizität der künstlerischen Verfahrensweise zum Mittel, um das Postulat der Bürger-Rezension einzulösen, das in Schillers Briefen über sein Schauspiel wiederkehrt: das Postulat des Volksdichters, der die Kluft zwischen »niederen« und »civilisirten« Klassen durch die Kunst aufzuheben gedenkt. Es ist ein Postulat »fast im Sinne einer Utopie jenes ästhetischen Staats, den diese bedeutende Rezension vorwegzunehmen scheint«[40]. Denn der ästhetische Staat als die zweite höhere Idylle versteht sich als ideale Verbundenheit der mit sich selbst versöhnten Menschen. Diese höhere Idylle im Theater, im Spiel der Zuschauer mit der Kunst vorzubereiten, ist die Intention des *Wilhelm Tell.*

---

40 Müller-Seidel, Schillers Kontroverse, S. 306.

Schlußbemerkung

Der »Ausgang vom Leben und der dauernde Zusammenhang mit ihm« wurde von Dilthey als »erster Grundzug in der Struktur der Geisteswissenschaften« verstanden: »nur in der Rückwirkung auf Leben und Gesellschaft erlangen die Geisteswissenschaften ihre höchste Bedeutung« [1]. Im Umgang mit der deutschen Klassik verschärft sich der Verdacht, daß die Geisteswissenschaften den Ausgang vom realen Leben nur zögernd erneuern. Speziell die an den Geisteswissenschaften orientierten Bildungstätten zeigen an, wie umstandslos aus klassischen Theorien und Kunstwerken sogenannte Lebensanweisungen und Leitbilder destilliert wurden und tradiert werden. Der Organismus-Gedanke in seiner Gestalt als harmonische und kontinuierliche Entwicklung unverwechselbarer Individuen lebt ebenso fort wie ein aus naturgeschichtlichen Kategorien abgeleiteter Geschichtsbegriff oder die Auffassung der Geschichte als anonymes Schicksal, das entsagenden Rückzug ins Private oder erhabenen Aufschwung in die Innerlichkeit zur Bedingung von Selbstbewahrung macht. Parallel dazu wird seit Jahrzehnten die »Krise der Bildung« beschworen [2], fast schon mechanisch und doch im Grund: »Weil ihre Voraussetzung entfielen, lassen die vergangenen Normen nicht wiederum sich aufrichten.« [3] Der Erstarrung entgeht die Beziehung zwischen Geisteswissenschaften und realem Leben in dem Maße, wie das wissenschaftliche Subjekt sein methodisches Vorverständnis an ein geschichtliches Lebensverständnis bindet: an die Einsicht, daß dem individuellen Sein geschichtliche Kräfte, Tradition, Gesellschaft, Ökonomie, vorgeordnet sind; der Prozeß der Veränderung, dem diese Kräfte unterliegen, verändert

---

1 Wilhelm Dilthey: Der Aufbau der geschichtlichen Welt in den Geisteswissenschaften. In: W. D.: Gesammelte Schriften. Bd. VII. Leipzig. Berlin 1927. S. 137 f.

2 Von der »Krise der Bildung« sprach Walter Benjamin 1931 in seinem Aufsatz »Literaturgeschichte und Literaturwissenschaft« (in: W. B.: Angelus Novus. Frankfurt/M. 1966. S. 455).
Martin Walser, der in seinem Aufsatz »Imitation oder Realismus« (in: M. W.: Erfahrungen und Leseerfahrungen. [edition suhrkamp] Frankfurt/M. 1965) leidenschaftlich für eine »Besserung von Klassikeraufführungen« (S. 70) plädierte, wehrt sich gegen die Aktualisierung der längst vergangenen zeitbedingten Problemstellungen und ihre Stilisierung ins Überzeitliche: »Warum aber darf das Vergangene nicht als Vergangenes gezeigt werden? Weil man gebildet ist, weil man von Jugend auf dazu angehalten wird, historische Haltungen zu imitieren.« (S. 70) »Von der Universität bis in die Redaktionen, jeder leistet seinen höchst unabhängigen und höchst sublimen Beitrag, einen allgemeinen brüchigen Idealismus vor realistischen Anfechtungen in Schutz zu nehmen.« (S. 89)

3 Theodor W. Adorno: Ohne Leitbild. In: Th. W. A.: Ohne Leitbild. Parva Aesthetica. (edition suhrkamp) Frankfurt/M. 1967. S. 12.

den Erkenntnisprozeß. Es ergab sich, daß Schillers Klassik von solchem Selbstverständnis her erfaßt werden konnte. »Idyllik und Dramatik im Werk Schillers«: die Fragestellung ließ sich erst in der Reflexion auf die Beziehung zwischen Schillers Werk und seinen Zeiterfahrungen angemessen entfalten. Daher wurden im ersten Kapitel dieser Arbeit die geschichtliche Zeitstelle der Idyllenthematik und ihre zentrale Spiegelung in der ästhetischen Theorie skizziert – eine der Bedingungen für die Erkenntnis der Schillerschen Idyllik im künstlerischen Werk. In seiner Komplexität, seinen Verzweigungen und Figurationen, ließ sich der spezifisch idyllische und dramatische Themenkreis Schillers aber nur von seiner Symbolsprache her aufdecken, deren Eigenart und deren Relevanz sowohl durch naturwissenschaftliche wie durch politisch-gesellschaftliche Anlässe gekennzeichnet schien; Schillers theoretische Begründung dieses zeitbedingten Symbolverfahrens und ihre Folgen für die künstlerische Praxis wurden in einem zweiten Kapitel dargestellt. Damit war die Voraussetzung für eine Interpretation seiner Dramen im dritten Kapitel geschaffen. Ein letztes sollte den bewußt erfaßten Zeitbezug im Blick auf Theorie und Praxis der künstlerischen *Wirkung* hervortreten lassen. Schillers Klassik läßt sich aus gegenwärtiger Erfahrung geschichtlicher Bedingtheit erfassen; noch sein emphatischer Idealismus, manifest in seinen dramatischen Wirkungsabsichten, entspringt der Reflexion auf gesellschaftlich-politische Sachverhalte und verfolgt, in Schillers utopischer Perspektive, ein praktisches Ziel: den »Bau einer wahren politischen Freyheit« (NA, Bd. 20, S. 311) – mag aus der Retrospektive diese Utopie sich auch als unvermittelt zum realen Lebensprozeß der Gesellschaft darstellen, zugeschnitten auf ein Theaterpublikum, dessen ästhetische Erfahrung und dessen Erwerbsleben zusehends auseinanderweisen. Es zeigt sich darin, wie schwierig es für Schiller war, seine Erfahrung der allgemeinen objektiven Tendenzen der Zeit, gewonnen am Beispiel Frankreichs, mit seiner besonderen Situation in zurückgebliebenen kleinstaatlichen Verhältnissen zu vermitteln. Auch daraus ist ein Erkenntniswert abzuleiten: die prinzipielle Schwierigkeit, den Stellenwert des Besonderen im Allgemeinen, partiell verengter Kräfte im Rahmen geschichtlicher Dominanten zu bestimmen. »Die lebendige Historie macht Vergangenes und Fremdes zum Bestandteil eines gegenwärtigen Bildungsprozesses. Die historische Bildung ist Gradmesser der ›plastischen Kraft‹, mit der sich ein Mensch oder eine Kultur in der Vergegenwärtigung des Vergangenen und Fremden selber transparent werden.« [4]

Dieser hermeneutische Sachverhalt ist der Struktur des Dialogs, also der alltäglichsten Erfahrung, selbst immanent. Das ergibt den zweiten Aspekt einer Beziehung zwischen Geisteswissenschaften und realem Lebensprozeß. Einen überlieferten Text verstehen heißt, einen Dialog eröffnen, worin Interpret und interpretierter Gegenstand ihre zeitbedingten Intentionen aneinander entfalten, dialektisch ineinander verschränken, ohne sie doch gegenseitig aufzuheben. Ähnlich hängt alltägliches Handeln von einer Dialogsituation ab, die einen interpretierenden, subjektiv gebrochenen Mitvollzug erfordert. Die Objektivation individueller Absichten in allgemeinen sprachlichen Symbolen gelingt nie ganz; aufgrund eines subjektiv differenzierten Ausdrucksvermögens fordern die Gesprächspartner einander zur deutenden Rezeption des Gesagten auf, einer Rezeption, in welcher derjenige, der sich sprachlich artikuliert hat, durch das Medium des Zuhörers zur Geltung kommt, wie umgekehrt der Zuhörer in der deutenden Aneignung des Gehörten sich dar-

4 Jürgen Habermas: Erkenntnis und Interesse. Frankfurt/M. 1968. S. 357.

stellt. Darauf beruht der unmittelbar »praktische Lebensbezug der Hermeneutik« [5]; sie ist »die wissenschaftliche Form der interpretatorischen Alltagsleistungen« [6]. Der Interpret, der seine geschichtliche Bedingtheit in den Prozeß der Interpretation bewußt einbezieht, übt sich in der dialektischen Verfahrensweise, die Benjamin gegenüber den überlieferten »Werken des Schrifttums« forderte: »in der Zeit, da sie entstanden, die Zeit, die sie erkennt – und das ist die unsere – zur Darstellung zu bringen. Damit wird die Literatur ein Organon der Geschichte und sie dazu – nicht das Schrifttum zum Stoffgebiet der Historie – zu machen, ist die Aufgabe der Literaturgeschichte.« [7]

5 Ebda, S. 222.
6 Ebda, S. 220.
7 Benjamin, Literaturgeschichte, S. 456.

Bibliographie

Die Bibliographie führt die Werke, Briefausgaben und wissenschaftlichen Studien an, aus denen zitiert wurde. Die den zitierten Studien beigefügten Klammern enthalten die in der Arbeit verwendeten Abkürzungen.

I. Werke und Briefe Schillers

Abkürzungen

NA = Schillers Werke. Nationalausgabe. Weimar 1943 ff.
SA = Schillers Sämtliche Werke. Säkularausgabe in 16 Bden. Hrsg. von Eduard von der Hellen. Stuttgart: Cotta 1904–1905.
Jonas = Schillers Briefe. Kritische Gesamtausgabe. Hrsg. und mit Anm. versehen von Fritz Jonas. 7 Bde. Stuttgart 1892–1896.

Zitiert wurden im einzelnen folgende Werke:

Briefwechsel. Schillers Briefe 1. 11. 1798–31. 12. 1800. NA, Bd. 30. Hrsg. von Lieselotte Blumenthal. Weimar 1961.
Die Jungfrau von Orleans. NA, Bd. 9. Hrsg. v. Benno von Wiese und Lieselotte Blumenthal. Weimar 1948.
Etwas über die erste Menschengesellschaft nach dem Leitfaden der mosaischen Urkunde. SA, Bd. 13.
Gedichte. SA, Bd. 1. – NA, Bd. 1. Hrsg. von Julius Petersen und Friedrich Beißner. Weimar 1943.
Maria Stuart. NA, Bd. 3. Hrsg. von Benno von Wiese und Lieselotte Blumenthal. Weimar 1948.
Philosophische Briefe. NA, Bd. 20. Unter Mitwirkung von Helmut Koopmann hrsg. von Benno von Wiese. Weimar 1962.
Über Bürgers Gedichte. NA, Bd. 22. Hrsg. von Herbert Meyer. Weimar 1958. (Zitiert als Bürger-Rezension)
Ueber das Erhabene. NA, Bd. 21. Unter Mitwirkung von Helmut Koopmann hrsg. von Benno von Wiese. Weimar 1963.
Ueber das Pathetische. NA, Bd. 20. Unter Mitwirkung von Helmut Koopmann hrsg. von Benno von Wiese. Weimar 1962.
Über den Gebrauch des Chors in der Tragödie. SA, Bd. 16. (Zitiert als Vorrede zur *Braut von Messina*)
Ueber den Grund des Vergnügens an tragischen Gegenständen. NA, Bd. 20. Unter Mitwirkung von Helmut Koopmann hrsg. von Benno von Wiese. Weimar 1962.
Ueber die Ästhetische Erziehung des Menschen in einer Reihe von Briefen. NA, Bd. 20. Unter Mitwirkung von Helmut Koopmann hrsg. von Benno von Wiese. Weimar 1962. (Zitiert als *Briefe über die Ästhetische Erziehung*)
Über Matthissons Gedichte. NA, Bd. 22. Hrsg. von Herbert Meyer. Weimar 1958. (Zitiert als Matthisson-Rezension)

Ueber Naive und Sentimentalische Dichtung. NA, Bd. 20. Unter Mitwirkung von Helmut Koopmann hrsg. von Benno von Wiese. Weimar 1962.
Wallenstein. NA, Bd. 8. Hrsg. von Hermann Schneider und Lieselotte Blumenthal. Weimar 1949.
Was heißt und zu welchem Ende studiert man Universalgeschichte? SA, Bd. 13.
Wilhelm Tell. SA, Bd. 7.

II. Werke Goethes

Johann Wolfgang von Goethe: Tagebücher. In: Gedenkausgabe der Werke, Briefe und Gespräche. Hrsg. von Ernst Beutler. Zürich und Stuttgart 1949.

Die übrigen Werke Goethes werden zitiert nach: Goethes Werke. Hamburger Ausgabe in 14 Bden.

Die Natürliche Tochter. Bd. 5. Textkritisch durchgesehen und mit Anm. versehen von Erich Trunz. Hamburg 1952.
Campagne in Frankreich. Bd. 10. Textkritisch durchgesehen und mit Anm. versehen von Waltraud Loos. Hamburg 1959.
Alemannische Gedichte. Einleitung in die Propyläen. Maximen und Reflexionen. Der Sammler und die Seinigen. Über Laokoon. Über Wahrheit und Wahrscheinlichkeit der Kunstwerke. Winckelmann. Bd. 12. Mit Anm. versehen von Herbert von Einem (Schriften zur Kunst) und Hans Joachim Schrimpf (Schriften zur Literatur). Textkritisch durchgesehen von Werner Weber. Hamburg 1953.
Zur Farbenlehre. Bd. 13. Textkritisch durchgesehen und mit Anm. versehen von Rike Wankmüller. Hamburg 1955.

III. Allgemeine Literatur

Theodor W. Adorno: Valérys Abweichungen. In: Th. W. A.: Noten zur Literatur II. Frankfurt/M. 1961. S. 42–94. (= Adorno, Valéry) – Ohne Leitbild. In: Th. W. A.: Ohne Leitbild. Parva Aesthetica. (edition suhrkamp) Frankfurt/M. 1967.
Alfred Andersch: Die Blindheit des Kunstwerkes. In: A. A.: Die Blindheit des Kunstwerks und andere Aufsätze. (edition suhrkamp) Frankfurt/M. 1965. S. 21–33.
Roland Barthes: Kritik und Wahrheit. (edition suhrkamp) Frankfurt/M. 1967. (= Barthes, Kritik)
Walter Benjamin: Schicksal und Charakter. In: W. B.: Illuminationen. Frankfurt/M. 1955. S. 47–55. (=Benjamin, Schicksal) – Ursprung des deutschen Trauerspiels. Frankfurt/M. 1963. (= Benjamin, Ursprung) – Literaturgeschichte und Literaturwissenschaft. In: W. B.: Angelus Novus. Ausgewählte Schriften II. Frankfurt/M. 1966. S. 450–456. (= Benjamin, Literaturgeschichte) – Was ist das epische Theater? In: W. B.: Angelus Novus. Ausgewählte Schriften II. Frankfurt/M. 1966. S. 344–351.
Paul Böckmann: Klassik. In: Die Religion in Geschichte und Gegenwart. Bd. 3. Tübingen 1959. Sp. 1633 bis 1640. (=Böckmann, Klassik) – Die Interpretation der literarischen Formensprache. In: P. B.: Formensprache. Schriften zur Literaturästhetik und Dichtungsinterpretation. Hamburg 1966.
Renate Böschenstein: Idylle. (Sammlung Metzler. Abteilung Poetik) Stuttgart 1967. (= Böschenstein, Idylle)
Maurice Boucher: La Révolution de 1789 vue par les écrivains allemands ses contemporains. In: Études de Littérature étrangère et comparée. Paris 1958. (= Boucher, Révolution)
Bertolt Brecht: Anmerkungen zur Oper *Aufstieg und Fall der Stadt Mahagonny*. In: Schriften zum Theater 2. Frankfurt/M. 1963. S. 109–126.

Walter H. Bruford: Die gesellschaftlichen Grundlagen der Goethezeit. Weimar 1936. (= Bruford, Grundlagen) – Culture and Society in Classical Weimar 1775–1806. Cambridge 1962.
Ernst Cassirer: Freiheit und Form. Studien zur deutschen Geistesgeschichte. Berlin 1918. (= Cassirer, Freiheit)
Ralf Dahrendorf: Gesellschaft und Freiheit. Zur soziologischen Analyse der Gegenwart. München 1961. (= Dahrendorf, Gesellschaft)
Wilhelm Dilthey: Der Aufbau der geschichtlichen Welt in den Geisteswissenschaften. In: W. D.: Gesammelte Schriften. Bd. VII. Leipzig. Berlin 1927.
Wilhelm Emrich: Das Problem der Symbolinterpretation im Hinblick auf Goethes *Wanderjahre*. In: DVjs. 26 (1952). S. 331–352.
Albert Funder: Die Ästhetik des Frans Hemsterhuis und ihre historischen Beziehungen. Bonn 1913.
Hans-Georg Gadamer: Wahrheit und Methode. Grundzüge einer philosophischen Hermeneutik. Tübingen 1965. (= Gadamer, Wahrheit)
Jürgen Habermas: Erkenntnis und Interesse. Frankfurt/M. 1968.
Hans-Egon Hass: Goethe. *Die Natürliche Tochter*. In: Das deutsche Drama I. Hrsg. von Benno von Wiese. Düsseldorf 1964. S. 217–249. (= Hass, Goethe. *Die Natürliche Tochter*)
Georg Wilhelm Friedrich Hegel: Ästhetik I. In: G. W. F. H.: Sämtliche Werke. Jubiläumsausgabe in 20 Bden. Hrsg. von Hermann Glockner. Bd. 12. Stuttgart 1953. (= Hegel, Ästhetik)
Hermann Hettner: Geschichte der deutschen Literatur im 18. Jahrhundert. Leipzig 1928.
Karl Jaspers: Vom Ursprung und Ziel der Geschichte. Frankfurt/M. Hamburg 1956.
Hans Robert Jauss: Form und Auffassung der Allegorie in der Tradition der Psychomachia. In: Medium Aevum Vivum. Festschrift für Walter Bulst. Hrsg. von Hans Robert Jauss und Dieter Scholler. Heidelberg 1960. S. 179–206.
O. J. Matthijs Jolles: Goethes Anschauung des Schönen. In: Deutsche Beiträge zur geistigen Überlieferung. Bd. III. Bern 1957. S. 89–117. (= Jolles, Goethe)
Werner Krauß: Über die Stellung der Bukolik in der ästhetischen Theorie des Humanismus. In: Archiv für das Studium der neueren Sprachen 174 (1938). S. 180–198.
Karl Löwith: Weltgeschichte und Heilsgeschichte. Stuttgart 1961. (= Löwith, Weltgeschichte)
Georg Lukács: Goethe und seine Zeit. Bern 1947. (= Lukács, Goethezeit)
Hans-Joachim Mähl: Die Idee des goldenen Zeitalters im Werk des Novalis. Heidelberg 1965. (= Mähl, Novalis)
Thomas Mann: Leiden und Größe Richard Wagners. In: Th. M.: Gesammelte Werke. Bd. IX. Reden und Aufsätze. Frankfurt/M. 1960. – Versuch über das Theater. In: Gesammelte Werke. Bd. X. Reden und Aufsätze. Frankfurt/M. 1960. (= Th. Mann, Theater)
Herbert Marcuse: Triebstruktur und Gesellschaft. Frankfurt/M. 1965. (=Marcuse, Triebstruktur)
Fritz Martini: Poetik. In: Deutsche Philologie im Aufriß. Hrsg. von Wolfgang Stammler. 2. Auflage. Bd. II. Berlin 1957. Sp. 223–279. – *Weh dem, der lügt* / oder von der Sprache im Drama. In: Die Wissenschaft von deutscher Sprache und Dichtung. Festschrift für Friedrich Maurer. Hrsg. von Werner Besch, Siegfried Grosse und Heinz Rupp. Stuttgart 1963. S. 438–457.
Herman Meyer: Hütte und Palast in der Dichtung des 18. Jahrhunderts. In: Formenwandel. Festschrift zum 65. Geburtstag von Paul Böckmann. Hrsg. von Walter Müller-Seidel und Wolfgang Preisendanz. Hamburg 1964. S. 138–155. (= Meyer, Hütte und Palast)
Curt Müller: Die geschichtlichen Voraussetzungen des Symbolbegriffes in Goethes Kunstanschauung. Leipzig 1937. (= Müller, Symbolbegriff)
Walter Müller-Seidel: Die Allegorie des Paradieses in Grimmelshausens *Simplicissimus*. In: Medium Aevum Vivum. Festschrift für Walter Bulst. Hrsg. von Hans Robert Jauss und Dieter Scholler. Heidelberg 1960. S. 253–278. (= Müller-Seidel, Allegorie) – Versehen und Erkennen. Eine Studie über Heinrich von Kleist. Köln. Graz 1961. (= Müller-Seidel,

Versehen und Erkennen) – Kleist und die Gesellschaft. Eine Einführung. In: Kleist und die Gesellschaft. Eine Diskussion. Hrsg. von Walter Müller-Seidel. Berlin 1965. S. 19–31.
Ulfert Ricklefs: Hermeneutik. In: Das Fischer Lexikon. Literatur II. 1. Teil. Hrsg. von Wolf-Hartmut Friedrich und Walter Killy. Frankfurt/M. 1965. S. 277–293. (= Ricklefs, Hermeneutik)
Wolfgang Schadewaldt: Hellas und Hesperien. Stuttgart 1960.
Friedrich Schlegel: Über Lessing. In: Fr. Sch.: Charakteristiken und Kritiken I (1796 bis 1801). Kritische Ausgabe. 2 Bd. 1. Abteilung. München. Paderborn. Wien 1967.
Franz Schnabel: Deutsche Geschichte im Neunzehnten Jahrhundert. Freiburg 1947. (= Schnabel, Geschichte)
H.-H. Schrey: Theodizee. In: Die Religion in Geschichte und Gegenwart. Bd. VI. Tübingen 1962. Sp. 739–743.
Friedrich Sengle: Vom Absoluten in der Tragödie. In: DVjs. XX (1942). S. 265–272. (= Sengle, Tragödie) – Formen des idyllischen Menschenbildes. In: Formenwandel. Festschrift zum 65. Geburtstag von Paul Böckmann. Hrsg. von Walter Müller-Seidel und Wolfgang Preisendanz. Hamburg 1964. S. 156–171. Auch in: F. S.: Arbeiten zur deutschen Literatur 1750–1850. Stuttgart 1965. S. 212–231. (= Sengle, Formen)
Irena Slawinska: Les problèmes de la structure du drame. In: Stil- und Formprobleme in der Literatur. Heidelberg 1959. S. 108–114.
Bruno Snell: Die Entdeckung des Geistes. Hamburg 1960.
Bengt Algot Sörensen: Symbol und Symbolismus in den ästhetischen Theorien des 18. Jahrhunderts und der deutschen Romantik. Kopenhagen 1963. (= Sörensen, Symbol)
Peter Szondi: Theorie des modernen Dramas. (edition suhrkamp) Frankfurt/M. 1959.
Paul Valéry: Windstriche. Frankfurt/M. 1959.
Karl Viëtor: Die Idee des Erhabenen in der deutschen Literatur. In: K. V.: Geist und Form. Aufsätze zur deutschen Literaturgeschichte. Bern 1952. S. 234–266.
Martin Walser: Imitation oder Realismus? In: M. W.: Erfahrungen und Leseerfahrungen. (edition suhrkamp) Frankfurt/M. S. 66–93.

IV. Literatur zu Schiller

Ludwig Bellermann: Schillers Dramen. Berlin 1891.
Wolfgang Binder: Ästhetik und Dichtung in Schillers Werk. In: Schiller. Reden im Gedenkjahr 1959. Im Auftrag der Deutschen Schillergesellschaft hrsg. von Bernhard Zeller. Stuttgart 1961. S. 9–36. (= Binder, Ästhetik.) (Vgl. den Aufsatz desselben Verfassers: Die Begriffe »naiv« und »sentimentalisch« und Schillers Drama. In: Jahrbuch der Deutschen Schillergesellschaft IV (1960). S. 140–157.
Paul Böckmann: Gedanke, Wort und Tat in Schillers Dramen. In: Jahrbuch der deutschen Schillergesellschaft IV (1960). S. 2–41. (= Böckmann, Gedanke, Wort und Tat).
Edith Braemer: *Wilhelm Tell.* In: Edith Braemer, Ursula Wertheim: Studien zur deutschen Klassik. Berlin 1960. (= Braemer, Wilhelm Tell)
Richard Brinkmann: Romantische Dichtungstheorie in Friedrich Schlegels Frühschriften und Schillers Begriffe des Naiven und Sentimentalischen. Vorzeichen einer Emanzipation des Historischen. In: DVjs. XXX (1958). S. 344–371.
Reinhard Buchwald: Schiller. Wiesbaden 1954. (= Buchwald, Schiller)
Peter Coulmas: Wallenstein contra Schiller. In: Zeitschrift für Deutschkunde 55 (1941). S. 310–322.
Friedrich Dürrenmatt: Friedrich Schiller. In: F. D.: Theaterschriften und Reden. Zürich 1966. S. 214–233. (= Dürrenmatt, Schiller) – Schillers Wilhelm Tell. In: F. D.: Theaterschriften und Reden. Zürich 1966. S. 324–326. (= Dürrenmatt, Wilhelm Tell)
G. W. Field: Schiller's theory of the Idyl and Wilhelm Tell. In: Monatshefte für dt. Unterricht, dt. Sprache und Literatur 42 (1950). S. 13–21.
John R. Frey: Schillers Schwarzer Ritter. In: The German Quarterly 32 (1959). H. 4. S. 302–315.

Gerhard Fricke: Schiller und die geschichtliche Welt. In: G. F.: Studien und Interpretationen. Frankfurt/M. 1956. S. 95–118. – Nachwort zu: Friedrich Schiller. Werke in 3 Bden. Unter Mitwirkung von Gerhard Fricke hrsg. von Herbert G. Göpfert. Bd. III. München 1966. S. 755–773.

Käte Hamburger: Zum Problem des Idealismus bei Schiller. In: Jahrbuch der deutschen Schillergesellschaft IV (1960). S. 60–71.

Rudolf Haym: Schiller an seinem hundertjährigen Jubiläum. In: R. H.: Gesammelte Aufsätze. Berlin 1903. S. 49–120.

G. W. F. Hegel: Über *Wallenstein.* In: Meister der deutschen Kritik 1730–1830. Hrsg. von Gerhard F. Hering. München 1961. S. 303–305.

Clemens Heselhaus: Wallensteinsches Welttheater. In: DU 12 (1960). H. 2. S. 42–71. (= Heselhaus, Welttheater).

Wilhelm von Humboldt: Über Schiller und den Gang seiner Geistesentwicklung. In: W. v. H.: Werke in 5 Bden. Hrsg. von Andreas Flitner und Klaus Giel. Darmstadt 1961. Bd. II. S. 357–394. (= Humboldt, Schiller)

Heinz Ide: Zur Problematik der Schiller-Interpretation. Überlegungen zur *Jungfrau von Orleans.* In: Jahrbuch der Wittheit zu Bremen VIII (1964). S. 41–91. (= Ide, Jungfrau von Orleans)

O. J. Matthijs Jolles: Das Bild des Weges und die Sprache des Herzens. Zur strukturellen Funktion der sprachlichen Bilder in Schillers *Wallenstein.* In: Deutsche Beiträge zur geistigen Überlieferung V (1965). S. 109–142.

Gerhard Kaiser: Johannas Sendung. Eine These zu Schillers *Jungfrau von Orleans.* In: Jahrbuch der deutschen Schillergesellschaft X (1966). S. 205–236. (= Kaiser, Johannas Sendung)

Gustav Kettner: Wilhelm Tell. Eine Auslegung. Berlin 1909.

Werner Kohlschmidt: Tells Entscheidung. In: Schiller. Reden im Gedenkjahr 1959. Im Auftrag der Deutschen Schillergesellschaft hrsg. von Bernhard Zeller. Stuttgart 1961. S. 87–101. (= Kohlschmidt, Tell.)

Max Kommerell: Schiller als Gestalter des handelnden Menschen. Frankfurt/M. 1934. (= Kommerell, Schiller.)

Hermann August Korff: Geist der Goethezeit. 2. Teil. Leipzig 1930. S. 238–263. (= Korff. Goethezeit, 2)

Robert Leroux: L'idéologie politique dans *Guillaume Tell.* In: Etudes Germaniques 10 (1955). S. 128–144.

Wolfgang Liepe: Friedrich Schiller und die Kulturphilosophie des 18. Jahrhunderts. Zur Deutung der *Jungfrau von Orleans.* In: W. L.: Beiträge zur Literatur- und Geistesgeschichte. Neumünster 1963. S. 95–105.

Georg Lukács: Schillers Theorie der modernen Literatur. In: G. L.: Goethe und seine Zeit. Bern 1947. S. 78–109. (= Lukács, Schiller)

William Faulkner Mainland: Schiller and the Changing Past. London 1957. (= Mainland, Schiller.)

Fritz Martini: Wilhelm Tell. Der ästhetische Staat und der ästhetische Mensch. In: DU 12 (1960). H. 2. S. 90–118. (= Martini, Wilhelm Tell.)

Kurt May: Friedrich Schiller. Idee und Wirklichkeit im Drama. Göttingen 1948. (= May, Schiller)

Hans Mayer: Schillers Gedichte und die Traditionen deutscher Lyrik. In: Jahrbuch der deutschen Schillergesellschaft IV (1960). S. 72–89.

Joachim Müller: Das Edle in der Freiheit. Leipzig 1959.

Walter Müller-Seidel: Das Pathetische und das Erhabene in Schillers Jugenddramen. Diss. Heidelberg 1949. – Zum gegenwärtigen Stand der Schillerforschung. In: DU 4 (1952). H. 5. S. 97–115. – Schillers Kontroverse mit Bürger und ihr geschichtlicher Sinn. In: Formenwandel. Festschrift zum 65. Geburtstag von Paul Böckmann. Hrsg. von Walter Müller-Seidel und Wolfgang Preisendanz. Hamburg 1964. S. 294–318. (= Müller-Seidel, Schillers Kontroverse)

Walther Rehm: Schiller und das Barockdrama. In: W. R.: Götterstille und Göttertrauer. Aufsätze zur deutsch-antiken Begegnung. München 1951. S. 62–100.
Max Rouché: Nature de la liberté, légitimité de l'insurrection dans *Les Brigands* et *Guillaume Tell*. In: Etudes Germaniques 14 (1959). S. 403–410.
Horst Rüdiger: Schiller und das Pastorale. In: Euph. 53 (1959). S. 229–251. (= Rüdiger, Das Pastorale)
Hermann Schneider: Vom Wallenstein zum Demetrius. Stuttgart 1933. (= Schneider, Wallenstein.) – Einführung in das Drama (*Wallenstein*). In: NA, Bd. 8. S. 357–398.
Hans Schwerte: Simultaneität und Differenz des Wortes in Schillers *Wallenstein*. In: G. R. M. XV (1965). S. 15–25. (= Schwerte, Simultaneität)
Oskar Seidlin: Wallenstein. Sein und Zeit. In: O. S.: Von Goethe zu Thomas Mann. Göttingen 1963. S. 120–135. (= Seidlin, Wallenstein)
Herbert Singer: Dem Fürsten Piccolomini. In: Euph. 53 (1959). S. 281–302. (= Singer, Piccolomini)
E. L. Stahl: Friedrich Schillers Drama. Oxford 1954. (= Stahl, Schiller)
Emil Staiger: Schiller. Zürich 1967. (= Staiger, Schiller)
Gerhard Storz: Der Dichter Friedrich Schiller. Stuttgart 1959. (= Storz, Schiller)
Hans Günter Thalheim: Notwendigkeit und Rechtlichkeit der Selbsthilfe in Schillers *Wilhelm Tell*. In: Goethe-Jahrbuch. Neue Folge 18 (1956). S. 216–257. (= Thalheim, *Wilhelm Tell*)
Hans August Vowinckel: Schiller, der Dichter der Geschichte. Eine Auslegung des *Wallenstein*. Berlin 1938. (= Vowinckel, Schiller)
Benno von Wiese: Friedrich Schiller. Stuttgart 1959. (= von Wiese, Schiller)